MONIKA SZWAJA

Stateczna i postrzelona

Prószyński i S-ka

Projekt okładki:
Maciej Sadowski

Redaktor prowadzący serię:
Jan Koźbiel

Redakcja:
Henryk Cybulka

Redakcja techniczna:
Elżbieta Urbańska

Korekta:
Mariola Będkowska

Łamanie:
Ewa Wójcik

ISBN 83-7337-945-2

Wydawca:
Prószyński i S-ka SA
02-651 Warszawa, ul. Garażowa 7

Druk i oprawa:
OPOLGRAF Spółka Akcyjna
45- 085 Opole, ul. Niedziałkowskiego 8–12

Powiastkę tę pozwalam sobie zadedykować Pani Stefanii Grodzieńskiej z podziękowaniem za niezwykłą mądrość, dystans i poczucie humoru, bez którego życie nie miałoby sensu, a w każdym razie nie dałoby się tak łatwo znieść...

A nie mogłabym tej książki napisać, gdyby nie doświadczenia, które zawdzięczam moim „końskim" przyjaciołom:

– Kaziowi, który uparł się udowodnić mi, że jazda konna jest rzeczą wspaniałą...

– Róży, która nauczyła mnie (odrobinkę) jeździć na koniu...

– Markowi, który jednym ruchem zawodowca wrzucał mnie na siodło i który kiedyś (publicznie i kłamliwie) zawołał bardzo głośno: świetnie anglezujesz, Moniko!...

– Gyorgowi czyli Jurkowi, który pożyczył mi własne spodnie, które to z kolei spodnie pozwoliły mi kiedyś pokonać dwudziestodwukilometrową trasę na końskim grzbiecie... i dzięki któremu ten jeden, jedyny raz jechałam na czele zastępu (jego Gamina bała się kołka na drodze, a mój Gloger nie – a zastęp był dwuosobowy)...

– i oczywiście: Jani, Jaskini, Gaminie, Nikiforowi, Glogerowi, Broszurze, a przede wszystkim Bobrycy...

Ponadto: Luli i Emilce dziękuję za pożyczenie imion!
A Pawłowi M. za bezcenne konsultacje policyjne.

– Droga pani. Ja nie chcę pani niczego narzucać...
– To niech mi pan nie narzuca! Niech pan coś wymyśli!
– Nie jest mi łatwo wymyślić coś, czego bym już pani nie proponował. A wszystko, co proponowałem, pani odrzuciła. Terapia grupowa według pani nie wchodzi w grę...
– Oczywiście, że nie wchodzi. Nie będę się spowiadała nieznajomym ludziom!
– To nie spowiedź, tłumaczyłem przecież...
– Odpada!
– Terapia indywidualna też pani nie odpowiada...
– Mówiłam już panu – głównie finansowo!
– No tak, ale ja nie mogę czynić wyjątków nawet dla najpiękniejszych pacjentek...
– No więc może jednak zapisze mi pan jakieś pigułki, po których mi ta cholerna nerwica przejdzie! Żeby mi się koszmary nie śniły po nocach!
– Nie ma pigułek, które to pani zagwarantują. Poza tym... farmakoterapii ja sam bym nie chciał polecać; kiedy czytam o skutkach ubocznych, jakie miewają najbardziej renomowane specyfiki, robi mi się słabo.
– No to co pan poleca?
– Już mówiłem.
– Pan żartuje. Mam pisać dzienniczek jak jakaś niewydarzona pensjonarka?
– Może pani to ująć inaczej. Jak Proust na przykład. Albo jak Maria Dąbrowska. Albo jak Tyrmand...
– Pan sobie ze mnie kpi, a ja naprawdę cierpię!
– Wiem, droga pani. A ja naprawdę traktuję panią poważnie, proszę mi wierzyć.

– Nie wierzę.

– A niesłusznie. Niech pani posłucha. Z naszej krótkiej, acz burzliwej rozmowy wywnioskowałem, że jest pani osobą wybitnie inteligentną... proszę nie dziękować, naprawdę tak uważam. I proszę mi nie przerywać! Posiada pani też silny charakter, który pozwoli pani uporać się z problemami, które przyniosły pani ostatnie tygodnie. Bez niczyjej pomocy. Proszę zauważyć, że podkopuję tu własny interes, bo mógłbym pani wmawiać, że bez kosztownych seansów na tej tu leżance nie odzyska pani normalnej kondycji psychicznej. O, śmieje się pani. Jak miło. No więc proszę kupić sobie zeszycik w kratkę, czy tam w linijkę...

– Mam laptopa.

– Świetnie. W niczym nie będzie pani przypominała niewydarzonej pensjonarki. Umówmy się zatem, że za pomocą tego laptopa od dzisiejszego już wieczoru zacznie pani porządkować na piśmie swoje życie. Proszę pisać uczciwie, to nie będzie do publikacji, tylko do pani własnego, że się tak wyrażę, użytku wewnętrznego. Nie musi pani pisać chronologicznie, natomiast koniecznie proszę spróbować komentować wydarzenia. Rozumie pani, co mam na myśli? Szukać związków przyczynowych. Zastanawiać się w tym dzienniku, skąd się biorą problemy i czy naprawdę są problemami. A jeśli są, to czy naprawdę są nierozwiązywalne, jakby się z początku wydawało. Poradzi sobie pani?

– Sądzę, że tak.

– Jestem tego pewien. Proszę się starać pisać codziennie, ale broń Boże, nie na siłę. Jeżeli pani zawali jeden czy dwa dni, nic się nie stanie. Na początek proszę opisać swoje obecne kłopoty i to, co ma pani zamiar z nimi zrobić. A za dwa miesiące, jeżeli metoda nie poskutkuje, proszę się zgłosić, jedną wizytę u mnie będzie pani miała za darmo.

– A jeśli poskutkuje?

– To przyśle mi pani pocztówkę z meldunkiem, że wszystko w porządku. Zgoda?

– Zgoda, doktorze. Ależ z pana szarlatan. Miał mnie pan leczyć, a wszystko zwalił pan na mnie!

– To moja nowa metoda. Opatentuję ją. Wszystkiego dobrego, pani Emilio!

Emilka

Łatwo takiemu powiedzieć – niech pani pisze. Kiedy ja prawdopodobnie nie umiem pisać. Moja nauczycielka polskiego twierdziła zawsze, że nie powinnam nigdy w życiu wyjść z pisaniem poza wypełnianie formularzy. Bardzo się ucieszyła, kiedy jej powiedziałam, że idę na studia rolnicze. Swoją drogą, złośliwa jędza, sama też robiła błędy językowe. Mówiła „pomarańcz". I „winogron". I uważała, że Gałczyński wszystkie swoje wiersze napisał w delirium, bo ktoś jej powiedział, że facet się upijał w Klubie 13 Muz. W Muzach wszyscy się upijali, po to one są.

Kłopoty.

Mam przeanalizować swoje kłopoty i zastanowić się, dlaczego w nie wpadłam. Oraz czy jestem w stanie z nich wypaść samodzielnie.

Samodzielnie – nie ma mowy. Zresztą nie ma chyba takiej potrzeby, bo jest kochana, stara Lula. Dobrze, że nie wie, że piszę o niej „stara". Ale ma już swoje trzydzieści pięć. A ja mam dwadzieścia pięć. I trzy czwarte, niech będzie.

No właśnie. I w ciągu tych dwudziestu pięciu cóż to ja zdążyłam osiągnąć? Skończyłam studia, owszem. Bardzo przyjemna specjalność – ogrodnictwo. Ogrodnictwo – rzecz święta; Pan Bóg, gdy świat stworzył, najpierw se na uciechę ogródek założył. Ciekawe, kto to napisał. Wiedziałam, ale zapomniałam. Muszę spytać Lulę.

No. I w tym ogrodnictwie nie przepracowałam ani godziny, jeżeli nie liczyć podlewania kwiatków w doniczkach w willi na Żelechowie.

Boże, jaka to była piękna willa! A jaki widok na Odrę i te wszystkie płynące statki! A jak cudnie było opalać się na tarasie, kiedy Leszek donosił kolorowe drinki...

To se ne vrati, pani Hawrankowa. Zaraz, miałam pisać po porządku.

Leszek – Lesław Brzezicki – to był mój konkubent. Tak to się nazywa, ale mnie się to nie podoba. Kochanek to też nie jest właściwe określenie. Narzeczony. Mieliśmy się pobrać. W bliżej nieokreślonej przyszłości. Poznaliśmy się na Juvenaliach, na których zostałam wybrana Królową Piękności. Nie był to pierwszy raz, z tą królową, bo na drugim i trzecim roku też nią byłam. A ten trzeci raz to już była końcówka studiów, przed samym dyplomem. Strasznie mu się spodobałam i przyleciał po wyborach z takim ogromniastym bukietem tulipanów, za które zapłacił pewnie majątek, bo już było po sezonie na tulipany, poza tym to była bardzo rzadka, holenderska odmiana.

Czy powinnam już wtedy podejrzewać go o coś?

A skądże. Normalny, młody facet, któremu się powiodło. O pięć lat starszy ode mnie. Po studiach marketingowych, pracował najpierw w agencji reklamowej, a potem został jej współwłaścicielem. A jeszcze potem spłacił kolegę i już był całym właścicielem, prezesem i capo di tutti capi. Mieli straszliwe obroty, korzystały z ich usług różne Proctery and Gamble, Johnsony and Johnsony, pampersy, szampony, margaryny i Bóg wie, co jeszcze. Tak przynajmniej twierdził mój Lesio, obrzucając mnie diamentami. No, może diamentami to on mnie nie obrzucał szczególnie często – jeden pierścionek nie czyni wiosny – ale żyło mi się z nim dostatnio i przyjemnie. Całe półtora roku. Prawie dwa lata.

Dlaczego mi się z nim w ogóle żyło?

Bo się zakochałam. Nie jest to nic nagannego, nie zakochałam się dlatego, że miał kupę forsy, tylko dlatego, że recytował mi Gałczyńskiego (tego pijaka), patrzył na mnie maślanymi oczami i mówił, że mnie kocha nad życie. Poza tym po prostu podobał mi się nieprzytomnie, przystojny był i chciałam go mieć, a jak już miałam, to szybko poleciało – wpadłam jak jaka smarkata.

Dlaczego żerowałam na nim, zamiast pójść do uczciwej pracy?

Dobrze. To jest może pierwszy haczyk na mnie. Nie powinnam była zawisać na facecie tylko dlatego, że było go stać na utrzymanie narzeczonej. Powinnam była znaleźć sobie pracę, możliwie ciężką i harować jak wołek roboczy, psując sobie manicure i hodując kwiatki rzadkich odmian. Na przykład w Zarządzie Zieleni Miejskiej – na klombach albo na cmentarzu. Zaraz, zaraz. Akurat w Zarządzie Zieleni już czekali na mnie z otwartymi ramionami. Nigdzie na mnie nie czekali z żadnymi ramionami. Nie ma pracy ogólnie, nie ma i dla świeżo upieczonych ogrodników po szczecińskiej akademii. Mogłam sobie założyć kwiaciarnię. Też nie do końca. Bo żeby założyć kwiaciarnię, trzeba mieć jakiś kapitał zakładowy. A ja żadnego kapitału nigdy nie posiadałam. Leszek posiadał, ale gdybym założyła kwiaciarnię za jego pieniądze, to też by wyszło, że na nim żeruję. Jeden diabeł.

Uważam, że co do żerowania, to jestem usprawiedliwiona. Ostatecznie są na świecie niepracujące żony i nikt przytomny nie ma im za złe, że utrzymują ich mężowie.

Ale ten mój prawie mąż okropnie mnie oszukiwał.

A skąd ja miałam o tym wiedzieć? Nie siedziałam mu w księgach i jak mówił, że ta najnowsza reklama pasty do zębów Blend-a-med, co to lata przed każdymi „Wiadomościami", w najdroższym paśmie reklamowym, to dzieło jego agencji – to mu wierzyłam!

No i przejechałam się na tej wierze w Lesia Brzezickiego. Strasznie się przejechałam.

To w ogóle wyglądało jak scena z jakiegoś tandetnego filmu o gangsterach.

Mieliśmy wybrać sobie wycieczkę do jakiegoś przyjemnego, ciepłego kraju, bo Leszek pracował ostatnio bardzo dużo, dwa lata nie miał urlopu (wyskakiwaliśmy wprawdzie kilka razy na narty i na żagle, ale to dosłownie na trzy-cztery dni) – tym razem to miały być trzy tygodnie w dowolnie przeze mnie wybranym zakątku świata. Oglądaliśmy foldery, których naznosił do domu chyba ze cztery kilogramy, atmosfera się zrobiła taka jakaś beztroska... o mało to się nie skończyło w łóżku, tylko że w jakimś momencie zadzwonił telefon. Leszek odebrał i natychmiast się zdenerwował. Zaczął kląć jak furman do tej słuchawki, potem kazał mi wziąć prysznic. Trochę się na niego obraziłam, bo jeżeli chciał sobie swobodnie porozmawiać, to mógł wyjść do drugiego pokoju, przecież ja bym go nie podsłuchiwała! Ale i tak miałam zamiar się wykąpać, bo jakoś tak parno było tego dnia, czułam się trochę nieświeża. Poszłam do łazienki.

Boże święty! Gdybym wiedziała, co zobaczę, jak wyjdę spod tego prysznica, to bym pod nim siedziała do skończenia świata!

Nie, nie mogłabym siedzieć tam do skończenia świata, bo przecież ten facet tam po mnie przyszedł! Omal nie dostałam zawału, kiedy zobaczyłam typa w kominiarce i z jakąś potworną armatą pod pachą! I ten typ mi podaje ręcznik, jak gdyby nigdy nic!

– Pani Emilia Sergiej? – pyta.

Byłabym się rozwrzeszczała jak wariatka, ale mnie kompletnie zatkało. A typek spokojnie melduje, że nic mi nie grozi, że jest policjantem i uprzejmie prosi mnie o przejście do salonu!

No więc przeszłam, w tym ręczniku, bo nie zabrałam ze sobą szlafroka do kąpieli. I tu dopiero dostałam szoku.

Typów w kominiarkach było tam chyba ze czterech. Dwaj stali po bokach krzesła, na którym siedział Leszek – z kajdankami na rękach! Jacyś cywilni faceci robili bałagan w mieszkaniu. A jeden taki, szalenie arogancki dupek, przedstawił mi się jako prokurator jakiśtam, nie pamiętam – i oświadczył, że Leszek jest aresztowany za handel narkotykami!

– Pan oszalał – mówię. – Jakie narkotyki! Leszek, o co chodzi? A Leszek siedzi i nic.

– Dla pana Brzezickiego – powiada ten cały prokurator – lepiej będzie, jeżeli pod nieobecność adwokata słowa nie powie. My, niestety, posiadamy liczne dowody przestępstwa, spodziewamy się znaleźć jeszcze liczniejsze, w związku z czym zawiadamiam panią uprzejmie, że dom jest zabezpieczony na potrzeby śledztwa. Tu są wszystkie potrzebne w tej sprawie papiery, nakazy, co tylko pani chce.

Trochę mnie odetkało.

– I co, będziecie mi taki bałagan robić nad głową?

– A nie, nie nad głową. Widzi pani, my tu musimy mieć pełną swobodę...

– Czy to znaczy, że mam się wynieść z domu?

– Niestety, tak. Kolega pomoże się pani spakować, proszę wybaczyć, ale musi to się odbyć pod naszym okiem. W ciągu trzech dni proszę się zgłosić w prokuraturze i zawiadomić nas o swoim aktualnym adresie. Tu jest moja wizytówka. Willę musi pani opuścić. O ile wiem, zameldowana na stałe jest pani w Węgorzynie. Może pani tam pojechać. Ale proszę nas zawiadomić, jesli zechce pani wyjechać ze Szczecina.

– Pan oszalał?

– Nie. Przeciwko pani Sergiej nie toczy się żadne postępowanie, natomiast będzie pani musiała składać pewne wyjaśnienia. Co do swoich powiązań z panem Brzezickim przede wszystkim.

– A co tu jest do wyjaśniania? Mieliśmy się pobrać jesienią! Leszek!

A Leszek jakby mnie nie słyszał. Zwątpiłam.

– Dobrze – powidziałam. – To ja się wyniosę. Samochód mogę zabrać? Jest mój.

– Tego chryslera? Niestety, nie dzisiaj. Samochód też jest zabezpieczony. Ale jest możliwe, że będzie go pani mogła odzyskać... za jakiś czas. Jeżeli uda się udowodnić, że został zakupiony za pieniądze niepochodzące z przestępstwa. I że jest czysty.

– Ale o jakim przestępstwie pan mówi?

– Dowie się pani wszystkiego we właściwym czasie. Na razie proszę tylko przyjąć do wiadomości, że pani narzeczony w środowisku, o którym pani najwyraźniej nie ma żadnego pojęcia, posiadał wiele mówiący pseudonim – Kałach. Nie był znany z delikatnego załatwiania spraw...

No i tym Kałachem mnie załatwił ostatecznie. Nie mogłam już słowa więcej wykrztusić. Leszek siedział wciąż na krześle i udawał, że mnie nie ma w pokoju. Ani nikogo innego.

Chciałam coś do niego zagadać, zapytać, ale ostatecznie nic nie wykrztusiłam. Bo co miałam powiedzieć?

Poszłam się ubrać – w asyście jakiegoś wypłosza w cywilu. Nie próbowałam z nim rozmawiać i on też się nie rwał do konwersacji. Pozwolił mi wziąć ubranie i pójść do łazienki – widocznie jego kumple łazienkę już obejrzeli i uznali, że nic w niej nie schowałam. Za to kiedy pakowałam ciuchy – oczywiście nie wszystkie, tylko taki najpotrzebniejszy zestaw, który mi się zmieścił do dwóch toreb – każdą sztukę oglądał pracowicie.

No i tak zostałam z tymi dwiema torbami na ulicy! Bo panowie władza skończyli swoje czynności służbowe, zabrali Lesia do radiowozu, zapieczętowali chatę, garaż z moim samochodem, bramkę wejściową i pojechali w siną dal.

13

I gdyby mi nie przyszło do głowy zadzwonić do Luli, to może do tej pory bym tam siedziała.

Lula, jak to dobra przyjaciółka, przyjechała natychmiast taksówką, o nic mnie nie pytała, złapała moje torby, wrzuciła do samochodu, mnie prawie wepchnęła na siedzenie i pojechałyśmy do niej. Strasznie byłam zdenerwowana i wcale nie zauważyłam, że ona jest prawie tak samo przejęta jak ja. Powiedziała mi potem, że ze swojego muzeum wyleciała jak z procy, nikomu się nie tłumacząc. Rzuciła tylko portierce: „tragedia w rodzinie" i już jej nie było.

W domu od razu zajęła się mną w ten sposób, że dała mi jakiegoś barszczyku i kazała zjeść. Myślałam, że nie przełknę ani łyczka, ale przełknęłam. Stała nade mną jak kat nad dobrą duszą i pilnowała, żebym gryzła każdy kartofelek i każdą pływającą kiełbaskę. Nigdy bym się nie spodziewała takiego rezultatu, ale jak się uporałam z barszczykiem, to coś się we mnie odblokowało i zaczęłam ryczeć, łzy się ze mnie lały jak z fontanny dłuższy czas, a ona mi tylko podawała chusteczki do nosa.

Nie mogłam sobie poradzić z myślą, że Leszek cały czas mnie oszukiwał. To było jakieś takie idiotyczne i nierealne; przecież kochaliśmy się i mieliśmy zamiar się pobrać. Wszystko było jak najlepiej, a tu nagle ciach – jak nożem. Było, nie ma.

I ten Leszek – jak obcy. Siedział na tym krześle, skuty, obojętny, w ogóle na mnie nie spojrzał!

Przez kilka pierwszych nocy nie mogłam spać, jadłam tylko wtedy, kiedy Lula mnie zmuszała, ale znowu coś się we mnie zablokowało i żadne zupki już nie pomagały. Najgorsze było to, że nie potrafiłam się zdobyć na żaden czyn. Nie chodzi mi, oczywiście, o czyn zbrojny w celu odbicia Leszka z turmy, do której go zapakowano, tylko o jakąkolwiek decyzję, a choćby pomysł dotyczący mojej własnej przyszłości. Zaczęło się zanosić na to, że zostanę u Luli do końca życia, siedząc na jej kanapie i patrząc na ścianę.

Po prostu nie byłam w stanie wyobrazić sobie przyszłości. Jakiejkolwiek.

Lula nic nie mówiła, tylko martwiła się o mnie, co było dosyć widoczne na jej poczciwym obliczu, które nie nadaje się do ukrywania uczuć. W końcu przyniosła mi telefon do jakiegoś genialnego psychiatry, który wyciągnął jej koleżankę z ciężkiej depresji.

Zaofiarowała się nawet, że mi go sfinansuje, bo gość strasznie dużo każe sobie płacić. To mnie wreszcie ruszyło, dotarło do mnie, że siedzę na karku kobiecie, która żyje z pensji kustosza w muzeum i zrobiło mi się wstyd. Na jej miejscu większość ludzi zaproponowałaby mi najdalej po dwóch dniach, żebym udała się po pomoc do tatusia i mamusi.

Tatusia i mamusi w żadnym wypadku nie mam zamiaru w to wplątywać. Na szczęście, oboje brzydzą się wszelkiego rodzaju wiadomościami kryminalnymi, więc raczej nie zobaczą mojego Leszka w kronice policyjnej, a nawet jeśli, to pewnie wolno go pokazywać tylko z zamazanymi oczami, a oni widzieli go wszystkiego dwa razy. Nie rozpoznają.

Zadzwoniłam do nich, informując oględnie, że zmieniłam adres i zerwałam z Leszkiem, odmówiłam dokładniejszych zeznań, twierdząc – i tylko to było prawdą – że najpierw sama muszę się z tym uporać, poprosiłam, żeby dzwonili tylko na moją komórkę albo na Luli telefon domowy. Wyraźnie im ulżyło, kiedy się dowiedzieli, że jestem u Luli. W swoim czasie dowiedzą się całej prawdy.

Lula, oczywiście, zgodziła się, żebym u niej mieszkała, dopóki czegoś sobie nie znajdę. Oświadczyła nawet, że się cieszy, bo odkąd umarł ze starości jej kot Arystofanes, zwany Arkiem, czuła się bardzo samotna. Wzruszyła mnie bardzo, kiedy po raz pierwszy w życiu – jak twierdzi – zrobiła sobie debet na koncie i pożyczyła mi tysiąc złotych – na przetrwanie.

Dobrze, jak na pierwszy raz, to i tak sporo napisałam. Nie wiem jeszcze, czy mi to pomaga, czy nie, ale jakoś mnie nie brzydzi specjalnie. Mogę pisać dalej.

Oczywiście, dopiero jutro. Lula woła na kolację.

Lula

Dobrze, że Emilka poszła w końcu do tego psychiatry – tylko nie jestem całkiem pewna, czy on ją poważnie potraktował. Kazał jej pisać pamiętnik. Może to i dobrze – taka forma psychoterapii.

Wygląda na to, że teraz będziemy prowadziły dziennik synchronicznie, ona w swoim komputerku przenośnym (dobrze, że go jej nie zabrali, to czysty przypadek, że tydzień wcześniej pożyczyłam go od niej, żeby napisać referat), a ja – starą metodą – w kolejnym zeszycie.

Ile ja już tych zeszytów zapisałam? Nie liczyłam nigdy, ale jest tego sporo. Obawiam się, że przy Emilce jestem beznadziejnie staroświecka. Stara panna, muzealniczka, z pamiętnikiem w torbie...

Emilka oburzyła się niedawno na określenie „stara panna". Nie ma już starych panien – powiedziała. Nie ma obowiązku wychodzenia za mąż.

– Popatrz, ja prawie wyszłam i nic dobrego z tego nie wynikło – dodała z pewną nutką goryczy. – O wiele bezpieczniej jest żyć tak jak ty, na własny rachunek. Jeżeli spotka cię jakieś niepowodzenie, będziesz wiedziała, komu je zawdzięczasz.

Och, tak, oczywiście. Wiem, komu zawdzięczam swoje niepowodzenia. Również w miłości. Sobie i tylko sobie. Jestem beznadziejnie nieatrakcyjna, zasadnicza, nieładna, za gruba, za leniwa, żeby się odchudzać – i na dodatek intelektualistka. To znaczy, wydawało mi się, że chcę być intelektualistką.

Ciekawe, czy Wiktor wystraszył się, że mógłby mieć żonę intelektualistkę?

Pochlebiasz sobie, Ludwiko Kiszczyńska. Wiktor w ogóle nie brał ciebie pod uwagę jako potencjalną żonę. Wiktora od początku zawłaszczyła Ewa, biegała za nim, narzucała mu się, aż wreszcie go dopadła.

A jednak zawsze lubiliśmy się z Wiktorem. On naprawdę chętnie ze mną przebywał i rozmawiał. Nie tylko o koniach i o tym, kto dzisiaj zleciał z siodła na jeździe, a komu się koń ochwacił. Bieda w tym, że zawsze, kiedy zaczynaliśmy jakieś poważne rozmowy o życiu, sztuce, literaturze; rozmowy, które mogłyby nas naprawdę zbliżyć – nie wiadomo skąd zjawiała się Ewa. Niestety – dużo ładniejsza ode mnie.

Nie ma o czym mówić.

O ile mi wiadomo, nie są najszczęśliwszym małżeństwem.

Na poprzednich urodzinach Rotmistrza zachowywali się, jakby nie przepadali za sobą. Cóż – tak bywa, kiedy główna księgowa uprze się zostać żoną artysty. I pomyśleć, że ja poszłam na historię sztuki! Ciekawe, czy im to minęło, czy może się pogłębiło? Niedługo będzie okazja sprawdzić, Rotmistrz kończy dziewięćdziesiąt lat

16

i spotkamy się znowu. Trochę się boję – czy on aby jeszcze żyje? Z drugiej strony – babcia Stasia przecież by nas zawiadomiła, gdyby odszedł na zawsze. Może powinniśmy spotykać się częściej niż raz na pięć lat?

Nie ma co gdybać, tylko trzeba jechać. Ciekawe, kto przyjedzie tym razem? Myślę, że stara, wypróbowana gwardia: Wiktor z Ewą (niestety), Jasiek Pudełko, Rysio Pańczyk, może Krystyna... Reszta już pięć lat temu zapomniała. Albo nie chciała przyjechać.

Może zabiorę Emilkę? Dobrze jej zrobi oderwanie się od kłopotów. Prokuratura, na szczęście, prawie nic już od niej nie chce. I samochód mają jej oddać za kilka dni. Dobrze by było, bo o wiele przyjemniej byłoby nam podróżować luksusowym autem (nigdy nie jechałam samochodem za dwa miliardy!) niż Polskimi Kolejami Państwowymi.

Tak, stanowczo, zaproponuję jej ten wyjazd. Zwłaszcza że ona przecież też kiedyś jeździła konno, sama mi opowiadała o swoich dokonaniach w Akademickim Klubie Jeździeckim. Niech dziewczyna zapomni chociaż przez chwilę o swoich kłopotach. To w gruncie rzeczy dobre dziecko, ta moja Emilka.

Może nie takie dziecko zresztą. Kiedyś ta różnica wieku między nami była wyraźniejsza; pamiętam, jak się złościłam – „dorosła" piętnastolatka – kiedy jechałam z mamą do Węgorzyna, do jej rodziców, po czym nasze rodzicielki zagłębiały się w plotkach, a ja musiałam się opiekować pięcioletnim berbeciem. Teraz obie jesteśmy dorosłe, obie dosyć młode – ja bardziej „dosyć", za to ona bardziej „po przejściach". Nawet się trochę wzruszyłam, kiedy to mnie poprosiła o pomoc. Widocznie z nikim tak naprawdę nie zdołała się zaprzyjaźnić podczas studiów. Albo przeciwnie – zbyt wielu było tych przyjaciół, żeby któryś był *naprawdę*.

Skąd ona wytrzasnęła tego swojego Lesława, nie mam pojęcia. Zdaje się, że to raczej on do niej jakoś dotarł, podobała mu się chyba i nic dziwnego, bo Emilka ze swoją urodą nie może się nie podobać. Wyszła za niego – zaraz, jakie wyszła? Sprowadziła się do niego zaraz po obronie dyplomu, miałam wrażenie, że jest w nim bardzo zakochana. A mnie się on nigdy nie podobał, za gładki. Podobno miał agencję reklamową, to znaczy na pewno ją miał, tylko że nieprawdą jest, jakoby pracował dla tych wszyst-

2. Stateczna...

kich potężnych firm, którymi się chwalił. Raczej służyła mu jako pralnia brudnych, bardzo brudnych pieniędzy. Nie może chyba istnieć podlejsza droga ich zdobywania niż narkotyki. A zdaje się, że nie był on w tym biznesie małą płotką. Kałach! Święty Boże! Omal nie zemdlałam, kiedy czytałam we wszystkich gazetach rewelacje o nim. Prokuratura i policja naprawdę przyzwoicie postąpiły, umożliwiając Emilce wycofanie się po cichu z afery. Miałaby dziewczyna złamane życie. I tak nie jest jej lekko.

Zwłaszcza że została praktycznie bez żadnych pieniędzy, bo te były wszystkie na jego kontach. Na szczęście samochód, który podarował jej niedawno na urodziny, był od początku zarejestrowany na nią i jakoś się go nie czepiają. W ostateczności będzie mogła go sprzedać i za te pieniądze żyć jakiś czas, dopóki nie postanowi, co robić dalej. Chyba będzie musiała obejrzeć się za jakąś pracą?

Emilka

Lula ciągnie mnie na jakiś zjazd koleżeński.Wcale nie wiem, czy mam ochotę spotykać się z nieznajomymi ludźmi, którzy piętnaście lat temu wspólnie jeździli konno! Będą sobie opowiadać miliony idiotycznych anegdot z okresu, kiedy byli młodzi i piękni, a ja przez ten czas umrę z nudów. W dodatku gospodarzami są jakieś ekshumy. Przepraszam: babcia z dziadkiem!

Och, na temat tego dziadka Lula opowiada niestworzone rzeczy. Prawdziwy rotmistrz od ułanów podolskich! No to co, że rotmistrz? W Akajocie legendy opowiadali o jednym rotmistrzu – w życiu nie chciałabym, żeby mnie taki uczył jeździć konno! Nie toleruję, kiedy ktoś na mnie wrzeszczy. Poetykę ułańsko-militarną mam w nosie.

Ale swoją drogą... ciągnie mnie trochę do tych koni. Poza tym ta stadnina (wielka stadnina: cztery konie na krzyż!) jest gdzieś w górach, a to mnie kręci jeszcze bardziej.

Wprawdzie nie w jedynie słusznych górach Tatrach, ale podobno Karkonosze też góry.

Nie wiem, czy nie powinnam opisywać wszystkich moich przeżyć z Leszkiem, żeby się od nich uwolnić psychicznie i nabrać dystansu. Jakoś nie mogę. Ciekawe, co mój śmieszny doktorek (polubiłam faceta, chociaż zdarł ze mnie tę straszną forsę za wizytę) powiedziałby na ten temat? Może powinnam przeprowadzić jakąś autoanalizę na piśmie? A co ja się będę zastanawiać? Dał mi przecież wizytówkę, zapytam go!

Zadzwoniłam.

Powiedział, żebym nie robiła nic na siłę. Jeżeli nie czuję potrzeby pisania o swoim życiu z gangsterem (to nie on tak to określił, to ja – żeby zobaczyć, jak wygląda naga prawda), mam nie pisać. Pisanie ma mi sprawiać przyjemność, ulgę, takie tam rzeczy – nie ma być źródłem stresu. Tak powiedział doktorek.

No i dobrze. Niech sobie Lesio siedzi. Dotąd słowem się do mnie nie odezwał, ale bo ja wiem – może nie wolno mu telefonować.

Gazety się rozpisały o sensacyjnym aresztowaniu bossa narkotykowego, którego policja podobno od dawna miała już na widelcu.

Jeżeli policja go miała na widelcu, to co za sensacja? Dla mnie to była sensacja! Mój osobisty biznesmen reklamowy! Człowiek ciężkiej pracy!

Ciekawe, czy będę musiała mu oddać chryslera? Może nie, w końcu dostałam go na urodziny. Jest zarejestrowany na moje nazwisko i właściwie ani przez chwilę nie był jego własnością. Uważam, że należy mi się jako rekompensata za straty moralne. Poza nim nie mam nic i pewnie będę go musiała sprzedać, żeby mieć na życie, bo z pracą na razie może być kiepsko.

Chociaż może jako dziewczyna gangstera powinnam opylić gablotę i opłacić najlepszego adwokata, żeby go wyciągnął z mamra? A otóż nie. Nie podoba mi się rola dziewczyny gangstera. Nie podoba mi się zwłaszcza to, że gangster robił w narkotykach. Uważam, że to najbrudniejszy, najobrzydliwszy sposób zarabiania pieniędzy.

Niechże sobie Lesio siedzi dalej w mamrze. Adwokata pewnie i tak będzie miał. Ale mam nadzieję, że dostanie solidny wyrok i nie w żadnym zawieszeniu.

Zdecydowałam się. Niech już będą te konie w górach, nawet z rotmistrzem.

19

Jestem Luli winna coś niecoś, a ona najwyraźniej ma wielką ochotę przejechać się porządnym samochodem. Mieli mi go oddać na dniach, ale w międzyczasie prawie zaprzyjaźniłam się z tym prokuratorem, który mnie przesłuchiwał (nie jest aż takim dupkiem, jakim mi się wydawał na początku) i obiecał mi załatwić, że jeszcze trochę go przetrzymają. Bałabym się parkować na ulicy przed Lulczynym blokiem. Chodzą tu różne takie łyse blokersy, jakby zobaczyły moje autko, mogłyby mieć trudności z przyhamowaniem uczuć.

Odkąd podjęłam decyzję, Lula jest radosna jak świnka w deszcz. Prawie śpiewa. Nie poznaję jej. Lula-zasadniczka.

A może ona się kocha w którymś z tych swoich dawnych kolegów? Bardzo mi na to wygląda, bo jaśnieje, jak o nich wspomina. Na razie jednak szalenie się stara opowiadać o wszystkich jednakowo entuzjastycznie, pewnie po to, żebym się nie spostrzegła.

Stawiam na malarza. Lula-historyczka sztuczna pasuje mi do malarza.

Jakaś nieszczęśliwa miłość, swoją drogą, bo malarz posiada żonę i dziecko. Oraz zarabia porządne pieniądze w agencji reklamowej.

Co się mnie czepiają te agencje reklamowe! Ale Luliny malarz podobno naprawdę. Ona mu współczuje, bo biedaczynka musi sprzedawać duszę artystyczną na rzecz prozaicznej potrzeby nakarmienia rodziny. Jego żona to jakaś naukowa kobieta. Lula za nią nie przepada i mówi, że ta cała Ewą ma duszę głównej księgowej, niezależnie od tego, ile doktoratów z ekonomii napisze. I córeczka do tego wszystkiego, nieduża. Jakaś pierwsza czy druga klasa.

No to Lulcia raczej nie ma szans. A gdyby artysta rzucił rodzinę dla niej, to by chyba też nie najlepiej o nim świadczyło...

Ciekawe, czy tam na tych obozach jeździeckich u pana rotmistrza nie było nikogo, kto by kochał się w mojej poczciwej Luli...

Lulka wcale nie jest brzydka. Musiałabym ją tylko zmusić do wykonywania codziennego makijażu oraz dbania o siebie. Ona, jak się zdaje, uważa, że poważna historyczka sztuczna powinna być nijaka w wyrazie. Może po to, żeby nie przyćmiewać urodą dzieł sztuki, o których opowiada wycieczkom.

Lula

Mam wielką ochotę podzwonić do wszystkich i upewnić się, kto przyjedzie... Siłą woli się powstrzymuję, bo przecież obiecywaliśmy sobie po prostu być na co „piątych" urodzinach Rotmistrza. Więc nie należy nikogo popędzać – kto zechce, ten będzie. Boże mój, jakie to były piękne czasy! Każdego roku bity miesiąc na obozie – przez całe liceum! I całe studia. I jeszcze po kilka razy w roku – jakieś ferie, Wielkanoce, pięciodniowe weekendy... Byliśmy wtedy prawdziwymi przyjaciółmi, potem to wszystko się jakoś rozpadło. Ustrój się rozleciał, Rotmistrz się cieszył, że przyszła prawdziwa wolność, a tymczasem każdy z nas popędził gdzieś za własnym interesem, chłopcy się pożenili, dziewczyny powychodziły za mąż... Ewa i Wiktor pobrali się jeszcze na studiach, Jasiek Pudełko ożenił się zaraz po dyplomie i nigdy nam tej swojej żony nie przywiózł – mówił, że jej konie nie interesują. Krystyna już się dwa razy rozwodziła, ciekawe, czy ma jakiegoś trzeciego męża... Rysio Pańczyk przyjeżdżał z żoną, bardzo miła dziewczyna, Jola. Urodziła mu bliźniaki.

Tylko ja zostałam taka bez przydziału. Babcia Stasia mówiła, że jestem za mądra na męża. Prawda jest pewnie taka, że wszyscy potencjalni bali się mnie jak ognia z powodu wymądrzania się.

I jeszcze teraz na dodatek „wymądrzanie się" psuje mi układy w pracy!

Nic na to nie poradzę – jeżeli mój własny dyrektor jest sześć razy głupszy ode mnie, a zawodowo – szkoda mówić – zna się tylko na tym swoim średniowieczu, przez co kładzie wszystkie inne działy muzeum na łopatki i nawet tego nie zauważa – to ja nie mogę trzymać języka za zębami i udawać idiotki! Nie mam aparycji stosownej do udawania idiotki.

Emilka

Jutro jedziemy do Marysina. Nie jest to bardzo daleko, jakieś czterysta kilometrów. Lula bardzo podniecona. Wyciągnęła skądś regularny strój jeździecki, z fraczkiem, toczkiem i palcatem. Buty oficerki, jak Boga kocham!

Ja wprawdzie jeździłam trzy lata w Akajocie, ale myśmy raczej mieli kowbojskie maniery, dżinsy i kapelusze. My, to znaczy ja i moja paczka, bo, oczywiście, były tam też całe tabuny takich wyfraczonych, co to szpanowali na zawodach. Nam się nie chciało porządnie trenować i zawody mieliśmy w nosie. Co innego rajdy koleżeńskie. Ale zawsze wystrzegaliśmy się rajdów z udziałem tak zwanych starych ułanów, co to okrywali siebie i konia płaszczem-pałatką, albo czymś w tym rodzaju i uważali, że mają zapewniony komfort. I salutowali sobie nawzajem!

Przestałam jeździć, jak poznałam Leszka. Mój supermen nie lubił koni. Bał się ich! Za duże – mówił wdzięcznie. I nie warczą – dodawał. A on lubił jak mu warczało. Konie – tylko mechaniczne. Możliwie dużo. Pod błyszczącą maską!

Jeżeli pan rotmistrz nie będzie się upierał przy jakichś wojskowych rytuałach, to chętnie sobie pojeżdżę. Na luziku. Mam nadzieję, że nie będzie, zwłaszcza, że jest stary jak piramidy! Nie będzie mu się chciało.

Lula

Jutro jedziemy. Jak ja się cieszę!

Mam wrażenie, że tylko w Marysinie jestem naprawdę szczęśliwa. Szkoda, że nie ma tam muzeum. A może by tak zasięgnąć informacji w Jeleniej Górze? Co mnie właściwie trzyma w Szczecinie? To mieszkanie po babci Janeczce?

Jedziemy!

Emilka

No, takich numerów nie mogłabym się spodziewać nigdy w życiu! Aczkolwiek po zaskoczeniu, które zafundował mi mój osobisty gangster, jestem już nieco uodporniona na niespodzianki!

Przede wszystkim – jesteśmy już w Marysinie. Od kilku godzin. Właściwie powinnam paść po długiej drodze i tych wszystkich emocjach, ale jakoś nie padam. Nadmiar adrenaliny mam w organizmie, więc akurat go spożytkuję.

Długa droga, kiedy się ją przebywa w mojej gangsterskiej limuzynie, nie wydaje się wcale taka bardzo długa. Nigdy nią nie jechałam na takiej trasie i nie miałam okazji, żeby ją docenić. Marzenie, nie samochód. Lula była zachwycona i twierdziła, że czuje się jak królewna z bajki.

Lula w ogóle odżyła natychmiast po wyruszeniu ze Szczecina. Odmówiła zapakowania do bagażnika tego cacanego fraczka w kolorze czerwonym, z czarnymi wyłogami – kazała mi go powiesić z tyłu na wieszaku; a kiedy na niego patrzyła, oczy jej się śmiały.

Nie wiem, czy to muzeum dobrze jej robi.

Dojechałyśmy jak po sznurku prawie do samego Marysina, z jednym tylko postojem na obiad w jakiejś przydróżce. Nie jechałam szybko – najwyżej sto sześćdziesiąt w sprzyjających warunkach. Ale za Jelenią Górą zwolniłam znacznie, bo nagle pokazały się góry i bardzo mi się spodobały – zupełnie jak prawdziwe. To znaczy jak Tatry. Chociaż, oczywiście, Karkonosze. No i szczęście całe, że zwolniłam, bo na prostej drodze złapałam kapcia. Jak się potem okazało, jakiś idiota rzucił na szosę kawałek deski z gwoździem. Deski nie zauważyłam, bo się gapiłam na te góry.

Stanęłyśmy na poboczu, pod drzewkiem i zaczęłam się zastanawiać, co dalej.

W zasadzie powinnam po prostu wymienić koło, ale nigdy w życiu nie wymieniałam koła, a poza tym to jest brudna robota i ciężka, dla chłopa, nie dla wytwornej damy! Chciałam zadzwonić do jakiejś pomocy drogowej, ale Lula mnie hamowała, bo mówiła, że po pierwsze, śmiechem nas zabiją, a po drugie, nie mamy pieniędzy na pomoc drogową. Wytłumaczyłam jej, że żadna zdrowa na umyśle pomoc drogowa nie będzie się śmiała z właścicielki chryslera, ale jej argument co do forsy miał swoją wagę.

Kiedy tak sterczałyśmy pod tym drzewkiem, minęła nas jakaś felicja (skoda, nie facetka), pojechała jeszcze kilkadziesiąt metrów, po czym wróciła do nas na wsteczu, jak huragan. Wyleciał z tej „felicji" jakiś gość i rzucił się Luli na szyję. Ona zaczęła piszczeć i też go ściskała jak wariatka. Z jego samochodu wylazło jakieś dziecko i patrzyło na te ekscesy z zaciekawieniem w oczach. Okazało się, oczywiście, że jest to jeden z Luli przyjaciół od tego rotmistrza i obozów jeździeckich. Bardzo sympatyczny człowiek, niejaki Jan Pudełko. Dziecko zaś to jego synek, Kajtek, lat jedenaście. Obaj w żałobie, bo, jak się natychmiast dowiedziałyśmy, trzy miesiące temu matka i żona im zginęła w wypadku samochodowym. Pudełko, świeży wdowiec, patrzył w Lulę jak w jaką tęczę, ale ona w niego nie, chociaż ogólnie była uradowana. Od razu domyśliłam się, że Pudełko to nie jest ten malarz. Zwłaszcza, że malarz nadjechał dosłownie w minutę po Pudełku. Czy po Pudełce? Raczej po Pudełce, ale to głupio brzmi. Całkowity i absolutny zbieg okoliczności. Piękny brunet – w przeciwieństwie do Pudełka (raczej do Pudełki), który jest nijakim szatynem o wyrazistym spojrzeniu. Malarz ma wszystko wyraziste. Łącznie z wyrazistą żoną, która wygląda na jędzę. Ja się na tym znam. I wyrazistym psem, seterem irlandzkim, strasznym wariatem, suką o dziwnym imieniu Niupa. Tylko dziecko mają niewyraziste. Taka przygłuszona dziewczyneczka, Jagódka. Lat osiem.

No więc znowu nastąpiła orgia ściskania i okrzyków radosnych. Stuknięta Niupa, bardzo przyjacielska, usiłowała całować się z każdym, ale jedynym, który się z tego ucieszył i odpowiedział pieskowi wzajemnością, był mały Kajtek Pudełko.

I naturalnie, okazało się, że dobrze przeczuwałam – Lula kocha się w pięknym malarzu Wiktorze po dziś dzień, niech pęknę, jeżeli nie. A on chyba sam nie wie, czy tylko się ucieszył ze spotkania z przyjaciółką dni młodzieńczych, czy może coś do niej czuje. Żonie oczka błyskały, kiedy się Wiktorek z Lulą ściskali, ale nic nie powiedziała. Pudełko też patrzyło na to bez zachwytu.

Kiedy już wszystkie powitania się skończyły i prezentacja osób nieznajomych też, oba chłopy, jak należy, wzięły się za wymianę mojego koła i wykonały to szybko i sprawnie. Po czym utworzyliśmy mały, ale gustowny konwój: chrysler, felka i cinquecento – i pojechaliśmy do Marysina.

Oczywiście, przed wyruszeniem ze Szczecina, dokładnie obejrzałam sobie trasę na mapie i stwierdziłam, że ten cały Marysin to jakaś maciupka wioseczka pomiędzy dwoma większymi, Karpaczem i Kowarami. Przepraszam, te dwa to chyba miasta. W każdym razie Marysin jest już przytulony do podnóża Karkonoszy, a widoki dookoła ma oszałamiające. Nie tylko z połowy drogi od Jeleniej Góry, z bliska też. Tereny do jazdy konnej muszą tam być rewelacyjne, mam nadzieję, że granica parku narodowego jest gdzieś dalej. I że miejscowi leśnicy nie są specjalnie czepliwi.

Przejechaliśmy calutką wieś, zanim dotarliśmy do tej całej Rotmistrzówki. Bardzo mi się spodobała od pierwszego wejrzenia – biały domek, stajnia – z daleka widać, że schludna, duże podwórko, po obrzeżach obsadzone bzem i jaśminem – ślicznie i staroświecko. Żadnych krzyków mody w rodzaju datur, których nie lubię, bo im się proporcje pokićkały, ani japońskich wiśni, które by tu pasowały, jak pięść do nosa. Koło płotu malwy, ostróżki i orliki. I aksamitki, te małe – *Tagetes patula nana*. Też lubię. Zwłaszcza przy wsiowych płotach.

Myślałam, że zza płotu wyjdzie do nas słynny rotmistrz, może nawet w mundurze i przy szabli, ale nie. Wyszła nieduża babcia, od razu widać, że z charakterem. I od razu zaczęła besztać całe towarzystwo: myślała, że już nikt nie przyjedzie! No więc obsypali babcię uściskami, kwiatami (z Jeleniej Góry), czekoladkami i butelkami szampana – trochę się starowinka udobruchała.

Pierwsza Lula zapytała o rotmistrza. A babcia tylko przewróciła oczami, powiedziała, że za długo jechali, ale oczywiście, rotmistrz będzie, tylko nie zaraz. Na razie mamy wejść do środka, umyć ręce i siadać do obiadu. A w ogóle kto to jest, ta panienka?

Panienka to ja.

Lula wyjaśniła, że przyjaciółka i że też jeździła konno.

– Aha – powiedziała babcia. – Jak jeździła konno, to dobrze. Znaczy swoja. To weź ją, Ludwisiu do swojego pokoju. Ten, co zawsze.

Ludwisiu! Niech ja pęknę!

Wyglądało na to, że towarzystwo jest nieźle zadomowione, bo wszyscy nagle gdzieś poznikali. Lula wytaszczyła swoje bety z bagażnika, dołożyła fraczek i kazała mi iść za sobą. Okazało się, że Luli pokój jest na pięterku, z mansardowym oknem, za którym panoszy się wspaniały okaz sosny wejmutki. Lepszego „brise-electric" niż ten sosnowy aerozol nie można chyba sobie wymarzyć. Puściłam ją pierwszą do łazienki i pooglądałam sobie pięterko. Więcej tam miejsca, niż by się mogło z zewnątrz wydawać, kilka pokoi, w których już urzędowali Luli przyjaciele z przychówkami. Na środku duży wspólny salon, wystrój rustykalnie ubogi, szmaciane dywaniki i gliniane wazoniki. A na ścianach kilka wściekłych abstrakcji. Założę się, że tego całego Wiktora. Podpisu nie odcyfrowałam, straszny bazgroł, ale pasowały mi do jego błysku w oku.

Lula wyszła z łazienki, więc wskoczyłam pod prysznic, a kiedy wyskoczyłam, omal nie dostałam szoku. Na środku pokoju stała nieznajoma dama w czerwonym, jeździeckim fraku, białych bryczesach i nieskazitelnych oficerkach.

Lula!

Lula na co dzień nosi jakieś nieforemne, artystyczne łachy w kolorach czarno-szaro-popielatych, jak przystało na kustoszkę, czy kim ona tam jest w tym swoim muzeum. W tych łachach w ogóle nie widać, że ma figurę! A ma. Nie wiem, czy nie lepszą niż ja.

No, może bez przesady. Ale wyglądała rewelacyjnie. Zaczęła się strasznie śmiać, bo zrozumiała, że jej nie poznałam.

Oni wszyscy tak się wystroili! Jak weszli w tych rynsztunkach do salonu, to tylko patrzyłam, czy gdzieś za nimi nie podąża stadko fokshoundów, czy może ogarów. Nie wiem, czy ogary są stosowne do polowania na lisa.

Dzieci tylko były w cywilu, Jagódka i Kajtek. No i ja.

Babcia miała na sobie jakiś pocieszny tużurek. Też chyba jeździecki, bo nogi obuła w długie buty. Czyżby staruszka jeszcze dosiadała koni???

Kazała wszystkim usiąść rządkiem na olbrzymiej kanapie naprzeciwko telewizora i włączyła wideo.

Na ekranie pojawił się bardzo starszy pan, na widok którego wszyscy aż podskoczyli – rotmistrz z kasety! Podskoczyli i usiedli z powrotem, bo zaczęli się czegoś domyślać. A starszy pan uśmiechnął się do nich i wygłosił przemówienie mniej więcej takie:

– Witajcie, kochani. Tak się złożyło, że czas nie ustaje w biegu. Jestem coraz starszy i co gorsza, również coraz bardziej chory. Ten osioł, lekarz, uważa, że mogę w każdej chwili pożegnać ziemski padół. Nie powiem, żeby mi nie było żal, ale i tak miałem piękne życie, bo miałem przyjaciół. To znaczy – mam ich do tej pory, nawet jeżeli nie jesteśmy razem. Moja niemądra Stasia, niemądra, ale bardzo kochana, nie rycz, Stasiu, nie wypada przy gościach... No więc Stasia wierzy głupiemu konowałowi. W dodatku boi się, że wszyscy o nas zapomnieli albo im przestało na nas zależeć. Jesteście tu, a więc przynajmniej w tej drugiej kwestii Stasia nie miała racji. A ponieważ oglądacie tę kasetę – więc miała ją w pierwszej, niestety. Ona i ten głupi konował. Nie udało mi się dożyć dziewięćdziesiątki. Mało komu się udaje, więc nie będę małostkowy. Wy też nie bądźce. Cieszcie się życiem, jesteście młodzi i piękni, jak pamiętam, dziewczyny zwłaszcza... Ewunia, Krysia, Ludwiczka moja kochana...

Tu kobiety, oczywiście, się rozszlochały, jak jedna, mnie też łza się zakręciła... chyba już trochę wiem, co Lula widziała w tym swoim starym rotmistrzu... A ten, jakby wiedział, co się dzieje, kontynuował:

– No, nie beczeć, nie mazać się! Polecam wam, dzieci, moją Stasię, bo beze mnie pewnie trochę jej smutno. I bawcie się jak najlepiej, pamiętajcie, życie jest krótsze, niż się wydaje, a największym skarbem w tym życiu są przyjaciele. Oprócz ukochanej żoneczki, oczywiście, moja Stasiu. Więc cieszcie się, że macie się wzajemnie. A teraz: lance do boju, szable w dłoń – na początek waszego pierwszego spotkania bez starego rotmistrza – wypijcie po naszemu zdrowie konia!

Nagranie się skończyło, jeszcze było słychać jakieś chlipanie, ale babcia ujęła ster w swoje małe, zasuszone rączki i zakomenderowała w tył zwrot – do toastu!

Odwróciliśmy się w stronę stołu. Stały na nim wyłącznie kieliszki i flaszka zamrożonej wódki. Babcia nie używa popitki???

Wiktor podjął się roli podczaszego, napełnił kieliszki dla wszystkich dorosłych – dla nieobecnego rotmistrza też. Po czym zobaczyłam na własne oczy ten cyrk, o którym dotąd tylko słyszałam (my, kowboje, nie byliśmy zapraszani na takie rajterskie sztuki).

Wszyscy obecni jeźdźcy, nie wyłączając starowinki, wstąpili godnie na krzesła i jedną nogę oparli na nieskazitelnym obrusie, śnieżnobiałym, z bogatym haftem richelieu. Nie wygłupiałam się, bo czułam, że nie jestem stosownie ubrana, a nade wszystko nie mam odpowiednich butów. Malarz wygłosił jakiś niezwykle skomplikowany toast wierszem (muszę go poprosić o ten tekst!), po czym wszyscy wypili swoją wódeczkę do dna – i cisnęli kieliszki za siebie. Nie były z pancernego szkła, więc się rozprysnęły po całym salonie. Też wypiłam, ale zawahałam się przed demolką. Wszyscy spojrzeli na mnie i wrzasnęli: rzucaj! No więc rzuciłam i trafiłam w jakiś wazonik. Zrobiło mi się strasznie głupio, ale babcia tylko prychnęła, żebym się nie martwiła drobiazgami, bo gdzie się tłucze i leje, tam się dobrze dzieje.

Porozsiadali się za stołem i babcia ryknęła (głos to ona ma, chociaż wygląda dosyć krucho):

– Żaklina! Szkło posprzątaj! Do stołu podawaj!

Okazało się, że w kuchni babusia trzyma jakieś dziewczę służebne, niewątpliwie wsiową miss piękności, ale znające mores. Dziewczę przyleciało z miotłą, błyskawicznie posprzątało, zniknęło i znowu się pojawiło z michą bigosu i drugą michą kartofli. I kolejnym kompletem kieliszków, tym razem z rżniętego kryształu, widocznie nieprzeznaczonych do spełniania toastów za zdrowie konia.

Więcej dań na bankiecie nie było, ale też nie było nam niczego więcej trzeba. Bigosik był taki więcej królewski, zawierał wszystko, co moja mama wyliczała, kiedy mnie uczyła gotować z myślą o jakimś porządnym mężu (nie przewidziała Lesia – gangstera...) – różne rodzaje mięs, kiełbas, wędzonek, śliwki suszone tu i ówdzie, a na pewno był doprawiany czerwonym winem, zresztą bo ja wiem, czym jeszcze...

Najedliśmy się do wypęku, skończyliśmy wódeczkę i towarzystwo zażyczyło sobie natychmiastowej wizyty u koni.

– Niestety, kochane dzieci – powiedziała smętnie babcia Stasia – to nie ta stajnia, którą znacie. Mam już tylko dwa konie, reszty trzeba się było pozbyć, nie za bardzo mi się dobrze powodziło po śmierci mojego Kazimierza, bo to już szkółki jeździeckiej nie ma kto prowadzić, dzieci na obozy nie przyjeżdżają... A on to robił do samego końca, do samej śmierci swojej. Nie chciał w łóżku leżeć, mówił, że od tego jeszcze szybciej umrze. Ja nie wiem, czy on na pewno miał z tym rację... Prowadziłam taki niby hotel dla koni, ale z tego wyżyć się u nas nie da. No więc teraz dojadam oszczędności. Ale właściwie jestem już zdecydowana sprzedać te dwie kobyłki, co mi zostały; na jedną już mam kupca... Potem sprzedam całą resztę i przeniosę się do takiego domu spokojnej starości tu niedaleko, do Sosnówki Górnej. Pewnie, że dom starców to obrzydliwość, ale w Sosnówce przynajmniej widoki są ładne. No dobrze, to chodźcie do tej stajni.

Zrobiło mi się strasznie żal tej babci, takiej dzielnej, w tych swoich butach oficerkach, trzymającej pion i w ogóle. Taka babcia zasługuje na wszystko, co najlepsze, na własny dom do końca życia, z dziećmi i gromadką wnuków, z domowym bigosem, a przynajmniej rosołkiem, kiedy ją zacznie na dobre rąbać wątroba po tych toastach za zdrowie konia – a tu co? Dom starców? No to co, że z ładnym widokiem z okna?!!! Co to za pociecha w ogóle!

Czy oni nie mieli żadnych dzieci? A może mieli, tylko im się dzieci nie udały?

Spytałam po cichu Lulę – nie mieli. Może dlatego tak się przywiązali do tej ich grupy. Traktowali ich zupełnie jak rodzinę. Dobrze, że przynajmniej te cztery osoby przyjechały, pozostali wykruszyli się z latami. Na początku było ich, zdaje się dwanaścioro. Zeszłego razu, czyli pięć lat temu, przyjechała połowa. A teraz tylko ci najwierniejsi.

Poszliśmy wszyscy do stajni i rzeczywiście, boksów na osiem koni, a stoją tylko dwa. W tym jeden dosyć wiekowy, jak na moje oko, ale drugi młody i ładnie utrzymany. Obie kobyłki; starsza Mysza i młodsza Bibuła. Bibuła, trzylatka, rasy wielkopolskiej, po Gamoniu od Bobrycy – o tej Bobrycy Lula opowiadała mi niestworzone rzeczy po drodze. Jako dziewiętnastolatka miała źrebaka. Podobno fenomen nie z tej ziemi. W gazetach o tym pisali i telewizja przyjechała.

Młode Pudełko natychmiast dopadło Bibuły i zaczęło się z nią zaprzyjaźniać. Ten chłopiec, jak się zdaje, bardzo kocha wszelkie zwierzaki, duże i małe. Niupa też go nie odstępowała na krok, odkąd wysiedli z samochodów. Jej mała pani, Jagódka, niespecjalnie się tym przejęła, a w ogóle wyglądała na trochę wystraszoną.

Sytuacją stajenną bardzo się wszyscy wzruszyli, zmartwili, że tylko dwa konie, że taki zastój finansowy... myślę, że wzięli sobie do serca to, co rotmistrz powiedział im z taśmy: że poleca im swoją Stasię. Tylko co oni mogą dla Stasi zrobić w takiej sytuacji?

Byłam ciekawa, czy babcia sama swoje konie obsługuje, co byłoby trochę dziwne, jak na niewiastę w jej wieku, choćby była dowolnie dzielna. No więc owszem, ma pomoc, dwóch facetów, ojca i syna, o ile pamiętam Misiakowie się nazywają. Niestety, żywi w stosunku do nich podejrzenia, że ją kantują, przynoszą lewe rachunki za paszę i tak dalej.

Tych Misiaków nigdzie w stajni nie było widać, ale tylko początkowo, potem się objawili. Przynajmniej jeden z nich. Najpierw jednak przed babciny domek zajechał taki mocno wypasiony passat w kolorze srebrnym (głupi kolor jak dla passata) i wysiadł z niego jegomość w sile wieku i urody męskiej, czyli koło pięćdziesiątki, ale dobrze utrzymany i nawet dosyć przystojny. Tylko że źle mu z oczu patrzało; od momentu poznania prawdziwego oblicza mojego Lesia znam się na takich oczkach. Babcia, kiedy go zobaczyła, jakoś zmalała, ale zaraz się wyprostowała i przybrała wygląd księżnej pani na włościach. Wyszła przed stajnię, a my za nią.

– Dzień dobry pani rotmistrzowej – powiedział facet i ukłonił się nam również. – Dzień dobry państwu, nie spodziewałem się, że pani rotmistrzowa będzie miała gości, bo bym nie przychodził niezapowiedziany. Ale skoro już jestem...

– Dzień dobry, panie Łopachin – rzekła pańskim tonem babcia, a ja nie wiedziałam, czy się nie przesłyszałam. Łopachin był chyba w „Wiśniowym sadzie" Czechowa, zapamiętałam, jak go grał Kowalski w telewizji, genialnie po prostu. Ten Łopachin to był zimny drań i ten, co przyszedł, też wyglądał na zimnego drania. Może więc babcia pomyliła się specjalnie.

– Łopuch, szanowna pani – poprawił zaraz, a babcia udała, że nie słyszy. – Przyjechałem, bo moja żona uparła się, że chciałaby jak najszybciej dostać tę kobyłkę, a skoro i tak jesteśmy już w zasadzie po słowie... Przywiozłem pieniądze. Obawiam się jednak, że nie tyle, na ile szanowna pani liczyła. Ale pani rozumie – popyt kształtuje rynek, a popytu na tę klacz chyba nie ma... Innymi słowami, towar jest tyle wart, ile można za niego dostać...

– Ile? – warknęła babcia.

– Dwa tysiące – powiedział bezczelnie Łopachin, a babcia zbladła.

– Umawialiśmy się na cztery i pół.

– Tłumaczyłem właśnie szanownej pani...

Coś mi zabulgotało w środku i pomyślałam sobie, że zaraz strzelę tego gnoja w gębę. Kobiecie chyba nie odda...

30

I w tym samym momencie objawił się jeden z parszywych Misiaków – wyprowadzając Bibułę ze stajni, jakby już wszystko było zaklepane!

Babcia wyglądała jak śmierć na chorągwi.

Nie wytrzymałam. Może i nie mam forsy, ale za to mam cholernie drogą brykę, prezent gangstera, do diabła z prezentem gangstera! Na co mi taka fura, tylko się będę denerwowała, że mi ją ukradną. A jak przyjdzie do płacenia auto casco, to i tak nie będę miała na nie pieniędzy. No więc lepiej ją sprzedam, a nie dam łobuzom zabrać Bibuły, bo przecież ta babcia mi tu trupem padnie na oczach!

– Chwileczkę. – Chciałam, żeby to zabrzmiało zimno i spokojnie, ale chyba nie do końca tak właśnie zabrzmiało. – Pan zostawi tego konia, ale już! – huknęłam na Misiaka, bo wcale nie zamierzał mnie posłuchać. Zabrałam mu wodze, a on stał jak głupi. – Pani rotmistrzowa się rozmyśliła. Pani rotmistrzowa nie sprzedaje tego konia. Pan wybaczy – to do Łopucha – ale musi się pan rozejrzeć za innym tanim konikiem dla pańskiej żony!

Łopuch znieruchomiał, pozostali obecni również. Bałam się, że babcia powie coś głupiego, ale to jest inteligentna staruszka. Pojaśniała od wewnątrz i nie mówiła nic.

– Ależ pani rotmistrzowo. – Łopucha odblokowało i usiłował przymilnym tonem zmienić wrażenie, jakie wywarł na nas. – Proszę nie zapominać, że byliśmy po słowie co do tego konia.

– Przed chwilą mówiliśmy coś o rynku – zachichotała babcia. – No to sam pan widzi, że rynek się zmienił. Źle pan ocenił kwestię popytu na mój towar, hehehe.

– Jeżeli teraz pani – to do mnie – zamierza kupić Bibułę, to może z panią się dogadamy. Proszę mi powiedzieć, jaka jest pani cena. A może ja ją przebiję – zaśmiał się z dużym przymusem.

– Nie jest pan w stanie przebić mojej ceny – powiedziałam wyniośle. – Za mały pan urósł. Mogę panu natomiast sprzedać tego chryslera, o tego, co tam stoi. Będzie pan miał prezent dla żony. O ile pana stać na takie prezenty.

Łopuchowi i Misiakowi głowy się odwróciły, popatrzyli na moją gangsterską furę ustawioną za domkiem na trawniku i miny im zrzedły. Swoją drogą ten Misiak najwyraźniej był w porozumieniu z Łopuchem – wyprowadził Bibułę jakby na hasło –

a przedtem wcale go nie było widać. Gdzie on się chował? Na stryszku, czy w siodlarni? Bo zdaje się, że za boksami jest siodlarnia.

– Ach, rzeczywiście – powiedział Łopuch, siląc się na ton obojętny i światowy. – Bardzo ładny samochód. Ale ja na razie mam czym jeździć, chociaż to, oczywiście, nie ta klasa. Dla mnie jednak wystarczy w zupełności. Cóż, pani rotmistrzowo, nie spodziewałem się, że pani nie dotrzymuje słowa...

Tu nie wytrzymało Pudełko. Podszedł do Łopucha, który wyglądał przy nim bardzo bykowato i wycedził przez zęby:

– Nie panu, drogi panie, wygłaszać tu wykłady o dotrzymywaniu słowa. Na jaką to cenę za konia pan się umawiał? Myślę, że czas skończyć tę rozmowę. Do widzenia.

Z drugiej strony Łopucha znalazł się malarz Wiktor, człowiek dużo bardziej postawny od Pudełki. Łopuch uznał, że istotnie dyskusja już się skończyła, ukłonił się niedbale i poszedł sobie. A ten parch, Misiak, za nim. Nawet nie próbował ukrywać przed babcią, że jest w zmowie z Łopuchem!

Zostaliśmy przed stajnią w charakterze grupy rodzajowej, czyli żywego obrazu, ale zaraz scena się ożywiła, bo młode Pudełko znienacka rzuciło mi się na szyję i zakomunikowało, że mnie kocha. Po czym z kolei rzuciło się na szyję Bibule, a ona jakoś nie miała nic przeciw temu. Mała Jagódka usiłowała namówić Niupę, żeby udała się za tym panem, co właśnie odszedł i ugryzła go w tyłek. Ewa fuknęła na nią, żeby się nie wyrażała i poinstruowała, że należy mówić „bierz go". Na to hasło Niupa wywróciła się kołami do góry, a jej pan orzekł, że jest kretynką. Lula stała jak wmurowana i patrzyła na mnie jak na dziwowisko (na nią patrzyło, oczywiście, starsze Pudełko). Babcia dyplomatycznie poczekała, aż passat zniknie za drzewami i dopiero wtedy zwróciła się do mnie.

– Bardzo ci dziękuję, moje dziecko – powiedziała, a oczy jej się nieco zaszkliły (nie taka babcia twarda, jakby na to wyglądało). – Ale jak ty to sobie wyobrażasz? Naprawdę chcesz kupić Bibułę? I co? Zabierzesz ją, czy zostawisz u mnie? Bo ja przecież za chwilę nie będę miała na jej utrzymanie, jak już wydam to, co mi za nią zapłacisz...

Ale ja już wiedziałam, czego chcę.

– Ja już wiem, czego chcę – powiedziałam, starając się, żeby to zabrzmiało wiarygodnie, chociaż miałam świadomość, że może nie zabrzmieć. – Jeżeli pani się zgodzi, to ja sprzedam samochód, on jest naprawdę bardzo dużo wart, i zamieszkam u pani. Pani nie będzie musiała przenosić się do domu starców, a ja będę miała jakiś cel w życiu. Bo pani... bo wy wszyscy nie wiecie, że mnie się właśnie życie wywróciło do góry nogami. Zostałam na takim lodzie, że trudno to sobie wyobrazić. Przy okazji wam opowiem. A tutaj... mogłybyśmy pomyśleć o reaktywowaniu tej szkółki jeździeckiej, albo o gospodarstwie agroturystycznym... Czy ten dom jest zadłużony?

– Nie – odrzekła babcia natychmiast. – Chwała Bogu, nie. Żadnej hipoteki, nic z tych rzeczy. Nie chciałam się zadłużać w żaden sposób, bo nie widziałam możliwości spłacania długów. Ale czy ty, dziecko moje, na pewno wiesz, co mówisz?

Z każdą sekundą mój spontaniczny pomysł wydawał mi się rozsądniejszy. Do Szczecina nie mam po co wracać, Leszek pewnie pójdzie do pudła na długie lata, i dobrze, należy mu się, a ja wcale nie chcę mieć z nim nic wspólnego, zwłaszcza, gdyby przypadkiem wyszedł. Do rodziców też nie chcę. Pora zacząć żyć na własny rachunek. To jest wyzwanie!

– Wiem, co mówię. Podoba mi się tutaj. Lubię konie, jeździłam kiedyś zupełnie nieźle. Lubię góry, chociaż znam tylko Tatry i Alpy trochę, ale góry to góry. Nie mam dużych wymagań. Mogę pracować. To co, zaryzykuje pani?

– Natychmiast i bez namysłu – powiedziała stanowczo starsza pani. – Wszystko lepsze od Sosnówki Górnej!

I wyciągnęła do mnie zasuszoną prawicę. Uścisk miała zupełnie męski. Niech mi nikt już nie mówi, że to jest krucha starowinka!

Właściwie to nikt nie mówił mi niczego takiego, sama sobie wymyśliłam, że taka babcia musi być słaba i niemrawa. Duży błąd!

A potem rzuciłyśmy się sobie w objęcia i starsza pani zaproponowała, żebym, jak wszyscy przyjaciele, nazywała ją po prostu babcią Stasią.

A jeszcze potem wszyscy rzucali mi się na szyję, co było dosyć przyjemne. W końcu babcia stwierdziła, że czas na obrządek, a ponieważ tych skunksów Misiaków nie ma pod ręką, więc może byśmy tak wszyscy razem zabrali się za robotę.

3. Stateczna...

Przy obrządzaniu dwóch koni nie ma znowu tak wiele roboty, więc nie trwało to więcej niż kwadrans.

Na kolację poszliśmy w słusznym poczuciu dobrze spełnionego obowiązku. Miałam wrażenie, że dopiero co jedliśmy ten boski bigos, ale babcia uznała, że czas na posiłek, nasza wina, że obiad był późno, bo tak przyjechaliśmy.

Podkuchennej Żakliny już nie było, więc rozsiedliśmy się w kuchni, wielkiej jak stodoła i my, kobiety, robiłyśmy kanapki, a panowie parzyli herbatę. Babcia nie robiła nic i wyglądała na szalenie zadowoloną.

Przy krajaniu boczku przyszło mi coś do głowy.

– Słuchaj, Lula – powiedziałam do przyjaciółki, która wciąż patrzyła na mnie trochę jak na cielę z dwiema głowami. – A tobie w tym muzeum naprawdę tak dobrze?

– O czym ty do mnie rozmawiasz, dziecko? – zapytała cytatem z naszego ulubionego filmu pod tytułem „Chłopaki nie płaczą".

– Zgadnij. – Oblizałam palce, bo ten boczek nie miał nic wspólnego z produktem występującym w Szczecinie pod nazwą boczku.

– O kurczę – powiedziała Lula i usiadła, porzucając wyjmowanie ogórków ze słoja. Całe towarzystwo jakoś się zamyśliło. Wszyscy wyglądali, jakby rozpatrywali tę samą możliwość w stosunku do siebie. Mam na myśli pozostanie w Rotmistrzówce, a nie satysfakcję z muzeum, oczywiście.

– Bo wie babcia – ciągnęłam swoje. – Gdybyśmy się zdecydowały na to gospodarstwo agroturystyczne, to Lula mogłaby zostać naczelną kucharką. Ona genialnie gotuje.

– Ależ Lula ma w Szczecinie dobrą pracę. – Babcia popatrzała na Lulę z powątpiewaniem. – Miałaby ją rzucić dla starej baby?

– I młodej przyjaciółki – sprostowałam. – A na tę dobrą pracę stale narzeka. Dwa dni temu ciskała w domu patelnią, słowo harcerza.

– Najlepiej by było – wtrącił się znienacka młody Pudełko – gdybyśmy wszyscy tu zostali.

Zapadła chwilowa cisza.

– Bóg przemawia przez usta dziecka – przypomniałam sobie, co należy powiedzieć w tej sytuacji. – I co wy na to, starszyzno?

Starsze Pudełko, oczywiście, już znowu zaczęło gapić się na Lulę ze skrywanym uwielbieniem, Lula łypnęła na Wiktora, Wiktor na mnie (dlaczego?), Ewa się skrzywiła, dzieci były wniebowzięte, a babcia chichotała. A pies ukradł mi kawałek boczku.

– W zasadzie ja też jestem na rozdrożu – zaczął Pudełko. – Po śmierci Romy wszystko się zmieniło. Ale przecież Kajtek chodzi do szkoły, ma swoje środowisko...

– Tu też jest środowisko – powiedział rozsądnie Kajtek. – Ja bym tu chętnie zamieszkał i opiekował się końmi. Tata, obiecałeś mi, że mnie nauczysz jeździć na koniu.

– Nauczę cię tak czy inaczej.

– A dlaczego właściwie Kajtuś do tej pory nie jeździ – zaciekawiła się babcia. – W tym wieku to już można brać udział w zawodach.

– Mama mi nie pozwalała – wyrwał się młody i posmutniał na wspomnienie mamy. Babci zrobiło się go żal i przytuliła go do siebie.

Zaczęło się teraz gdybanie, co by to było, gdyby i Wiktor z rodziną przeniósł się do Marysina, ale tu zaprotestowała Ewa.

– Wiktor ma w Krakowie dobrą pracę, a ja mam habilitację na głowie – powiedziała stanowczo i dyskusja się urwała, tylko małe Pudełko popatrzało z ciekawością na jej głowę. A ponieważ kanapki były już gotowe i herbata też, zjedliśmy tę kolację, a potem jeszcze do północy trwały najróżniejsze opowieści i wspominki, o których mi się jednakowoż pisać nie chce, bo jakoś szczęśliwie adrenalina mi wyparowała z organizmu i mogę pójść spać.

Ale coś mi mówi, że większości z nas będzie się dzisiaj śniło wspólne gospodarstwo w Rotmistrzówce...

Lula

Co za dzień, co za dzień...

Nawet nie próbuję iść spać, nie zasnęłabym szybko. Emilka też, widzę, przeżywa. Nie chciała mi klepać nad głową klawiszami laptopa i wyniosła się ze swoim dziennikiem do kuchni. Nigdy w życiu nie spodziewałabym się po niej takiej decyzji. Chociaż może niesłusznie. Przecież zawsze była miłym, myślącym dzieckiem, może te ostatnie dwa lata w luksusie trochę ją zdemoralizowały.

Z drugiej strony – cóż to za demoralizacja? Bogactwo samo w sobie nie jest grzechem, a ona przecież nie wiedziała, skąd jej mąż-nie-mąż pieniądze bierze, była pewna, że są zarobione uczciwie. Przyznać muszę, że zupełnie jej do twarzy było z tą zamożnością.

Myślę, że i ja jakoś bym się w końcu przyzwyczaiła do dużych pieniędzy... gdyby mi się przypadkiem przytrafiły. Ten chrysler bardzo mi się podobał, zwłaszcza kiedy Emilka na obwodnicy zielonogórskiej przekroczyła dwieście kilometrów na godzinę!

Emilka, jak się zdaje, spodobała się Wiktorowi! Mam nadzieję, że wyłącznie jako *object d'art*!!!

Biedny Wiktor, strasznie się męczy w tej swojej agencji reklamowej. Znaleźliśmy dziś dla siebie kwadrans na osobności, zwierzał mi się, że ostatnio projektował kampanię reklamową dla *odwaniacza klozetowego*. Wiktor! Subtelny abstrakcjonista! Inna rzecz, że za swoje subtelne abstrakcje nie mógłby wyżywić ani rodziny, ani samego siebie. Ewa uważa, że Wiktor Pana Boga za nogi złapał, bo w miarę stały kontrakt z taką agencją to żyła złota. Wolałaby, żeby poszedł tam pracować na etat, ale on nie chce. Trochę ją oszukuje, że nie proponują. Nieprawda, proponowali, ale nie chciał się wiązać.

U kochanego Jasia Pudełki też niewesoło i to z wielu przyczyn. Nie finansowych wprawdzie, ale w tym przypadku to chyba tylko gorzej.

On sam od zawsze pracuje jako programista w takiej jednej firmie we Wrocławiu, gdzie zresztą mieszka od czasów studiów. Jego żona, bardzo piękna Romana (widziałam jej zdjęcie), nie pracowała nigdzie nigdy. Była podobno słabego zdrowia, więc urodzenie Kajtka tak ją wyczerpało, że o pracy już w ogóle nie było mowy. Jednak nie umarła z powodu słabego zdrowia, tylko zginęła w wypadku samochodowym.

Janek chyba do tej pory jest w szoku. Opowiedział mi bardzo dziwną i zagmatwaną historię. Któregoś dnia wyszedł, jak zwykle do pracy, ale koło południa poszedł na umówioną wizytę do okulisty, bo od dawna szwankował mu wzrok. Okazało się, że z jego oczami nie jest najlepiej, lekarz sugerował mu nawet pożegnanie z komputerem – na to Janek tylko parsknął śmiechem, bo przecież tym zarabiał na życie, że całymi dniami, nieraz do późnej nocy, siedział z nosem w komputerze i pisał te swoje programy. Lekarz pokręcił głową, ale zaordynował mu okulary i kazał wziąć kilkudniowy urlop.

Kiedy Janek wrócił z przychodni do domu, żony nie zastał. Chciał do niej zadzwonić na komórkę, dowiedzieć się, kiedy wróci, ale zamiast niej, odebrał połączenie nieznajomy mężczyzna, jak się okazało, policjant. Roma miała wypadek. Na szosie. Jechała białym mercedesem w towarzystwie jakiegoś mężczyzny, którego Janek nie znał. Wstrząsnęło nim odkrycie, że Roma miała jakieś swoje życie, o którym nic nie wiedział, ale okazało się, że to jeszcze nie wszystko.

Po pogrzebie wpadła do nich siostra Romy i zaczęła z Jasiem dziwną rozmowę. Bardzo chciała dostać pamiątkę po Romeczce, a najchętniej te jej świecidełka z Jabloneksu, które tak bardzo lubiła Roma. Janek zdziwił się, bo nic nie wiedział o świecidełkach. Roma nosiła artystyczną biżuterię, wyłącznie srebro i agaty. Ale coś takiego zauważył w tej siostrze, jakąś taką łapczywość, tak strasznie jej zależało, żeby zaraz, natychmiast, już była gotowa rzucać się na poszukiwania – koniec końców jakoś się wykręcił, spławił nachalną siostrzyczkę i sam zaczął szukać. Nie było to łatwe, bo okazało się, że Romeczka ma swoją tajną skrytkę bardzo ładnie wmontowaną w toaletkę.

Rzeczywiście, leżało tam dość sporo bardzo błyszczącej biżuterii, ale Jankowi na oko wydała się za porządna jak na Jablonex. Każda sztuka w osobnym pudełeczku, z tych wytwornych, wybitych atłasem. Obejrzał sobie taki jeden naszyjnik i znalazł na nim próbę. Nie znał się na tym, nie wiedział, czy to jest wysoka próba, czy nie – ale na wyrobach Jabloneksu prób się nie wybija. Obejrzał resztę – próby znalazł na każdej. Zajrzał do internetowej encyklopedii i okazało się, że próby są, owszem, najwyższe. Pomyślał więc, że w takie dobre złoto i platynę nie oprawia się cyrkonii i zrobiło mu się gorąco.

Jeden z jego kolegów miał brata jubilera i Janek umówił się na drobną prywatną konsultację. Okazało się, że w swoich kasetkach Romana posiadała biżuterię złotą i platynową, zawierającą dużą ilość brylantów, szmaragdów i topazów. Jako ruda baba, zdaje się, nie uznawała rubinów.

Następnym znaleziskiem, które przyprawiło biednego Jasia o szok, był notes Romy, który trzymała w swojej małej, eleganckiej torebce. Janek mówi, że sięgając po ten notes, prawie że wiedział, co w nim znajdzie.

Były tam skąpe, ale jednak wiele mówiące notatki, z których Janek wywnioskował, że żona miała bogatego sponsora... tak to się teraz nazywa? Spotykała się z nim dosyć regularnie, podczas kiedy Janek siedział godzinami, dniami i nocami przy swoim komputerze, zarabiając na dom. A ponieważ zarabiał dobrze, więc nie miała innych potrzeb, jak ta biżuteria.

Błyskotki po wycenie okazały się warte ponad sto tysięcy. Sponsor okazał się znanym politykiem i biznesmenem jednocześnie. Nekrologi prześcigały się w superlatywach. Na pogrzebie było pół Wrocławia i dodatkowo ćwierć Warszawy. O tym, że w mercedesie biznesmena jechał jeszcze ktoś, żadna prasa, żadna telewizja nie wspomniała.

Janek miał początkowo odruch, żeby te wszystkie kolie i bransolety wyrzucić do śmieci, albo oddać szwagierce, która najwyraźniej wiedziała doskonale o wszystkim – ale potem poszedł po rozum do głowy i poprosił o radę tego znajomego jubilera, który mu zaoferował cenę wprawdzie niższą, ale za to natychmiast. Janek uznał, że to całkiem dobre wyjście, bo chciał jak najszybciej pozbyć się biżuterii, która przypominałaby mu zawsze o wielkości jego rogów – tak się dokładnie wyraził. No więc niespodzianie zupełnie jego konto zasiliło ponad osiemdziesiąt tysięcy złotych.

Kiedy mi opowiadał o wszystkim, widziałam, że jeszcze przeżywa. Biedny, kochany Janek, zawsze taki porządny, uczciwy – dlaczego musiał trafić na taką kobietę?

– Pewnie dlatego, że ty mnie nie chciałaś – uśmiechnął się z niejakim przymusem.

Czyżby Jasio się we mnie podkochiwał? Nie zauważyłam. Ale ja się wtedy kochałam w Wiktorze, tylko że jego już dopadła Ewunia... A potem wszyscy się rozeszliśmy, każdy w swoją stronę. I Janek spotkał piękną Romanę.

Tylko ja nie spotkałam nikogo.

Pytał mnie, co sądzę o pomyśle Emilki. Wygląda na to, że miałby ochotę do niej dołączyć, tylko się zastanawia, czy nie byłoby to ze szkodą dla Kajtka. Nie sądzę. W Jeleniej Górze też są szkoły, zresztą w Karpaczu i Kowarach również. Studiować mógłby we Wrocławiu; niedaleko i miałby gdzie mieszkać.

– A ty się tu przeniesiesz? – spytał mnie trochę obojętnie.

Nie wiem. Łatwo jest postanowić coś w emocjach, ale czy to naprawdę miałoby sens?

Muszę się zastanowić na zimno.

Gdyby Wiktor...

Ludwiko! Nawet o tym nie myśl!

Emilka

Wróciłyśmy do Szczecina i wróciły wszystkie moje lęki i kłopoty. Jakby Leszek w jakiś sobie tylko znany sposób trzymał mnie za gardło. Zdalnie, z tej swojej turmy. W Marysinie tego nie oczuwałam. Tam jest innny świat. Trzeba naprawdę przeprowadzić się do babci jak najszybciej. Zatrzeć za sobą ślady. Wymeldować się i kropka.

Myślę, że się nadam w gospodarstwie, ostatecznie skończyłam Akademię Rolniczą i wiem to i owo o sadach i ogrodach. Babcia ma sporo hektarów, nie na wszystkich muszą pasać się konie. Och, ta babcia. Podoba mi się coraz bardziej.

Trochę mi opowiadała o Marysinie. Ludność tam jest bez wyjątku napływowa, jak na całych Ziemiach Tak Zwanych Odzyskanych. Czyli Zachodnich. Myśmy tu nie przyszli, myśmy tu wrócili. Zza Buga przeważnie. Poza tym z całej Polski. Nie wiedziałam, że tam były kopalnie uranu! Nie w samym Marysinie, ale dosłownie kilka kilometrów dalej, w Kowarach. Podobno ojciec tamecznej sołtyski, marysińskiej nie kowarskiej, pracował kiedyś w tych kopalniach i w rezultacie umarł na białaczkę.

Czuję, że nie będę się tam nudziła, zwłaszcza, że i góry wyglądały sympatycznie. Nie zdążyliśmy po nich połazić, nie było czasu tym razem, ale kiedyś to odrobię z nawiązką.

Najpierw jednak należałoby sprzedać gangsterską furę. Chyba nie będzie to specjalnie proste, bo ona naprawdę kosztowała prawie dwa miliardy, to znaczy dwieście tysięcy złotych.

Dwa miliardy brzmi lepiej. Nie byłam dotąd pewna tak naprawdę tej ceny, ale zostałam przekonana.

Udałam się do biura ogłoszeń i usiłowałam namówić ponurą panienkę zza biurka, żeby mi pomogła zredagować ogłoszenie, ale tylko spojrzała na mnie i zabiła mnie wzrokiem. Na szczęście byli tam też jacyś faceci i zainteresowali się moim problemem.

– Niech pani powie na początek – rzekł dobrotliwie jeden taki, co przede mną dawał ogłoszenie o sprzedaży kurzej fermy – co to za samochód pani sprzedaje. Jaki ma przebieg i tak dalej.

– Chrysler limuzyna – powiedziałam zgodnie z prawdą. – Przebieg ma tysiąc trzysta, a i tak dalej to ja już nie wiem, co pan chce wiedzieć.

– Żartuje pani – ucieszył się facet od kur. – Chrysler limuzyna? Nówka? I pani się z nim dobrowolnie rozstaje?

– Dobrowolnie... nie do końca. Już go polubiłam. Ale nie ma o czym mówić, zdecydowałam. Sytuacja przymusowa, pan rozumie.

– Rozumiem. Ile pani za niego chce?

Uznałam, że jeżeli powiem dwieście tysięcy, to mnie wyśmieją, więc powiedziałam skromnie – siedemdziesiąt. Dopiero teraz mnie wyśmiali.

– To jest wersja podstawowa? – włączył się kolega ponurej panienki zza biurka.

– Niezupełnie, o ile się orientuję. Ma wszystkie możliwe bajery, więc pewnie nie podstawowa... Aha, parę rzeczy było robione na specjalne zamówienie.

Wszyscy obecni w biurze ogłoszeń panowie, w sile czterech, zaniechali swoich zajęć i patrzeli na mnie jak cielęta na malowane wrota. Więc im jeszcze wytłumaczyłam, co mój Leszek kazał tam dołożyć ekstra, żeby uwierzyli lepiej. W zasadzie brakowało już tylko fontanny.

– I gdzie go pani trzyma? – spytał bez tchu najmłodszy, z wyglądu student pierwszego roku poszukujący taniej stancji.

– W garażu – powiedziałam niedbale, nie dodając, że chwilowo w policyjnym. Prokurator mi załatwił zgodę na postawienie tam gangsterskiej bryki.

– No dobrze, ale ile pani za niego dała na starcie – niecierpliwił się student.

Ja? Leszek dawał na starcie, nie wiem ile, przyprowadził cacko do domu i wręczył mi w charakterze prezentu. Omotanego wstążką zawiązaną na kokardę. Chyba to było trochę w złym guście. Do kluczyków na szczęście niczego nie przyczepiał. Zabrzęczał, dał mi razem z kompletem dokumentów na moje nazwisko i już.

Gdyby mi podarował pierścionek z brylantem jak kurze jaja, też bym go nie pytała, ile zapłacił w sklepie z pierścionkami.

– To nieistotne – wtrącił nobliwy starszy pan, z wyglądu profesor filozofii, a może dyplomata. – Ważne, że jeśli samochód jest tegoroczny i ma tak mały przebieg, to jest to de facto auto nowe. Wersja podstawowa kosztuje, o ile się orientuję sto osiemdziesiąt. A pani limuzyna ma te wszystkie, jak się państwo byli uprzejmi wyrazić, bajery... No to pewnie ze dwieście... Oczywiście, dysponuje pani wszystkimi dokumentami? Przepraszam, że pytam, ale to ważne.

– Dysponuję. Mam wszystkie kwity z salonu. Na moje nazwisko.

– W takim razie radziłbym zażądać stu dziewięćdziesięciu, bo trochę pani jednak powinna opuścić i czekałbym na rezultaty. Być może trafi się pani jakiś nowobogacki biznesmen, albo może gangster... Taki na przykład Makrela spod Koszalina albo Kałach, na pewno pani słyszała, niedawno go zamknęli – też pewnie mógłby sobie kupić taki pojazd...

Hahaha. Kałach. Owszem, słyszałam. O mało się nie zatchnęłam, kiedy o nim wspomniał.

– No to jak z tym ogłoszeniem – warknęła na mnie panienka zza biurka. – Kolejka czeka, a pani się zastanawia! Tu się przychodzi, kiedy się wie, czego chce!

Chciałam na nią huknąć, ale mnie uprzedził właściciel fermy.

– O co pani chodzi? – ryknął na panienkę. – Kolejka nie ma żadnych pretensji!

Rzeczywiście, kolejka uśmiechała się życzliwie. Gdyby w niej była jakaś kobieta, nie wiem, czy na pewno byłaby taka jednomyślna. Uznałam, że nie należy przeciągać struny i szybciutko wypełniłam formularz. Panienka go przyjęła i skasowała mnie na ostatnie moje grosze pożyczone od Luli.

– Będzie w druku od jutra – warknęła znowu. – Proszę pana o formularz!

– Jeśli pani będzie taka uprzejma dla wszystkich, to niedługo nie będzie pani już przyjmować tych formularzy – powiedział następny po mnie w kolejce ubogi student poszukujący taniej stancji.

– Niech pan mnie nie poucza – warknęła, jak to ona, i spojrzała na niego jadowicie. – Formularz proszę!

Student dał jej formularz, a ja poszłam sobie, pożegnawszy sympatyczną kolejkę.

Ciekawe, czy w naszym pięknym mieście znajdzie się drugi Kałach, żeby sobie chciał kupić takie ładne autko. I czy nie jest przypadkiem tak, że jeśli kogoś stać na taki samochód, to idzie go sobie kupić do salonu, a nie z ogłoszenia. Może powinnam oddać go do salonu? No nic, zobaczymy, czy znajdzie się ktoś z ogłoszenia. W końcu spuściłam z ceny dwadzieścia pięć tysięcy...

Lula

Emilka namawia mnie, żebym zdecydowała się jednak na przenosiny. Nie wiem, nie wiem. Mam coraz większą ochotę, bo i tak warto by coś zmienić w moim życiu, ostatnimi czasy jest beznadziejnie jednostajne. Poza tym mój dyrektor doprowadza mnie do rozpaczy, a wygląda na to, że umocnił się na swoim dyrektorskim stołku i nie zamierza go opuścić absolutnie nigdy. Pożegnał się z badaniami i polubił dyrektorowanie. A to oznacza, że moja praca będzie się koncentrowała na oprowadzaniu wycieczek, bo jakiekolwiek moje własne koncepcje wywołują u pryncypała ataki szału.

Trochę będzie mi żal Szczecina, to jest moje miasto, tu się urodziłam i tak dalej. Ale mam już trzydzieści pięć lat i niczego specjalnego w tym moim mieście nie udało mi się osiągnąć. Z nikim też nie czuję się związana. Zwłaszcza, odkąd rodzice wyjechali do Australii i zamieszkali w jakiejś obłędnej hacjendzie pod Perth, dokąd wyniosła się moja starsza siostra ze swoim mężem, który zamierzał hodować owce. I co najdziwniejsze, hoduje. Raz tylko tam byłam, oczywiście, na ich koszt, średnio mi sie podobało, za gorąco jak dla mnie. Nie lubię takich wściekłych temperatur, wolę klimat umiarkowany. Dlaczego oni nie zamieszkali na Tasmanii, gdzie jest bajkowo? Podobno bajkowo. W każdym razie mieszkają tam dziobaki.

Dzwonił Janek z wiadomościami. O sobie, ale przede wszystkim o Wiktorze, z którym regularnie kontaktuje się telefonicznie (ja nie miałam odwagi zadzwonić, mimo że wymieniliśmy nowe numery komórek...). Niestety, na razie nic nowego. Wiktor zabrał się do pracy nad kampanią reklamową środków higieny łazienkowej, czy jak tam się to nazywa. Podobno dostać do opracowania taką kompleksową kampanię – to oznacza mnóstwo pieniędzy. Jeśli tak jest, to nie mam wątpliwości, że Ewa nie pozwoli mu się na krok ruszyć z Krakowa. Chociaż nic nie wiadomo, bo ona z kolei ma jakieś kłopoty z własnym profesorem, który prowadzi jej pracę habilitacyjną. Zdaje się, że w swojej publikacji pan profesor spokojnie spożytkował wyniki jej badań, na dodatek zrobił jej awanturę, kiedy próbowała się temu przeciwstawić. Teraz Ewa ma usunąć te wyniki ze swojej własnej pracy. Podobno popadła w histerię na tym tle. Uczciwie mówiąc, wcale jej się nie dziwię, sama bym popadła w histerię, albo i coś gorszego.

Ciekawe, czy Wiktor c h c i a ł b y zamienić Kraków na Marysin?

Wygląda na to, że gdyby to on miał decydować, to może by i zaryzykował. Mówił mi ostatnio, że małej Jagódce przydałaby się zmiana klimatu, bo w Krakowie stale męczą ją jakieś alergie i nawet ma początki astmy. No to ja bym się na jego miejscu ani chwili nie zastanawiała.

A może by jednak do niego zadzwonić i zasugerować mu to przez telefon?

Nie odważę się.

Emilka

Czyżby w Szczecinie był tylko jeden porządny gangster? Moje ogłoszenie chodzi już od tygodnia, dzwonili różni tacy, co chętnie by sobie kupili samochodzik, ale jednak nie za takie pieniądze, jakie ja uznałam (z pomocą kolejki) za cenę wywoławczą.

A ja coraz bardziej chcę do Marysina! Tutaj siedzę na zadku, nic nie robię, obżeram Lulę i nawet nie szukam żadnego zajęcia, bo przecież nie chcę tu żadnego zajęcia, chcę zajęcia w Marysinie! Chcę założyć tam ogródek i hodować babci kapustę! Oraz antonówki, albo inne, staroświeckie jabłuszka w sadzie, żeby się rumieniły jesienią jak w wierszyku. Oraz pojeździłabym sobie na Bibułce... Boże, czy babcia ma jakieś pieniądze, żeby tę Bibułkę karmić???

Zadzwoniłam do babci, bo się zdenerwowałam. Babcia jest po prostu pierwsza klasa.

– A co ty, dziecko, myślisz, że taki samochód kupią ci w ciągu tygodnia? – zapytała mnie pogodnie. – Poczekaj jeszcze ze dwa i wtedy zaczniesz się martwić. A paszę dla twojej Bibuły jeszcze mam. Dla Myszy i dla siebie też, więc nie martw się niepotrzebnie. Chyba, że zmieniłaś zdanie – zaniepokoiła się nagle – to lepiej powiedz mi, Emilko, od razu...

– Babciu, jak babcia może. – Nie przyszło mi do głowy, że babci coś takiego może przyjść do głowy! – Gdybym się rozmyśliła, powiedziałabym to bez kręcenia. Ale się nie rozmyśliłam, tylko czekam na kontrahenta. Widocznie brakuje nam milionerów w naszej mieścinie.

Babcia w słuchawce rozpogodziła się ewidentnie.

– Ach, to dobrze, Jesli tylko milionerów nam brakuje... Słuchaj, moja kochana, przy okazji powiem ci, że rozmawiałam z naszym Wiktorkiem... moim zdaniem oni mają kłopoty.

– Wiktor ma kłopoty? – zdziwiłam się, bo słyszałam od Luli, że przeciwnie, Wiktor dostał tłuste zlecenie i forsy będzie miał jak lodu.

– Nie tyle Wiktor, co Ewunia – westchnęła babcia, miałam wrażenie, że lekko fałszywie. Babcia, podobnie jak Lula, chętnie by widziała go w pobliżu siebie. – Ewunia miała kłopot ze swoim profesorem, może wiesz...

– Wiem, Jasio dzwonił do Luli i ona mi mówiła. Oderżnął coś z jej pracy i opublikował w swojej własnej.

– Nie tylko to. – Babcia jakby się podnieciła. – Wyobraź ty sobie, Emilciu, kilka dni temu poszła Ewa na swoją uczelnię, a tu portier klucz jej daje, ale się dziwi. Pani doktor przecież nie ma wykładów, mówi. Jak to, nie mam wykładów, pyta Ewa. Odwołane, mówi portier. Na tablicy. Ewa do tablicy i cóż widzi? Czarno na białym – wykłady pani doktor Łaskiej odwołane, aż do końca semestru, z jakichś tam wymyślonych przyczyn, podpis kierownika katedry, czy tam zakładu, nie wiem, w każdym razie tego jej profesora.

– Zemścił się – powiedziałam domyślnie.

– Zemścił się. Ale słuchaj, dziecko, dalej. Ewa pobiegła do niego, sekretarka jej mówi, że pan profesor zajęty. Nie wiem, czy wiesz – zachichotała nagle babcia – że nasza Ewunia taka niby zimna, ale ma temperament. Nic już sekretarce nie powiedziała, tylko wbiegła do profesora. I pyta – o co chodzi z tymi odwołanymi wykładami. Emilko moja, nigdy byś się nie domyśliła, co on jej powiedział!

– Babcia mówi, babcia mnie nie dręczy!

– On jej powiedział, że wykładowca, który popełnia plagiat jest niemoralny i nie może mieć zajęć ze studentami!

– Kto niemoralny? Kto popełnia plagiat?

– No właśnie! Ona też zaniemówiła i pyta, jaki plagiat? Że zamieściła w swojej własnej pracy wyniki swoich własnych badań? A ten łobuz spokojnie oświadcza, że skoro te wyniki były już w jego pracy, to ona popełniła plagiat. Czyn niemoralny! Rozumiesz? I teraz jej sprawą zajmie się Komisja Etyki na uczelni, a on jest przewodniczącym tej komisji! A ona będzie musiała odpowiedzieć za swoje postępki! Chyba że przyzna się do plagiatu na piśmie, teraz, już.

– Ależ gnojek! I co Ewa?

– Ewie odebrało mowę z oburzenia, wyszła bez słowa do sekretariatu i napisała wymówienie. No i co ty na to, kochana Emilko?

– Kochana babciu – powiedziałam uroczyście – ja na to jak na lato. Też bym napisała. Tylko że teraz pani doktor Łaska musi sobie szukać nowej pracy, a nie wiem, czy w Krakowie łatwo jej będzie znaleźć równie ambitną.

– Otóż to. Zatem albo przejdzie na utrzymanie Wiktora, albo poszuka sobie innej, mniej ambitnej, albo... przyjadą tutaj! – zakonkludowała radośnie babcia. – Emilciu, opowiedz tę historię Luli, dobrze? Ja już muszę kończyć, bo rachunki za telefon coraz mam wyższe...

– Przecież to ja dzwonię – zdziwiłam się, ale babcia już mnie nie słuchała, pocmokała do telefonu i wyłączyła się.

Domyśliłam się, że pewnie chciała sama do nas zadzwonić z rewelacją i w końcu jej się pomieszało, kto do kogo. Ostatecznie babcia ma swoje lata...

Luli, kiedy usłyszała rewelację, oko zabłysło, ale nic nie powiedziała. No, prawie nic. Zapytała, czy nie zamówiłybyśmy sobie pizzy na telefon, bo jej się okropnie chce jeść.

Lula

Niech się dzieje, co chce. Dokonałam wyboru. Zostawiam moje muzeum, bo nic już mądrego nie jestem tu w stanie zdziałać i jadę z Emilką do babci. Jest mi wszystko jedno, czy Wiktor się tam sprowadzi, czy nie, tak naprawdę to nie ma żadnego znaczenia, on ma żonę i dziecko, a ja nie jestem wamp z filmu amerykańskiego. Janek się przymierza do Marysina, prawdopodobnie tym łatwiej mu przyjdzie podjęcie decyzji, że pogłębiły mu się problemy z oczami i lekarz kręci głową na jego pracę. Mówi mu, że powinien jakiś czas obyć się bez komputera. Ale Janek pracuje wyłącznie na komputerze i takie rady są kompletnie abstrakcyjne. Kajtek wyrywa się do zwierzaków, chciałby do koni, Janek obiecał mu psa, psa w bloku trzymać będzie im szkoda, ale z ostateczną decyzją czekają na koniec roku szkolnego, przez ten czas emocje im obu opadną i będą w stanie rozsądnie rozważyć wszystkie argumenty za i przeciw.

Chciałam już, wzorem Emilki, dać ogłoszenie o sprzedaży mieszkania, ale Emilka mnie powstrzymała.

– Nie bądź taka wyrywna – powiedziała pouczającym tonem. – Jak je raz sprzedasz, to już go nie będziesz miała. A ono może na ciebie regularnie zarabiać. Wiesz, ilu ludzi poszukuje mieszkania w mieście za rozsądną cenę? Powiem ci, co robisz. Szukasz kogoś z referencjami, kto z kolei szuka mieszkania. I wynajmujesz mu je za, powiedzmy, cztery setki miesięcznie. On sobie mieszka, płaci za te wszystkie gazy, światła, śmieci i tak dalej, jak normalny człowiek, a poza tym tobie co miesiąc wpłaca na konto. Za rok nazbiera ci się cztery tysiące osiemset.

– Rozumiem – zgodziłam się. – Ale jest jeden szkopuł...

– Wiem, wiem – przerwała mi niecierpliwie – chciałabyś pojawić się w Marysinie z posagiem. No więc nie martw się, mój posag będzie duży, wystarczy na nas obie. A jakąś drogę odwrotu trzeba sobie na wszelki wypadek zostawić, bo co będzie, jeśli nam się nie powiedzie i w końcu będziemy musieli odpuścić, babcia sprzeda swoje ranczo...

– Odpukaj – zażądałam. Nie jestem przesądna, ale jeżeli chodzi o Wiktora... Bo przecież o niego chodzi, nie będę oszukiwała samej siebie. Coś mi mówi, że Ewa skapituluje. – Odpukaj natychmiast, spluń trzy razy przez lewe ramię, wyjdź z pokoju i okręć się trzy razy...

– A to ostatnie po co? – zapytała zdziwiona, odpukawszy najpierw i splunąwszy uroczyście. – Skąd ci to przyszło do głowy?

– Widziałam w jakimś angielskim kryminale.

– A, prawda, ja też widziałam. Ale to był jakiś aktorski przesąd. Jak im się teksty pomyliły. I chyba dotyczyło to tylko „Makbeta", czy może szkockiej sztuki w ogóle...

– Nie szkodzi, nie ryzykuj...

Wybiegła na schody i okręciła się trzy razy. Przy okazji wpadła na moją sąsiadkę, starszą panią z trzeciego piętra i omal jej nie zwaliła z nóg. Bardzo ładnie przeprosiła, ale sąsiadka i tak pozostała oburzona.

Wzruszyło mnie to, że Emilka swoje pieniądze, których zresztą jeszcze nie ma, ale to kwestia czasu, mam nadzieję... traktuje jako wkład nas obydwu w babcine gospodarstwo. Mówiłam, że to w gruncie rzeczy dobre dziecko.

Emilka

Babcia dzwoniła i ciężko wzdychając, pytała o postępy w sprawie sprzedaży mojego bezcennego gruchota. Zdaje się, że jej osobiste Misiaki weszły w niecne porozumienie z panem Chwastem, Łopianem, czy jak mu tam, Lepiężnikiem, i sączą jej do uszu jakieś jady na nasz temat. Babcia na razie się trzyma, ale ją denerwują. Twierdzą, jak zdołałam wywnioskować z babcinych półsłówek, że jesteśmy nieodpowiedzialni – zwłaszcza ja! co za bezczelność!!! Że byliśmy pod wpływem emocji, a teraz na pewno poszliśmy po rozum do głowy i ona, babcia, powinna też póść tam po rozum i z własnej woli, z godnością, zwolnić nas z danego słowa. Zanim zrezygnujemy i będzie jej przykro.

No, niech ja tam przyjadę i dostanę któregokolwiek z Misiaków w swoje ręce!

– Czy ja cię mam, dziecko, zwolnić z danego słowa? – zapytała wreszcie wprost babcia. – Bo ja rozumiem, że naprawdę mogłaś być pod wpływem chwili...

– Oczywiście, że byłam pod wpływem chwili – powiedziałam,

bardzo oburzona. – I pod wpływem tej chwili podjęłam najroz-
sądniejszą decyzję w moim życiu! Kto babci powiedział, że nie da
się podejmować mądrych decyzji w afekcie?
– Ale przemyślawszy...
– Przemyślawszy, wyszło mi to samo. Nie, to jest niegrama-
tycznie. Ale babcia rozumie, prawda?
– Jesteś pewna, Emilciu?
– Jestem pewna, babciu.
Z odległości czterystu kilometrów usłyszałam, jak z babci
schodzi powietrze.
– Dobrze – powiedziała zupełnie innym rodzajem głosu. – To
ja przetrzymam Misiaków.

Lula

Złożyłam wypowiedzenie. Dyrektor z trudem ukrył radość. Nawet nie udawał, że chciałby mnie zatrzymać. Zgodził się w trybie
miesięcznym, a ponieważ mam jeszcze trzy i pół tygodnia urlopu,
przekażę tylko najważniejsze sprawy mojej następczyni (mogłam
się spodziewać, że pan profesor natychmiast zatrudni na moje
miejsce swoją ulubioną asystentkę z uniwersytetu) i jestem wolnym człowiekiem.
Emilka wyraziła aprobatę dla rozwoju sytuacji i kazała mi jak
najszybciej napisać ogłoszenie o wynajmie mieszkania.
– Skoro mamy trochę czasu, w sam raz zdążysz przyjrzeć się
ewentualnym kandydatom. Żebyś nie trafiła na jakiegoś zbira
albo kryminalistę i narkomana.
Pomyślała chwilę i dodała:
– Ja na wszelki wypadek nie będę ci udzielała konsultacji
w tym zakresie, bowiem moje wyczucie raz już okazało się niewy-
starczające...
Jeżeli chodzi o jej osobistego gangstera – to jej określenie, nie
moje – wygląda na to, że udało jej się osiągnąć pewien dystans do
sprawy. Już chyba tak nie cierpi, kiedy o nim myśli. Wprawdzie od
początku usiłowała udawać, że mało ją to obeszło, ale przecież
mam oczy i widzę, co się dzieje.

Wszystko na nic.

Nie pojadę do babci, nie założę ogrodu, nie będę jeździć na Bibule.

Straciłam już nadzieję, że uda mi się puścić chryslera z ogłoszenia, na dodatek policja zdecydowanie postanowiła mi go oddać, prokurator przepraszał (tak!), ale z jakichś tam powodów, o których nie chciało mi się słuchać, nie mógł mi już załatwić dalszego przetrzymywania go w bezpiecznym miejscu, czyli na policyjnym parkingu.

Zdenerwowałam się, bo gdzież ja go teraz postawię, zanim załatwię przyjęcie go do salonu? Przecież nie na ulicy! Zanim go jeszcze odebrałam, obdzwoniłyśmy z Lulą wszystkich znajomych w poszukiwaniu jakiegoś garażu, oczywiście, prywatnego, bo na wynajmowanie garażu już nas nie stać. Zjadłyśmy prawie wszystko, co Lula miała na koncie. Garażu, niestety, nikt znajomy nie miał. Ostatecznie zdecydowałam się na jeden parking strzeżony w pobliżu domu Luli. Parkingowy z gębą zbója Madeja cmokał z zachwytu i mówił, że jeszcze taki piękny samochód u niego nie stał. Znalazł mi dla niego miejsce blisko swojej budki, pod latarnią i zapewnił, że będzie na niego rzucał okiem co pół godziny.

Uznałam, że ostatecznie, jedną noc niech rzuca tym okiem, na wizytę w salonie tego samego dnia było już za późno, w ciągu nocy go nie ukradną, ma w końcu wszystkie możliwe zabezpieczenia, no i pan parkingowy, który nie śpi, tylko czuwa.

Hahaha.

To jest Szczecin.

Następnego dnia o dziewiątej rano (nie mogłam spać z nerwów i wstałam, jak nigdy z własnej woli, o ósmej) poszłam go odebrać z tej całej samochodowej noclegowni.

Na ulicy przed bramą parkingu stał radiowóz i leniwie migał niebieskim kogutem.

Serce mi stanęło. Mój chrysler!!!

Oczywiście, że mój chrysler. Drogi nieobecny! Kilku zaaferowanych policjantów latało w kółko, nawet służbowy pies tam się kręcił, parkingowy w budce zeznawał jakiemuś cywilowi, a mojego chryslera ani śladu!

– To pani! – wydarł się parkingowy, kiedy mnie zobaczył przez okienko. – To pani samochód był!

Milion pytań. Milion, albo nawet dwa miliony. Czy ci policjanci nie odróżniają przestępcy od ofiary? Przecież właśnie znikł mój jedyny majątek, moje życie u babci legło w gruzach, a ja zostałam na takim lodzie, jakiego świat nie widział...

– Ja jestem pokrzywdzona, proszę pana – wrzasnęłam po jakiejś półgodzinie na gorliwego aspiranta, który bez mała doszedł w pytaniach do moich ocen z rysunków w klasie pierwszej szkoły podstawowej. – Szukajcie tego łobuza, który mi podprowadził samochód! O mnie pan już chyba wszystko wie?

– Będziemy szukać – powiedział godnie aspirant. – Na razie jest pani wolna.

To miło. Ja jestem wolna. Ten facet, który rąbnął mi samochód też jest wolny. Mamy w końcu wolny kraj. Jest świetnie.

Tylko co ja teraz mam zrobić?

Próbowałam dodzwonić się do znajomego prokuratora, to jego wina, on mi oddał samochód, niech teraz główkuje, może ma jakieś sposoby na uaktywnienie swoich policyjnych kolegów, a przynajmniej na jakieś bezpośrednie wejrzenie w sprawę, żebym wiedziała, czy oni naprawdę mają szanse go znaleźć...

„Proszę zostawić wiadomość, oddzwonię...".

Zostawiłam.

Aaaaaaaaaaaaaaaaaaaaa!!!

Żeby tylko go nie złapali, żeby tylko go nie złapali!!!

Co to jest jednak prawnicza głowa!

Prokurator oddzwonił, nawet szybko, bardzo uprzejmy, tralalala, ja zaczęłam ryczeć do słuchawki, a on spokojnie poczekał, aż przestanę i zapytał:

– A czy ma pani auto casco?

AUTO CASCO.

Pewnie, że mam! Lesio kupił!!!

Dobrze, że nie zdążyłam zawiadomić babci, bo mogłoby nie wytrzymać leciwe serduszko! Prokurator spokojnie wytłumaczył mi, że wyjścia są dwa. Albo chłopcy znajdą samochód i będzie wszystko w porządku, albo nie znajdą i będzie jeszcze bardziej w porządku, bo nie będę musiała już szukać kupca, tylko skasuję ubezpieczyciela na stosowną kwotę.

– Oczywiście, po umorzeniu sprawy.

– Ależ to może trwać i trwać. – Trochę się jednak zmartwiłam.

– Czy pamięta pani, jak się nazywa policjant, który prowadzi tę sprawę?

– Aspirant Brzeczny. Nie Grzeczny, tylko Brzeczny.

– Tak, tak, znam człowieka. Będę się z nim nawet widział dziś wieczorem, bo zupełnie przypadkowo nasze dzieci chodzą do jednej klasy, a dziś jest wywiadówka. Z tego, co wiem, to jego żona nie bywa na wywiadówkach z zasady, a ja swoją wyjątkowo zwolnię.

– Zrobi to pan – powiedziałam z wdzięcznością – naprawdę...

– Naprawdę. I tak mam tam sprawę, bo wychowawczyni mojej córki koniecznie chce, żebym wygłosił dla młodzieży jakąś pogadankę o przestępczości, muszę jej ten pomysł wybić z głowy. Zadzwonię do pani jutro, dobrze?

Pewnie, że dobrze.

Tylko coś czuję, że sprawa jeszcze się odwlecze. I to już niedobrze.

Lula

Emilka straciła samochód.

To jest po prostu okropne, jakiego ta dziewczyna ma pecha życiowego. Najpierw ten jej Lesław, teraz to, kiedy już się zdążyła jako tako otrząsnąć...

Ona sama jest naprawdę bardzo, bardzo dzielna, usiłuje mi wytłumaczyć, że nawet lepiej się stało, bo nie będzie musiała szukać kupca, dostanie odszkodowanie, bardzo wysokie, bo samochód był ubezpieczony na pełną sumę, a jest właściwie nowy.

Kiedy to jednak nastąpi, nie bardzo wiadomo, bo chyba najpierw policja musi dojść do wniosku, że auta nie da się odzyskać?

Wygląda, że Szczecin przestaje być miastem dla nas.

Dałam to ogłoszenie o mieszkaniu i mam nadzieję, że ktoś się zgłosi.

Nawet pisać mi się nie chce. Emilka śmieje się, że popadam w depresję, ale ja uważam, że nie ma się z czego śmiać!

Emilka

Ten Janek jest doprawdy świetny. I – jestem o tym absolutnie przekonana – nadal żywi młodzieńczą miłość do mojej Luli. Może i miał swoją piękną żonę, ale z pewnością hodował obraz ukochanej w sercu przez wszystkie lata małżeństwa, jak się zdaje, niezupełnie udanego. Coś mi Lula niedyskretnie wspomniała o jakichś brylantach i sponsorach.

Zadzwonił wczoraj, Luli akurat nie było, bo poszła do sklepu po świeże bułeczki. Co do mnie, to może będę wstawać o świcie, jak już się przeniesiemy na wieś, ale tu mi się nie chce, wolę jeść chleb chrupki sprzed tygodnia. Czego robić, na szczęście, nie muszę, bo Lula biega.

– Witaj, Emilko – powiedział Janek nieśmiało. On jest nieśmiały z natury i dosyć brzydki, ale za to ma piękny głos. Do uwodzenia. Chyba jednak o tym nie wie i tony przybiera raczej rzeczowe. – Jak tam wasze plany?

Opowiedziałam mu, co się porobiło z naszymi planami i poczciwy Janek się zatroskał.

– Wygląda na to, że obie jesteście zawieszone w chwilowej próżni, dziewczyny?

– Tak właśnie wygląda, Jasiu.

– Bo wiesz – mówił Jasio, jakby nie do mnie – myślałem o babci...

– Ja stale myślę o babci – zdenerwowałam się. – Ale sam widzisz, że musimy czekać!

– Widzę.

Przerwał i myślałam, że się wyłączył.

– Jasiu, jesteś tam?

– Jestem, jestem. Słuchaj, Emilko, ja bym miał pewien pomysł... bo widzisz, chyba źle, że babcia tam jest sama tyle czasu... Tylko powiedz, nie zrezygnowałyście z przenosin do Marysina?

– Oczywiście, że nie – zniecierpliwiłam się. – Jaki masz pomysł?

– Bo wiesz, ja też się zdecydowałem, ale Kajtek chodzi do szkoły, więc muszę poczekać jeszcze do końca roku szkolnego, prawie miesiąc. Ale tak się złożyło, że ostatnio mam pieniądze. Ja bym wam część tych pieniędzy po prostu dał... rozumiesz, jako inwestycję we wspólne gospodarstwo i jedźcie do babci już.

Zakończył przemówienie jednym tchem i zamilkł.

Ja też zamilkłam, bo mnie zaskoczył.

– Jesteś tam, Emilko?

– Tak, tak – powiedziałam szybko. – Tylko myślę intensywnie.

– Ale nie obraziłaś się?

– Oszalałeś. Jestem pełna podziwu. Słuchaj, nieźle to wymyśliłeś, ale wygląda na to, że na razie tylko ja będę mogła pojechać. Lula dała ogłoszenie i musi poczekać na kogoś, kto wynajmie od niej mieszkanie.

– A ty byś się zdecydowała? Jechać, rozejrzeć się, zacząć działać?

– Czemu nie?

– Dobrze. – Ton Jasia zrobił się bardzo energiczny i chyba usłyszałam w nim ulgę. – Konto w banku, oczywiście, masz?

– Oczywiście mam.

– Przyślij mi, proszę, numer konta sms-em, a ja ci przeleję dwadzieścia tysięcy. Zorientujesz się w najpilniejszych babci potrzebach, zrobisz, co będziesz uważała za stosowne, a jakby ci zabrakło na bieżączki, to dasz mi znać, a ja ci dołożę.

– W jakim sensie mi dołożysz? – Zaśmiałam się. – W dziób?

On też się roześmiał.

– Jeśli skrzywdzisz mi babcię, to w dziób. – Tu spoważniał. – Emilko, nie wiem, jak ty, ale ja bym chciał, żeby nam wyszło to gospodarstwo. Mam dość Wrocławia.

– A ja mam dość Szczecina...

– W takim razie chyba się rozumiemy. Ucałuj Lulę i dzwoń, jakby co.

– Ściskam cię, Jasiu...

Doszłam do wniosku, że naprawdę, my dwoje możemy się rozumieć jak nikt na świecie. Dziewczyna gangstera i mąż... nie, nie będę się wyrażać. Damy Kameliowej.

Lula wróciła z bułeczkami i okazała entuzjazm, ale niestety, nie chciała zadzwonić do Jasia, żeby się wszystkiego dowiedzieć z pierwszej ręki, na co ją gorąco namawiałam. Bidula, wciąż ma chyba przed oczyma swojego malarza abstrakcyjnego z żoną i dzieckiem na karku! Żona arysty ma problemy i na tym, zdaje się, Lula zasadza swoje nadzieje na to, że jednak i oni zjadą w końcu do babcinej chatki. No i po co jej to? Żeby się gapić abstrakcyjnie w ukochane oblicze, choćby nie wiem jak przystojne?

Lula

Już myślałam, że będę musiała puścić moją Emilkę samą do Marysina i było mi strasznie smutno na myśl o pozostaniu w pustym domu... Zabawne, ale zanim się do mnie wprowadziła, moje mieszkanie wcale nie wydawało się puste. Przeciwnie, uważałam je za najmilsze mieszkanko na świecie. Uwielbiałam je z wzajemnością. I wprawdzie nie zastanawiałam się ani chwili, kiedy trzeba było pomóc Emilce, ale myślałam z obawą o wspólnym bytowaniu – zwłaszcza, że zdawało mi się, iż Emilka będzie rozpuszczona przez te ostatnie lata, kiedy żyła w prawdziwym luksusie. Byłam naprawdę – choć mile – zdziwiona, kiedy okazała się sympatyczną, zabawną i niekłopotliwą towarzyszką. Z własną siostrą nigdy nie miałam naprawdę wspólnego języka. Z Emilką też niby nie powinnam mieć, jesteśmy takie różne, poza tym ja mam dziesięć lat więcej...

No więc zdążyłam się już zasmucić, kiedy zadzwonił telefon i sympatyczny męski głos zapytał mnie o ogłoszenie. W pierwszym dniu po jego ukazaniu się w gazecie! Powiedziałam mu przez telefon, jak mieszkanie wygląda, zapytał, czy może wpaść, obejrzeć, więc się zgodziłam. Trochę się potem wystraszyłam, że może jakiś bandyta, ale Emilka mnie wyśmiała i słusznie. Nie można bać się własnego cienia.

Przyszedł po półgodzinie i okazał się przystojnym dwudziestoparolatkiem. Na oko kulturalny, sądząc z mowy też, więc przestałam się bać. Zresztą Emilka mnie asekurowała. Zrobiła nawet kawę i do negocjacji usiedliśmy przy stole.

– Mieszkanie ma wiele zalet – powiedział potencjalny klient. – Nie będę kręcił i kombinował, powiem pani, o co chodzi. Jestem marynarzem. Chcemy wynająć mieszkanie we trzech, moi koledzy też są marynarzami. Wprawdzie lepiej by było, gdyby każdy z nas miał osobny pokój plus wspólny salon, ale i tak pływamy na różnych statkach i rzadko jesteśmy jednocześnie w Szczecinie, więc jakoś sobie poradzimy. Nie zarabiamy kokosów, jeszcze studiujemy, za co też musimy płacić spore pieniądze i nie stać nas na jakieś wielkie sumy. Każdy z nas może zapłacić trzysta, góra trzysta pięćdziesiąt złotych miesięcznie. Świadczenia podzielimy już między siebie. No i niestety, nie możemy zapłacić z góry więcej niż za pół roku.

Spojrzałam na Emilkę i zobaczyłam w jej oczach dwie złotówki. Najmniej dziewięćset złotych miesięcznie, z góry za pół roku daje pięć tysięcy czterysta! A myśmy liczyły na trzysta miesięcznie za całość! I w ogóle nie przyszło nam do głowy żądać jakichś pieniędzy z góry!

Młody marynarz, czy może powinnam napisać – student – myślał może, że się waham, bo za mało powiedział, więc dodał:

– Ja wiem, że mieszkania w śródmieściu są zazwyczaj droższe, ale chciałbym, żebyśmy się zrozumieli, nas po prostu nie stać na więcej. I zrozumiem, jeżeli panie powiedzą, że mają korzystniejsze oferty od naszej.

I uśmiechnął się mile.

Ponieważ spodobał mi się, postanowiłam brać, co los przynosi.

– Dobrze – powiedziałam. – Pan jest z nami szczery i my też będziemy szczere. Nie miałam jeszcze żadnych ofert, ale pan nie wygląda na takiego, co mi zdemoluje mieszkanie...

Emilka popatrzała na mnie ostrzegawczo. Młodzian jakby się zarumienił.

– Dziekuję pani za miłe słowa – powiedział. – W razie, gdyby się coś jednak stało, oczywiście, pokrywamy koszty remontu. Myślę, że spiszemy stosowną umowę...

– Oczywiście – rzekłam niedbale, nie informując go, że umowa też mi do głowy nie przyszła. – A zatem umawiamy się na stawkę... cóż, nie chciałabym zedrzeć z panów studentów. Niech będzie trzysta od głowy.

Młodzieniec błysnął zębami w zniewalającym uśmiechu Toma Cruise'a.

– Dobrze. To niech będzie trzysta pięćdziesiąt. Na tyle byliśmy przygotowani, ostatecznie nawet na czterysta, więc jakoś poradzimy, a pani jest bardzo uprzejma. Od kiedy moglibyśmy się wprowadzać? Na razie waletujemy w akademiku, ale nie jesteśmy tam mile widziani...

– A co – zainteresowała się Emilka – to panowie jednak demolują?

– Nie, nie. – Młodzieniec znowu się uśmiechnął zniewalająco. – Jakiś czas temu mieliśmy taki pomysł... wystawiliśmy przez okna na ósmym piętrze głośniki i zapuściliśmy na kompakcie marsze szkockie... może panie kojarzą... orkiestra Highlanderów... na dudach, panie rozumieją... duża siła rażenia... daliśmy pełną moc, włączyliśmy funkcję „replay" i poszliśmy sobie na kilka godzin...

Mój znajomy kapitan słyszał kiedyś w Inverness autentyczną orkiestrę Highlanderów grającą na dudach i twierdzi, że Szkoci dlatego uchodzą za tak waleczny naród, że zawsze wysyłają naprzód tych swoich dudziarzy, przez co ogłuszeni przeciwnicy nie mają już sił do walki...

Emilka pękała ze śmiechu.

– Na jakie konto mam przelać pieniądze? – zapytał czarujący młodzian. – A może panie życzą sobie gotówkę?

– Niech będzie gotówka – zdecydowałam. – Będziemy miały wydatki w związku z podróżą. Myślę, że za trzy dni mogą się panowie wprowadzać.

– A co z meblami? – wtrąciła praktyczna Emilka. – Mają zostać te, co są?

– Jeśli paniom to nie przeszkadza. My nie mamy własnych. Gdyby tylko pani schowała gdzieś te wszystkie drobiazgi...

Uspokoiłam go, że drobiazgi znikną. Część mebli też pewnie z czasem zabiorę do babci.

Jutro spisujemy umowę i kasuję pieniądze, za trzy dni chłopcy się wprowadzają – a my wyprowadzamy.

Więc to już!

Emilka

Ale numer, jesteśmy u babci!

Ten cały Marysin wygląda jak jakiś koniec świata, bo za nim są już tylko góry. Niby niespecjalnie wysokie, biorąc pod uwagę przewyższenie nad poziom morza, ale od podłoża do wierzchołków kawał drogi... jakby tak iść na piechotę. Muszę je dokładnie obejrzeć przy najbliższej okazji. A pewnie będzie tego trochę, bo musimy zabrać się za małe remonty i przeróbki, więc kiedy fachowcy pod czujnym okiem Babci i Luli będą się trudzić nad dorabianiem łazienek – ja będę eksplorować na całego.

Przepiękny student marynarki – czy można studiować marynarkę?, chyba nie, ale co on w takim razie studiuje?

Zapytałam Lulę. Ona twierdzi, że nawigację.

No więc przepiękny nawigator in spe wraz z równie przepięknymi koleżkami (jeden z nich ma chyba dwa i pół metra wzrostu i wszystko proporcjonalne do tego wzrostu) pojawił się na drugi dzień po pierwszej wizycie u nas, spisaliśmy umowę, po czym chłopcy grzecznie wyciągnęli z kieszeni forsę i wręczyli wstrząśniętej Luli, która takie pieniądze widuje zapewne wyłącznie po zawiązaniu bliższego kontaktu z Kasą Zapomogowo-Pożyczkową, czy jak tam się ta pożyteczna instytucja nazywa.

Była w takim szoku, że postanowiłam ją z niego wyprowadzić prostą metodą i zabrałam jej te pieniądze, to znaczy sporą ich część. Wprawdzie Janek przekazał już na moje konto te dwadzieścia tysięcy, ale to będą pieniądze marysińskie. A my musiałyśmy jakoś się dostać na tę naszą wymarzoną wiochę. Przecież nie będziemy taszczyć bagaży pociągiem...

Nawiasem mówiąc, o moim samochodzie ani słychu. Rozmawiałam z policją – prowadzą postępowanie! A dopóki je prowadzą, nie mogę wystąpić o odszkodowanie. Na wszelki wypadek zawiadomiłam Wartę, jaka ją prawdopodobnie czeka przyjemność. Facetka z Warty nie była zachwycona. Niech się wypcha.

Pojechałyśmy wynajętą bagażówką i bardzo dobrze wyszło, bo wszystko dojechało kulturalnie i za jednym razem.

Bardzo dobrze, że się zdecydowałyśmy, bowiem babcia była na skraju załamania nerwowego i jak się zdaje, znowu robiła jakieś rozeznania w tej swojej Sosnówce Górnej, czyli w domu Złota Jesień, czy jakoś tak.

Kiedy nas zobaczyła, omal nie dostała tego załamania, w każdym razie rozpłakała się rzewnie i przyznała, że straciła nadzieję. Kiedy Lula zobaczyła płaczącą babcię, natychmiast poszła w jej ślady i musiałam obie trzeźwić za pomocą koniaczku, którego pewien zapas babcia trzyma w szafce starego zegara z kukułką. Kukułka, na szczęście, chyba zdechła, bo nie kuka. Nie znoszę kukułek zegarowych!

Siedziałyśmy potem przy kolacji, która się przeciągnęła do drugiej w nocy i snułyśmy plany. Babci płakanie przeszło radykalnie, na powrót stała się babcią trzeźwą i przytomną, przy czym okazało się, że przepisy dotyczące prowadzenia różnych prywatnych interesów staruszka ma w małym palcu od lewej nogi. Dowiedziałyśmy się, że do pięciu pokoi gościnnych możemy gospodarstwa nie rejestrować jako działalności gospodarczej, więc podatki nam nie grożą; a konie, jeżeli będą służyły tylko gościom, też nie muszą być zgłaszane jako jakaś szkółka czy ośrodek jeździecki. Potem planowałyśmy remont, liczbę łazienek i różne inne przyjemne rzeczy i tak zeszło nam do trzeciej. Więc nie chciało nam się już instalować w naszych nowych sypialniach, tylko padłyśmy na kanapę w salonie, na waleta, pod kocykami. Ach, cudnie się spało!

Rano koło dziewiątej obudziła mnie Lula, bo się zerwała nagle jak wariatka z krzykiem, że zaspała i spóźni się do muzeum.

– Lula – spytałam ją spod swojego koca – jakie muzeum? Zapomniałaś, że zmieniłaś sobie życie na lepsze?

– O Boże – powiedziała. – Zapomniałam. Emilko, to naprawdę? Ale i tak jest strasznie późno. Babcia nas zabije.

– A gdzieżbym ja was miała zabijać, dziewczątka moje kochane – zagruchała babcia od progu. – Ja przecież taka szczęśliwa jestem, jak chyba nigdy w życiu! Poza tym to przecież pierwszy raz i wy same możecie się czuć jak goście.

– Pierwszy i ostatni? – zapytałam domyślnie, a babcia tylko zaśmiała się rozgłośnie i powiedziała, że śniadanie na stole.

Dużo na tym stole nie było, widać, że babcia finansowo cieniutko przędzie. Ale atmosfera panowała ogólnego szczęścia i słodyczy. Po zasłużonym posiłku poszłyśmy z Lulą zwiedzać metropolię i przy okazji zrobić zakupy jedzeniowe dla nas trzech. Babcia została z misją poinformowania Żakliny, że skończyła się era jej posługiwania we dworze.

Metropolia okazała się przyjemna, acz bardzo nieduża (co już skonstatowałam poprzednio). Co do centrum handlowego, to zawiera ono jeden sklep typu szwarc, mydło i powidło. Drzwi były zapraszająco otwarte i z daleka usłyszałyśmy głos starego Misiaka – poznałam go od razu, bo chrypi jak Leonard Cohen.

– No więc mówię wam, kobiety – najwyraźniej odpowiadał komuś – że już niedługo moich rządów u starej Suchowolskiej, bo wczoraj przyjechały te dwie głupie miastowe, te co były wcześniej i przywiozły toboły. Pewnie zostają na stałe, bo chcą zakładać agroturystykę.

– Jakie miastowe? – spytał damski głos.

– Z jakimi tobołami? – spytał drugi damski głos.

– Jaką agroturystykę? – spytał jednocześnie trzeci.

W tym momencie zdecydowałyśmy się wkroczyć na scenę. W sklepie przebywali: gruba sklepowa za ladą, trzy mocno stare baby i Misiak senior.

– Dzień dobry – powiedziała Lula promiennie.

– To my jesteśmy te głupie miastowe – dodałam równie promiennie. – Przyszłyśmy po kilka podstawowych produktów spożywczych. Czy pani ma na składzie bakłażany? Krewetki czy świeże? Awokado i czarny kawior astrachański?

Misiak sponurzał błyskawicznie, za to oblicza bab jakby pojaśniały z ciekawości. Sklepowa trochę się nastroszyła i zapytała:

– Hę?

Lula chciała coś wyjaśnić, ale jak już byłam przy głosie, to byłam.

– Bo my takie rzeczy jadamy w mieście na śniadanie. Ale jeśli pani nie prowadzi, to my się chętnie ograniczymy. Możemy nawet nie pić szampana na śniadanie, chociaż trudno nam się będzie bez niego obyć w porze podwieczorku. Chlebek poproszę. Ten wsiowy. I biały ser. Jajek wsiowych nie ma? Fermowe? To wytłoczkę. Nie, dwie wytłoczki. Szprotki w puszce. A jakieś mięsko na obiad?

– Mięsko na obiad kupi w Karpaczu – powiedziała szybko jedna z bab, zanim nadęta sklepowa zdążyła się odezwać.

– Albo w Kowarach, to też blisko – powiedziała prawie jednocześnie druga.

– Albo w Ściegnach, to najbliżej – dołożyła trzecia z tercetu.

– Szesnaście pięćdziesiąt – warknęła sklepowa. – Coś jeszcze?

– A ten kawior – zachichotała jedna z bab – to gdzie pani kupi? Śniadanko bez kawioru?

– Będziemy się umartwiać... dla szlachetności charakteru. Pomidory poproszę i ogórki. Po kilu. Panie tu mieszkają?

– Od wojny, kochana. – Baba numer dwa najwyraźniej chciała

się zaprzyjaźnić i zakwitła życzliwym uśmiechem. – A czy to prawda, żeście się tu sprowadziły na dobre?

Misiak popatrzał na nas spode łba, sklepowa też. Może są rodzeństwem.

– Prawda – kiwnęłam głową. – A niebawem dojdzie jeszcze nasz kolega z synkiem.

– I będziecie mieszkali u starej Suchowolskiej?

– I myślicie naprawdę zarabiać na agroturystyce? Tu dookoła pełno takich agroturystyk. Myślicie, że wam się uda?

– Zawsze warto spróbować, nie sądzą panie? – Lula włączyła się do konwersacji. – W Marysinie jest już jakieś takie gospodarstwo?

– W samym Marysinie to nie, ale po innych wsiach dokoła są.

– Dużo – wtrącił jadowicie stary Misiak.

Lula spochmurniała, ale we mnie zagrał duch bojowy.

– I dobrze – powiedziałam beztrosko. – Grunt to zdrowa konkurencja. Niech zakwita sto kwiatów. A nawet tysiąc. Nie mam racji, drogie panie? A w ogóle to ja się nazywam Emilia Sergiej, a to jest moja przyjaciółka Ludwika Kiszczyńska. Lula rzuciła pracę w Muzeum Narodowym, żeby tu przyjechać, to co, myślą panie, że nam się nie uda?

Argument trochę bez sensu, ale wygłosiłam tę mowę z werwą, która najwyraźniej spodobała się babom. Oprócz sklepowej, oczywiście.

– Może się i uuuuda – zaśpiewała jedna wschodnim akcentem.

– Pani to widzę, wesoła kobitka.

– Wesołym lepiej się wiedzie w życiu – dodała druga. – A my jesteśmy Trzy Gracje, hehehe.

– To pan rotmistrz, świeć Panie nad jego duszą, tak nas kiedyś nazwał i zostało – wytłumaczyła trzecia, zanim zdążyłam osłupieć. – My tu dawno temu pracowały niedaleko, w Mysłakowicach, w zakładach lnianych, zawsze były przyjaciółki, zawsze się razem trzymały, to i tak nas nazwał. Jak my jeszcze młode były – dodała dla porządku. – A teraz razem kościół w porządku utrzymujemy. I dalej Trzy Gracje – zachichotała.

– A naprawdę to my się nazywamy inaczej – objaśniła mnie na wszelki wypadek druga. – Ja się nazywam Jasiukowa Antonia, ona jest Jachimiukowa Katarzyna, a ona Kiełbasińska Genowefa.

Jachimiukowej Katarzyny córka jest naszą sołtyską – dodała dumnie, a Jachimiukowa Katarzyna wyprężyła pierś jeszcze dumniej.

Powiedziałyśmy z Lulą, że bardzo nam jest miło i że jesteśmy pewne, że nam będzie w Marysinie dobrze, bo jest tu ślicznie, a ludzie sympatyczni. W tym momencie Misiak wyszedł, trzaskając drzwiami, a sklepowa prawie że splunęła w naszą stronę. Ale Gracje chyba nas polubiły. Zapytane przez nas o potencjalnych dostawców świeżych jajek (sklepowa miała sklepowe, czyli fermowe) i innych wsiowych łakoci, zastanawiały się chwilkę i poradziły sołtyskę. Poza nią nikomu już się nie chce prowadzić prawdziwego gospodarstwa. Fakt, że sołtyska jest córką jednej z nich powinien nam ułatwić nawiązanie kontaktu. Umówiłyśmy się, że matka nas zaanonsuje córce, a my w najbliższym czasie złożymy wizytę kurtuazyjną. Co i tak miałyśmy zamiar zrobić.

Sklepowa przez cały czas miała minę, jakby chciała nas zamordować. Ponieważ jednak poza nami w sklepie nie było żadnego klienta, nie miała pretekstu, żeby nas przegonić. No, ale w końcu klient się zjawił, więc czym prędzej zapłaciłam, żeby nie dać babie powodu do awantury. Lula zabrała torbę, a ja przyjrzałam się klientowi. Wyglądał nader przyjemnie. Więcej niż średniego wzrostu, szatyn, zielone oczy, wąs staropolski. Nie zamierzał nic kupować.

– Przepraszam panie – powiedział głosem równie przyjemnym, jak jego wygląd. – Chciałem tylko zapytać, czy tu jest w okolicy jakiś niedrogi pensjonat? Chciałbym zanocować.

Dobrze, że się grzebałyśmy z wyjściem. Natychmiast postanowiłam przyłapać faceta, bo jeżeli pierwszy klient będzie człowiekiem sympatycznym, to musi być dobra wróżba na przyszłość!

– Pełno tu pensjonatów – warknęła sklepowa. – To jest turystyczny region!

– Ale to są drogie pensjonaty – powiedziałam szybciutko. – I nie w Marysinie, tylko w okolicy. A my właśnie otwieramy gospodarstwo agroturystyczne i możemy pana przenocować!

Lula spojrzała na mnie jak na wariatkę, a sklepowa lekceważąco prychnęła.

– Przecież to jeszcze nie ruszyło!

– Ruszyło, ruszyło. Zapraszamy. W tym tygodniu promocyjna cena. Będzie się pan czuł u nas jak u własnej babci na wakacjach!

– Jeżeli pan miał babcię jędzę – mruknęła pod nosem sklepowa.

Mój potencjalny gość nagle się roześmiał.

– Miałem babcię jędzę – powiedział radośnie. – To znaczy ona miała silny charakter. Zaryzykuję, proszę pani. – To do mnie. Bardzo się ucieszyłam. Mamy gościa, to znaczy już nie ma odwrotu, zaczęłyśmy działalność na dobre. Wyciągnęłam rękę do faceta.

– Nazywam się Emilia Sergiej, a to jest moja przyjaciółka Lula Kiszczyńska. Idzie pan z nami, czy dojdzie pan później?

– A ja się nazywam Krzysztof Przybysz i mam samochód, więc chętnie panie podwiozę z tymi zakupami.

– Wielkie zakupy – mruknęła znowu sklepowa, co już się stawało nudne. Bardzo ona nas nie lubi, to się rzuca w oczy. Ciekawe, dlaczego?

Gracje przysłuchiwały się naszej rozmowie bez komentarzy, ale zauważyłam, że kiedy Przybysz – nomen omen! – wymienił swoje nazwisko, jedna z nich, chyba ta matka sołtyski, Jachimiukowa Katarzyna, zbystrzała nagle i popatrzyła porozumiewawczo na koleżanki. Koleżankom prawdopodobnie Przybysz się z niczym nie skojarzył, bo tylko wytrzeszczyły oczy i wzruszyły ramionami.

Samochód okazał się wysłużonym terenowcem, dosyć jednak obszernym, bo zmieściliśmy się wszyscy bez problemu. Właściciel przeprosił nas, niepotrzebnie, za brak komfortu i ruszył z kopyta. Siedziałam z przodu, ale na swoich plecach czułam niemalże ciężki i potępiający wzrok mojej rozsądnej przyjaciółki Luli. Może naprawdę nie powinnam tak spontanicznie zapraszać do nas tego całego Przybysza, bo rzeczywiście nie zdążyłyśmy jeszcze niczego przygotować. Ale czyż gospodarstwo agroturystyczne nie polega na tym, że goście bytują sobie miło razem z gospodarzami, doją krowy i podbierają kurom jaja, po to, żeby je wspólnie zjeść?

Prawda. Nie mamy kur ani krowy, którą można by wydoić. Nie szkodzi. Swoją drogą trzeba się postarać o żywioły jak najprędzej. Ale ja krowy doić nie będę, musi się Lula nauczyć. Mieliśmy na studiach takie praktyki w gospodarstwach i trzeba było między innymi uczestniczyć w zajęciach ze zwierzętami gospodarczymi – diabli wiedzą po co mi były te krowy, skoro i tak od początku wiedziałam, że będę specjalizować się w ogrodnictwie.

Gdyby nie Tadzio Leszczyński, który poczciwie za mnie wykonywał tę odrażającą czynność, pewnie bym tych zajęć nie zaliczyła. Od dojenia zbierało mi się albowiem na wymioty. Ciepłe mleko – przysmak kolegów – takie prosto od krowy i nie daj Boże, z pianką – chyba by mnie zabiło na miejscu.

A może jednak trzeba było się przemóc? Bo wygląda na to, że jednak jakaś krowa jest mi w życiu pisana.

Ciekawe, co się dzieje z Tadeuszem? Bardzo to był miły kolega, chociaż brzydki i nieforemny. Mały jak dżokej i łysy od urodzenia. To znaczy nie całkiem łysy, tylko zakola miał jak stary profesor. Nogi miał bardzo ułańskie, to znaczy krzywe i mówił, że to genetyczne, po przodkach kawalerzystach od siedemnastego wieku począwszy. On też jeździł doskonale. Jedyne co miał ładne to nos i ręce. No i charakter.

Ten Przybysz też ma ładny nos. Ale u niego to tylko część większej całości, a nie jak u Tadzinka enklawa piękna w morzu... och, nieważne.

Po drodze do domu, która to droga trwała jakieś cztery minuty, może pięć, jeśli doliczymy parkowanie, dowiedziałyśmy się, że nasz gość jest leśnikiem i ma objąć tutejsze leśnictwo. Na razie jednak nie chce korzystać z pokojów gościnnych, które tam, oczywiście, są, bo mu niepolitycznie – tak powiedział. Obecny leśniczy jest wyrzucany na pysk za jakieś przekręty, zdaje się, że sprzedawał drzewo na lewo (rym-cym-cym), więc Przybyszowi rzeczywiście niedyplomatycznie byłoby spaść mu na głowę w charakterze gościa. Ma jednak jakieś sprawy do załatwienia, w jeden dzień nie zdąży, a nie chce mu się wracać do domu. Czyste lenistwo – mieszka gdzieś w Izerach, to przecież niedaleko.

Reszty życiorysu nie zdążył opowiedzieć, bo już wchodziliśmy do domu. Babcia powinna była nas powitać na ganku – dla podkreślenia staropolskiej gościnności, ale jakoś jej nie było widać. Przybysz rozglądał się ciekawie, najwyraźniej podobały mu się ułańskie akcesoria w przedsionku i salonie.

Lulę i mnie natomiast zaskoczyła złożona w salonie na podłodze i na stole kupa gratów. Jakieś starożytne kilimki, serwetki, figurki porcelanowe, kielichy, kufle, patery, munsztuki o niespotykanych dzisiaj kształtach, fragmenty kołowrotka, chomąto, milion przedmiotów! Domyśliłam się, że babcia poszukiwała gdzieś na strychu czy w innej rupieciarni wytwornych bibelotów do przystrojenia pokoi gościnnych. Ale gdzie się podziała sama babcia?

Nad nami jakby ktoś chodził.

Lula miała szybszy refleks.

– Baaaabciu! – wrzasnęła znienacka i zastygła w oczekiwaniu.

Przybysz się wzdrygnął, ale nic nie powiedział, tylko czekał na rozwój wypadków.

Rozwinęły się, owszem.

Nad naszymi głowami rozległ się potworny rumor i nagle wszystko ucichło.

Jak jeden mąż rzuciliśmy się w stronę schodów prowadzących na strych.

Na kupie przedmiotów bardzo podobnej do tej w salonie siedziała babcia z miną raczej pogodną. Obok leżała drabinka z wyłamanym szczeblem.

– Spadłam z drabinki – zameldowała babcia. – Chyba wszystko mam całe, tylko mi się trochę w głowie kołuje...

– Proszę się nie ruszać – zakomenderował bardzo po męsku Przybysz, po czym wziął babcię na ręce, jakby była piórkiem i zniósł do salonu. Babcia była najwyraźniej zachwycona rozwojem wypadków i po drodze usiłowała prowadzić z nim wytworną rozmowę dotyczącą zabytkowego gramofonu, który usiłowała zdjąć z nie mniej zabytkowego pawlacza za pomocą prehistorycznej drabinki.

– Zdaje się, że nie powinnam jej używać, ona tam już przecież zbutwiała na tym strychu – westchnęła samokrytycznie, opierając się na poduszkach, które uprzejmy gość jej podsunął. – A z pana silny młodzieniec, drogi panie... jak pan się nazywa?

– Krysztof Przybysz – powiedział z dwornym ukłonem w stronę babci, która chyba mu się spodobała. W istocie, nawet się nie zadyszał. Chciałyśmy od razu wyjaśnić, skąd się wziął, ale babcia kontynuowała konwersację.

– Krzyś. Bardzo ładnie. Pewnie przyjaciel Emilki, albo może Luli. Pomożesz, Krzysiu, dziewczętom poukładać te wszystkie bambetle, które tu widzicie, potem się zdecyduje, do czego który się przyda. A ja sobie odpocznę, jak na moje lata napracowałam się porządnie. A jak to wszystko uporządkujecie, to może sami jeszcze wejdziecie na strych, ja tam jeszcze wybrałam różne rzeczy. Trzeba je tu przynieść. I ten gramofon. Na pawlaczu jeszcze sporo znajdziecie, tylko trzeba poszukać...

– Babciu – nie wytrzymałam. – Pan Krzysztof nie jest naszym znajomym. Jest naszym gościem, pierwszym gościem! My się nim zajmiemy, ale mowy nie ma o żadnym łażeniu po strychach!

– Gościem? – zdziwiła się babcia. – Jakim gościem? Ach, gościem!

– Ach, tak – powiedziałam stanowczo. – Zaraz pokażę panu pokój.

Nie bardzo wiedziałam, który, ale przecież jest tego trochę na piętrze. Coś się znajdzie.

– Kiedy ja chętnie pomogę paniom we wszystkim – zadeklarował niespodziewanie Przybysz. – Pani Emilka mi obiecywała, że poczuję się jak u własnej babci na wakacjach i rzeczywiście, tak się poczułem, moja babcia natychmiast mnie zaganiała do roboty, kiedy tylko przyjeżdżałem. Mnie jest bardzo miło, naprawdę. Proszę mną dysponować. Z tym, że teraz pomogę tylko paniom szybciutko uporządkować to, co tu leży, a resztę zrobimy, jak wrócę. Mam sprawy do załatwienia, mówiłem już paniom...

Lula zdążyła tymczasem jako tako oprzytomnieć (widziałam, że omal nie zemdlała z wrażenia, ujrzawszy babcię na kupie złomu) i szybciutko podziękowała za natychmiastową pomoc doraźną, słusznie mniemając, że nie ma po co przekładać jednej sterty na drugą stertę, nawet porządniejszą, skoro i tak zawartość stert ma być rozwleczona po różnych pokojach. Przybysz oświadczył, że wróci mniej więcej na wczesną kolację i próbował odmówić spożycia czegokolwiek, tłumacząc się pośpiechem, ale babcia tylko prychnęła.

– Sam pan Krzyś mówił – przestała chwilowo nazywać go po prostu Krzysiem – że może jeszcze parę chwil poświęcić na poukładanie tych rzeczy. No więc niech pan Krzyś teraz nie opowiada, że nie ma czasu na drugie śniadanie. To na pewno nie potrwa dłużej!

Rzeczywiście, nie potrwało, bo pan Krzyś ograniczył się do zjedzenia jajecznicy z sześciu jajek w tempie ekspresowym, przy czym musiał jeszcze odpowiadać babci na różne pytania. Wyciągnęła z niego nie tylko kim jest i po co przyjechał, ale i trochę szczegółów rodzinnych. Mianowicie to, że ma żonę i dwoje dzieci.

Proszę, a w rozmowie z nami ani się o tym nie zająknął! W zasadzie mało mnie to obchodzi.

I w ogóle nie chce mi się już dzisiaj więcej pisać; chociaż może powinnam opisać nadzwyczajne znalezisko Luli w babcinej kupie śmieci – omal się nie zatchnęła, kiedy na nie wpadła... ale nie mam już sił.

Za długo siedzieliśmy wieczorem po kolacji, babcia wyciągnęła Krzysia (już wszyscy jesteśmy na ty) na opowiadania o lesie, a on babcię na historię starożytną... Chyba jej się bardzo spodobał, bo pozwoliła mu spać w gabinecie Rotmistrza. Trochę tam odkurzyłam, dość pobieżnie, ale miejmy nadzieję, że gość będzie spał, a nie szukał kurzu pod stolikiem. Nad jego tapczanem wisiał taki nostalgiczny widoczek ze stadem koni we mgle porannej, przewiesiłam go tak, żeby mógł na niego patrzeć przed zaśnięciem, albo raczej tuż po przebudzeniu – jako miłośnik (zapewne) zwierzątek będzie miał sympatyczny poranek.

Tu mi się jakoś lepiej śpi, niż w Szczecinie.

Lula

Emilka jest kompletnie postrzelona! Jak można zapraszać gościa do domu, w którym nic nie jest należycie przygotowane! Z marszu, znienacka, nie wiem z czego!

Zdenerwowała mnie tym, a jeszcze bardziej zdenerwowała mnie babcia Stasia, bo na własną rękę rozpoczęła poszukiwanie staroci, którymi zamierza udekorować pokoje gościnne. Skończyło się upadkiem z drabinki – i wcale się nie dziwię, bo ta drabinka miała tak spróchniałe szczeble, że musiałyby się złamać nawet pod ciężarem kota. Na szczęście nic się nie stało. Ale co by było, gdyby babcia spadła z tej drabinki pod naszą nieobecność, a może – nie daj Bóg! – straciła przytomność?

Chyba w samą porę przyjechałyśmy.

Ten nasz pierwszy klient bardzo jest sympatyczny; widzę wyraźnie, że wpadł Emilce w oko. I to z wzajemnością, ale tej wzajemności wcale się nie dziwię, bo Emilce, odkąd przestała się zamartwiać swoim nieudanym – na szczęście niedoszłym – małżeństwem, wróciła świeżość policzków, błysk w oku i ten urok, dzięki któremu wybierano ją Miss Piękności na różnych Juvenaliach. Byłoby natomiast lepiej, gdyby ona sobie nim głowy nie zawracała, mam na myśli leśnika, bo jest to człowiek żonaty i dzieciaty, o czym opowiedział babci przy zaimprowizowanym drugim śniadaniu.

Ale czy Emilka na pewno jest rozsądna?

Nie wiem dlaczego, ale przyszła mi myśl, żeby zadzwonić do Wiktora i zapytać, co u nich słychać, jak tam Ewy praca... No i proszę – okazało się, że Ewy praca jak najgorzej, to znaczy złożyła wymówienie z uczelni, bo nie zamierzała się poddawać swojemu koszmarnemu profesorowi. Czasem ją lubię, tę Ewę.

Wiktor wprawdzie nadal pracuje w reklamie i nawet ma sukcesy – w dziedzinie środków toaletowych! – natomiast przeżył ostatnio wiekie rozczarowanie, bo komisarz wystawy, która ma się odbyć za kilka miesięcy, ostatecznie zrezygnował z wystawienia na niej jego prac. Nie wiadomo, dlaczego. Zaczynam tworzyć spiskową teorię dziejów – a może to jakiś kuzyn tego Ewczynego profesora? Wcale by mnie to nic zdziwiło.

Nie sugerowałam mu w rozmowie, że mogliby też zamieszkać w Marysinie, ale wspomniałam, że mamy tu piękne perspektywy, a Janek Pudełko już się zdecydował, tylko czeka na koniec roku szkolnego, oczywiście z powodu Kajtka. Wiktor tylko westchnął – jego zdaniem powinni się tu przenieść z uwagi na oskrzela Jagódki. W Krakowie astma coraz bardziej jej dokucza. Chyba jednak Ewa się na to nie zgodzi.

Co z niej za matka?

Porządkując babcine znaleziska ze strychu, dokonałam nadzwyczajnego odkrycia. Otóż miała nasza babcia kochana poutykane gdzieś po szafach obrazki Chełmońskiego i Stachiewicza! W sumie trzy. Nieduże. U Chełmońskiego jakiś sielski pejzaż z kluczem żurawi, a u Stachiewicza dwie hoże dziewoje w ludowych strojach. Byłam trochę zdziwiona, bo nie spotkałam się z nimi, może nawet nie są nigdzie skatalogowane! Ale autorstwo nie budzi wątpliwości. To musi być warte fortunę. Byłam w szoku, każdy właściciel powiesiłby to na honorowym miejscu. Babcia tylko podniosła brwi, kiedy ją zapytałam, czy zdaje sobie sprawę, jaki skarb posiada, po czym przysięgła na wszystkie świętości, że nie ma pojęcia, skąd to się wzięło na strychu. Rozpacz.

Wszystko się we mnie zagotowało, kiedy zobaczyłam, w jakim są stanie. Wymagają konserwacji, ale na razie damy sobie chyba spokój, bo to będzie dość kosztowne.

Ciekawe, czy Wiktor miał coś do czynienia z konserwacją starych obrazów?

Zostawmy Wiktora. Ten leśnik, który u nas nocuje, wyjątkowo miły człowiek, bardzo prędko znalazł wspólny język z babcią i Emilką, a i ja w końcu przeszłam z nim na ty... udzielał nam wielu dobrych rad dotyczących prowadzenia gospodarstwa. Wszystko jakby mimochodem i szalenie taktownie.

Tak naprawdę, to myśmy się trochę skompromitowały, przyrządzając obiad, bo spaliłyśmy kurczaki na węgiel; przypuszczam, że to przez babciną kuchnię – dosyć staroświecką, na gaz, w dodatku ten gaz nie pali równo... ach, szkoda gadać. Podałyśmy naszemu pierwszemu gościowi pyzy z mrożonki okraszone cebulką! Nie miałyśmy nawet boczku na staroświeckie skwarki! Nasz gość nie narzekał, zjadł pyzy, powiedział, że je uwielbia i że przypominają mu dom. Ale kiedy babcia poczęstowała go swoim reprezentacyjnym koniakiem, poradził nam, żebyśmy raczej nastawiły różne nalewki i nastojki – coś podobnego, pierwsze słyszę: nastojki! Obiecał przepisy. On uważa, że goście właśnie takimi domowymi przetworami będą zachwyceni. Emilka wpadła w zachwyt na myśl o produkowaniu dżemów i kompotów, ale ja zaczęłam się zastanawiać, czy oprowadzanie wycieczek nie było jednak bardziej inspirujące...

To żart. Ja też uważam, że należy wzbogacić naszą domową kuchnię. Zajmiemy się tym w najbliższym czasie.

Przydałby się nam samochód. Rotmistrz miał wiekowego poloneza, który w końcu rozleciał się ze starości. Ja nigdy nic nie miałam, a co do chryslera, policja nadal milczy. Niechby się już skończył ten rok szkolny, z Jankiem będzie nam łatwiej!

Emilka

No, nie wiem, czy ten pierwszy gość na pewno przyniesie nam szczęście!

W środku nocy obudził nas łomot i krzyk – pobiegłyśmy wszystkie trzy do gabinetu Rotmistrza... Chryste Panie... leśnik

Przybysz siedział na tapczanie z miną błędną, oczami na wierzchu i czymś dziwnym opleciony... Dopiero po chwili rozpoznałyśmy potężne poroże, które zawsze wisiało naprzeciwko tapczana i które ja sama, osobiście, zamieniłam na cholerne konie w porannej mgle, żeby gość miał ładny widok przed oczami kiedy się ocknie! Poroże zawiesiłam na haku po koniach, najprawdopodobniej nieprecyzyjnie jakoś, no i spadło na gościa. Dobrze, że go nie zabiło. Ale nabiło mu potężnego guza i rozcięło lekko skórę na głowie, na szczęście pod włosami, nie będzie widać.

Myślałam, że się spalę ze wstydu, ale Krzysztof zniósł katastrofę bohatersko i nawet nas próbował pocieszać.

Kiedy już opanowaliśmy wspólnie sytuację, poszłam do swojego pokoju i rozryczałam się strasznie. Nie wiem, dlaczego taki ze mnie gamoń. Spaliłam wczoraj dwa kurczaki, omal nie zabiłam przyzwoitego faceta...

Może ja się nadaję tylko na laleczkę dla gangstera? Bo to mi wychodziło całkiem nieźle. Wprawdzie wydawało mi się, że jestem normalną narzeczoną normalnego faceta, ale prawdą jest też, że nie miałam wiele do roboty w tym narzeczeństwie. Głównie musiałam ładnie wyglądać dla pana i władcy.

Bez przesady. Prowadziłam dom. Tylko że w tym domu były wszystkie udogodnienia, cała kuchenna technika (a nie stary piecyk na gaz!), glanc i pic. Zmywała zmywarka. A jak mi się nie chciało pichcić, to zamawialiśmy żarcie na telefon, albo szliśmy do restauracji czy pubu.

A to, że ładnie wyglądałam, to przecież nie tylko z powodu pana i władcy. Teraz też jestem ładna... chociaż rzadziej się maluję.

Ejże, czy to nie są czasami postępy, panie doktorze psychiatro? Miesiąc temu ryczałabym do świtu, a potem wzięłabym pigułę na nerwy. Może to już czas na wysłanie do pana pocztówki?

Może nie. Zresztą nie minęły jeszcze dwa miesiące od wizyty.

Lula

Nie sądziłam, że chodzą po ziemi święci ludzie, ale ten nasz leśniczy to prawdziwie święty człowiek. Złego słowa nie powiedział, kiedy mu spadły na głowę jelenie rogi. Duże. Babcia powiedziała tylko „dwunastak to był" i zakryła dłonią usta w ciężkim przerażeniu. A on nic.

A dzisiaj na dodatek uparł się, że zapłaci nam za ten feralny nocleg. Bardzo prosiłyśmy go, żeby tego nie robił, bo to przecież dla nas wstyd, ale on śmiał się tylko i oświadczył, że skoro ma być dobrym początkiem, to nie może być początkiem darmowym. Bo to by dopiero była fatalna wróżba: pierwszy gość, który ucieka bez płacenia.

I cały czas wodził oczami za Emilką!

Emilka udawała, że tego nie widzi, ale chyba trochę jest pod urokiem.

Kiedy leśnik nas opuścił, żegnany przez nas bardzo czule, siadłyśmy do narady produkcyjnej. Ustaliłyśmy, że Misiaka jednego trzeba zatrzymać do pracy przy koniach, dwóch nie ma tam co robić, ale jeden jest potrzebny. Bo w ogóle potrzebny jest chłop w gospodarstwie. Na Żaklinę nas nie stać, porządki w domu i gotowanie to będzie moja praca. Emilka ma się zająć marketingiem (Krzysztof obiecał wspomnieć o nas swojej znajomej, która robi katalogi ofert turystycznych z noclegami włącznie), a doraźnie będzie też pokojówką. A tak w ogóle to wszystkie będziemy robić wszystko. Wszystkie dwie, bo babcia została oddelegowana do pełnienia funkcji reprezentacyjnej. Jak będą goście, to ma się snuć po domu i stwarzać atmosferę. Herbatkę zaproponować, wyciągnąć z apteczki naleweczkę (musimy sprokurować stosowną apteczkę, jak w starych dworach, tylko nie w ukryciu, a przeciwnie, jak najbardziej na widoku), opowiastką rzucić.

W razie gdyby goście chcieli zażyć przejażdżki na koniu, ja się tym będę zajmować, tylko chyba będą to przejażdżki au pair bo mamy dwie kobyły. Babcia się przy tym rozczuliła i zaczęła wspominać nasze jazdy ze świętej pamięci Rotmistrzem. Rzeczywiście – zawsze twierdził, że to ja mam największy talent jeździecki w naszej grupie. Ewa była o to zazdrosna...

No i co z tego? Ja sobie byłam najlepsza, a ona miała Wiktora. Precz.

Co jeszcze ustaliłyśmy – kierownictwo w ogrodzie obejmie, oczywiście, Emilka, bo ma stosowne wykształcenie. Wprawdzie twierdzi, że nigdy nie grzebała w ziemi tak naprawdę, ale ma ochotę spróbować. Na dzisiaj mamy zadanie: ona pojechać do Karpacza, zrobić zakupy i zajrzeć do informacji turystycznej, może są jakieś katalogi, z których mogłybyśmy oderżnąć naszą własną ofertę, a ja wybiorę się do sołtyski z wizytą dyplomatyczno-gospodarską.

Babcia ma załatwić kłopotliwe sprawy wymówień dla jednego Misiaka i Żanety.

Emilka

Ustaliłyśmy z Lulą, że Krzysztof Przybysz jest człowiekiem świętym. Niewykluczone, że będę przed nim stawiała zapaloną świeczkę albo obrzucała go płatkami wonnego kwiecia, jeśli jeszcze kiedykolwiek nas odwiedzi.

Pośród różnych dowodów życzliwości, którymi nas – niezasłużenie – obdarzył, był numer telefonu do jednej takiej Olgi Skrzypek, jego starej znajomej z klubu wspinaczkowego czy czegoś w tym rodzaju. Ta cała Olga podobno robi bardzo ładne katalogi z ofertami, może jeszcze zdąży nas umieścić w zimowej edycji. Bo letnią pewnie przygotowała już dawno. Krzysztof obiecał, że nas u niej zaproteguje po tej starej znajomości.

Kiedy już pożegnałyśmy naszego rewelacyjnego Pierwszego Gościa, a obecnie już Przyjaciela Domu, pojechałam autobusem do Karpacza. Autobus to śliczny środek komunikacji, ale dla turystów, którzy mają mnóstwo czasu do stracenia i mogą sobie pętać się po okolicy, oglądając widoki. Ale nic, poczekajmy, jak dostanę odszkodowanie za autko (pewnie go już nie znajdą), kupię sobie coś do jeżdżenia.

Najpierw zajrzałam do punktu informacji turystycznej, poszukać inspiracji w gotowych katalogach i ofertach. Nie było tam przesadnego ruchu, jakaś facetka grzebała w wydawnictwach, dosyć pobieżnie, a inna facetka wyjaśniała niemieckiej parze oldboyów, jak się jedzie w Adrszpachy. Nie wiedziałam, że coś takiego w ogóle istnieje, zdaje się, że to jakieś jaskinie po czeskiej stronie. Chciałam pogadać z drugą, tą grzebiącą, ale mi uprzejmie powiedziała, że ona tu nie pracuje, tylko przyszła w interesach, więc muszę poczekać na dziewczę od Adrszpachów. Dobrze. Siadłam sobie, bo się zaniosło na dłużej. Niemieccy staruszkowie zażądali jeszcze naszych Gór Stołowych, a potem Masywu Śnieżnika. Samo wymawianie słów „Międzygórze" i „Śnieżnik" trwało z pół godziny...

Babie od interesów zadzwoniła nagle komórka. Ja nie podsłuchuję z zasady, ale ta informacja jest mała. I cóż ja słyszę? Baba mówi coś o dworku Rotmistrza i zaczyna szukać długopisu, żeby zapisać telefon! A do rozmówcy zwraca się per „Krzysiu"!

Zaczęłam jej machać rękami przed nosem i mówię: „Dworek Rotmistrza to ja". Zupełnie jak Ludwik XIV, czy który tam. Oczywiście, okazało się, że to ta Olga, Krzysztof właśnie teraz do niej zadzwonił i mówił jej o nas. Bardzo miła osoba, rzeczowa przede wszystkim, co mnie ucieszyło, bo lubię konkrety. Umówiłyśmy się, że do nas wpadnie jak najszybciej, obejrzy dworek, może nam coś doradzi i zastanowimy się nad formą reklamy. Dała mi swoje katalogi do obejrzenia. Na pierwszy rzut oka bardzo ładne, na drugi też...

Natychmiast wyobraziłam sobie tę naszą reklamę na pół strony – kilka zdjęć, oczywiście dworek, ja na koniu, albo Lula, a może babcia? Przecież babcia jeszcze jeździ. Coraz rzadziej, bo ją reumatyzm łupie, ale jednak. Przy nas jeszcze nie siedziała na koniu – pewnie ją trzeba podsadzać.

Za przejażdżkę z babcią można by brać podwójną cenę...

Lula

Babcia i Emilka wysłały mnie dzisiaj z wizytą dyplomatyczną do tutejszej sołtyski. Nazywa się Anna Szczepankowa de domo Jachimiuk. Chyba bardziej liczy się to de domo, bowiem Szczepanek niejaki prysnął był w świat szeroki niedługo po urodzeniu się najmłodszego dziecka i tyle go widzieli. Anna zacisnęła zęby, postanowiła, że sobie poradzi bez łobuza i poradziła sobie, choć nie bez wysiłku.

Poszłam do niej głównie po to, żeby się przedstawić i nawiązać kontakt, ale także w celach praktycznych. Mówiły Gracje, że już tylko ona w Marysinie hoduje kury i inne żywioły, a my przecież w dworku też musimy „zapuścić parę kur", jak mówi Emilka. Żeby gospodarstwo było nie tylko turystyczne, ale i agro.

Jeżeli chodzi o żywioły, to komitet powitalny stanowiły dwa małe psiaki, dosyć hałaśliwe, ale przyjazne. Dzwonienie do furtki ani pukanie do drzwi frontowych nic nie dawało, więc weszłam na podwórko i zobaczyłam scenę z „Pana Tadeusza". Zosię karmiącą kury. Zosia miała dobrze przekroczoną trzydziestkę piątkę i rozburzony kok na głowie, ale sypała tym kurom ziarno z fartucha zupełnie jak u Andriollego. Różnicę zasadniczą stanowił fakt, że przed nią czołgał się jakiś człowiek z aparatem fotograficznym i robił zdjęcia. Bardzo ambitne, pod słońce. Wcale mnie nie zauważyli, tacy byli zajęci tworzeniem dzieła, więc powiedziałam „dzień dobry", a oni aż podskoczyli z wrażenia. Przedstawiłam się i powiedziałam, że chciałabym porozmawiać z panią sołtys o różnych sprawach, ale jeżeli państwo są zajęci, to mogę przyjść kiedy indziej. Pani zaczęła protestować, a młody człowiek zobaczył nagle mój warkocz i zaczął mnie namawiać, żebym teraz ja pokarmiła te kury, bo jest takie światło, że zdjęcia muszą wyjść rewelacyjnie, a ja na dodatek mam taki fantastyczny, staropolski warkocz... zanim zdążyłam na dobre zaprotestować, już byłam okręcona fartuchem sołtysi i sypałam kurom jakieś ziarenka, a młody człowiek pstrykał jak szalony.

Trochę mnie to wszystko oszołomiło, więc kiedy fotograf przestał szaleć, z ulgą przyjęłam kubek kawy, którą przez ten czas sołtyska nam zaparzyła. Usiedliśmy przy plastykowym stoliku na plastykowych krzesłach (brzydactwo, w Rotmistrzówce musimy się tego wystrzegać, tylko drewniane ławy!) i rozmawialiśmy chwilę o sztuce fotografii czarno-białej, która jest obecnie w zaniku, a niesłusznie. Odniosłam wrażenie, że mój nowy znajomy jest prawdziwym pasjonatem. Jak mówił, stara się tworzyć nie tyle fotografie, ile obrazy, impresje – twierdził nawet, że ja z tą burzą włosów na tle zieleni (krzewy bzu) pomieszanej z ochrą (stodoła) będę wyglądać jak na obrazie Renoira (obiektyw miękko rysujący i mała głębia ostrości). Tak się zapamiętaliśmy w omawianiu tej jego pasji, że zapomniał mi się przedstawić, a i sołtyska zaniedbała ewidentnego obowiązku gospodyni. Przy rozmowie poczułam nagle jakby ukłucie, wyrzut sumienia może – czy ja naprawdę słusznie porzuciłam moją pracę w muzeum? Przecież ja się znam na historii sztuki, a nie na prowadzeniu pensjonatu...

Kiedy tak gawędziliśmy, przy płocie pojawiły się nagle nasze znajome ze sklepu, owe Trzy Gracje (w wieku mocno emerytalnym) i z wielkim szacunkiem powitały mojego rozmówcę słowami „Niech będzie pochwalony". On im odpowiedział, a one go zapytały, czy już mają wymieniać kwiaty w kościele, czy jeszcze wytrzymają do jutra, bo jutro mąż Kiełbasińskiej jedzie do córki, do tej, co to dostarcza kwiaty do kwiaciarni, więc może by przywiózł świeże lilie... proszę księdza!

Ksiądz! W byle jakiej wiatróweczce, dżinsach i obwieszony sprzętem fotograficznym! Życie na wsi bywa doprawdy zaskakujące. Pomyślałam od razu, jaka szkoda, że Wiktor nie zdecydował się na przyjazd, mieliby panowie wspólny język, obaj malują, tylko przy użyciu innych środków technicznych.

Ksiądz dobrotliwie zezwolił na przetrzymanie więdnących kwiatów do jutra, a kiedy Gracje odeszły, zauważył moje zaskoczenie i pospiesznie przeprosił za niedopatrzenie w kwestii prezentacji. Przedstawił się: Paweł Piotrowski, salezjanin, katecheta miejscowej dziatwy. Po czym przypomniał sobie, że czeka go przygotowanie się do lekcji oraz dwie sędziwe zakonnice z obiadem, pożegnał się i popędził, zapraszając w biegu na plebanię, na ciasto upieczone przez siostrzyczki.

Rozmowa z sołtyską – bardzo sympatyczną kobietą, po pięciu minutach przeszłyśmy na ty – była może mniej górnych lotów, ale nie mniej fascynująca. Anna zgodziła się sprzedać nam po cenie promocyjnej (co to znaczy w tych warunkach?) sześć kur niosek, poza tym obiecała dostarczać jajek, jeśli będą potrzebne w większej ilości (ile zniesie sześć kur? Anna mówi, że mało będzie, zwłaszcza, kiedy się pojawią goście). Możemy też od niej brać mleko. Próbowała mnie namówić na kupno krowy (wie, kto właśnie ma takową do sprzedania), ale tego już by chyba było za wiele. Ewentualnie pomyślimy kiedyś o kozie, bardziej zresztą ze względów folklorystycznych i dekoracyjnych, niż praktycznych. Co do zielenin wszelakich, nieoceniona Anna podzieli się z nami, też po cenach promocyjnych wszystkim, co sama posiada, dopóki Emilka nie uruchomi naszego własnego ogrodu.

Zaczynam mieć wrażenie, że jesteśmy urządzeni.

Na odchodnym dostałam od Anny koszyk jajek, wianek suszonych prawdziwków i obietnicę, że namówi księdza Pawła, żeby zrobił zdjęcia naszego dworku do katalogu.

Dopiero teraz naprawdę poczułam, że ten Marysin naprawdę może stać się naszym domem...

Emilka

Trzy tygodnie bez pisania! Laptop mi zardzewieje, jak tak dalej pójdzie... Nawet próbowałam kilka razy usiąć i zanotować nowości, ale za każdym razem byłam tak skonana, że zasypiałam nad klawiaturą, zanim mi się otworzył właściwy program.

Teraz też coś mnie zaczyna morzyć, więc szybko, zanim zasnę.

Po pierwsze: znalazł się mój samochód! W charakterze zwęglonego wraka, co mnie specjalnie nie zmartwiło, bo odpada mi kłopot ze sprzedawaniem, po prostu skasuję ubezpieczenie, haha, nawet już załatwiłam stosowną papierologię w moim oddziale. Skoczyłam w tym celu na dzionek do Szczecina, obleciałam prokuraturę, policję i towarzystwo ubezpieczeniowe. Zostało mi tylko czekanie na ten cały szmal gangsterski.

Dlaczego mój były samochód uległ kompletnemu spaleniu, nie wiadomo, wygląda na to, że złodzieje mieli mały wypadek, z którego jakoś udało im się wyjść cało, natomiast coś się zrobiło w rąbniętej o drzewo instalacji i wybuchł pożar, który zwęglił całe autko i dużą część drzewa, na którym się zatrzymało.

Gdzie podziali się złoczyńcy, dotąd chyba jeszcze nie ustalono. Mało mnie to obchodzi. Zwłaszcza z perspektywą zasilenia mojego konta w kwotę 185 tysięcy, bo na tyle ubezpieczalnia się zgodziła, z bólem zapewne. Trzeba będzie natychmiast po wyżej wzmiankowanym zasileniu nabyć jakiś samochód, bo w tej naszej dziurze (określenie pieszczotliwe!) życie bez samochodu jest jak życie pozagrobowe.

Po drugie – wykonałyśmy z Lulą mały remoncik, częściowo własnymi pracowitymi rączkami, a częściowo rączkami fachowców. Nie wiem, jak fachowcom, ale nam te rączki o mało nie odpadły.

Po trzecie i jeszcze gorsze – posprzątałyśmy po remoncie i wykonałyśmy całkowity klar we wszystkich pokojach, zwłaszcza tych na piętrze, przeznaczonych dla gości. Przygotowałyśmy też lokum dla obydwu Pudełek, które przyjeżdżają za kilka dni. Wiktor, mówiąc nawiasem, przestał dawać znaki życia. Lula jest z tego powodu ponura.

Po czwarte – założyłam ogród warzywny za domem, gdzie jest mnóstwo miejsca, żeby można było gościom podawać nasze własne nowalijki. Najlepiej, żeby sami je sobie zrywali, to poczują, że turystyka jest agro.

Po piąte – doprowadziłam do niejakiej kultury kwiatki w otoczeniu domu i wzbogaciłam nasze zasoby kwietne w *Clematis jackmani*, kolor fioletowy. Te klematisy, jak widziałam, ładnie się w okolicy trzymają, więc pewnie i u nas się będą trzymały. Kupiłam takie rozrośnięte, w dużych donicach, lada chwila nam zakwitną, a na jesień przesadzę do ziemi. Sukcesywnie będziemy zapuszczać rozmaite inne roślinki.

Na roślinki – jadalne i ozdobne – wydałam trochę pieniędzy z konta, które zasiliło mi wspaniałomyślne Pudełko. Mam nadzieję, że zaakceptuje wydatki, a w ogóle mianowałam siebie samą głównym specjalistą od przyrody nieożywionej w Rotmistrzówce (tak nazwałyśmy ostatecznie nasze gospodarstwo agro... i tak dalej). Może zrobię sobie wizytówkę „Garden Manager".

Przyrodą ożywioną zajmuje się intensywnie Lula. Przede wszystkim maniacko jeździ na koniu, przeważnie na Bibule, każdego poranka przed śniadaniem. Kwitnie od tego na twarzy i wszędzie (też bym jeździła, ale nie mam czasu). Poza tym zainstalowała w naszym gospodarstwie kury, które gdaczą, gmerają po wybiegu i znoszą jajka, jakich świat nie widział. Fajne te kury, może je od Luli przejmę, bo ona chyba specjalnego serca do nich nie ma.

Po szóste – nabyłyśmy nowych przyjaciół w liczbie – zaraz policzę: leśniczy (już się zainstalował w tutejszym leśnictwie) Krzyś P., jego żona Joasia, sołtyska Ania, ksiądz Paweł, dwie stare damskie matuzalemki, czyli siostry salezjańskie od tego księdza (on też jest salezjanin, a one mu matkują, gotują, pieką pyszne ciasta drożdżowe...) – Miriam o wyglądzie jędzy i Józefa okrągła jak piłeczka, obie bardzo kochane, dalej Trzy Gracje – to chyba tyle na razie – razem dziewięć sztuk; jak na miesiąc pobytu, to chyba nieźle! Ach – i dziesiąta, Olga Skrzypek, przyjaciółka z dawnych lat Krzysia – bardzo miła i pożyteczna osoba, powiedziała, że umieści nas w jesienno-zimowej ofercie, w wiosennej następnej, oczywiście, też.

Po siódme – przy okazji załatwiania tych wszystkich historii z ubezpieczalnią, skoczyłam na dwa dzionki do Węgorzyna, opowiedziałam stroskanym rodzicom nieco więcej, niż wiedzieli do tej pory (chociaż bez gangsterskich szczegółów), pocieszyłam mamę, zachwyciłam tatę (staruszek lubi i konie, i góry) i co najważniejsze – WYMELDOWAŁAM SIĘ! A kiedy wracałam, spotkała mnie niespodzianka – taka mianowicie, że gdy zobaczyłam z autobusu góry, zrobiło mi się ciepło na sercu. Tak, jakbym wracała do domu!

Zasypiam! Żebym tylko zdążyła zamknąć programy!

Lula

Widzę, że Emilka zabrała się na powrót do pisania i to mnie powinno zmobilizować do pójścia w jej ślady, ale jakoś nie mam energii.

Bardzo chciałabym wiedzieć, dlaczego Wiktor nie daje znaku życia. Może ostatecznie zdecydował, że nie będzie sobie głowy zawracał jakimiś wiejskimi awanturami. Kraków to Kraków. Trochę go rozumiem. Mam nadzieję, że kiedy rozruszamy na dobre Rotmistrzówkę, kiedy już będą goście i wszystko pójdzie normalnym trybem, znajdę sobie jakieś dodatkowe zajęcie w muzeum w Jeleniej Górze. Trochę mi brak kontaktu ze sztuką.

Obrazki, które znalazłam na babcinym stryszku, też czekają na swój czas. Nie będę się nimi zajmowała w pośpiechu. Na razie powiesiłam je w salonie, w miejscu mocno już wytartego wschodniego dywanu zdobiącego poprzednio ścianę. Dywan, a właściwie kobierzec, poszedł do gabinetu Rotmistrza, teraz wiszą na nim dwie szable po przodkach i kilka okazów broni palnej.

Babcia jest w doskonałej kondycji, co mnie bardzo cieszy. Na szczęście nie chodzi już po strychach i nie ryzykuje życiem, tylko krąży z miną gospodyni po obejściu i widać, że odżyła po ostatnich perypetiach.

Emilka

Pudełka przyjechały! Chłop w gospodarstwie! Można będzie zwolnić Misiaka!

Lula

Moje kury są wspaniałe, aczkolwiek, uczciwie mówiąc, nie przepadam za ich zapachem. Zaadaptowałam dla nich małą komóreczkę za domem, pozostały Misiak ogrodził teren siatką, żeby miały dla siebie te parę metrów wybiegu, więc chodzą tam sobie, dziobią trawę, grzebią za robakami i wygląda na to, że są szczęśliwe. Chodzę podbierać im jajka, z których potem smażymy najsmaczniejszą jajecznicę pod słońcem.

Zastanawiam się teraz, czy kura może ze strachu dostać ataku serca?

Biedaczki, są ostatnio narażone na rozmaite szoki, bowiem Janek Pudełko, który zjawił się dwa dni temu, przywiózł z sobą szczeniaka. Na razie bezimiennego. Wzięli go z Kajtkiem ze schroniska, bo mały strasznie chciał mieć psa, a ojciec mu to niebacznie obiecał. Piesek zapewne żadnej określonej rasy nie reprezentuje, ale jest bardzo miły i zabawny. Żółtoszary, z oklapłymi uszami.

Kajtek go rozpuszcza. Twierdzi, że będzie z niego świetny stróż, ale ja mam wątpliwości. Na razie zdradza skłonności do zalizywania każdego na śmierć i uwielbia wszelkiego rodzaju zabawy. Kury go intrygują. Podejrzewam, że one nie są zachwycone tym faktem.

Umieściłyśmy całą trzyosobową rodzinę Pudełków w dwóch pokojach od frontu. Janek ma pokój nieco większy, Kajtek z psem mniejszy. W sumie Rotmistrzówka jest dosyć spora i wszystkim nam udało się rozlokować wygodnie na parterze.

Może powinnam porządnie opisać, co i jak.

Ponieważ Rotmistrzówka tak jakby zamyka wieś od strony południowej, więc ma wejście z gankiem usytuowane prawie dokładnie od północy. Wchodzi się do obszernego holu, który prowadzi prosto do salonu. Z kolei z salonu wychodzi się na przestrzał na taras południowy, drewniany, jak i ganek, z widokiem na zbocza gór. Po lewej stronie holu jest kuchnia z małą jadalnią (dla domowników, albo małej liczby gości), dalej apartamenty babci, to znaczy jej pokój i gabinet Rotmistrza. Do babci wchodzi się z holu, a do Rotmistrza z salonu. Z prawej strony holu są pokoje Pudełków i duża łazienka. Kawałek takiego korytarza z dojściem do okna od zachodu i dalej nasze pokoje, tzn. mój i Emilki. Oprócz dużej łazienki, właściwie pokoju kąpielowego, służącego nam wszystkim w razie chęci użycia wanny, są na parterze dwie łazienki z natryskami (babci i wspólna moja i Emilki) i wucet dla gości. Pudełkowie nie mają osobnej łazienki, więc używają stale tej dużej.

Nasze pokoje nie są przesadnie duże, to prawda, ale bardzo przyjemne. W ogóle dworek jest jakiś nietypowy, bo pierwszy raz widzę kuchnię od frontu. Rozsądnie to ktoś pomyślał, bo w stosunku do stron świata Rotmistrzówka jest usytuowana jakoś tak skosem i ganek wypada na północnym wschodzie, a taras na południowym zachodzie. Emilka obiecuje, że urządzi tu ogród zimowy, tylko trzeba będzie najpierw porządnie uszczelnić drewnianą konstrukcję. Z tarasu i okien Emilki oraz moich mamy piękne widoki na góry. Najbardziej południowy jest gabinet Rotmistrza, babcia jest południowo-wschodnia. Biedni Pudełkowie muszą się zadowalać stroną północno-wschodnią. Wygląda jednak na to, że Jan jest całkiem zadowolony, a Kajtek zachwycony. Biedny mały, przyznał mi się, że cały czas bał się o Bibułę. Że babcia jednak ją sprzeda. Trzeba będzie jak najszybciej zacząć uczyć go konnej jazdy.

Ale co to za jazda na dwóch koniach? Na zmiany, jak w fabryce.

Nie pisałam o piętrze. Piętro przeznaczamy wyłącznie dla gości. Pięć sporych i wygodnych pokoi. Duży living room na środku. Balkon od południowego zachodu z wyjściem z living roomu. Dwie duże, wspólne łazienki i dwa wucety. Reszta Jankowych pieniędzy, których Emilka nie zużyła na zakup kwiatów i warzyw, poszła na modernizację łazienek. A i to mają braki, właściwie każdy pokój powinien mieć własną. Przyjdzie pora i na takie luksusy.

Gdyby Wiktor jednak podjął decyzję... jest na górce wielki strych, z którego łatwo będzie wydzielić dla nich małe mieszkanko...

Będzie, albo nie będzie, Ludwiko Kiszczyńska. Na razie raczej nie będzie!

Emilka

Pudełki przywiozły psa. Mały potworek! Już go kocham. Śmieszny nieprzytomnie i bardzo milusiński. Kajtek wygrzebał go z jakiegoś cuchnącego schroniska, bo chciał, żeby choć jeden pies mógł mieć rodzinę. Dobry chłopak.

Na razie rośnie nam dworkową rodzina, a gości jakoś nie widać. Ciekawe, czy uda nam się tą Rotmistrzówką zarobić na życie...

Zdecydowaliśmy się na nazwę Rotmistrzówka pod wpływem Olgi Skrzypek. Właściwie wtedy jeszcze „łyśmy", a nie „liśmy". Szukałyśmy nazwy prostej i szlachetnej. Rotmistrzówka strasznie nam się spodobała. Tylko miałyśmy wątpliwości, czy goście będą w stanie wymówić tę nazwę, zwłaszcza, że nastawiamy się w pewnej mierze na Niemców. Ale Olga opowiedziała nam o pensjonacie, w którym mieszkała w Anglii, nosił on nazwę Cwmbran – napisała nam ją, bo też nie umiała wymówić. Zdaje się, że poza rdzennymi Walijczykami nikt na świecie tego nie potrafi. Olga twierdzi, że pensjonat pękał w szwach i słynął jako „ten hotel z niemożliwą nazwą, gdzie są najlepsze łódki i najlepsza kucharka na północ od Kanału Bristolskiego".

No więc ja życzę sobie, żeby nasz dworek słynął jako „pensjonat z niemożliwą nazwą, gdzie są najlepsze konie i najlepsze żarcie na północ od Karkonoszy".

Najlepsze żarcie powinna, oczywiście, robić Lula... Ona się nawet poczuwa, studiuje książki kucharskie i wypróbowuje na nas różne przepisy. Najlepiej jej wychodzi jajecznica chłopska po dworsku, to znaczy tak zwany klepak z szyneczką. Mniam.

Nawiasem mówiąc, Lula nie wiedziała, że to się nazywa klepak! Jej mama mówiła po prostu „jajecznica z mąką". A moja mówiła „klepak". Albo nawet „klepok".

Wczoraj, specjalnie na cześć Pudełków, zrobiłyśmy – we dwie! – męskie żarcie, czyli kotlety karkowe z kapustką młodą. Wcinali, aż im się uszy trzęsły. Zdaje się, że odkąd osierociła ich ta wątpliwa Romana, żywili się głównie zupkami w proszku.

Starsze Pudełko w ogóle nie przyjęło do wiadomości, że ja też przyłożyłam się do sukcesu dania i gapiło się z uwielbieniem na Lulę, bo widziało, jak panierowała te kotlety. Zaprawdę, przez żołądek do serca mężczyzny!

Kajtek pół kotleta skarmił pod stołem swoim kundlem nierasowym. Skarciłam go, powiedziałam, żeby się nie wygłupiał i obiecałam psisku drugie pół – pod warunkiem, że nie będziemy zwierzaka uczyć złych manier. Bo nam będzie żebrał u gości. Kiedy się takowi pojawią.

Lula

Podobno marzenia się spełniają, kiedy się marzy dostatecznie intensywnie...

Emilka

Ha, ha, ha.
Wiktory też przyjechały!!!
Ale po porządku, żebyśmy potem wiedzieli, cośmy napisali, a czego jeszcze nie.

Trzy dni po przyjeździe Pudełków trudniłam rączki białe malowaniem artystycznym ganku i drzwi Rotmistrzówki na zielono (całą stolarkę widoczną z zewnątrz tak pomaluję). Kajtek ganiał ze swoim młodocianym kundlem po padokach i denerwował Bibułkę, bo Mysza miała ich generalnie w nosie. Lula gdzieś poszła, a babcia z Jasiem Pudełkiem omawiała na ganeczku ważne sprawy związane z prowadzeniem rozliczeń Rotmistrzówki, kiedy już ruszy. Strasznie mi przeszkadzali, ale nie chcieli przejść nigdzie indziej, bo twierdzili, że tu jest im najprzyjemniej, w świeżym zapachu farby akrylowej zieleń jodłowa. Oczywiście, Jasio zobowiązywał się do opracowania specjalnego programu komputerowego na tę okoliczność, a babcia śmiała się z niego, mówiąc, nie bez racji, że na razie wystarczyłby zeszyt w kratkę...

Zagadali się, że o bożym świecie nie wiedzieli. A ja tu patrzę – zajeżdża małe i paskudne cinquecento i całkiem spokojnie wysiada z niego mroczny przedmiot pożądania mojej kochanej Luli, czyli przystojny brunet popołudniową porą. Wiktor, malarz abstrakcyjno-toaletowy! Za nim podąża jego wytworna żona. Potem leci stuknięta seterka Niupa, aż wreszcie na końcu wyłania się nieśmiała Jagódka! Niupa natychmiast gdzieś pogoniła, potem okazało się, że wywąchała kury za domem i postanowiła wykończyć ich kurze serca, ostro nadwerężone przez małego Bezimiennego.

Babcia zerwała się jak osiemnastka i zakrzyknęła gromko:
– Mówiłam! Mówiłam!

Nie wiem, co miała na myśli, bo wcale nie wyrażała pewności żadnej co do przyjazdu Łaskich. Ale babcia wiedziała swoje.

– Dzień dobry, babciu Stasiu – powiedział grzecznie Wiktor i ucałował jej ręce, po czym wziął ją w objęcia. – Nie wytrzymaliśmy – oznajmił spoza jej kołnierza. – Czy propozycja aktualna?

– Jaka propozycja? – spytała babcia, uwalniając się z jego objęć i sterując w stronę Ewy. – Wspólnego gospodarowania? Witaj, Ewuniu, dziecko kochane, nadojeły ci profesory, co?

– Co to znaczy nadojeły? – Ewa oddała jej uścisk, dość chłodno jak na moje oko. Ewa jest chłodna z natury.

– Na pewno coś brzydkiego – ucieszył się Jasio P. – Propozycja chyba aktualna...

– Nadojeły to inaczej nadojadły. Dokuczyli, znaczy. Tak mówią niektóre tutejsze kobiety – wyjaśniła babcia. – Proweniencji wschodniej. Jagódko, promyczku mały, chodź się przywitaj...

Byłam ciekawa, czy Lula, kiedy się wreszcie pojawi, padnie jak długa z emocji, ale jakoś się nie pojawiała.

Z bardzo wstępnej rozmowy wynikło, że to Wiktor zachował się jak mężczyzna i potrząsnął swoją chłodną żoną, wymuszając na niej decyzję. Argumentem decydującym stała się astma Jagódki, której Kraków źle robił. Jagódce, znaczy. Astmie robił świetnie i po prostu zakwitała w sprzyjających warunkach, dusząc biedne dziecko coraz bardziej.

Na razie dziecko jakoś się nie dusiło, chociaż było dosyć blade. Zainteresowało się, czy jest Kajtek i w tym momencie Kajtek przyleciał nie wiadomo skąd, poprzedzany przez ujadającego głupka i szczęśliwą Niupę.

– O rany kota – ucieszył się Kajtuś szczerze – przyjechaliście na dobre?

– Kajtek, przywitaj się jak człowiek – pouczył go tata Pudełko.

– Jak człowiek nie mogę, bo mam ręce w błocie – zawiadomił go syn. – Dzień dobry ciociu, dzień dobry wujku. Jagoda, chodź ze mną za dom, zobaczysz nasze kury!

– Kury mogą cię uczulić – zawołała ostrzegawczo Ewa, ale już było za późno, dychawiczna Jagódka pognała za Kajtkiem i oboma psami, nie wykazując żadnych objawów astmy.

– A gdzie wasze bety? – zainteresowałam się. – Zostawiliście na wszelki wypadek w Krakowie?

– Częściowo – powiedział Wiktor. – Zamieszkali u nas tacy nasi młodzi kuzyni na dorobku i pilnują mieszkania i tych betów. To, co będzie nam potrzebne, jedzie pociągiem. I proszę, nie każcie mi opisywać, co ja przeżyłem, kiedy nadawałem ten bagaż. Ma być jutro w Jeleniej Górze. Jasiu, masz samochód? A ty, Emilko? Tę karetę z odświstem?

Poinformowałam go o stanie naszego usamochodowienia. Będą musieli jeździć w felkę i cinquecento, chyba ze dwa albo trzy razy...

W tym momencie na horyzoncie ukazała się Lula. Wyszła po prostu z domu, gdzie, jak się okazało, wprawiała się w pieczeniu pasztetu myśliwskiego według przepisu Krzysia, zamiast mięsa jelenia używając jednakowoż pospolitego królika. W zasadzie nie sprawiła mi zawodu swoją reakcją. Wprawdzie nie padła jak długa, ale mało brakowało. Kilkakrotnie zmieniła kolory na twarzy, powiedziała coś od rzeczy, wydała kilka okrzyków i zamilkła. Ewa i Wiktor uściskali ją, Ewa, oczywiście, chłodno, Wiktor dużo cieplej. Jak serdecznego kumpla, niestety...

No i jak się tak ściskali, to nagle Ewa odskoczyła od grupki powitalnej i wydała ze swojego wytwornego wnętrza okrzyk obrzydzenia. Po czym zaczęła oglądać swoje ręce zupełnie jak Lady Makbet.

– A cóż to znowu za paskudztwo! Boże, to się maże! I śmierdzi! Czym to śmierdzi?

Zaprezentowała nam swoją zieloną rękę. Zieleń jodłowa. To mi dało do myślenia.

– Dotykałaś stolarki? – zapytałam rzeczowo. – To moja farba, zmyjesz wodą, spokojnie. Tylko pospiesz się, zanim wyschnie.

– Ale masz to i na kostiumie – powiedziała z troską Lula. Ciekawe, czy z troską prawdziwą, czy... niekoniecznie.

– Gdzie – jęknęła Ewa – gdzie na kostiumie? To mój najlepszy kostium!

Kto, na litość boską, wybiera się w podróż na wieś w reprezentacyjnym kostiumie?

– Na spódnicy, na dole...
– To ten mały – krzyknął nagle Wiktor. – Popatrzcie!
W pierwszej chwili nie zorientowałam się, o jakim on małym mówi. Spojrzałam w kierunku wskazywanym przez rękę Wiktora (wprawioną w dziwny ruch okrężny) i zobaczyłam ganiającego radośnie wokół nas kundla z moim pędzlem w pysku. Zieleń jodłowa kapała gdzie popadnie.

Małego łobuza nazwaliśmy komisyjnie Pędzlem. Oczywiście dużo później, po kolacji, kiedy już emocje uległy wyciszeniu, a oba psy poszły grzecznie spać i spychały się z małego Pędzlowego materacyka...

Lula

Nie spodziewałam się – bo marzenia to jednak zupełnie coś innego – że w końcu znajdziemy się w Rotmistrzówce wszyscy. Wiktor z rodziną zajęli chwilowo największy pokój dla gości, ale już panowie zaczęli intensywne prace remontowe przy adaptacji tego obszernego stryszku. Wystarczy zrobić kilka ścian działowych i jedno z powstałych tym sposobem pomieszczeń urządzić jako łazienkę. Wszystko na koszt Wiktora. Powiedział, że ta kampania papieru toaletowego przyniosła mu naprawdę duże pieniądze. Ewa pewnie wolałaby...

A zresztą nieważne, co Ewa by wolała.

Wczoraj była niedziela i przy świątecznym śniadaniu od nowa rozdawaliśmy sobie role w naszym wspólnym „przedsiębiorstwie". Nie zajmowaliśmy się jeszcze stanem wspólnych finansów, bo nie mamy co do nich zupełnej jasności, dopóki Emilka nie dostanie odszkodowania za samochód.

Na nasz „rotmistrzówkowy" użytek Ewa została mianowana główną księgową. I słusznie. Janek zaofiarował się, że jej zrobi specjalny program do komputera, ale to chyba jeszcze za wcześnie? Ponadto jest czymś w rodzaju ochmistrzyni. Będzie pilnowała pościeli, sprzątania (mamy sprzątać wszystkie trzy, na zmianę), prania i tak dalej.

Emilka ma się zajmować ogrodem oraz marketingiem. Obiecała też przejąć opiekę nad kurami, bo mówi, że ją śmieszą, a ich zapach jej nie przeszkadza.. Postanowiła rozwinąć hodowlę i wyznaczać im kolejne tereny do dziobania. Mówi też, że kupi kozę. Chyba w niej zagrały echa studiów rolniczych.

Wiktor i Janek będą wykonywali wszelkie męskie prace, których nie zabraknie chyba nigdy. Drobne remonty, naprawy, oczywiście wszystkie sprawy stajenne, zaopatrzenie, rąbanie drzewa i w ogóle wszystko, co wymaga silnej ręki.

Ja mam się zajmować kuchnią i wszyscy zgodnie stwierdzili, że to wystarczy. Ponadto, jako najlepszy rajter (bardzo się wzruszyłam, kiedy uznano mnie za takowego jednogłośnie), mam prowadzić jazdy w teren, jeśli ktoś sobie zażyczy. Na razie zresztą nie bardzo jest na czym, bo jedna Bibuła to za mało, a Mysza to już emerytka. Babcia uśmiecha się tajemniczo, kiedy mówimy o tym i powiada, że jakieś tam konie zawsze się znajdą. Ciekawe, co przed nami jeszcze ukrywa.

Babci przydzieliliśmy funkcje reprezentacyjne. Ma być dobrym duchem domostwa, a kiedy przyjadą goście – albo zacną babcią, albo wielką damą – zależnie od zapotrzebowania.

Jagódka i Kajtek też domagali się przyznania im stałych obowiązków, więc je dostali. Mają pomagać doraźnie we wszystkim, a poza tym pilnować psów, żeby nie rozniosły Rotmistrzówki. Młody Pędzel zdecydowanie zdradza takie zamiary, a poważna, wydawałoby się, Niupa, odkryła nagle w sobie niewyżytego szczeniaczka. Biedna, wychowała się w krakowskiej kamienicy i nigdy nie wiedziała, co to jest prawdziwa swoboda. Teraz postanowiła to nadrobić.

W zasadzie już możemy funkcjonować. Emilka zamieściła kilka ogłoszeń, nawiązała też współpracę z kilkoma biurami turystycznymi. Olga ma nas na uwadze – czekamy więc na gości.

Nie wiem, czy nie powinnam jednak pomyśleć o jakiejś dodatkowej pracy w Karpaczu na przykład, albo w Jeleniej Górze. Jak na takie małe gospodarstwo, jest nas tu sporo do obsługi gości, których i tak jeszcze nie widać.

Emilka

Och, och, powiało kapitalizmem! Kupiliśmy trzy samochody! Baaardzo przyjemne uczucie. W salonie omalże nie podścielono nam pod nogi czerwonego dywanu.

Ale po kolei. Najpierw Warta wpłaciła mi na konto kupę forsy, co natychmiast poprawiło mi samopoczucie, kolor włosów, cerę i stan paznokci oraz uzębienia.

Potem zwołaliśmy kolejną naradę plenarną – celem ustalenia stanu kasy. Zarządziła ją babcia, która hołduje zasadzie „kochajmy się jak bracia, a liczmy się jak Żydzi". Czekaliśmy z tym jeszcze tylko na tę moją fortunę gangsterską, bo poza tym wszyscy wiedzieli, ile mają. To miała być ostatnia ogólna narada organizacyjna, w każdym razie na razie...

Był wieczór, wszystko w gospodarce zrobione, konie oprzątnięte, psy i dzieci nakarmione, a ponieważ na kolację Lula z Ewą nasmażyły nieprawdopodobnych placków ze staroświeckimi papierówkami, nastrój panował łagodny i ogólnie afirmatywny.

No, może z wyjątkiem Ewy, która była afirmatywna w wymiarze lekkopółśrednim.

– Jagoda i Kajtek wezmą teraz psy i pójdą na spacer – powiedziała, po raz dziesiąty odmówiwszy placka żebrzącemu Pędzlowi. – Dorośli będą teraz omawiać ważne sprawy.

– Ja też chcę omawiać ważne sprawy – oświadczył natychmiast Kajtek. – I Jagodzie też się należy. Psy możemy wyrzucić na podwórko. Spadaj, Pędzel!

– Powiedziałam!

– Zaczekaj, dziecko – wtrąciła babcia. – Ewuniu, może niech oni też słuchają. To w końcu nasze dzieci. Niech wiedzą, na jakim świecie żyją.

– O, fajnie, babciu, babcia ma rację. Pędzel, spadówa, mówię! Nie dam ci już więcej placka, bo pękniesz!

– Kajtek, nie wyrażaj się przy mnie w sposób aż tak młodzieżowy – skrzywiła się babcia. – Ustalamy więc, że psy wychodzą, dzieci zostają.

– Z prawem głosu? – uniosła brwi Ewa.

– Ja bym im dała głos doradczy – wtrąciłam. – Jestem najmłodsza ze starszyzny i pamiętam, że dzieci też czasem myślą.

– To my wam zrobimy jeszcze herbaty, co, ciocia?

– Świetny pomysł.

Trochę się na początku czułam nieswojo, kiedy Kajtek mówił do mnie „ciociu", ale szybko przywykłam. Swoją drogą, biedny mały Kajtuś. Stracił mamę, jaka by ona tam nie była. No, ale

w zamian zyskał trzy ciotki i jedną babcię! Że nie wspomnę
o wujciu Wiciu. I kuzynce Jagusi.
Babcia położyła kres moim sentymentalnym rozmyślaniom,
wzywając nas na tę naradę ze świeżą herbatą do salonu.
– Przede wszystkim – zagaiła – trzeba policzyć aktywa. Czy
zamierzamy rejestrować spółkę cywilną, czy raczej działać na zasadzie gentleman agreement?
– Co to znaczy? – chciał wiedzieć Kajtek, nalewający nam herbatę do reprezentacyjnych filiżanek.
– Umowa dżentelmeńska – wyjaśnił wujek Witek. – Uważam,
że wszyscy jesteśmy dżentelmenami, to znaczy wierzymy sobie
nawzajem, że nikt nikogo nie wykantuje. Chyba tak będzie nam
na razie najwygodniej, zwłaszcza, że nie wymeldowaliśmy się
z naszych starych mieszkań.
– To chyba nie ma znaczenia, a zresztą my się wymeldowaliśmy – skorygował go Janek. – Emilka też. My już jesteśmy tutejsi
na dobre.
– Ja też – oburzyła się Lula. – Też jestem tutejsza!
– Nie ma obowiązku rejestrowania spółki cywilnej – wtrąciła
Ewa, ekonomistka z zacięciem prawniczym. – Wszystkich nas
może zatrudniać babcia, jako właścicielka firmy „ośrodek jeździecki".
– Oczywiście – westchnęła babcia. – Jeszcze mój Kazimierz
założył ją w dobrych czasach, kiedy mieliśmy wielu klientów...
– No więc przyjmijmy, że tak będzie. Mnie zatrudni Wiktor,
bo on też jest przedsiębiorca.
– Artystyczno-reklamowy. – Zachichotałam nietaktownie.
– Nieważne. W każdym razie naszą sprawą jest, że zasilamy
babcię finansowo, a wszystkie wydatki wrzucamy w koszta babcinej firmy. Będzie to potrzebne, kiedy będziemy czynić inwestycje.
– Wy będziecie czynić inwestycje – mruknęła Lula. – Ja nie.
Nie wiem, czy sobie nie poszukam jakiejś dodatkowej roboty
w mieście, bo widzi mi się, że przy mnie wy wszyscy jesteście kapi-
taliści, a ja nie mam nic, żadnych pieniędzy...
– No i nie musisz mieć – zagrzmiała babcia. – A jeśli chcesz,
to przepiszę na ciebie pół Rotmistrzówki i te wszystkie hektary.
Będziesz miała wiano.
– Baaaabciu...

– Nie jęcz, dziecko. Biorę cię na wspólniczkę. Ewa, proszę pisać: Suchowolska Stanisława i Kiszczyńska Ludwika, gotówki zero, w aporcie wnoszą wspólnie dom, stajnię, obejście, dwadzieścia hektarów gruntów, pięć hektarów lasu i cztery konie.

– Chyba dwa konie, babciu? A poza tym przecież Emilka kupiła Bibułę?

– Cztery, mówię. A Emilka nie kupiła Bibuły, bo nie było takiej potrzeby, skoro jest tak, jak jest. Dalej lecimy, dalej, Emilko, teraz ty, córeńko.

– Ja, babciu, dostałam za samochód sto osiemdziesiąt pięć, za jakieś pięćdziesiąt muszę sobie kupić nowe auto, trochę chcę mieć dla siebie na wszelki wypadek, a więc na konto Rotmistrzówki daję, powiedzmy, osiemdziesiąt. A co z tymi czterema końmi, babciu?

– Jak przyjdzie czas, to się dowiesz – fuknęła babcia. – Jasiu, teraz ty.

– My z Kajtkiem – zaczął Janek powoli, a Kajtek aż poczerwieniał z satysfakcji spowodowanej traktowaniem go jak wspólnika w interesach – my z Kajtkiem sprzedaliśmy mieszkanie we Wrocławiu, a ponieważ nie było to najpiękniejsze mieszkanie, w nie najlepszej dzielnicy i w bloku, nie dostaliśmy za niego przesadnie dużo. Miałem też trochę aktywów, z czego Emilka już wydała dwadzieścia tysięcy...

– Tylko siedemnaście – sprostowałam z godnością – i wszystko z sensem! I na wszystko mam rachunki.

– Wiem, kochanie, ja tylko liczę. Część tego, co mamy, wpłaciłem na konto, które założyłem dla Kajtka. Część, jak Emilka, zostawiam sobie, na bieżące wydatki. Na konto Rotmistrzówki mogę jeszcze przelać... no, dajmy na to, stówę.

– To razem sto dwadzieścia. – Ewa była skrupulatna.

– Licz stówę. Te dwadzieścia odżałuję. I tak ich już nie ma.

– Hoho, ty masz gest. No dobrze, teraz my. Wiktor?

– Dziękuję ci, Ewuniu, rozumiem, że mam przemawiać jako głowa rodziny. No więc nasza trójka, po odliczeniu drobnych kwot na własny użytek, a rozumiecie też, że musimy wreszcie zmienić to cinquecento na coś z sensem, może dać po pięćdziesiąt od łba, czyli sto pięćdziesiąt, więcej tatunio za te wychodkowe luksusy nie dostał, a mieszkania jeszcześmy się nie pozbywali.

– Ja pierniczę – zachwycił się niecenzuralnie Kajtek. – Trzysta trzydzieści tysięcy. Masa szmalu! To my w ogóle nie musimy pracować!

– Kajetan, nie wyrażaj się – skarcił go ojciec. – To wcale nie jest tak wiele, jak na kapitał zakładowy.

– Nie jest źle – powiedziała Ewa. – Z tego chyba musimy przydzielić sobie jakieś szczątkowe pensje, porobić różne modernizacje i remonty, a poza tym trochę wydać na jakiś samochód firmowy, może dostawczy?

– Dostawczy nie! Terenówę! Tata, terenówę! Jeepa cherokee! Tata! Będziemy jeździć po górach! Grand cherokee! Tata!

W tej kwestii akurat byłam zorientowana.

– No, no. Akurat by nam starczyło tego całego majątku. Na benzynę już by nie było, a to pali jak cho... jak nie wiem co.

– Ciocia, coś ty? Naprawdę tyle kosztuje? Skąd wiesz?

Skąd wiem, to wiem. Kałaszek mój ulubiony się przymierzał, ale w końcu zwątpił i uznał, że laluni wystarczy limuzyna za dwieście.

– Czytaj magazyny motoryzacyjne, kolego – powiedziałam wyniośle i najwyraźniej zyskałam kolejny mały punkt u Kajtka. Jestem ciotką, która czyta magazyny motoryzacyjne!

Niespodziewanie rozwiązanie podsunęła nieśmiała Jagódka.

– A może mikrobus, żeby wozić letników?

Własna odwaga prawie ją sparaliżowała. Zamilkła nagle i przymknęła oczy.

– To nie jest głupie – mruknął jej piękny tatuś. – Tylko może nie klasyczny mikrobus, a taki sześcioosobowy van. Dostawczy nie będzie nam potrzebny, nie będziemy wozić wiele naraz, a jakby co, to można wziąć bagażówkę. A taki vanik to niezły patent. Będzie można na przykład pojechać po letników na dworzec do Jeleniej, albo powozić ich po terenie...

– Za dodatkową opłatą – podpowiedziała Ewa.

– Otóż to – podsumowała babcia.

Na drugi dzień odwiedziliśmy jeleniogórskie salony samochodowe.

Miałam ochotę na wszystkie średnie samochody, które tam stały, bo wszystkie wydawały się jak na mnie skrojone. Może to wpływ korzystania z komunikacji autobusowej w ostatnich czasach. Janek i Wiktor pękali ze śmiechu.

– Podli jesteście obaj – oświadczyłam im. – Powinniście poradzić kobiecie!
– Przecież jesteś oblatana w samochodach – zachichotał Wiktor.
– Ale tylko powyżej dwustu tysięcy za sztukę – prychnęłam na niego wyniośle. – Mam was w nosie. Wiem, co sobie kupię.
– No co, japońca czy francuza?
– Opla sobie kupię. Myślałam jeszcze o citroenie, albo nidużej renówce, ale mam wrażenie, że francuskie auta są delikatne. Nie na góry. Podoba mi się ta czerwona astra, niemieckie samochody są solidne...
– Najsolidniejsze są japońskie...
– Nie interesuje mnie to. Popieram Europę!
– Wiesz, Wiktor, teraz wszystkie one są porównywalne... Niech kupuje opla. A ja bym tego vana też proponował opla, to może nam spuszczą z ceny...
No i miał rację Janeczek. Spuścili nam z ceny i oba kupiliśmy na firmę – i astrę, i zafirę. Na zafirze umieścimy nasz znak firmowy, kiedy tylko Wiktor go wreszcie stworzy...
Sam Wiktor odmówił kupowania trzeciego opla na własny użytek i nabył sobie japońca. Dużą, kombiastą corollę, z miejscem na Niupę i w kolorze zielony metalik, coby się z rudą Niupką ładnie komponowała. Artysta to artysta.
A pensje przydzieliliśmy sobie bardziej niż szczątkowe. Na prawdziwe będzie czas, jak się rozwiniemy!

Lula

Emilka kupiła sobie opla w kolorze wozu strażackiego. Bardzo jest zadowolona i twierdzi, że to kolor ratowniczy, a ona lubi ratowników.
Czy ja kiedyś będę miała tyle pieniędzy, żeby sobie kupić samochód?
Musiałabym najpierw nauczyć się jeździć, bo moje prawo jazdy jest już tylko niewiele znaczącym papierkiem. To znaczy pewnie bym sobie poradziła, ale bez przyjemności.
I tak mamy tyle samochodów, że chyba trzeba będzie zbudować dla nich jakąś specjalną wiatę za stajnią. Firmowy van,

90

Emilki astra, Jasiowa felicja, Wiktora corolla i cinquecento. Pięć aut!

Wiktor miał odruch, żeby mi zaproponować swoje stare autko, ale Ewa delikatnie (jak na nią) odwiodła go od tego szlachetnego zamiaru i oświadczyła, że jej się przyda własny środek lokomocji. Nie chce być tak bardzo zależna od Wiktora. Logiczne. Niby jesteśmy wszyscy razem, mamy wspólną firmę, ale jednak te wszystkie samochody świadczą chybą o tym, że to wszystko jest jakieś takie... tymczasowe, prowizoryczne, niepoważne, bo ja wiem, jakie jeszcze? Nie na serio.

Chyba kupię sobie w aptece pigułki z dziurawca na depresję. Coś mi ostatnio smutno. Tylko że z tymi pigułkami też może być kłopot, bo nie można się wystawiać na słońce, kiedy się je zażywa, a wprawdzie ostatnio słońca jest jak na lekarstwo, ale przecież w końcu wyjdzie zza chmur. Jest lato.

Chandra Unyńska.

Nie, chandra marysińska.

Emilka

Ależ była jazda dzisiaj...

Rano, koło dziewiątej, jedliśmy sobie spokojnie śniadanko – my, to znaczy Wiktor, Jasio i ja; reszta była już po, a oni dopiero skończyli ze stajnią, w której robili jakieś generalne porządki. Ja zaspałam odrobinkę, zresztą nie miałam wcześniej nic do roboty, a nie mam takiego hobby, żeby się zrywać o świcie. Babcia opowiadała nam jakieś urocze historyjki z czasów wojny (krymskiej zapewne...), jak to świętej pamięci Rotmistrz ją uwodził na ziemiańskich potańcówkach, przynosząc jej za każdym razem bukiet róż rąbnięty z ogrodu miejscowego proboszcza. Była właśnie w najlepszym momencie opowieści, bo proboszcz w końcu pięknego ułana dopadł – kiedy przyleciał zziajany Kajtek z telefonem w ręce. Babcia bardzo godnie powiedziała „halo, słucham, dworek Rotmistrzówka", potem posłuchała chwilkę i znacznie się ożywiła, ale dalej tym godnym głosem stwierdziła, że owszem, z wielką przyjemnością, droga Olgo, proszę przekazać, że naturalnie, czekamy.

Na co, do licha, czekamy?

Babcia oddała telefon Kajtkowi i zasunęła nam prawdziwą bombę.

Jakiś znajomy Olgi, przewodnik pod tytułem Kostas Cośtamtego (nazwisko nie do zapamiętania) przyprowadzi nam gromadę Niemców na podwieczorek! Dwanaście osób. O szesnastej trzydzieści.

Matko Boska jedynąca, jak mawiała moja własna babcia! Przecież my w ogóle nie jesteśmy przygotowani na coś takiego! To znaczy ogólnie jesteśmy, ale szczegółowo wcale, bo właśnie lodówka pusta, chłopy miały jechać po duże zakupy do Jeleniej Góry, do dyskontu jakiegoś, gdzie się kupuje tanio.

Kajtek poleciał po Lulę, znalazł ją nie wiadomo czemu na piętrze, kontemplującą, zdaje się, jedną z wielce kolorowych abstrakcji ukochanego artysty. Usłyszawszy nowinę, natychmiast wpadła w ciężką panikę i zaczęła jęczeć. Jak Lula jęczy, to mnie się czasami trochę udziela, więc się dołączyłam. Wiktor wyraził niezadowolenie, bo właśnie zamierzał wziąć się za ozdabianie kuchni kwietnym ornamentem (ręcznie malowanym farbami akrylowymi dla artystów). Ewa ni stąd, ni zowąd dostała ataku śmiechu. Babcia się zdenerwowała i stanęła na środku kuchni jak słup soli. I tylko mały, niepozorny i niewyrazisty Janek Pudełko zachował przytomność umysłu.

– Hej – powiedział zachęcająco. – Przecież jesteśmy gospodarstwem agroturystycznym, prawda? Nastawionym na przyjmowanie gości, tak? No to dlaczego zachowujecie się, jakby klęska żywiołowa na nas spadła?

Natychmiast zarzuciliśmy go potokiem narzekań i wątpliwości, ale Jasio kazał nam się zamknąć.

– Posłuchajcie mnie, kobiety i artyści. Jest dziewiąta...

– Piętnaście po – jęknęła Lula z oczami wbitymi w ścienny zegar ze zdechłą kukułką.

– No dobrze – zgodziło się Pudełko. – Do przyjścia gości mamy ile czasu? Siedem godzin i kwadrans. Zdążymy zrobić przyjęcie dla królowej angielskiej.

– Ależ Jasiu – powiedziała z dużą godnością Ewa. – Powinniśmy przyjąć ich po domowemu, wiesz, świeże ciasto, naleweczki według starych receptur, wiejska kiełbaska i szynka, jajka, takie rzeczy. A co my z tego mamy?

– Mam miód od sołtyski – odezwała się niepewnym głosem Lula. – Poza tym nie mamy nawet chleba.

– Przestańcie, bo się zdenerwuję – zagroził Jasio. – Mamy kury? I te kury niosą jajka?

– Niosą, ale mało – poinformowała Lula. – Odkąd Emilka przejęła nad nimi opiekę, prawie wcale...

– Nie bądź zwierzę! Kurami zajmuję się od przedwczoraj, poza tym zniosły tyle, ile normalnie niosą, ale wszystkie zeżarliście na śniadanie! Jasiek z Wiktorem kazali sobie zrobić jajecznicę z tuzina jaj!

– Mówiłaś, że nie ma tuzina – poskarżył się Wiktor. – Usmażyłaś nam tylko dziewięć, a my jesteśmy fizyczni i musimy dużo jeść...

– Przestańcie. – Pudełko przywołało nas do porządku. – Lula, pojedziesz ze mną na zakupy?

– Lula nie – zaprotestowałam. – Lula z Ewą niech się biorą za pieczenie świeżego drożdżowego ciasta dla tych Krzyżaków. Najlepiej bułeczki zróbcie. Wiktor, ty się udaj do sołtyski, uwiedź ją i wycygań jajek, ile zdołasz.

– Dlaczego Wiktor? – zaprotestowała z kolei Ewa.

– Bo najprzystojniejszy. Przepraszam cię, Jasiu, ale brunet to brunet. Większość bab, jak na nie popatrzy spod tych swoich brwi, padnie plackiem. I o to nam chodzi, Jasiu.

– Ja nie mam kompleksów – oświadczył z godnością Jasio. – A która z was pojedzie ze mną do tej Jeleniej? Bo ja nie umiem kupować...

– Ja z tobą pojadę. Ja tam nie lecę na jego brwi. Ale nie do Jeleniej, tylko do Karpacza, bo bliżej i tam są takie fajne delikatesy...

W Ewie odezwała się ekonomistka.

– Jeśli będziecie robić zakupy w delikatesach, i to w słynnych miejscowościach turystycznych, to pójdziemy z torbami bardzo szybko. Powinniśmy zaopatrywać się w hurtowniach.

– Nie mamy czasu na hurtownie. To zresztą tylko jednorazowo. Chodź, Jasiu, bo czas ucieka!

Zostawiliśmy towarzystwo i udaliśmy się do tych delikatesów. Jasio było trochę markotne, bo pewnie miało nadzieję na słodkie samochodowe sam na sam ze swą Ludwiką, ale to nie były okoliczności do amorów. Poza tym Lula wciąż jeszcze nie przestała wzdychać pokątnie do przepięknego Wiktorka. Muszę jej wreszcie przemówić do rozumu.

Na murze domu przed delikatesami rzucił się nam w oczy wysprejowany krzyk czyjegoś serca: ceny piwa mordują! W środku okazało się, że nie tylko ceny piwa. Ceny wszystkiego pozostałego również. Kurort to kurort. Ewa miała rację. Napchaliśmy do koszyka mnóstwo różności, ale wciąż mieliśmy problem z głównym daniem. Jasio zaproponował kaszankę z cebulką i pomyślałam sobie, że dla Niemców to chyba niezły patent. Po krótkim namyśle dołożyłam mielone – dokupi się kapusty i Lula narobi mnóstwo gołąbków na zaś. I zamrozi. Do gołąbków potrzebny jest ryż. Albo kasza. Z kaszą lepsze. Dołożyłam kaszę i ryż też, na bazie ryżu robimy jedzenie dla naszych psów. Kilka kurczaków do tego psiego ryżu, też się zamrozi.

Janek uprzejmie popychał wózek i w zasadzie mało się odzywał. Może pomysł na kaszankę wyczerpał jego możliwości konwersacyjne.

Wreszcie uznaliśmy, że jesteśmy zaopatrzeni na wszystkie okoliczności i już chcieliśmy wychodzić, ale zadzwonił na moją komórkę Wiktor z wiadomością, że sołtyska nie miała jajek. To znaczy miała tylko kilka i te kilka wzięła Lula do ciasta. Dokupiliśmy jajek. Wtedy zadzwoniła Ewa i kazała nam znaleźć coś, co pomogłoby udawać babcine nalewki. Kupiliśmy jakiegoś dziwnego kirsza. Trochę przeterminowanego, tak ze dwa lata. Ale to mu chyba powinno dodać smaku? Przeleje się do babcinej karafki z rżniętego kryształu (huta Julia ze Szklarskiej Poręby, można udawać, że po przodkach ziemianach, bo bardzo stylowa) i będzie dobrze. Potem zadzwoniła Lula i spełniliśmy jej życzenie, nabywając miód, bo ten, co był w domu, od sołtyski, już się zjadł. Powiedzieliśmy jej o patencie na kaszankę i uzyskaliśmy pochwałę. Kiedy już sterowaliśmy w stronę drzwi, zadzwonił Kajtek i zakomunikował, że babcia kazała kupić jakieś konfitury, powie się Niemcom, że domowe. Kiedy Kajtek się wyłączył, odczytałam na komórce sms-a, w którym Wiktor żądał piwa do kaszanki.

– Nic już więcej sobie nie przypominaj – powiedział ostrzegawczo Janek Pudełko i wyszliśmy ze sklepu obładowani jak wielbłądy.

W domu, kiedy do niego wróciliśmy, panowała atmosfera napięcia. Wiktor w salonie pokazywał właśnie swój lwi pazur jako artysta i układał w jakiejś starożytnej wazie z epoki wczesnego Gomułki potwornej wielkości bukiet kwiatów, który nazwał barokowym. Pod barokowymi splotami kwiecia (kto mu pozwolił brać mój klematis, który jest jeszcze o wiele za młody?) zginął wczesny Gomułka. Widać było tylko nieskażone piękno. Kiedy autor postawił to piękno na stole, na jedzenie zostało już niewiele miejsca, więc poprosiliśmy go, żeby jednak przestawił wazę na komodę (fałszywy biedermajer, jak twierdzi moja Lula, historyczka sztuczna, która się zna na takich rzeczach). Zrobił to, ale się krzywił.

Lula w kuchni właśnie wyjęła z piecyka pierwszą partię bułeczek i czekała, aż Ewa skończy posypywać drugą blachę cukrem kryształem.

Poczułam przyjemne mrowienie w krzyżu. Za kilka godzin sprawdzimy się jako gospodarze agroturystyczni!

O szesnastej dwadzieścia sześć wysoki, czarny i chudy facet, przedstawiający się jako Kostas Chadzinikolau (specjalnie się nauczyłam nazwiska długiego i greckiego, jak on sam), przyprowadził nam dwanaścioro starców płci obojga, spośród których co najmniej połowa pamiętała chyba jeszcze Wielkiego Fryderyka (widziałam, jak go grał Świderski w telewizji, to musiała być jakaś bardzo odległa epoka w dziejach...). Druga połowa była z czasów Ulryka von Jungingen. Wszyscy bardzo energiczni i rozświergotani, chociaż zmęczeni, bo Kostas ich przegonił po górach. To jacy są, kiedy wypoczną?

Przy furtce przyjął ich Janek, który posiada język niemiecki opanowany w stopniu prawie doskonałym. Wprowadził ich do salonu i z miejsca zaczęło mi sie wydawać, że jest ich co najmniej czterdzieścioro, bo wszyscy na raz gadali i kręcili się w kółko, podziwiając barokowy bukiet Wiktora, fotografie i portrety koni na ścianach, a także te trzy wybitne obrazki, które Lula wywlokła ze strychu i powiesiła na widoku.

Lula, która właśnie weszła do salonu, żeby się zorientować, czy już pora na kaszankę z cebulką, natychmiast poczuła profesję i poinformowała o autorach i o tym, że obaj znakomici, że obrazki są w rodzinie od pokoleń, że Chełmoński w ogóle był pejzażystą, a Stachiewicz portrecistą (a może odwrotnie?) – Niemcy stanęli i otwarli gęby w niemym podziwie.

W tym momencie spojrzałam przypadkowo na Wiktora i zobaczyłam, że ma dziwną minę. Pewnie, biedaczek, wolałby, żeby Lula piała takie hymny pochwalne na temat jego wyrafinowanych abstrakcji. Ale ona nawet nie powiesiła w salonie żadnej z nich, wszystkie są na piętrze, w pokojach i na korytarzach.

Krzyżacy i Krzyżaczki wydali stosowne okrzyki, dwóch najstarszych nawet zapytało, czy obrazki są na sprzedaż, Lula się obruszyła i można było wreszcie przystąpić do kaszanki z piwem.

Kaszanka się sprawdziła, podobnie kiełbasa myśliwska zaprezentowana kłamliwie jako własnego wędzenia, miód rzekomo z pasieki sąsiada, jajka faszerowane (rzekomo od naszych kur), masło (rzekomo z mleka od sąsiedzkiej krowy) i konfitury (oczywiście rzekomo własnej roboty) podane do bułeczek drożdżowych, naprawdę upieczonych przez Lulę i Ewę. Niemcy byli zachwyceni, a miary ich zachwytu dopełniła babcina nalewka wiśniowa (ten przeczasiały kirsz z delikatesów), zaserwowana w wytwornym szkle przez Wiktora

Jeden z tych najstarszych Niemców, którzy chcieli kupić obrazki, poprosił nawet babcię o przepis na nalewkę. Oryginalny smak – mówił po niemiecku, ale to akurat łatwo było zrozumieć. Babcia jednakże dała mu odpór, stwierdzając bardzo godnie, że to tradycja rodzinna, produkt lokalny i można się tego produktu napić wyłącznie tu.

– Ach, so – powiedział starzec. Tyle jeszcze zrozumiałam, ach tak, ale potem zaszprechał coś bardzo szybko i musiałam Janka poprosić o przetłumaczenie. Babcia dawała sobie radę doskonale, ale ja ostatni raz mówiłam po niemiecku na lektoracie, na czwartym roku.

– On mówi, że w takim razie wróci tu na pewno. I jeszcze mówi, że zna dawną właścicielkę tego dworku i całego majątku, opowie jej, jak tu teraz ładnie, może starsza pani przyjedzie zobaczyć. Ona od dawna mieszka w Austrii, ale wciąż mówi, podobno, że chce przed śmiercią zobaczyć Mariendorf. To się tak nazywało?

– Marysin... pewnie tak. O kurczę, a jak ona będzie chciała odzyskać ojcowiznę?

– No coś ty. Chyba że dla wnuków. Czekaj, on jeszcze coś ciekawego mówi. Ta wioska się nazywa Mariendorf od jej imienia. Mąż bardzo ją kochał. Żonę, nie wioskę. Marianne von Krueger. A wioska przedtem miała jakąś zwyczajną nazwę, no więc ją zmienił. Panisko...

– Z miłości! Bardzo ładne. Romantyczne. A teraz czego on chce?

– Wizytówki. Albo lepiej folderu reklamowego. Chwila...

Tu przerwał rozmowę ze mną i ruszył na pomoc babci, która rzucała na nas rozpaczliwe spojrzenia. Zagadał do Niemca coś, co udało mi się zrozumieć, pewnie dlatego, że nie miał akcentu z Górnej Bawarii. Albo z Dolnej. Zełgał spokojnie, że jedno i drugie właśnie nam się skończyły, czekamy na dostawę z drukarni, więc niech Niemiec da nam swoje namiary, a my mu doślemy. Niemiec dał nam wizytówkę, ucałował babci ręce i wyglądało na to, że jest usatysfakcjonowany.

Ewa, która była przez nas oddelegowana do spraw finansowych, konferowała tymczasem z jednym z Niemców i długim przewodnikiem. Miała równie dziwną minę, jak jej mąż, kiedy Lula opowiadała o Stachiewiczu i Chełmońskim.

A może Chałacie?

Nie, on był Fałat. Więc o Chełmońskim.

Przewodnik Kostas Grek wręczył jej ostatecznie jakiś pliczek banknotów, sprawnie poderwał swoją wycieczkę do lotu, starcy ruszyli się błyskawicznie i odfrunęli, szalenie zadowoleni (kirsz zniknął z karafki bez śladu), gaworząc milutko w swoim ojczystym języku.

Chciałyśmy z Lulą od razu zabrać się za sprzątanie śmietniska, które po przyjęciu zdobiło kuchnię, ale Ewa miała dobry pomysł.

– Zjedzmy od razu kolację – powiedziała. – Dopóki to całe jedzenie jest na wierzchu. Mogę wam podgrzać kaszankę, jest jeszcze mnóstwo, te damy nie jadły dużo...

– Ile z nich wydusiłaś, Ewuniu? – chciała wiedzieć babcia. – Dużo jesteśmy stratni?

Ewa zaśmiała się tryumfalnie.

Ona powinna się stale śmiać, wygląda wtedy uroczo, ma prześliczne zęby. Szkoda, że tak często je zaciska.

Podała nam kwotę sześciokrotnie przewyższającą to, co wydaliśmy z Jasiem w ambitnych delikatesach! A przecież zrobiliśmy również zakupy na zaś!

Wydaliśmy mnóstwo okrzyków radości.

– Ohohoho – mruknęła babcia, nie kryjąc zadowolenia. – Nie za słono im policzyłaś, córeńko?

– Babciu. – Ewa wzniosła oczy ku niebu. – Babciu kochana. Ja chciałam od nich o wiele mniej... Ale ten cały Kostas z tym całym Heinrichem Von und Zu oświadczyli mi, że podwieczorek na takim poziomie... Uważajcie: na takim poziomie! Złożony z samych domowych produktów... jest wart takiej właśnie ceny. Oni są uczciwi i nie chcą nas wykorzystywać. No to co ja im miałam powiedzieć? Że to wszystko nieprawda? Że jajka z fermy, kiełbasa ze sklepu, a konfitura z Horteksu? Że nie wspomnę o przeterminowanym kirszu...

Zrobiło nam się głupio. To znaczy mnie się zrobiło, ale jak tak patrzyłam po wszystkich, to wyglądało na to, że im też.

– Piwo było świeże – bąknął bez przekonania Wiktor. – Chyba.

– I bułeczki też autentyczne – dodała Lula niemrawo. – A, i miód od sołtyski.

– Och, nie marudźcie, tylko wyciągnijcie wnioski – rozkazał nadzwyczajnie jak na siebie autorytatywnym tonem Jasio. – Przecież nie chcieliśmy nikogo oszukiwać. Daliśmy się zaskoczyć i powinno to być ostatni raz. Nasze kochane kobiety – tu popatrzył na Lulę – muszą się teraz zabrać do kompletowania takich różnych domowych produktów, żeby spiżarnia nasza była pełna i czekała tylko na gości. Zamrażarka też. My z Wiktorem zajmiemy się produkcją nalewek.

– Nalewki muszą stać latami – zaprotestowała jękliwie Lula.

– Nie wszystkie, drogi kotku – ożywił się Wiktor, a Luli od tego kotka zaróżowiły się policzki. – Co wyście mi opowiadały, dziewczyny, o tym leśniczym? On wam przypadkiem nie obiecywał jakichś przepisów? Będę robił ziołówki! I ratafie dla dam.

– Obiecywał i przepisy, i trochę swoich wyrobów własnych – przypomniała sobie Lula i zachichotała złośliwie. – Najlepiej, żeby Emilka z nim załatwiała, bo bardzo mu się spodobała. Oczu nie mógł od niej oderwać.

Lula złośliwa. Coś podobnego.

– Czy tam nie ma jakiejś pani leśniczyny na tapecie? – zaciekawiła się Ewa.

– Jest. Leśniczyna i dwoje dzieci. Żebyście wiedziały, jędze, pójdę tam i się zaprzyjaźnię z całą rodziną!

– No dobrze – zakomunikował Jasio, strasznie dzisiaj władczy jak na siebie i odsunął talerz po kaszance. – Dosyć nieróbstwa. Chodź, Wiktorze, do stajni, zrobimy, co trzeba, bo już pora...

Poszli wypełniać swoją męską powinność, a my, kobiety, zabrałyśmy się do garów.

Lula

Chandra mi jakoś przeszła, bez dziurawca. Wygląda na to, że mimo tych wszystkich samochodów, umożliwiających natychmiastowe wyjazdy, nikt się do wyjazdu stąd nie pali. Chyba zainstalowaliśmy się już w Rotmistrzówce na dobre. Wszyscy. Nawet Ewa przestała już prawie wzdychać i porównywać Marysin z Krakowem. Może dotarł do niej komizm takich porównań...

Wiktor wziął się z niesamowitym zapałem do adaptowania pomieszczeń na strychu i już niewiele mu zostało do zrobienia. Janek, poczciwa dusza, pomagał mu w porządkach, wynoszeniu niepotrzebnych sprzętów, potem murowaniu ścianek działowych i malowaniu całości. Właściwie na razie białkowaniu, pomaluje się potem. Wyszło z tego zupełnie przyjemne mieszkanko, brakuje im jeszcze łazienki, ale na razie korzystają z tych na piętrze. Gości jeszcze nie mieliśmy, nie licząc tych Niemców, którzy jedli u nas podwieczorek. Olga mówi, że dotąd były dosyć brzydkie pogody, teraz zapowiadają się piękne tygodnie i turystów powinno być więcej, może i nam się ktoś trafi. Polecała nas w zaprzyjaźnionych biurach turystycznych. Kiedy w jej katalogach ukażą się nasze anonse, możemy liczyć na wczasowiczów na dłuższe pobyty. Olga okazała się szalenie sympatyczną osobą – doszliśmy wszyscy wspólnie do tego samego wniosku, chociaż nie dane nam było przebywać z nią dłużej niż pół godziny – wpadała do nas kilkakrotnie, udzielała nam dobrych rad i gnała dalej.

Po pierwszej kompromitacji z wycieczką Niemców, których nakarmiliśmy samymi erzacami, my, kobiety, postanowiłyśmy nigdy więcej do tego nie dopuścić i ruszyłyśmy na wieś w poszukiwaniu domowych produktów. Nie spodziewałabym się nigdy takich trudności w zdobywaniu ich na wsi! Ale dzisiaj większość gospodyń kupuje co się da, mało której chce się bawić w robienie konfitur, grzybków w occie i gruszek w kompocie. Że nie wspomnę o takich rarytasach jak domowe wędliny albo własne masło. Znowu pomogła Anna. Umówiłyśmy się na stałe dostawy mleka i jajek, odstąpiła nam też sporą część własnych dżemów, suszonych grzybków, ogórków kiszonych i kapusty. Dwie salezjańskie zakonnice od księdza Pawła też dały nam co nieco. To znaczy – sprzedały. Nie wyłudzamy od nikogo!

Na plebanii, przy okazji zaproszenia na ciasto (siostrzyczki pieką rewelacyjne placki z kruszonką i jabłeczniki), odkryliśmy w kącie kuchni stojącą tam jako ozdobę starą kierzankę do masła. Pożyczono nam ją z okrzykami życzliwego zdumienia – czy my naprawdę zamierzamy robić masło?

Pewnie, że zamierzamy. To znaczy ja zamierzam zagonić Janka i Wiktora (coś mi mówi, że Janek będzie chętniejszy...) do tej twórczej pracy. Oczywiście, po wyczyszczeniu i wyparzeniu naczynia, które zdobiło ten kąt Bóg wie ile lat. Masełko robione w domu! Z mleka sołtyski!

To znaczy, oczywiście – z mleka krowy sołtyski.

Z wydatną pomocą Emilki i Ewy naprodukowałam straszne ilości domowych przysmaków nadających się do zamrożenia. Nasza zamrażarka pęka w szwach od nadmiaru gołąbków, bigosu, gulaszy na bazie wołowiny, tejże wołowiny na dziko w myśliwskim sosie, zrazów zawijanych i mielonych... Walną część produkcji spożyli na bieżąco nasi panowie (to niepojęte, ile zjada mały Kajtek! I wszystko spala, biegając po polach i łąkach, a także jeżdżąc na Myszy, bo go Janek naprawdę zaczął szkolić – po czym przybiega do kuchni i znowu chce jeść...). Ale i tak zostało tego wystarczająco dużo, aby wykarmić pułk wojska. Jak twierdzi Emilka – nawet komandosów z jednostki Grom, a oni na pewno jedzą więcej niż normalni żołnierze. A to, co zostało, jest na najwyższym światowym poziomie.

Jak twierdzi Ewa: musimy uczciwie uzasadnić wysokie ceny, jakie będziemy zdzierali z naszych klientów. One obie z Olgą kładą nam do głowy, że musimy nastawić się na zamożną klientelę, inaczej nigdy nie wyjdziemy na swoje. Dobrze, dobrze. Nie mam nic przeciwko temu!

Nasze dzieci chyba są bardzo szczęśliwe. Jagódka wprawdzie wciąż jest szalenie nieśmiała i cichutka, ale myślę, że pod wpływem Kajtka prędzej czy później nabierze pewności siebie. Kajtek ma jej bardzo dużo, jego ojciec sam się temu dziwi. We Wrocławiu nie był taki wesoły. Chyba dlatego, że był tak strasznie zapracowany – mnóstwo zajęć pozalekcyjnych, treningi, języki, wszystko, co zajęta sobą mamusia mu wymyśliła.

Czyżbym była złośliwa? Właśnie zauważyłam, że o obydwu żonach naszych kolegów wyraziłam się dosyć uszczypliwie – i to na jednej stronie! Ale cóż – skoro jedna to jędza, a druga... Messalina.

Właśnie Kajtek zawołał Jagódkę, a ona porzuciła truskawki ze śmietaną, które jej przyrządziła babcia i popędziła za nim jak szalona. Nie muszę mówić, że oba zwariowane psy poleciały też. Ten straszny mały Pędzel wywiera na dystyngowaną do tej pory Niupę zły wpływ.

Emilka

Mamy pierwszego gościa! Oczywiście, przywiozła nam go Olga. Nazywa się Sławomir Kirysek i jest człowiekiem uczonym. Zamierza posiedzieć u nas kilka tygodni, nie bacząc na ceny (któraż to uczelnia płaci mu takie pieniądze???) i dokonać autokorekty swojej pracy habilitacyjnej. Mówił nam tytuł, ale nie jest to rzecz do zapamiętania. W każdym razie przeze mnie. Dlaczego nasi uczeni uważają, że tytuł zrozumiały dla ludzkości jest tytułem mało reprezentacyjnym? Rzecz dotyczy w każdym razie stosunków ludności polskiej z ludnością niemiecką na tutejszych ziemiach odzyskanych. Praca jest też z pogranicza, socjologiczno--historyczna. I sam Sławomir Kirysek, doktor, też jest jakby z pogranicza. Jawy i snu. Facet jest tak przeraźliwie chudy, że prawie go nie ma. Lula postanowiła go odkarmić, wiedziona zapewne poczuciem wspólnoty historyków.

Mieliśmy pierwszą w dziejach Rotmistrzówki kłótnię rodzinną. Oczywiście, pożarła się Ewa z Wiktorem. Słyszałam przypadkiem, a zresztą gdybym nie słyszała, to i tak bym się dowiedziała, bo Ewa, rozgoryczona, ogłosiła całemu światu, że Wiktor odmówił zuchwale dalszej współpracy z klozetową bizneswoman, która wybaczyła mu oddalenie i chciała obsypać go kolejną wielką forsą. Powiedział, że tutejszy krajobraz uświadomił mu, jakim był osłem do tej pory i zabrał się do malowania. Lula wpadła w zachwyt nad faktem, że ukochany artysta zaczął malować pejzaże. Ja tam specjalnie w tym pejzażu nie widziałam, ale ja się nie znam. Powiedzmy, że jest to abstrakcja w kształcie góry.

Artysta zasiada teraz do pracy twórczej natychmiast po uprzątnięciu gnoju ze stajni, a jego żona prawie spluwa w jego kierunku, kiedy przypadkiem jest w pobliżu.

– Cóż ci się nagle stało z tym krajobrazem? – spytała go dzisiaj jadowicie. – Znasz go od stu lat i dopiero teraz do ciebie przemówił?

– Przemawiał do mnie już dawno – odparł jej mąż, bardzo zadowolony z życia i pacnął na płótno odrobinką błękitu. – Ale nigdy dotąd z taką siłą. Chyba dojrzałem, moja droga.

– Nie mów do mnie „moja droga" – syknęła i odeszła.

Niech pęknę, jeżeli Lula nie miała w tej chwili radosnego błysku w oku. Ona nie tylko na niego leci, ale jeszcze uważa, że jest wielkim malarzem i powinien codziennie składać ofiarę na ołtarzu sztuki. A on z kolei twierdzi, że z jego dotychczasowej katorgi mają jeszcze trochę forsy na przetrwanie. Więc spokojnie mogą czekać, aż Rotmistrzówka zacznie przynosić zyski.

Może i zacznie, bo pan doktor Kirysek wyraził oszczędny w słowach, ale jednak zachwyt i obiecał rozpropagować istnienie takiego raju na ziemi wśród swoich przyjaciół, krewnych i znajomych. Na pełen ekspresji pejzaż produkowany przez Wiktorka patrzył jednak okiem nieco spłoszonym.

Moim zdaniem taki malarz ze sztalugami to doskonałe uzupełnienie wizerunku Rotmistrzówki. Nadaje styl i taki staroświecki wdzięk. Jestem za.

Lula

Znowu niemiecka wycieczka i znowu dzięki Kostasowi! Co za kochany człowiek! Ale on twierdzi, że wcale nie jest kochany, tylko mu się u nas podoba, więc dlaczego jego Niemcom nie miałoby się też podobać?

Tym razem byliśmy przygotowani na tip top. Dużą pomocą jest nasza zamrażarka. Kiedy mamy wycieczkę, nie bawimy się w indywidualne przygotowywanie jedzonka, tylko robimy obiad jak domowy. Dla wszystkich to samo. Tym razem zaordynowałam gościom gulasz i gołąbki. Nikt nie protestował. Doktora Kiryska podłączyliśmy do grupy, ale on chyba nawet nie wie, co jadł, bo bez przerwy gadał z Niemcami na tematy historyczne. Myślę, że on nawet kiedy śpi, śni o polsko-niemieckich stosunkach przygranicznych na przestrzeni dziejów.

Wiktor odmówił bicia piany – tak się wyraził, a miał na myśli produkcję masła w staroświeckiej kierzance, którą wymyłam i wyparzyłam tysiąc razy. Wiedziałam, że tak będzie. Wiktor całymi dniami teraz maluje, co Ewa ma mu bardzo za złe. Niech maluje. Masło mogłabym odżałować, chociaż sklepowe mało się różni w smaku od margaryny. Na szczęście nie musiałam niczego odżałowywać, bo niezawodny Janek wraz z dziećmi stworzył profesjonalną brygadę maślaną. Pracują na zmiany, jednocześnie oglądając jakieś okropne japońskie kreskówki w telewizji.

Takie masło to poemat. Emilka twierdzi, że jest równie liryczne jak Wiktora pogięte pejzaże.

No, nie wiem, czy one są takie pogięte.

W każdym razie Niemcy płakali ze szczęścia, kiedy dostali naszego masełka do drożdżowych bułek, które pieczemy z Ewą w dowolnych ilościach i na każde zawołanie.

Emilka

Niech mi nikt nie mówi, że wieś nie interesuje się polityką! Kundel Kiełbasińskiej nazywa się Binladen!

– Przedtem to on się nazywał Bury – powiadomiła mnie Kiełbasińska, kiedy kupowałam w sklepie szampon (zapomniałam przy hurtowych zakupach w Jeleniej). – Ale wredny się zrobił, zaczął mi sikać w mieszkaniu, to go na podwórko wygnałam, a to było jak raz we wrześniu tego roku, co to były te zamachy w Nowym Jorku, pani rozumie.

– Rozumiem, pani Kiełbasińska – już się nauczyłam mówić do

103

ludzi po nazwisku, tak jak to jest tutaj przyjęte w kręgach osób starszych. – A on się na panią nie obraził?

Kiełbasińska roześmiała się szeroko (jakie ona ma cudne zęby! ciekawe, czy swoje), na znak, że zrozumiała i doceniła żart.

– On, pani, telewizji nie ogląda. Pilotem by się nie umiał posłużyć!

Wszyscy obecni w sklepie ryknęli śmiechem. Kudłaty i misiowaty Binladen w progu sklepu zamerdał ogonem. Tylko sklepowa Rybicka coś tam warknęła pod nosem. Ona nas nie znosi od samego początku, ale teraz już wiem, dlaczego. Podobno kocha się w Łopuchu, który jest mężczyzną w kwiecie wieku i urody. I jest to ciekawostka przyrodnicza, bo przecież Rybicka ma swojego Rybickiego, którym pomiata, a Łopuch ma swoją Łopuchową, której perły i róże pod nogi ściele – tak w każdym razie utrzymują marysińskie baby.

Kiedy wróciłam z tym szamponem, w domu kwitła świeżutka sensacja.

Kajtek, który pomagał naszym panom zdzierać tapety w ostatnim nieodremontowanym pokoju dla gości, awaryjnym w zasadzie, takiej kliteczce na poddaszu, znalazł tajną skrytkę w ścianie. W każdym razie tak twierdził, gromkim głosem zwołując wszystkich domowników.

– Tu jest pusto w środku, tato, Wiktor, powiedz im, powiedz!

Janek z Wiktorem z poważnymi minami opukiwali jakiś kawałek ściany. Kajtek tańcował dookoła nich, wydając coraz to nowe okrzyki.

– Tato, popatrz, tato! Tu jeszcze jest niemiecka gazeta! Te tapety nie były wymieniane od przed wojny! Tu jest skarb niemiecki! Tato!

– To co, walimy? – Wiktor, porwany entuzjazmem Kajtka już podnosił rękę z jakimś potwornym młotkiem.

– Poczekajcie. – Lula, jak zwykle, była głosem rozsądku. – Trzeba zawołać babcię, ona będzie wiedziała więcej. – Kajtek, leć po babcię!

Widać było jednak, że Kajtka w żaden żywy sposób nie da się odspawać od ukochanej ściany. Poszedł, oczywiście, Janek, w słusznym zamiarze udzielenia babci pomocy na stromych schodkach. Pozostali na górze oddali się spekulacjom na temat, co też stary dziedzic mógł zamurować w ścianie...

– On pewnie wcale nie był stary – oświadczyła Ewa. – Zamurował rodowe srebra, bo mu żona kazała. Bali się, bo front nadchodził...
– A tu w ogóle był jakiś front? – powątpiewała Lula. – Tu chyba Rosjanie weszli jak do siebie...
– No właśnie. – Wiktor skrobał paznokciem w oderwaną tapetę, spod której wyłaziły niemieckie litery, najwyraźniej z jakiejś gazety, przyklejonej dla gładkości. – Ja wam mówię, kobiety, że on nie srebra tu schował, bo ta skrytka jest za mała, żeby w niej się zmieściły jakieś nakrycia. Tu jest kasetka z kosztownościami pani baronowej, czy hrabiny, czy jak jej tam, Von und Zu. Klejnoty, dziewczynki, klejnoty! Złoto i diamenty!

Dobrze, że Janek poszedł na dół, bo cała ta gadanina o klejnotach mogła go zdenerwować. Miał prawo doznać paskudnych skojarzeń. Natomiast Ewa miała gwiazdy w oczach, moja przytomna zwykle Luleczka wstrzymała oddech, nawet Jagódka powiedziała coś w rodzaju: ja pierniczę. Chyba ją Kajtek uczy złych manier. Kajtek wyciągnął z jakiejś podręcznej narzędziowni drugi, jeszcze większy młotek i był gotów do czynu.

No, nie będę udawała, że mnie się nie udzieliło...

Babcia przyszła do nas, z wydatną pomocą Jasia, mocno sapiąc.

– A niech to – mamrotała z niezadowoleniem. – Jeszcze niedawno wbiegałam tu jak dziewczyna. Starość nie radość, śmierć nie wesele...

– Babciu, co babcia za bzdury gada – ofuknęła ją Lula. – Niech nas babcia nie denerwuje!

– To tylko takie powiedzonko – uspokoiła ją babcia. – No co się stało, dzieci, coście znaleźli? Janek strasznie tajemniczy, nie chciał mi zdradzić, ale mówił, że sensacja. No to jaka sensacja?

– Babciu – wyrwał się Kajtek, który nie mógł już wytrzymać. – Znaleźliśmy tajną skrytkę! Tu nie było nigdy ruszane! Babcia popatrzy, niemieckie gazety!

– Faktem jest – potwierdził Wiktor – że jak pukamy, to ta ściana wydaje taki głuchy odgłos, babcia posłucha....

Puknął ostrożnie młotkiem w ścianę. Ściana posłusznie wydała głuchy odgłos.

– Tu są skarby – pisnęła Jagódka. – Klejnoty babronowej! Babciu, co to jest babronowa? Ona nosiła koronę? I berło?

– Walić?

Wiktor zastygł w pozie pytającej, z uniesionym młotem w dłoni. Lula patrzyła na niego z nieukrywanym zachwytem. Naprawdę, piękny był jak młody bóg.

Babcia westchnęła. Oczy wszystkich były zwrócone na nią. Czekaliśmy na hasło, gotowi do demolki.

– Nie walić.

– Jak to, babciu? – Kajtek omal nie zapłakał z rozczarowania.

– Jak to, nie walić? Przecież tu jest skarb!

– Nie ma skarbu, synku.

Wszystkim nam ręce opadły. Wiktor próbował protestować.

– Babciu, przecież ta niemiecka gazeta...

– Przyjrzyj się jej, Wiktorku, dokładnie – poradziła babcia cierpko. Wiktor runął do zwisających ze ściany strzępków, zdarł jeszcze kilka pasków starych tapet w różne kwiatki i zbliżył nos do ledwo czytelnych liter.

Powłaziliśmy mu na głowę, bo każde z nas chciało pierwsze coś odczytać.

– O cholera – szczęśliwym odkrywcą był Janek. – Tu jest o towarzyszu Honeckerze...

– Mam tytuł – wrzasnął Kajtek. – Mam tytuł! Co to za litery dziwne takie?

– „Berliner Zeitung" – przeczytała Ewa. – To gotyk, Kajtusiu. Czekaj, tu musi być data. Łeeee... Babciu, skąd wiedziałaś?

– Bo ja sama te gazety tu kleiłam, razem z Kazimierzem moim, świeć Panie nad jego duszą. Jacyś Niemcy u nas byli, na koniach i ta gazeta po nich została. Jakbyście odkleili w innym miejscu, to dalej przeważnie są „Nowiny Jeleniogórskie".

– Ale skrytka i tak może być – powiedział Kajtek, niedopuszczający do siebie myśli, że mu się odkrycie zmarnuje. – Tu przecież głucho puka, o...

Zastukał i ściana posłusznie odpowiedziała głuchym odgłosem.

– Dziecko, ja wiem, co mówię. – Babcia kręciła głową. – Ty masz rację, była skrytka. Ale już jej nie ma.

Nasz zbiorowy entuzjazm sklęsł ostatecznie.

– Jak się skończyła wojna – zaczęła babcia, więc zamieniliśmy się w słuch – to Kazimierz był tutaj takim przedstawicielem Polski, rozumiecie, przejmował majątki, spisywał i tak dalej. Miał paru pomocników, ale to on był główny. Pegeeru wtedy jeszcze nie było, w ogóle nic nie było, za to szabrowników się pętało po okolicy mnóstwo i bandytów różnych drugie tyle. Mieli co szabrować, bo Niemcy wyjeżdżali prawie jak stali. Tutaj po dworach zostawały meble antyczne, zastawy stołowe, książki, mnóstwo książek, całe biblioteki, ach, cóż ja wam będę mówić, sami wiecie. Większość ludzie wyszabrowali.

Westchnęła. Razem z nią westchnęła Lula, w której zapewne odezwała się dusza historyczki sztucznej i ta dusza zapłakała nad ogromem straconych dóbr kultury. Babcia kontynuowała:

– Oczywiście, jak Kazimierz jeździł po tych dworach, to szukał skrytek, bo były skrytki, ale wszystkie puste, już szabrownicy do nich dotarli. Już wtedy było wiadomo, że będziemy tu chcieli zamieszkać...

– A skąd było wiadomo, gdzie szukać skrytek? – Kajtek był dociekliwy. – Całe ściany dziadek, to jest pan Kazimierz, opukiwał?

– Możesz o nim mówić dziadek – uśmiechnęła się babcia. – Cieszyłby się z takiego wnusia. Szukali tych skrytek w piwnicach i na strychach, i wszędzie, gdzie były grubsze ściany. Tutaj też dotarli, tylko akurat było już pod wieczór. Kazimierz nie miał przy sobie żadnych narzędzi, więc powiedział tym swoim pomocnikom, żeby jutro przyszli z samego rana z narzędziami. Od razu mówiłam, że źle zrobił, trzeba było jednego posłać po jakiś młotek... Jak przyszli z rana, to w ścianie dziura ziała jak loch, tylko na podłodze walała się taka mała żelazna skrzyneczka. A jak ja tam poszłam, to jeszcze w szparze podłogi znalazłam pierścionek, jakby zaręczynowy. Może tej całej hrabiny, czy tam baronowej, co tu mieszkała...

– O matko – powiedziała Lula. – To chyba naprawdę była szkatułka z biżuterią. I przepadła!

– Szkatułka nie – sprostowała babcia. – W szkatułce rośnie palma na półpiętrze...

Kajtek natychmiast popędził na półpiętro, ciągnąc za sobą Jagódkę. Podwójny wrzask obwieścił po sekundzie, że istotnie, szkatułka jest i palma w niej rośnie.

– A pierścionek – chciałam wiedzieć – co z pierścionkiem? Babcia go nosiła?

– Jakoś nie mogłam. Śliczny był, to znaczy jest...
– Jest? Babcia go ma?
– Mam. Mogę wam pokazać. Ale nie miałam do niego serca.
Kazimierz mi go dał, ale ja cały czas pamiętałam, że przedtem
inny go dawał innej kobiecie, może to była jego narzeczona...
No i przeleżał pierścionek pół wieku w szufladzie...
Zażądaliśmy natychmiastowego pokazu, przemieściliśmy się
do salonu i babcia wydobyła ze swojego tajnego pudełka po cze-
koladkach ów pierścionek.
Rzeczywiście, śliczny jest. I naprawdę wygląda na zaręczyno-
wy. Złota obrączka i oczko jak kwiatek: perła otoczona maleńki-
mi brylancikami.
– Perły przynoszą nieszczęście – powiedziała Ewa. – Oznaczają
łzy. Dobrze, że go babcia nie nosiła.
Babcia pokiwała głową.
– Tak, ja też znam ten przesąd. A może to wcale nie przesąd?
Ostatecznie ci moi baronowie musieli uciekać z własnego domu.
– A ten narzeczony na pewno zginął na wojnie – powiedziała
ponuro Lula. – Niech babcia schowa tę biżutkę i niech ja na nią
więcej nie patrzę.
– Bo co, ciociu – chciał wiedzieć Kajtek.
– Bo mi się smutno robi. Chodźcie, dam wam obiad.
I zapewne z tego smutku nakarmiła nas szczodrzej niż zazwyczaj.

Zastanawiam się, czy nie czas byłby wysłać pocztówkę do mojego mądrego lekarza?
Chyba zrobię to jutro.
Jak wrócę z wycieczki w góry, bo wreszcie wybieram się w tutejsze góry! Krzysio Przybysz będzie objeżdżał swoje leśne włości
i zaproponował mi wspólną przejażdżkę po drogach i bezdrożach.
Terenówką można po bezdrożach.

Lula

Boże, jak ja się wygłupiłam!
Doszłam do wniosku, że skoro mamy trochę pieniędzy na koncie, to warto by pomyśleć o renowacji Chełmońskiego i Stachie-

wicza. Powiedziałam o tym przy kolacji, dodając, że mam w Poznaniu zaprzyjaźnionego konserwatora, któremu można spokojnie powierzyć tę pracę.
Nie, nie mogę o tym pisać. Chyba się spalę ze wstydu.

Emilka

Biedna Lula, postanowiła chyba sobie odebrać życie, a przynajmniej dyplom historyczki sztucznej. Chodzi po domu blada i milcząca, i nawet nie jęczy. Uważa, że skompromitowała się w naszych oczach, tak twierdzi przynajmniej, natomiast nic nie mówi na temat ukochanych czarnych oczu Wiktorka (może nie są całkiem czarne, ale te brwi!...), a chyba te oczy najbardziej ją obeszły.

Dziś przy kolacji poruszyła temat tych trzech obrazków, które uznała za bezcenne, a które babcia trzymała na strychu, w kupie staroci, w ogóle o nich nie pamiętając. Chyba ją to korciło od chwili, kiedy policzyliśmy kapitał zakładowy.

– Bo widzi babcia – dowodziła – to są prawdziwe skarby, tylko były niewłaściwie przechowywane, wymagają konserwacji, a ja mam w Poznaniu znajomego konserwatora malarstwa, bardzo przyzwoity fachowiec, zrobi jak trzeba i nie zedrze z nas zbyt wiele, a to by była inwestycja...

Babcia słuchała, jak zwykle, z życzliwą uwagą, ja natomiast spojrzałam przez przypadek na Wiktora i już oka od niego oderwać nie mogłam, bo się facet mienił na obliczu jak u pana Sienkiewicza w Trylogii: bladł i czerwienił się na przemian.

Lula tego nie widziała, natomiast we mnie zakwitło złe przeczucie.

I słusznie, bo kiedy Lula doszła do wstępnej kalkulacji kosztów, nasz abstrakcyjno-surrealistyczny Wiktorek zdecydował się przemówić.

– Luleczko – jęknął tak lirycznie, że aż jego żona podskoczyła na krześle. – Luleczko, ja cię strasznie przepraszam...

– Ale za co?

– Przepraszam, bo ci od razu nie powiedziałem, a powinienem był, ale jakoś nie było okazji...

– Wiktor, o co ci chodzi?

– O kurczę – powiedziała nagle Ewa i zamknęła usta, otwierając za to szeroko oczy.
– Luleczko, posłuchaj... te obrazki... to ja malowałem!
– Jak to?! Przecież są podpisy!
– Podpisy też malowałem...
– Oszalałeś!
– Nie do końca, na szczęście...
– Wiktorku – wtrąciła babcia – mów jak człowiek!
– Już mówię, babciu. To było w stanie wojennym, pan Rotmistrz miał wtedy straszne kłopoty finansowe, myśmy akurat byli u was zimą, w takim okrojonym składzie, ja bez Ewy, bo miała zapalenie oskrzeli, Kryśka, Rysiek Pańczyk i jeszcze ze dwie osoby. I zastanawialiśmy się, czy możemy wam jakoś pomóc, ale przecież sami byliśmy bez grosza, szczeniaki... no i Kryśka kiedyś przy piwku, pamięta babcia, że myśmy wtedy kochali piwo i pili na strychu, bo pan Rotmistrz nie lubił...
– Pamiętam. Gadaj dalej!
– No więc Kryśka zaproponowała, żebym ja namalował obraz jakiegoś znanego malarza, babcia rozumie, taką małą fałszywkę, którą byśmy sprzedali jakiemuś bonzie, najlepiej wysoko partyjnemu, za duże pieniądze. Rysiek powiedział, że nie dam rady, więc się założyliśmy. Na strychu były różne stare bohomazy, więc mieliśmy autentycznie stare płótno. Na jednym takim bohomazku machnąłem sobie główkę w stylu Stachiewicza, dałem trochę od siebie, ale głównie to skopiowałem z jakiegoś prehistorycznego rocznika damskiego czasopisma, pewnie go do tej pory myszy zjadły...
– Wiktor!
– Nieźle wyszła ta główka, więc na kolejnym płótnie machnąłem następną. A potem Kryśka zażyczyła sobie pejzaż, bo jej się spodobał Chełmoński. Koniecznie chciała, żebym skopiował te słynne bociany, ale uznaliśmy, że to by było przegięcie, one są za bardzo znane. Ostatecznie sama wyszukała w tym roczniku widoczek i ja go namalowałem...
– I dlaczego nie sprzedaliście temu partyjnemu bonzie? – zaciekawiłam się.
– A dlaczego ja o tym nic nie wiedziałam? – zaciekawiła się babcia.

– Bo babcia była wtedy w sanatorium, pamięta babcia? Zima nad morzem. Leczyła babcia serduszko w Kamieniu Pomorskim.

– Pamiętam, ach, to wy wtedy...

– Wtedy. Myśmy te obrazki pokazali panu Rotmistrzowi, strasznie byliśmy z siebie zadowoleni, bo one naprawdę mi wyszły, najlepszy dowód, że Luleczka się nabrała... Ale Lula, kochana, przecież ty byś się nigdy nie dała oszukać, gdyby one nie były takie strasznie brudne!

Faktem jest, obrazki na strychu z myszami zarosły kurzem i nabrały szlachetnej patyny wieków.

Wiktor popił herbaty, spojrzał jeszcze raz na wstrząśniętą Lulę, westchnął i kontynuował:

– No i pan Rotmistrz tak nas strasznie opierniczył... babciu, przepraszam za wyrażenie, ale powinienem użyć dużo bardziej ekspresyjnego... nawrzeszczał na nas, o podstawowej uczciwości i o tym, że nie będzie się woził na kieszonkowych fałszerzach, i jeszcze, że nie będzie oszukiwał nawet tych idiotów, którzy teraz mają forsę na Chełmońskiego... po prostu wyprał nam mózgi. Byliśmy naprawdę zawstydzeni. A obrazki wrzuciliśmy do jakiejś paki i tam zostały aż do teraz. Dopiero Lula na nie wpadła.

– I ty mi pozwoliłeś opowiadać o nich te bzdury... tym Niemcom...

– Luleczko, przecież nie mogłem ci przerwać, kiedy już zaczęłaś wykład. Swoją drogą, głupio się wtedy czułem strasznie, ale jednocześnie duma we mnie wzbierała, że taka znawczyni jak ty wzięła to za oryginały...

Tu Lula zbladła jak śmierć na chorągwi i wybiegła z pokoju, w celu samotnego przeżycia (czy może przeżucia) porażki zawodowej – a bardzo zawsze była czuła na punkcie swojego profesjonalizmu.

Poleciałam za nią, bo nie lubię, jak kto ryczy w samotności.

Lula nie ryczała. Siedziała przy oknie i wpatrywała się w zapadającą ciemność.

– Nie martw się, Lulka – zaświergotałam tonem beztroskim. – Tak naprawdę nic się nie stało. Wiktor sam powiedział, że gdyby one nie były takie brudne...

– Emilka. Ja. Ci. Mówię. Ty. WYJDŹ.

Wyszłam.

W naprawdę poważnych przypadkach nie można się narzucać. Szczęście całe, że naszego uczonego Kiryska nie było na kolacji. Zjadł w swoim pokoju, nie odrywając się od stosunków przygranicznych. Jego obecność przy kompromitacji mogłaby Lulę dobić.

A wycieczkę z Krzysiem przełożyliśmy na jutro z powodu brzydkiej pogody. Pocztówki do doktorka też nie wysłałam, bo mi się nie chciało lecieć na pocztę. Ale już czas na to najwyższy!

Emilka

Biedna Lula! Wciąż przeżywa.

Emilka

Wczoraj też padało. Dzisiaj też pada. Jutro ma być ładnie. Napisałam pocztówkę do doktorka. Jutro ją wyślę. Będzie dobry dzień na wycieczkę z Krzysiem, bo od pojutrza będziemy mieli gości w liczbie sztuk cztery, na całe dwa tygodnie. Plus istniejący już Kirysek. Plus kolejne dwie niemieckie wycieczki od Kostasa! Idzie ku dobremu!

Emilka

Nie idzie ku dobremu.
Nie wysłałam pocztówki.
Na wycieczce z Krzysiem, owszem, byłam.
Przyjechał po mnie do Rotmistrzówki, bardzo nieczujnie, jeżeli chciał mieć wycieczkę tete a tete, bo natychmiast opadły go nasze dzieci i zaczęły jęczeć, żeby je zabrać, bo strrrrrrasznie chcą poznać okoliczne lasy i góry, a nie miał kto z nimi w te góry iść (co było prawdą, bo wszyscy byliśmy zajęci remontem i sprawami organizacyjnymi Rotmistrzówki). Nie wypadało mu odmówić, a ja nie mogłam mu w żaden sposób pomóc, bo mnie też nie wypadało. Zupełnym przypadkiem w tej samej chwili napatoczył się

Wiktor, rozparty w swoim nowym japońcu i zakomunikował, że jedzie do Jeleniej, a może nawet do Wrocławia, po malarskie akcesoria i może zabrać chętnych do MacDonaldsa.

Zapędy turystyczno-krajoznawcze Kajtka i Jagusi pod wpływem cudownej wizji dużego hamburgera z cieknącym obrzydliwym sosem natychmiast ochłodły.

– To my chyba pojedziemy z wujkiem Wiktorem – zameldował Kajtek i oboje znikli z naszego pola widzenia.

Krzysztof miał w oczach coś, co ma prawdziwy mężczyzna na myśl o dłuższym przebywaniu w towarzystwie kobiety, która mu w te oczy wpadła. Dlaczego właściwie mówi się, że wpada się w oko? Jedno? Bez sensu.

No więc, ja też w zasadzie wolałam, żebyśmy jechali sami. Nie to, żebym myślała o jakichś podrywkach, bo przecież Krzysio posiada własną rodzinę (trochę wyblakła ta jego żona, chociaż dosyć miła). Ale jakoś tak... lubię tego Krzysia. Leśnik to ktoś, kto plasuje się na biegunie przeciwległym do tego, na którym przebywają gangsterzy. A poza tym chciałam mieć trochę własnej, egoistycznej przyjemności, bez konieczności wyjaśniania dzieciom, co właśnie widzimy i gdzie jesteśmy. Wprawdzie wyjaśniałby Krzysztof, ale wtedy nie miałby czasu na zajmowanie się MNĄ!

Zdążyliśmy wyjechać ze wsi i zagłębić w lesie, kiedy zadzwoniła mi w kieszeni komórka. Krzysztof się skrzywił, ale ja mam odruch odbierania telefonu. Nie potrafiłabym odwrócić się tyłkiem do rozmówcy, a tak właśnie bym się czuła, gdybym nie odebrała. Byłam zresztą pewna, że to w Rotmistrzówce komuś potrzebne są natychmiastowe informacje dotyczące na przykład telefonu do Olgi, albo informacji, czy podbierałam już dzisiaj kurom jajka.

– Halo – powiedziałam wesolutko, nie zwracając uwagi na to, co mi się wyświetliło na komórce. – Nie możecie beze mnie żyć?

– Jakiś czas próbowałem – odrzekł znajomy głos. – Ale już mi się znudziło. A ty za mną wcale nie tęsknisz?

Jezus, Maria, Leszek!

Zaniemówiłam z wrażenia i musiałam mieć bardzo dziwną minę, bo Krzysztof spojrzał na mnie pytająco.

– Dlaczego nic nie mówisz? Czy mam wierzyć, że to z nagłej radości?

Opanowałam się.

– Niezupełnie. Czego ode mnie jeszcze chcesz?

– Ejże, dlaczego jesteś taka nieprzyjemna? Nie odzywałem się, bo miałem pilniejsze sprawy na głowie, ale teraz jestem już na względnej prostej i myślę, że najwyższy czas, abyśmy porozmawiali poważnie. Ja nie zmieniłem planów i chciałbym, żebyś przypomniała sobie, jakie one były. Miałaś zostać moją żoną...

Oszalał.

– I co – zapytałam cierpko, chociaż miałam ochotę wyłączyć się natychmiast. – Planujesz ślub w więzieniu?

Oczy Krzysztofa rozszerzyły się znacznie.

– A nie – odpowiedział mój były narzeczony – nie w więzieniu. Mówiłem ci, że wychodzę na prostą.

Boże święty, co to znaczy na prostą? Na wolność? Niemożliwe! Podobno mieli na niego tysiąc dowodów! Miał już w życiu z pudła nie wyjrzeć, tak mnie zapewniał prokurator! I co, wypuszczą groźnego Kałacha?

– Wypuszczają cię?

– Jeszcze nie w tej chwili. Ale wiesz, okazało się, że mam słabe zdrowie. Może nie da się leczyć mnie w szpitalu więziennym. Może będę musiał wrócić na świeże powietrze. Mam bardzo dobrych lekarzy. I równie dobrych adwokatów. Więc będą mnie musieli ci chłopcy od przestrzegania prawa, acz zapewne niechętnie, wypuścić na to świeże powietrze, do sprawy. Jak już będzie sprawa, to też może się ona trochę ciągnąć. A ja sobie spokojnie będę odpowiadał z wolnej stopy. Latami. Czemu nic nie mówisz, kochanie?

Zamilkłam, bo znowu mnie zmroziło. Kochanie! Chory! Jaki chory, zdrowy był zawsze jak wyczynowiec! Ale pewnie za pieniądze można dostać u nas dowolne świadectwo dowolnie ciężkiej choroby, której nie da się przeżyć w mamrze... No więc wylezie i mnie dopadnie...

Zaraz, jakie dopadnie? Przecież nie wie, gdzie jestem!

Jak to nie wie? Przecież dzwoni?

Przecież na komórkę, kretynko!

Zrobiło mi się trochę lepiej.

I zaraz pomyślałam, że może mnie dopaść przez moich rodziców i zrobiło mi się całkiem gorzej.

– Emilko?...

Wyłączyłam komórkę w kompletnym popłochu. I natychmiast wybrałam numer do ojca. Krzysztof przyglądał mi się cały czas z widocznym niepokojem.

– Tato? Cześć, tatku, słuchaj, mam pilną sprawę. Jakby dzwonił do was, do ciebie, albo do mamy Leszek, no wiesz, mój były facet, to błagam, pod żadnym pozorem, nie podawajcie mu mojego adresu!

– Miluś. – Głęboki bas mojego ojca zawsze w krytycznych chwilach dodawał mi otuchy. – Spokojnie, proszę. Co się stało? Czy on cię jakoś napastuje?

– Mam wrażenie, że chciałby – powiedziałam słabo. – Tato, ja ci wszystko wytłumaczę, ale nie teraz.

– Miluś, a ten twój były, to nie ma czasami czegoś wspólnego z tym bandziorem na K? Ja cię przepraszam, córeczko, ale jakoś mi się nasunęło...

– Skąd wiesz? – jęknęłam. – Starałam się, żebyście się nie dowiedzieli...

– Matka twoja nie wie, ale ja, w przeciwieństwie do niej, ostatnio oglądam dzienniki. Lesław to nie jest imię bardzo popularne. A teraz ty dzwonisz w takim stresie... Dodałem tylko dwa do dwóch. Może nawet trzy do dwóch.

– Jakie trzy? – Znowu zrobiło mi się słabo.

– Tylko się nie denerwuj, bo nie ma o co. On już dzwonił i pytał o ciebie. Widocznie przewidział, że jeśli się odezwie do ciebie najpierw, to ty nas uprzedzisz, żebyśmy nie podawali twojego adresu. Na szczęście trafił na mnie i ja mu dałem odpór.

– Dałeś odpór, tato...

– Dałem. Nie będę szafował adresem mojej córki, skoro ona sama tego nie robi.

– Tato, jesteś mądry jak król Salomon.

– Też mam takie wrażenie. Słuchaj, on chyba nie naśle na mnie swoich siepaczy z obrzynami?

– O Boże, mam nadzieję, że nie. Ale gdyby nasłał, to się nie sprzeciwiaj na wszelki wypadek.

– Dobrze. Pod lufą obrzyna powiem mu prawdę. Nie wcześniej. Może do takiej ostateczności nie dojdzie... Słuchaj, dziecko, twoja matka ku mnie zmierza. Czy chcesz z nią pogadać, czy mam udawać, że rozmawiam z moim szefem?

– Udawaj, tato, ja bym chyba nie umiała teraz normalnie z nią rozmawiać. Całuję cię mocno i dziękuję za obronę mojej cnoty...

– Drobiazg, panie dyrektorze. Ja zawsze z przyjemnością. Proszę na mnie liczyć. Do widzenia, na razie.

Dlaczego tata jest tak cholernie daleko, kiedy mi jest potrzebny???

– Emilko, co się dzieje?

Stało się. Rozpłakałam się na męskiej piersi obleczonej w zielony mundur... tylko mnie naszywki na kołnierzu drapały w policzek. A jak już się wypłakałam, to skorzystałam z jego chusteczki do nosa (który mężczyzna dzisiaj nosi jeszcze wyprasowane i pachnące lawendą chusteczki do nosa?, chyba tylko mężowie leśniczyn!) – i opowiedziałam mu wszystko.

Komórka znowu mi zadzwoniła, ale wyłączyłam ją natychmiast, nie patrząc, kto dzwoni. Mogła mi paść bateria.

– Emilko, posłuchaj mnie spokojnie.

Kolejny facet, który każe mi słuchać spokojnie. A jak ja mam zachować spokój w obliczu zagrożenia mnie i mojej rodziny przez gangstera? Szefa mafii? Bossa narkotykowego? Ojca chrzestnego? I capo di tutti capi???

Krzysztof otoczył mnie tym swoim umundurowanym ramieniem.

– Emilko. Nie denerwuj się niepotrzebnie. Na razie on chyba nie wie, gdzie jesteś. Nie sądzę, żeby miał zamiar robić krzywdę twoim rodzicom. A na razie na twoim miejscu po prostu kupiłbym sobie nową komórkę. Natychmiast. Chcesz, to pojedziemy zaraz do Jeleniej Góry i załatwimy, co trzeba. Masz pieniądze?

– Nie przy sobie...

– Nie szkodzi. Ja mam przy sobie trochę służbowych, wyłożę za ciebie, potem mi oddasz.

– Czekaj, mam kartę bankową. Mam pieniądze.

– Jedziemy.

I tak zamiast na leśno-górską wycieczkę, pojechaliśmy do salonu komórkowego, gdzie nabyłam nowy telefon i zastrzegłam sobie oba numery, stary i nowy. Załatwiając tę konkretną sprawę, ochłonęłam zupełnie.

Nie dam się łobuzowi.

Ale dobry humor mi przeszedł.

Między innymi dlatego, że zaczęłam się zastanawiać, czy Lesio nie chciałby odzyskać chryslera? A dowiedziawszy się o jego marnym losie – forsy z ubezpieczenia?

Lula

I mnie się wydawało, że mam problem!

Moja zraniona miłość własna (a trzeba było się lepiej przyjrzeć obrazkom!) może, a właściwie nawet powinna schować się w mysią dziurę. Ewentualnie, mówiąc słowami Kajtka, iść się bujać na drzewo.

Zupełnie nie wiem, jak mogłabym pomóc Emilce. Nie wiedziałam nawet, co jej poradzić, kiedy pytała mnie, czy powinna wszystkim opowiedzieć o swoim Leszku.

Ostatecznie to ona zdecydowała, że na razie opowie tylko babci.

– Jesteśmy, było nie było, gośćmi w jej domu.

Poprawiłam, że teraz już domownikami, ale ona tylko spojrzała na mnie takim wzrokiem smutnym, że mi się serce ścisnęło. Biedna Emilka!

Emilka

Opowiedziałam babci. Myślałam, że może potem nie będzie chciała w ogóle ze mną gadać, ale po raz kolejny pomyliłam się co do babcinego charakteru. Czy raczej charakterku.

Babcia była zachwycona!

– No i popatrz, Emilciu moja kochana – powiedziała, promieniejąc. – Zawsze chciałam przeżyć jakąś kryminalną przygodę, ale nie sądziłam, że dobry Bóg jeszcze mi takową ześle. A ty się, dziecko, nie denerwuj, bo nie trzeba. Może przynieś mi z apteczki becherówkę, napiję się naparsteczek, a i tobie dobrze zrobi. A potem mi wszystko jeszcze raz opowiesz.

Apteczką nazwaliśmy jakiś czas temu komisyjnie małą szafkę w kącie salonu. W braku nalewek, których Wiktor jeszcze nie zdążył ponalewać (tak to się chyba nazywa?), trzymamy w niej koniaczek, kupny kirsz, ale nie ten przeterminowany, adwokata, którego uwielbia Ewa, czystą dla panów i wielką flachę czeskiej ziołówki niejakiego Bechera. Podobno on był zresztą Austriak, ten Becher.

Chlapnęłyśmy sobie z babcią solidnie, powtórzyłyśmy i znowu opowiedziałam jej moją gangsterską przygodę życiową. Epizod z facetami w kominiarkach kazała sobie powtarzać dwa razy.

– Wiesz, Emilciu, zawsze lubiłam Agathę Christie, teraz są raczej takie męskie kryminały, co to głównie strzelają do siebie z karabinów maszynowych, seriami i walą się po pyskach, ale i to czasem czytuję...

A mnie się wydawało, że te zwały Folleta, Ludluma i Kena Mc Clure w gabinecie Rotmistrza to tylko spadek po szanownym małżonku!

– Podoba mi się natomiast – ciągnęła babcia, nadal w rumieńcach – to, co mówisz o tych policjantach. Oni wobec ciebie byli przecież bardzo, ale to bardzo grzeczni!

– Byli – potwierdziłam uczciwie. – Nawet ten typek, co mnie wygrzebał spod prysznica.

– Ten w kominiarce? – Babcia chciała mieć pewność.

– W kominiarce i z giwerą, babciu.

– Ach, to był na pewno antyterrorysta. Bardzo mi się podobają antyterroryści – oświadczyła babcia z ogniem i dolała sobie becherowki. – On chyba nie mierzył do ciebie, Emilko?

– Nie, skąd. Nawet mi ręcznik podał.

– No, sama widzisz. Ale tego twojego Kasteta... nie, Kałacha mogli jednak rzucić na podłogę – dodała z niejakim żalem.

Chyba nasza babcia Stasia nie tylko namiętnie czyta kryminały, ale również ogląda filmy, w których stanowczy policjanci z miejsca ciskają podejrzanych pyskiem w błoto.

Tak czy inaczej, temperatura moich uczuć w stosunku do babci jeszcze nieco wzrosła. Poza tym, zupełnie nie wiadomo czemu, poczułam się jakoś lepiej. Może to był też wpływ becherowki, która niby to jest słaba, ale jednak...

Nie dam sobie krzywdy zrobić żadnemu cholernemu gangsterowi!

Po kolacji, kiedy wysłaliśmy Kajtka i Jagódkę spać, opowiedziałam życiorys reszcie towarzystwa, tak jak ustaliłyśmy z babcią na wstępnej naradzie.

Przyjęli to równie godnie, choć nie tak entuzjastycznie, jak babcia. W oczach Jasia Pudełki najwyraźniej zobaczyłam coś jakby błysk współczucia, pewnie pomyślał o swojej niewydarzonej Romanie.

Najrozsądniej zareagowała Ewa.

– Nic mądrego na razie zrobić nie możemy – powiedziała, a ja byłam jej wdzięczna za to my. – Jest nadzieja, że on chciał tylko się z tobą podrażnić, poprzekomarzać, nie wiem, jak to można najstosowniej nazwać.

– Napsuć krwi – mruknął Wiktor ponuro. – Cholerny drań.

– Właśnie – kontynuowała Ewa. – Ty się chwilowo przestań przejmować, komórkę zmieniłaś, adresu twojego nie zna, może nie będzie mu się chciało prowadzić jakichś wielkich poszukiwań, a pewno ma inne zmartwienia oprócz ciebie. Jest jeszcze sprawa tego samochodu...

– Dał mi go w prezencie – pisnęłam.

– Tak, ale jeśli mu skonfiskowali wszystkie zasoby finansowe... może chciałby go odzyskać i spieniężyć.

– Niech się wypcha – powiedziałam stanowczo. – To była moja bryka.

– Emilka ma rację – równie stanowczo rzekł Janek. – Poza tym nie wierzę, żeby taki ganguś nie miał paru złotych schowanych na czarną godzinę w miejscu nienarażonym na interwencje policyjne. A tak w ogóle to nie mamy co gdybać. Będziemy się martwić, jak się facet znowu ujawni. Tymczasem trzeba po prostu żyć normalnie. Emilka, nie płacz. Nie ma czego.

Chyba się lekko rozmoczyłam ze wzruszenia. Nie spodziewałam się, że tak mnie potraktują... jak kogoś z rodziny.

Zebranie zakończyła babcia, zastrzegając, że jednakowoż, gdyby się bandyta ujawnił, to ona absolutnie życzy sobie być natychmiast zawiadamiana o wszystkich wydarzeniach z tym związanych.

Przyrzekliśmy jej to solennie.

Czuję, że przed snem zmówiła jednak pacierek do Bozi, prosząc o prawdziwego antyterrorystę pod choinkę, albo tak... bez okazji.

Lula

Przyjechali goście od Olgi. Małżeństwo z dwojgiem dzieci. Nazywają się Grabowscy, Mirella (babcia się myli i mówi Mirabella) i Bogumił, a dzieci Bogusia i Marcin. Marcin ma dziesięć lat i porażenie mózgowe, jeździ na wózku i wymaga obsługi, ale umysłowo jest w porządku. Bogusia ma chyba ze dwanaście lub trzynaście. Na razie nie wiemy, jacy są i czy będziemy z nimi mieli kłopoty, bo są we wstępnej fazie instalacji. Niedobrze, że pokoje dla gości mamy tylko na piętrze, bo jest kłopot z tym wózkiem Marcina, ale deklarują, że tam będą tylko spali, a całe dnie chcą spędzać na świeżym powietrzu, w naszym ogrodzie i na różnych spacerach dokoła wsi.

Odwiedził nas dzisiaj ksiądz Paweł z wielkim pudłem przepięknych zdjęć własnego autorstwa i z ogromnym plackiem upieczonym przez niezawodne siostrzyczki. Zasiedliśmy w porze podwieczorku do konsumpcji połączonej z oglądaniem, a też trochę i wzajemnym poznawaniem się – bo i Grabowscy mieli się z nami integrować, i ksiądz – do tej pory tylko my dwie z Emilką odwiedzałyśmy gościnną plebanię. Dzieci pozbyliśmy się stosunkowo szybko – złapały po kawałku placka i poszły do ogrodu, gdzie Kajtek z Jagódką zaczęli budować szałas indiański. Mama Grabowska nie bardzo chciała puścić swoich latorośli z naszymi, ale Marcin zrobił raban – chyba to on rządzi w rodzinie, więc po chwili mała karawana złożona z jego wózka popychanego przez matkę, z siostrą u boku – ruszyła w stronę ogrodu. Został z nami milczący i niewesoły (rozumiem go) Bogumił Grabowski, który prawie się nie odzywał, więc ciężar konwersacji spadł na nas, gospodarzy i księdza Pawła, w końcu tutejszego. Jakieś pięć minut trwała rozmowa ogólna, a potem już rozmawiali z sobą głównie ksiądz i Wiktor – dwaj artyści. Bardzo szybko pozostawili nas w towarzystwie placka i pognali oglądać Wiktora prace.

Babcia natychmiast wykorzystała okazję i wypytała Grabowskiego o wszystko, co jej przyszło do głowy, a przede wszystkim o rodzinę do dziesiątego pokolenia. Dowiedzieliśmy się, że on jest dziennikarzem prasowym i pracuje dla kilku gazet i kolorówek wrocławskich i ogólnopolskich, ona była dobrze zapowiadającym się pracownikiem naukowym na Uniwersytecie Wrocławskim, ale musiała zrezygnować z pracy, kiedy na świecie pojawił się Marcinek. Skąd mu się wzięło to porażenie mózgowe, tak naprawdę do tej pory nie wiedzą, bo kiedy się urodził, był normalny, potem chorował na jakieś dziecięco-niemowlęce choroby, nie znam się na tym, a potem chyba był źle leczony, czy może przedawkowano mu jakieś lekarstwo, nie bardzo wiadomo. Lekarze kręcą, tak twierdził smutny i zniechęcony do życia Bogumił. No i Mirella, oczywiście, nie mogła już wrócić na uczelnię, co chyba wywarło fatalny wpływ na jakość małżeństwa, a nawet rodziny... Małą Bogusię, jak się zdaje, unieważniono dokładnie i w wieku lat dwunastu była sobie sama sterem, żeglarzem i okrętem.

My, kobiety, trochę się wzruszyłyśmy opowieścią smutnego Bogumiła, ale nie zdążyłyśmy tego wyrazić, bo z ogrodu wróciła cała gromadka, z awanturą. To znaczy, awanturowała się pani Mirella, Marcin wrzeszczał i spazmował, a Kajtek i Jagódka bardzo głośno (nawet mała Jagódka!) wyrażali oburzenie. W sumie trudno było się połapać, o co im wszystkim chodzi.

– Proszę o ciszę – rzuciła w końcu Ewa głosem nieznoszącym sprzeciwu. Ona ma czasem taki głos; wyobrażam sobie jej studentów, chodzących jak zegarki szwajcarskie w obawie przed tym tonem. Swoją drogą pani Grabowska ma podobny.

– Pani Mirabello, proszę powiedzieć, o co chodzi – dodała babcia kojąco, ale Mirella aż zazgrzytała zębami.

– Mirella, nie mirabella – warknęła. – Nie jestem śliwką! Pani Olga rekomendowała nam ten wypoczynek jako całkowicie bezpieczny, a tu' szaleją agresywne psy! Ja nie wiem, Bogumile, czy nie powinniśmy natychmiast stąd wyjechać!

– Agresywne psy? – zdziwiła się babcia. – Kajtek, wiesz coś o tym?

Kajtek wzruszył ramionami i chciał odpowiedzieć, ale Mirella nie zamierzała mu na to pozwolić.

– Rzuciły się na Marcina! Chciały go gryźć! Ledwie je odciągnęłam! To jest skandal!

Marcin zawył, a matka rzuciła się go utulać. To dało Kajtkowi możliwość pospiesznego zabrania głosu.

– Bo wie babcia, Niupa mu chciała dać buzi na powitanie, no to Pędzel też chciał, a jak pani zaczęła na nie krzyczeć, to one myślały, że to zabawa i zaczęły skakać, a jak pani wzięła na nich kija, to myślały, że to zabawa w wyrywanie kija, no więc babcia rozumie...

Rozumieliśmy wszyscy, chyba nawet smutny Bogumił, któremu właśnie mały Pędzel wziął się za ukradkowe i bezszmerowe obgryzanie buta od tyłu. Bezczelna Niupa na naszych oczach wywróciła się łapami do góry, obgryzając kijek, który najwyraźniej stał się jej łupem w tej walce.

– A dlaczego, Kajetanie, nie wyjaśniłeś pani od razu, co robią nasze psy? – zapytał Janek tonem karcącym, ale chyba wiedział, jaka będzie odpowiedź.

– Tato, no wiesz! Ja mówiłem pani i temu Marcinowi też mówiłem, tylko że oni nie chcieli słuchać. A jak pani wzięła kija, no to już nie było rozmowy...

Istotnie. Na widok kija w ludzkiej ręce oba nasze psy zawsze, ale to zawsze dostawały natychmiastowego ataku dzikiej radości, bo jak dotąd oznaczało to najlepszą zabawę na świecie.

– Bogumił, wyjeżdżamy – rzuciła dramatycznym tonem Mirella.

Bogumił podniósł znękane oczy do nieba i wtedy Janek uratował sytuację. Bardzo spokojnym tonem powiedział:

– Pani Mirello. Tu jest dla pani porcja placka od tutejszych zakonnic. Ten placek ma właściwości kojące. Proszę go spróbować i dać Marcinkowi, na pewno mu będzie smakował, niezależnie od tego, czy pani zechce ostatecznie wyjechać, czy też nie. Ale ja bym radził zostać do jutra i przemyśleć sprawę. Proszę spojrzeć na nasze psy, one naprawdę nie są agresywne, może tylko trochę źle wychowane. Kajetan, zajmiesz się psami, żeby państwu nie przeszkadzały, rozumiemy się?

– Tak, tato. – Kajtek kiwnął głową energicznie i przysięgłabym, że mrugnął na ojca tym okiem, którego Mirella nie widziała. Niupa wypuściła kijek i położyła się grzecznie przy Jankowej nodze.

Janek coś tam jeszcze mówił, a ja patrzyłam, zdumiona, jak z Mirelli wyparowuje cała złość, jak wypuszcza z dramatycznego uścisku wyjącego Marcinka, jak Marcinek przestaje wyć i jak w końcu oboje, acz z rezerwą, zabierają się do placka siostry Józefy...

No, no. Nie wiedziałam, że Janek ma taką siłę przekonywania!

Tymczasem ksiądz Paweł z Wiktorem zeszli wreszcie z piętra, w doskonałej komitywie. Dosłownie – poklepywali się po łopatkach i wybuchali gromkim śmiechem.

– Z czego się tak cieszycie, chłopcy? – zapytała babcia, bardzo zaciekawiona, kiedy dołączyli do nas.

– Paweł jest genialny – zakomunikował krótko Wiktor i rzucił się na niedojedzony placek. – Sam im powiedz, dobrodzieju.

Ewa podniosła lekko brwi na taką familiarność, ale nic nie powiedziała, bo była ciekawa. Ksiądz też podłączył się do placka.

Boże, ja już mówię zupełnie jak Kajtek! Wpływ wyższej inteligencji na niższą, czy może zły pieniądz wypiera dobry???

Ksiądz najpierw obgryzł kruszonkę z jednego kawałka, a potem powiedział, co wymyślili, przebywając na piętrze.

Nie jest to głupie.

Galeria sztuki w Rotmistrzówce. Wystawy. Wernisaże. Możliwość zakupienia obrazów na miejscu. Plenery dla artystów.

Dlaczego ja sama nie wpadłam na ten pomysł, nie mam pojęcia.

Na dobry początek postanowiliśmy zorganizować wystawę księdzu Pawłowi jako projektodawcy i artyście od dawna już zasiedziałemu. Ksiądz się sprzeciwił i zażądał, żeby pierwsza wystawa obejmowała prace Wiktora, jako artysty dłużej związanego z naszą Rotmistrzówką. Wiktor zaprotestował. Ksiądz też zaprotestował.

Gdyby nie nasza mała nieśmiała Jagódka pewnie kłóciliby się, wykonując wzajemne reweranse, do tej pory. Jagódka cichutko zaproponowała rzucenie monety. Wiktor i ksiądz tak wrzeszczeli, że pewnie nikt by jej nie usłyszał, ale niezawodny Kajtek był w pobliżu.

Moneta rozstrzygnęła spór artystów na korzyść Wiktora. No i bardzo dobrze. A ksiądz zrobi w międzyczasie jeszcze ze trzysta fotek (pracuje w nadzwyczajnym tempie) Marysina i Karkonoszy.

Rozeszliśmy się w nastroju pełnym optymizmu. Grabowska już nic nie mówiła na temat wyjazdu, a Grabowski jakby się trochę rozluźnił. Na Bogusię rodzice nie zwracali specjalnie uwagi, więc kiedy Kajtek pociągnął ją w stronę kurnika, poszła z naszymi dziećmi jak w dym – wybierać jajka kurom. Nie wiem, dlaczego dzieci uważają to za interesujące.

Emilka

Moja mama twierdziła zawsze, że człowiekowi trudno jest dogodzić. Chyba miała rację. Kiedy Leszek zadzwonił do mnie, zdenerwowałam się potwornie, a teraz, kiedy nie dzwoni, bo przecież nie ma mojego nowego numeru, też się denerwuję potwornie. Oczywiście, nic nikomu nie mówię, bo by mi kazali siedzieć cicho i cieszyć się, że mnie nie szuka przy pomocy swoich szeregowych gangsterków. Napomknęłam to i owo Krzysiowi przy okazji oddawania mu pieniędzy, które jednak wyłożył na moją nową komórkę, ale też zbagatelizował sprawę. Mam wrażenie, że babcia chętnie by sobie pogadała na ten temat, ale ona ma za bardzo entuzjastyczne podejście do spraw pachnących kryminałem.

Natomiast mama wprowadziła mnie w duże zdumienie dzisiaj o poranku. Zadzwoniła do mnie na mój nowy numer, który podałam ojcu z prośbą, żeby wymyślił na użytek mamy jakiś sensowny powód zmiany.

– Halo, kochanie – zaszemrała. – Czy to ty, córeczko? Możesz mówić?

– Ja i mogę – odparłam zdumiona tym konspiracyjnym szeptem. – Dlaczego miałabym nie móc?

– A, bo wiesz – powiedziała mama normalnym głosem. – Twój ojciec robi dziwne rzeczy, nie mówi mi nic i skrada się po mieszkaniu, jakby nas kto miał napaść, a ja przecież doskonale wiem, o co chodzi, bo ten twój Lesław najpierw do mnie zadzwonił...

– Jak to najpierw? Kiedy?

– No, wtedy, kiedy dzwoniłaś do ojca na jego komórkę i on udawał, że rozmawia zupełnie z kimś innym, cha, cha, mnie na to nie nabierze, przecież wiem, że ma same dyrektorki, a on tu „panie dyrektorze", tralala. Jak chce konspirować, to niech nawet schodzi do podziemia, ale niech nie myśli, że uda mu się wyprowadzić w pole własną żonę. Ja mu, oczywiście, nic nie powiem, niech ma satysfakcję, że taki tajny, a może nawet myśli, że mnie chroni, choć pewnie raczej nie wierzy we mnie i uważa, że ja wszystko wypaplę...

– Mamo, a co Leszek mówił?

– Czekaj. No więc niech ten twój tata sobie tajniaczy, ja też gazety czytam, dzienniki telewizyjne oglądam i wszystkiego się do-

124

myśliłam. Ty się, dziecko, nie przejmuj, w różne tarapaty kobieta wpada, kiedy się zakocha, ale dobrze, że się nie poddajesz, a jak tam wasze sprawy w tej Rotmistrzówce?

– Dobrze, ale mamo, powiedz, co Leszek mówił?

– Kiedy?

– No, jak do ciebie dzwonił!

– Ach, wtedy. No więc pytał o twój nowy adres, coś tak plótł trzy po trzy o sprzeczce zakochanych, ale jak go spytałam, skąd dzwoni, to chachmęcił.

– A co ty mu powiedziałaś?

Mama zachichotała chichotem pełnym satysfakcji.

– Powiedziałam mu, że odkąd moja córka wdała się w romans z nim, to prawie straciliśmy z nią kontakt, to znaczy z tobą, oczywiście. Wiem tyle, że się wyprowadziła w góry, powiedziałam łobuzowi, a kiedy pytał w jakie, to powiedziałam, że w Bieszczady. I że nie podałaś adresu, bo się pokłóciliśmy.

– Uwierzył ci?

– A dlaczego miał nie uwierzyć? Z prawdą w głosie mu to mówiłam. Nawet się trochę na ciebie oburzałam. Nic się nie martw, dziecko, nie trafi do ciebie, telefonu twojego nie ma...

– Skąd wiesz?

– Oprzytomniej, córeczko. Przecież dzwonię na nowy numer, twój ojciec powiedział mi, że zmieniłaś. Chyba miałaś na tyle rozsądku, żeby go zastrzec?

– Zastrzegłam, ale to chyba też można za pieniądze załatwić...

– No to będziesz się martwić, jak on sobie to załatwi za pieniądze. Czekaj, idzie ojciec, nie zdradź się przed nim, że ja wiem, bo mu będzie smutno, że cała konspira na nic. Tak, kochanie, bardzo się cieszę, że macie tylu gości, to już pewnie zaczniecie naprawdę zarabiać... Co mówisz? Jak, z kim rozmawiam? No przecież Emilka dzwoni, chcesz z nią pogadać? To masz, a ja lecę do kuchni, bo mi kartofle kipią!

– Miluś – to tata. – Dzwonisz? Co u ciebie?

– Dzwonię tak sobie. U mnie nic. To znaczy nic nowego. Leszek nie dawał znaku życia. Ale humor mi zepsuł, teraz stale myślę o nim...

– Nie myśl, córeczko, nie trzeba się martwić na zapas. Mama mówiła, że gości macie?

– Mamy, taka rodzina przyjechała, z dziesięciolatkiem na wózku. Porażenie mózgowe. Okropność.

– A to wy macie u siebie hippoterapię? Nie mówiłaś mi o tym...

– Nie mówiłam, bo nie mamy. Ale wiesz, może by można o tym pomyśleć. Tylko ja nie mam o tym zielonego pojęcia, musiałabym się dowiedzieć, na czym to polega...

– Sama widzisz, że masz ciekawsze rzeczy do przemyślenia niż ten twój były gangster. Wiesz, co ja mu powiedziałem, kiedy ze mną rozmawiał?

– Powiedziałeś, że dałeś mu odpór.

– Wspomniałem mimochodem, że wyjechaliście z paczką gdzieś w suwalskie, na jeziora. Długo was będzie szukał!

Dla mnie bomba. Tata wysłał Leszka w suwalskie, a mama w Bieszczady. Rewelacja. To już przynajmniej będzie wiedział, gdzie mnie nie ma.

Ucałowałam ojca telefonicznie i nie zawracałam mu głowy drobiazgami. Niech sobie oboje z mamą będą wielcy konspiratorzy.

Natomiast o hippoterapii warto zacząć myśleć poważnie. Coś mi się robi w środku, jak widzę takie dzieciaki na wózku. Nawet, jeśli mają tak parszywy charakter jak Marcinek. Nie mam wątpliwości, że to mamuńcia wpędziła go w histerię.

Lula

Wiktor oszalał na punkcie galerii. Ksiądz Paweł przybiega do Rotmistrzówki co godzina, prawdopodobnie zaniedbując obowiązki służbowe i duszyczki swoich dzieci, którym wpaja prawidła wiary i katechizmu. Chociaż może nie teraz, są wakacje.

W każdym razie obaj biegają jak szaleni po domu i tworzą coraz to nowe i przeważnie diametralnie różne projekty. Zapewne pierwszą ofiarą ich pomysłowości padnie salon. Próbowali mnie wciągnąć do tej twórczej działalności, ale ja na razie jestem zajęta prozaicznym gotowaniem obiadu dla letników i domowników, żeby z głodu nie pomarli.

Po mojej przygodzie z Chełmońskim i Stachiewiczem nie jestem już pewna własnych kwalifikacji do pomocy przy prowadzeniu galerii...

Ewa na temat galerii milczy jak zaklęta, albo syczy coś o klozetowej bizneswoman i jej kampanii reklamowej. Którą Wiktor już całkowicie sobie chyba odpuścił.

Emilka

Babcia znowu dała ognia! Ta staruszka mnie zadziwia. Każdego ranka zresztą mnie zadziwia, mniej więcej od tygodnia, bo od tygodnia każdego ranka towarzyszy Luli w jej konnych przejażdżkach! Lula na Bibułce, a babcia na statecznej Myszy. Obie godne i piękne, w przepisowych strojach do konnej jazdy. Babcia ma taki pocieszny żakiet z cylinderkiem zamiast toczka! Uważam, że stanowią wspaniały chwyt marketingowy. Nie ma człowieka, który by się za nimi nie obejrzał, kiedy przejeżdżają przez wieś, albo przez inne uczęszczane tereny. Ksiądz Paweł sfotografował je chyba z osiemset razy.

Dzisiaj po południu babcia zażądała samochodu, bo ma interes w okolicy i trzeba ją gdzieś zawieźć. Wiktor, oczywiście, ganiał ze swoim księdzem artystą, Janek pojechał po zakupy, a ja miałam wolne ręce, więc chętnie się zgłosiłam. Dzieci, oczywiście, darły dzioby, żeby jechać z nami, ale babcia stanowczym tonem nakazała im pozostanie w domu. Będą za to miały niespodziankę, obiecała uroczyście. Marudziły, ale poszły sobie. Zdaje się, że wciągnęły tę biedną, nikomu niepotrzebną Bogusię do swoich niecnych sprawek (podkradają truskawki sąsiadom, bo naszych było mało i już się skończyły).

Babcia kazała się wieźć nawet niedaleko, pod Ściegny, i tu od razu dostałam pierwszego szoku, bo okazało się, że jest tam regularne miasteczko z Dzikiego Zachodu – z drewnianymi ulicami, domami, bankiem, hotelem i saloonem! Po miasteczku pętały się – oprócz, oczywiście, tłumu turystów – różne malownicze postacie, obdarci poszukiwacze złota, stateczni obywatele, kowboje przywiązujący konie do poręczy specjalnie ustawionych koło domów – istna scenografia do „Rio Bravo", ukochanego filmu moich rodziców! Zostawiłyśmy samochód na parkingu, kupiłyśmy bilety i weszłyśmy na teren miasteczka. Uważałam, że powinnyśmy były jednak zabrać dzieci, miałyby mnóstwo radości, ale bab-

cia oświadczyła, że jeszcze nieraz tu przyjadą, a ona chce kogoś spotkać i niepotrzebne jej dzieciaki, które głowę będą zawracać... ach, nieważne komu, niemniej już ona wie, że wlazłyby mu na łeb.
– Ale komu, babciu?
– Zaraz zobaczysz, Emilciu. – Była tajemnicza i bardzo czegoś zadowolona. – Na razie ćwicz się, dziecko, w cierpliwości, to cnota, której nie masz w nadmiarze.

Odezwała się cierpliwa starowinka!

Postanowiłam więc czekać i nie zawracać sobie głowy babcią, za to postrzelać z łuku do tarczy, przy której pykał fajkę znudzony Indianin. Zapewne wódz plemienia, bo w dużym pióropuszu na głowie.

Wódz pokazał mi, co mam robić, ale zanim wypuściłam pierwszą strzałę, usłyszałam huk, jakieś krzyki i coś się wokół mnie zakotłowało. Mój wódz złapał się za pierś i padł jak długi.
– Co się stało?

Byłam kompletnie zaskoczona, ale wódz otworzył jedno oko, uśmiechnął się i wyjaśnił spokojnie:
– O tej porze mamy zawsze napad na bank. Zastrzelił mnie przy okazji, parszywa blada twarz.

Powiedziawszy to, wódz wywrócił artystycznie oczy białkami do góry i odszedł do Krainy Wiecznych Łowów, dokąd zapewne wezwał go wielki Manitou.

A strzelanina rozgorzała na dobre, do miasteczka wjechała pędem dwukonna bryka, w której siedział przystojny oficer, sądząc po ilości złota na galonach – co najmniej generał, tylko nie wiedziałam, Jankesów, czy armii Południa. Generał strzelał jak szalony z rewolwerów trzymanych w obu rękach, po małej chwili jednak i on padł jak ścięta lilia. Oberwał również żołnierz powożący bryczką, ale przytomnie zahamował konie, zanim zdecydował się paść na posterunku. Udało mi się zauważyć, że główna kotłowanina rozgrywa się w okolicy banku, z którego wypadli dwaj faceci z twarzami zasłoniętymi chustkami i z pokaźnymi workami w rękach. Symbol dolara na workach był wielki i wyraźny. Bandyci już zabierali się wsiadać na konie, które trzymał dla nich jakiś ostrzeliwujący się koleżka (to on ubił mojego wodza), kiedy rozległy się kolejne strzały i na pryncypialny plac miasteczka wpadli wyciągniętym galopem trzej jeźdźcy, najwyraźniej ci dobrzy, bo jeden miał gwiazdę szeryfa, a wszyscy walili ze swoich rewolwerów do rzezimieszków z workami.

Bardzo realistycznie to wyglądało i byłam naprawdę zachwycona. Trzej bandyci, acz próbujący strzelać, szybko dostali za swoje i padli jak muchy. Szeryf i jego chłopcy podeszli do nich, nonszalancko podjęli z ziemi worki z pieniędzmi i oddali je człowieczkowi w zarękawkach, który ostrożnie wyszedł z banku. Myślałam, że to już koniec cyrku, ale jeszcze od jednego z domów oderwała się mała grupka, dwaj panowie i kobieta z charakterystyczną torbą w dłoni.

– Doktor Quinn, doktor Quinn – przebiegło przez zapatrzoną gawiedź.

Mniemana doktor Quinn podeszła do jednego z zabitych, wzięła go za rękę, po czym wypuściła tę rękę z wyrazem lekkiego obrzydzenia na twarzy. Coś powiedziała wytwornemu mężczyźnie, który jej towarzyszył.

– Co to za jeden? – spytałam mojego nieżywego wodza.

– Sędzia pokoju – mruknął. – A pani doktor musi stwierdzić zgon całego towarzystwa, w tym mój. Przepraszam – dodał i znowu zastygł.

Pani doktor wypełniła swoją powinność w obecności sędziego pokoju. Trzeci człowiek, który z nimi szedł, okazał się przedsiębiorcą pogrzebowym. Skrupulatnie wymierzył wszystkich nieboszczyków za pomocą sznurka, na którym zawiązywał węzełki. Wreszcie widowisko się skończyło i nieboszczycy ożyli. Cudownie wskrzeszony wódz przystąpił do pełnienia obowiązków, czyli nadzorowania mojego strzelania z łuku.

Wypuściłam trzy strzały poza tarczę, co było sztuką, bo tarcza miała rozmiary małego stadionu, pożegnałam mile wodza i poszłam szukać babci.

Nieomylny instynkt zawiódł mnie do saloonu. Babcia stała przy barze w towarzystwie szeryfa, na głowie miała nowiutki, czarny kapelusz typu stetson, a w ręce kieliszek brandy.

– O, jesteś, Emilciu – ucieszyła się na mój widok. – Przedstawiam ci pana Zimmera, szeryfa tego pięknego miasteczka. To jest Emilka, o której właśnie ci mówiłam, mój drogi.

– Bardzo mi miło – powiedział szeryf głębokim basem. – Jak się pani u nas podoba?

9. Stateczna...

– Super – powiedziałam absolutnie szczerze. – Czy ja mogę dostać taki kapelusz jak babcia?

– Dziewczyny, dajcie mi jeszcze jeden kapelusz – zawołał szeryf do obsługujących panienek, ubranych klasycznie, jak na panienki z saloonu przystało. Jedna z nich sięgnęła na półkę i podała mi czarny stetson, zdejmując z niego karteczkę z ceną. Zorientowałam się, że te kapelusze są do kupienia, zrobiło mi się głupio i chciałam zapłacić, ale szeryf machnął ręką i nie pozwolił panience wziąć ode mnie ani grosza.

– Przyjaciele pani rotmistrzowej – zagrzmiał – a zwłaszcza przyjaciółki, a już na pewno takie przyjaciółki, które jeżdżą konno, bo tu mi nasza droga Stanisława mówi, że pani jeździ... takie otóż osoby są u nas traktowane z najwyższą atencją i miło mi będzie, jeśli pani przyjmie ode mnie ten drobiazg na początek pięknej przyjaźni.

Podziękowałam gorąco.

– Tym bardziej się z niego cieszę – powiedziałam – że w odróżnieniu od moich przyjaciół nie reprezentuję ułańskiej frakcji jeździeckiej, tylko właśnie kowbojską.

Pokrótce opowiedziałam szeryfowi o naszych kowbojskich wyczynach w Akajocie. Ucieszył się i zaproponował mi w ramach zabawy, ewentualnie za pieniądze (ale małe – zastrzegł od razu) udział w jakimś widowisku. Może w napadzie na bank, a może coś się wymyśli specjalnie pod jeżdżącą kobietę...

– Mogę być Annie z „Rekordu Annie" – zaproponowałam, bo mi się przypomniał taki western nakręcony ze sto lat przed moim urodzeniem. Tata mnie kiedyś na niego zabrał do DKF-u.

Szeryf aż pokraśniał z zadowolenia, że znam się na starych westernach, które są jego miłością pierwszą, ale babcia zaprotestowała.

– Ona nie może być Annie – powiedziała stanowczo. – Pamiętasz, jak Annie umiała strzelać? Emilcia też dzisiaj strzelała i wiemy, co potrafi...

A to ci babcia donosicielka. Swoją drogą, jak jej się udało zauważyć moje próby z łukiem, skoro w tym czasie popijała brandy z szeryfem w saloonie? Szeryf był jednak w nastroju łagodnym i tolerancyjnym.

– Ależ pani Emilka nie będzie strzelała z łuku, tylko z colta albo ze sztucera – rzekł pobłażliwie. – Mały koniaczek, pani Emilko? Albo może piwo?

– Nie mogę, niestety – odmówiłam z żalem. – Jestem babcinym kierowcą. Colę poproszę.

– Właśnie – podjęła babcia. – Emilka mnie tu do ciebie uprzejmie dowiozła, bo muszę ci coś zakomunikować. Pewnie się zresztą domyślasz, po co przyjeżdżam...

– Nie tylko zawiadomić mnie, że ci się poprawiło, droga Stasiu, co mnie zresztą bardzo cieszy... Cóż, są do twojej dyspozycji. Możesz je zabrać w każdej chwili.

– A może dla ciebie to będzie kłopot – zatroskała się nagle babcia, podczas gdy ja usiłowałam zgadnąć, o czym też oni mówią.

– Żaden kłopot – zapewnił szeryf. – Mnie też się ostatnio poprawiło i na dniach będę kupował dwa trzylatki ze stada w Książu. Właściwie już je kupiłem, tylko muszą do mnie dojechać.

Ach, trzylatki! Konie! Dlatego babcia przy zliczaniu majątku mówiła o czterech koniach, nie o dwóch!

– Patrz, Zimmerze, jak jej się oczy zaświeciły – powiedziała babcia, pokazując na mnie suchym paluszkiem. – Koniara z naszej Emilki, koniara. Nie wyprze się.

– Nie zamierzam się wypierać – powiedziałam. – A te twoje, babciu, to któreś z tych, co tu występowały?

– Jak najbardziej – szeryf odsunął firankę w oknie, przy którym staliśmy i zobaczyłam przywiązanego do barierki sympatycznego kasztana, który z zainteresowaniem strzygł uszami, pożerając jednocześnie kawałki marchewki podawanej mu przez jakiegoś dzieciaka. – To mój koń, to znaczy ten, na którym ja jeździłem. Cztery lata. Nazywa się Latawiec. Wałach, naturalnie. A jego starsza o rok siostra, Lola, to klacz naszych bandytów.

– Gniada – wtrąciłam. – Zauważyłam, bardzo ładna.

– Ale Latawiec się pani spodobał, widzę. Będziecie mieli z nich pociechę, z obydwu. Nadają się dla turystów. Nie wystraszą się byle czego. Spokojne i łagodne.

– Tu raczej nie miały lekkiego życia – skonstatowałam. – Te wszystkie strzelaniny, napady...

– Ale i pokowboić na nich można – uśmiechnął się szeryf. – Jak kto umie jeździć, oczywiście...

Nie wytrzymałam, wyszłam na ganek, pogadać z Latawcem.

– Cześć, mały – powiedziałam do niego cicho, a on odwrócił do mnie łeb i spojrzał na mnie ciekawie. – Będziemy przyjaciółmi, jak myślisz? Zbliżył nos do mojej głowy i zrzucił z niej mój nowy stetson, po czym złapał mnie wargami za włosy i zaraz wypluł, widząc, że się tego zjeść nie da. Pogłaskałam aksamitne nozdrze.

– Nie mam nic dla ciebie, koniku. Nie spodziewałam się, że cię spotkam. Czekaj, może jednak...

Pogrzebałam w kieszeni i znalazłam dwa herbatniki w pogniecionej folii. Latawiec zjadł obydwa i ufnie złożył wielki łeb na moim ramieniu. Nie wytrzymałam i pocałowałam pachnący nochal.

– Podbiła pani jego serce – zaśmiał się szeryf, który wraz z babcią również wyszedł na ganek. – Wprawdzie to już nie ogier, ale wciąż prawdziwy mężczyzna, lubi piękne kobiety.

– Ja go też lubię – powiedziałam z przekonaniem, bo tak jak trafia się miłość do człowieka od pierwszego wejrzenia, tak najwyraźniej można od pierwszego wejrzenia pokochać konia. – To jest uroczy koń i ja będę na nim jeździła. A niech mi pan powie, panie szeryfie, czy on by się nadawał do hippoterapii?

– Nie znam się na hippoterapii – rzekł w zamyśleniu szeryf. – Sądzę, że tak, bo jest spokojny i cierpliwy, ale warto by pogadać z kimś, kto posiada większą wiedzę na ten temat. Nawet mam na myśli jednego konkretnego człowieka...

– Emilciu, a co ty mówisz o hippoterapii? – wtrąciła babcia, bardzo zaciekawiona. – Nie mieliśmy tego w planie... To z powodu tego paskudnego Marcinka? Mówię ci, kochany Zimmerze, ciesz się, że nie spotkałeś tego chłopca. A zwłaszcza jego matki. Nieszczęście nieszczęściem, ale charakterek... To mamuśka tak go rozbestwiła. Pewnie ma poczucie krzywdy, albo winy i sobie rekompensuje w ten sposób. Tylko że nic jej z tego nie przyjdzie, prędzej mąż ją rzuci, bo widać po nim, że już zmęczony.

– Straszne rzeczy mówisz, Stanisławo...

– Straszne, ale prawdziwe. Za stara jestem, żeby owijać w bawełnę. Jak ktoś jest w porządku, to mówię o nim, że jest w porządku. A jak ktoś ma kurzy móżdżek, nawet z tytułem naukowym, to nazywam zjawisko kurzym móżdżkiem. Nie dosyć, że chłopak kaleka, to jeszcze matka go kompletnie ubezwłasnowolnia. Ale z tą hippoterapią... może to i nie najgorszy pomysł...

– Pod warunkiem, że nie będziecie tego robili charytatywnie – zauważył szeryf podejrzanie łagodnym głosem.

– To na razie tylko taka bardzo luźna idea – wytłumaczyłam. – A swoją drogą, kto to jest ten fachowiec, o którym pan mówił?

– Było dwóch takich w Książu, pracowali w stadzie, a oprócz tego prowadzili hippoterapię w prywatnym ośrodku. Starszy, z tego, co wiem, wyjechał do Janowa Podlaskiego, młodszy chyba jest w Książu. Nazywa się Tadeusz Leszczyński...

– Jak? – przerwałam zdumiona. – Leszczyński? Tadeusz?

– No tak – powiedział zdziwiony nieco moim wybuchem szeryf. – Poznałem go osobiście. Bardzo sensowny człowiek.

Jeżeli to mój Tadzio z roku, to pewnie, że sensowny!

– W moim wieku, mały, łysy i z krzywymi nogami?

– W pani wieku... bo ja wiem? No, może. Mały, łysy i krzywonogi, to by się zgadzało. Zootechnik, po studiach. Tyle o nim wiem. Zna go pani?

– On za mnie krowy doił na praktykach, panie szeryfie. Znakomity człowiek. Bardzo mądry. Bardzo kochany. Bardzo się ucieszę, jeżeli to naprawdę on. W Książu, powiada pan?

– Tak, w stadzie. Nie mam do niego telefonów, ale łatwo go pani będzie zlokalizować.

Uczucia mi wezbrały i uściskałam szeryfa oraz babcię tak gorąco, że pozlatywały nam wszystkim kapelusze.

Ustaliliśmy jeszcze, że Latawiec i jego gniada siostra Lola zostaną do Rotmistrzówki doprowadzone przez szeryfa osobiście, względnie przez jego najbardziej zaufanych kowbojów w ciągu najbliższych dwóch, trzech dni – i pożegnałyśmy westernowe miasteczko, w którym panował już wzorowy spokój (kolejny napad na bank miał się odbyć dopiero za trzy godziny).

Zapytałam babcię, jak to się stało, że szeryf ma jej konie, ale sprawa okazała się prosta jak konstrukcja cepa (jak właściwie jest skonstruowany cep?, muszę spytać Lulę). Kiedy dwa lata temu Rotmistrz już był ciężko chory i nie wiadomo było, jak się sprawy potoczą, obaj panowie ustalili, że dopóki babcia nie stanie na nogach (o ile stanie), Lola i Latawiec pójdą do szeryfa niejako na przechowanie. Będą miały wikt i opierunek, i wszystkie wygody w zamian za pracę w miasteczku, czyli te wszystkie kowbojskie jasełka. Babcia zastrzegła tylko, że mają jeździć na sportowych wędzidłach, nie na westernowych, które są bardziej brutalne. Nie było z tym problemu, bo nie były przewidziane do pokazów „western i rodeo", tam są specjalne konie, a te babcine miały tylko grać w widowiskach. W razie gdyby babci nie udało się utrzymać domu i stajni, szeryf miał jej oba konie spłacić. Gdyby natomiast wyszła na prostą, konie miały być zwrócone, bez żadnych zobowiązań z którejkolwiek strony. Babcia wyszła, więc konie wracają.

I nie spisywali żadnych umów, żadnych kwitów, wszystko na słowo...

Ho, ho.

Lula

Ależ nam się stajnia ładnie wzbogaciła! Chociaż nie wiem, czy Emilka pozwoli komukolwiek dosiadać Latawca, bo się w nim zakochała prawdziwą miłością, jak mawiała moja ciocia Maniusia. Z trudem tylko można ją wyciągnąć ze stajni. O ile na nim aktualnie nie jeździ. Pierwszy raz naprawdę pokazała, co potrafi. Siedzi w siodle jak rasowy kowboj, wodze trzyma nonszalancko, odmawia zakładania toczka, natomiast nie rozstaje się (na szczęście tylko kiedy dosiada swojego ukochanego konika) z ogromnym czarnym kapeluchem. Próbowała nawet skoków, co prawda przez niższe przeszkody, które babcia ma rozstawione na stałe na łączce za domem – ale to i tak nadzwyczajne, skoro od dwóch czy trzech lat nie trenowała.

Pytałam ją, dlaczego nie jeździła wcześniej, ale tylko prychnęła. Rzeczywiście, nie bardzo było na czym, skoro tę niby jej Bibułę właściwie ja zaanektowałam, a co to za jazda na Myszy... Ale jednak myślę, że to wykręty, bo kiedy chłopy chciały jeździć, to jeździły. I nawet Kajtek nieźle już sobie radzi. Ba – widziałam już Jagódkę na Myszy, oczywiście Janek trzymał ją na lonży. Ani Wiktorowi, ani Ewie nie przyszło do głowy, że mogliby nauczyć dziecko jazdy konnej. Ewa chyba nawet nie wiedziała, że Janek uczy Jagódkę. To i lepiej, bo mogłaby protestować w imię nie wiadomo czego.

Czy ja nie jestem dla niej ździebko niesprawiedliwa?

A Wiktor ostatnio w ogóle zapomniał, że istnieją konie – chyba że stanowią element dekoracyjny przestrzeni albo zgoła model dla jego świeżo odrodzonej pasji malarskiej. Wczoraj byłam świadkiem, jak wykańczał bardzo udatny portret Bibułki, która jest śliczną dziewczynką i której urodę warto było, doprawdy, uwiecznić. Uwiecznił ją Wiktor półprofilem, stojącą na babcinej łące, na tle ogrodzenia z drągów. Prawą przednią nogę miała lekko uniesioną, a spod kopyta – jak Boga kocham! – wysuwało się coś jakby rolka papieru toaletowego, zdeptana i zmiażdżona. Nie wiem, co będzie, kiedy Ewa zobaczy to – prawie realistyczne – dzieło swego utalentowanego małżonka!

Sprawa galerii posuwa się naprzód o tyle, że Wiktor i ksiądz ponawieszali gdzie się dało dwadzieścia, albo i więcej obrazów i uznali, że to już. Nawet to nieźle wygląda. Nowoczesna sztuka w staroświeckim otoczeniu.

Teraz tylko marketing i reklama. Potrzebni nam są dziennikarze, najlepiej telewizyjni, ale jak do nich dotrzeć? Może Olga pomoże, na pewno kogoś odpowiedniego zna.

Kirysek przedłużył sobie pobyt. Powiedział, że jest mu u nas tak dobrze, że wyda wszystkie oszczędności i nawet popadnie w długi, ale nie ruszy się stąd do końca wakacji.

Albo do końca pieniędzy...

Grabowscy jakoś się zaaklimatyzowali i nawet pani Mirella (dla babci konsekwentnie Mirabella, a słyszałam, jak Kajtek z Jagódką nazywali ją między sobą Panią Śliwką) przestała robić awantury. Bogusia gania z naszymi dziećmi – na naukę konnej jazdy matka jej, niestety, nie pozwoliła, a szkoda. Marcin jakby mniej terroryzuje rodziców, poprawia mu się charakter zwłaszcza wtedy, kiedy matka pozwala mu oddalić się od siebie. Oczywiście, w wózku, popychanym przez niezawodnego Kajtusia.

Może to u Pudełków rodzinne, po mieczu przechodzi ta niezawodność?

O, widzę przez okno, że Emilka wraca z jazdy. Znowu gdzieś samotnie jeździła po lesie. Przestrzegałam ją, że to Park Narodowy i że w końcu ktoś ją dopadnie i będzie płaciła mandat, ale odparła mi lekceważąco, że Park zaczyna się wyżej, a co do lasu, to ma się znajomości w leśnictwie...

No, rzeczywiście, jakoś nie widzę możliwości, żeby Krzysztof kazał Emilce płacić mandat.

Za to chyba już wiem, dlaczego Latawiec nazywa się Latawiec. I to nie ma nic wspólnego z zasadą pierwszej litery imienia matki (która zresztą była Latawica). Latawiec otóż ma jedną nogę białą. Trochę to śmiesznie wygląda, bo cały dość równy kasztan, a tu biała noga. I ja tak sobie myślę, że jak on się urodził, to komuś przypomniał się Farys Mickiewicza. Pędź, latawcze białonogi, wichry z drogi, coś tam z drogi... Nie pamiętam szczegółów. No i konik został nazwany Latawcem.

A jeżeli to nawet nie jest prawda, to ładnie wymyśliłam. *Se non e vero, e ben trovato*, jak mawiali starożytni Rzymianie.

Emilka

Goście walą gromadnie... To znaczy jeszcze niezupełnie walą, ale już się zapowiedzieli. Jacyś Niemcy. Zdaje się, że znajomi tego starego Krzyżaka, któremu tak się u nas podobało. Austriacko-niemiecka babcia i wnuczek. Wnuczek raczej spory, bo z narzeczoną. Babcia na wózku. Czyżby Rotmistrzówka z ośrodka jeździeckiego miała się przeistoczyć w sanatorium dla niepełnosprawnych??? I gdzie my ją umieścimy? Dla gości miało być piętro!

W razie potrzeby poświęci się, oczywiście, nie kto inny, tylko Janek Pudełko.

Pudełko moje ulubione wyraźnie odżyło – już nie jest taki ponury od środka jak w początkach naszej znajomości. Czasem nawet uśmiecha się sam z siebie. Cieszę się, bo to naprawdę świetny gość, ten nasz Jaś.

A propos świetny gość, to muszę wybrać się do Książa i sprawdzić, czy ten mały, łysy i krzywonogi, o którym mówił szeryf, to naprawdę mój osobisty Tadzio Leszczyński.

A ta leciwa Niemkini to nie będzie przypadkiem była marysińska baronowa???

Lula

Czyżby pomysł z galerią był strzałem w dziesiątkę? Olga przywiozła do nas dwójkę swoich znajomych – pani jest dziennikarką z Jeleniej Góry, a pan dziennikarzem telewizji Wrocław. Oboje bardzo się zainteresowali, pani narobiła notatek i obiecała, że w najbliższym wydaniu weekendowym zamieści duży materiał na nasz temat. Ksiądz Paweł dał jej trochę zdjęć, żeby mogła ten materiał zilustrować. Człowiek z telewizji nie miał czym pracować – tak się wyraził, ale zapowiedział, że niebawem wróci tu z ekipą filmową.

Jesteśmy bardzo podekscytowani gośćmi z Austrii, którzy mają się pojawić lada dzień. Jak nam się z nimi ułoży? Bo przecież zupełnie czym innym jest nakarmienie wycieczki, a czym innym pobyt starszej pani – i to na wózku inwalidzkim! – całe dwa tygodnie. A jeśli jej się spodoba, to i dłużej. Czy ten jej wnuk nie musi pracować? I jeszcze jakaś narzeczona... Jak my ich rozmieścimy? Chyba każde w osobnym pokoju, ale skoro starsza pani jest inwalidką, to trzeba będzie wykwaterować Janka, bo musi być na dole, i Kajtka, bo ten wnuk musi się nią pewnie opiekować, z kolei wnuk pewnie będzie chciał koło narzeczonej...

Poradzimy sobie. Niech się tylko pokażą, zobaczymy, co z nich za ludzie.

Emilka

Jest Tadzio! Wiedziałam! Czuło serce moje, że to on, bo drugiego takiego nie ma na całym świecie. Nie rozumiem tylko, dlaczego Bozia w takim stopniu poskąpiła mu urody, złośliwość jakaś tu miała miejsce czy co?

Przyjechałam do tego Książa jak prosta turystka, zaparkowałam na ogólnym parkingu, takim wielgachnym i poszłam do stada spacerkiem. Bardzo tam ładnie, piękny park i w ogóle hoho. Właśnie zastanawiałam się, gdzie tego Tadzia szukać i jak o niego pytać, kiedy minęły mnie trzy konie wielkiej piękności, bardzo wycackane, dosiadane przez jakichś strasznych patałachów, co to nawet w siodle nie potrafią prosto się trzymać. Pewnie płatni jeźdźcy. A za nimi na potężnym karym konisku facet niewielki, za to postawą mogący zadowolić nawet najbardziej wymagającego rotmistrza. Poznałam go natychmiast.

– Tadziu!!! – wrzasnęłam z uciechy, aż ten jego kary stanął na tylnych nogach. Tadzio obejrzał się, bo już mnie wymijał, ściągnął tego swojego wierzchowca i wstrzymał wycieczkę patałachów.

137

– Emilka? Nie wierzę! To naprawdę ty, Emilko?

– Ja, jak nie wiem co – odparłam radośnie. – Złaź, Tadziu, z tej wieży, bo ci się muszę rzucić na szyję!

Tadzio nigdy nie zaniedbywał rzucania się na szyje koleżanek z roku, więc zeskoczył z siodła – bardzo zgrabnie – i wyściskał mnie serdecznie. Patałachy przyglądały się z wysokości swoich koni z dezaprobatą. Pewnie prywatne życie instruktorów uważały za skandal. Przynajmniej w trakcie prowadzenia jazdy.

– Pięknie wyglądasz, Emilko. Jak zwykle zresztą. Słuchaj, musisz mi wszystko opowiedzieć, za pół godziny będę wolny, tylko skończę tę jazdę. Nie, za godzinę. Nie uciekniesz mi? Może pójdziesz przez ten czas obejrzeć nasze konie?

– Nie, Tadziu. Pójdę sobie do tego dużego zamku, podobno on jest w porządku. Tam jest jakaś kawiarenka?

– Coś tam chyba jest, widziałem na tarasie parasole. Będziesz na mnie czekać pod parasolem?

Obiecałam, że będę i ucieszony Tadzio wskoczył na swojego dwupiętrowego ogiera – bo jeszcze zdążył mnie zawiadomić, że to ogier, folblut pod tytułem Milord. Bardzo stosownie dla anglika. Lordzisko łypało na mnie podejrzliwie, może spodziewało się, że znowu narobię hałasu. Nie narobiłam, więc odwróciło się godnie i odkłusowało z Tadziem na grzbiecie, obelżywie zamiatając ogonem w moją stronę. Patałachy też próbowały odkłusować, ale wyglądało to raczej pociesznie.

Zamek bardzo mi się spodobał, tylko, niestety, widać było, że nie bardzo jest go za co remontować i utrzymać. No cóż, duży kaliber. Same cudowne tarasy z ogrodami wymagają zapewne potwornych pieniędzy.

Kiedy dotarłam pod parasole, Tadzio już tam był. Zdążył się przebrać (bo jeździł w eleganckim fraczku, pewnie za to patałachy ekstra zapłaciły) i rąbnąć z jakiegoś klombu przepiękną czerwoną różę wielkości średniej kapusty. Wręczył mi ją uroczyście i znowu mnie wyściskał.

– *Mister Lincoln*, co? – Obejrzałam aksamitną piękność, pachnącą upojnie.

– Nie mam pojęcia. Ja się nie znam na kwiatkach, tylko na zwierzakach. – Tadzio promieniał. – Skąd się tu wzięłaś, opowiadaj. Kiedy wyjeżdżałem ze Szczecina, miałaś tam już jakieś ustabilizowane życie...

Opowiedziałam mu wszystko, a on, mój kochany przyjaciel, na przemian za głowę się łapał i wydawał okrzyki pełne zgrozy, które stopniowo przeszły w pomruki aprobaty.

– Dzielna dziewczynka – pochwalił mnie w końcu. – A ten twój... były, nie odezwał się już więcej?

– Na szczęście nie. Ale wiesz, Tadziu, ja wciąż się boję.

– Nie bój się. Nie można żyć w strachu, bo od tego przestaje się myśleć. Jeśli on się jakoś objawi, będziesz się martwiła. A właściwie nie, będziesz myślała, jak zaradzić. Wiesz, że w razie czego możesz na mnie krzyknąć, a ja przylecę natychmiast.

– Wiem. Tylko że narkotykowy gangster niewiele ma wspólnego z wydojeniem krowy...

Spojrzeliśmy na siebie i parsknęliśmy śmiechem. Te krowy!

– Teraz ty mi powiedz, co tu robisz.

– Różne rzeczy. Zaczepiłem się w stadzie, ale mam jeszcze rozmaite boki, widziałaś, jazdy prowadzę dla różnych nieumiejków, zabawiam się w hippoterapię u jednej niesympatycznej pani...

– Hippoterapię! Właśnie, o tym też chciałam z tobą porozmawiać!

– To ty mnie nie spotkałaś przypadkiem?

– A skąd, ja tu przyjechałam specjalnie, żeby ciebie znaleźć!

– Nie mów...

Jak Boga kocham, Tadzio pokraśniał na obliczu!

– Naprawdę – powiedziałam szybko. – Dowiedziałam się, że tu jesteś, od szeryfa z miasteczka westernowego w Ściegnach, wiesz, koło Karpacza. Przypadkiem. Też go pytałam o hippoterapię. Mówił mi o was, to znaczy o tobie i o jakimś twoim koledze, tylko wspominał coś, że ten twój kolega wyjechał... nie pamiętam gdzie, też do jakichś koni.

– Do Janowa Podlaskiego. Owszem, wyjechał, ale wrócił. Miał tam jakieś sprawy rodzinne. Poznasz go. Bo rozumiem, że wpadniesz do nas na obiad. Pewnie będzie odgrzewana kiełbasa, dzisiaj Rafał gotuje.

– Mieszkacie razem?

– Niezupełnie razem, ale w jednym domu. A ponieważ zaprzyjaźniliśmy się, z czasem stał się to trochę taki męski kołchoz.

– Nie macie żon?

– Ja? Żartujesz. Przecież ja jeszcze wciąż leczę serce złamane przez ciebie!

Śmiał się, ale oczka mu latały. Hoho, czyżby Tadzinek naprawdę kochał się we mnie? I te krowy to nie był czysty altruizm?

– A on?

– Rafał? Miał życie osobiste, które mu się jakoś tam rozleciało, nie pytaj mnie jak, bo to jego życie; a za moich czasów miewał jakieś panie, o ile wiem, ale one nie były na stałe. I żadna się przy nim nie utrzymała.

– Ma kiepski charakter?

– Co ty się tak o niego dopytujesz? Będę zazdrosny. Właściwie chyba nie powinienem ci go pokazywać, bo jest przystojniejszy ode mnie...

– Ale krów za mnie nie doił! To co, idziemy na tę kiełbasę?

– Idziemy. Tylko do niego zadzwonię, żeby szoku nie dostał i żebyś go nie zastała w gaciach, bo by się potem wstydził...

Wyjął komórkę.

– Halo, Rafał, jesteś w domu? Bardzo dobrze. Robisz obiad? Naprawdę? To korzystnie. Prowadzę gościa. Zobaczysz. Z mojej uczelni, a nawet z mojego roku, tylko nie z zootechniki, a od kwiatków. Tak, dziewczyna. Włóż świeży podkoszulek. Na razie.

– Wy tak we dwóch prowadzicie ten ośrodek z hippoterapią? – zapytałam, wstając od stolika.

– Niezupełnie. Pracujemy w ośrodku jeździeckim, prywatnym, u jednej takiej strasznej baby, jako instruktorzy jazdy. I tam mamy, powiedzmy... wątek hippoterapeutyczny. Ona się zajmuje reklamą i marketingiem, jeździ też, owszem, nawet bardzo dobrze, ale te zajęcia rehabilitacyjne sobie odpuszcza. Mówi, że nie może patrzeć, jak męczymy dzieci.

– A czemu mówisz, że jest straszna? Z urody?

– Nie, z urody to nawet niczego, tylko charakter ma jak cyborg. Nie rozumiem, jakim cudem zajęła się zwierzętami. Bo konie to przecież zwierzęta, tak mi mówi moje wyższe wykształcenie. A ona jest maszyną do liczenia. Zdziera z tych ludków straszne pieniądze. Oni płacą, bo sami widzą, że to dzieciom pomaga.

– Jakim dzieciom? Z porażeniem mózgowym?

– Też. Dlaczego pytasz? Interesuje cię porażenie mózgowe?

– Mamy u siebie rodzinę z takim dzieckiem. Myślałam, że może by mu dobrze zrobiła taka rehabilitacja z koniem. Bo na razie stosujemy u niego tylko szajboterapię, to znaczy ścisły kontakt z naszymi dziećmi, mówiłam ci, z Kajtkiem i Jagódką, no i z naszymi walniętymi psami. Pomaga, przynajmniej na charaktér.

– Oczywiście, że pomaga. Jeżeli te twoje dzieci nie traktują go jak śmierdzące jajko, które trzeba obchodzić z daleka, żeby się nie stłukło...

– Przeciwnie. Widziałam, jak wyciągnęły go z wózka i tarzali się razem po trawie. Gdyby to zobaczyła jego matka, pewnie zaskarżyłaby nas do sądu.

– No to lepiej, że nie widziała. A psy też mu na pewno dobrze robią. Bo rozumiem, że łagodne?

– Łagodność sama, mój drogi Tadziu. Z dużą domieszką nieskomplikowanej radości życia.

– Zwariowane?

– Nie da się ukryć.

– Lepszy byłby jakiś kanapowiec, labrador, albo golden retriever. Powiedz tej matce, żeby dziecku kupiła coś takiego do domu. Mały będzie się mógł po nim turlać.

– Nie taki on mały, ma chyba dziesięć lat.

– To mały... Słuchaj, moja droga, to już tutaj. Wynajmujemy tu pięterko.

Pięterko w sporej willi było bardzo przyjemne, zawierało dwa pokoje, między nimi coś w rodzaju salonu, hallu, living roomu, czy jak tam to można jeszcze nazwać oraz wydzielony z tego aneks kuchenny. W tym aneksie stał facet i mieszał w garnku. Zapach płynący z garnka był zdecydowanie apetyczny. Na pewno nie grzana kiełbasa. Facet stał pod słońce wpadające przez okno i widać było tylko sylwetkę. Szeryf mówił o nim, że starszy. Jak na starszego, sylwetkę miał bardzo sportową. Jako koniarz powinien mieć choćby krzywe nogi, ale chyba były proste. Oraz długie.

– Muszę mieszać, bo mi się przypala – powiedział. – Zrobiłem leczo ze wszystkim w środku.

– Chodź się przywitaj, to moja koleżanka, Emilka, najładniejsza dziewczyna na naszej uczelni. A nawet na wszystkich naszych uczelniach, bo była królową piękności na Juvenaliach.

– Raz się zdarzyło – mruknęłam. – Dzień dobry panu. Ładnie pachnie to leczo.

Oderwał się na moment od gara i uścisnął mi rękę.

– Rafał Janowski – powiedział wyraźnie i wrócił do swojego leczo.

W ogóle go nie obeszła moja reklamowana uroda!

– Janowski z Janowa Podlaskiego? – zapytałam dla podtrzymania konwersacji. – To pańska rodowa posiadłość?

– Chciałbym. – Zaśmiał się, zanim wystraszyłam się, że palnęłam jakiś nietakt. W końcu nie wiem, co on robił w tym Janowie, może jakieś rodzinne nieporozumienia, a ja tu wyjeżdżam z dowcipasem. – Podoba mi się tam. Niestety, ja jestem prosty Janowski, bez rodowodu. Nie to, co tamtejsze konie. Siadajcie, proszę, będę wam nakładał. Można to jeść z chlebem, ale obowiązku nie ma, bo kartofle są w środku.

Przyjrzałam mu się, kiedy napełniał mój talerz. Myślałam, że to będzie starszy pan, a on jest chyba trochę po trzydziestce. Włosy, które na tle słonecznego okna wydawały mi się siwe, ma w rzeczywistości bardzo jasne, jakieś takie popielate. Średnio piękny, daleko mu na przykład do Wiktora, nawet Krzysztof Przybysz jest od niego piękniejszy, ale jakiś taki... fajny. Męski.

Zajęta obserwacją, nie powstrzymałam go w odpowiednim momencie, skutkiem czego dostałam porcję jak dla drwala. Już chciałam krzyczeć i protestować, ale zrobiło mi się głupio, przecież by się zorientował, że zagapiłam się na niego. Zresztą ładnie pachniało, a mnie już zaczynało ssać, bo pora była obiadowa.

No, proszę. Pan Rafał umie gotować. Różnokolorowa mieszanina okazała się bardzo smaczna. Zjadłam tę porcję bez wysiłku.

– Tadziu, dlaczego szkalowałeś kolegę? – zapytałam, bezczelnie wylizawszy resztkę sosu. – On mówił – doniosłam Rafałowi – że umiesz co najwyżej kiełbasę odgrzać.

– Niewiele się pomylił – uśmiechnął się Rafał. Uśmiech też ma fajny. – Leczo było z mrożonki, tylko dorzuciłem kilka rzeczy, w tym kiełbasę i kartofle.

– I trochę ziółek – zauważyłam.

– Troszkę. Ale nie wiem, jakich, bo Tadek wsypał wszystkie do jednego słoja.

– Mieszanka prowansalska w stylu dolnośląskim. – Tadzio zbierał naczynia. – Kawa czy herbata?

– Herbata. I opowiedzcie mi coś o tej hippoterapii.

Podczas kiedy jedliśmy ulepszone leczo, Tadzio wprowadził Rafała z grubsza w moją historię, oczywiście tylko tę dotyczącą Rotmistrzówki z przyległościami, o gangsterze nie wspominając. Teraz oddalił się w stronę kuchenki i zaczął brzdąkać naczyniami.

– Opowiedz jej, Rafał, ty się lepiej znasz. On jest lekarzem, Emilko. Neurologiem. Ale nie uprawia zawodu. Wierzący, ale niepraktykujący – zaśmiał się. – Sprawdza się w innnych dziedzinach.

– Czemu nie jesteś lekarzem – zaciekawiło mnie to. – Byłeś i nie jesteś?

– Byłem i nie jestem – odrzekł lakonicznie, a mnie znowu zrobiło się głupio, bo tym razem to już ewidentnie wyszłam na wścibską. Zauważył to i złagodził. – Kiedyś ci opowiem. A o co ci chodzi z hippoterapią? Chcecie u siebie wprowadzić? Ktoś tam się u was na tym zna?

– Nie, o ile wiem, nikt. I nie wiem jeszcze, czy będziemy chcieli w to wchodzić; tak mi przyszło do głowy, bo nam się trafił mały letnik z porażeniem mózgowym.

– Przejęłaś się?

Wydało mi się, że słyszę ironię w jego głosie i to mnie rozzłościło.

– No, przejęłam się. To źle twoim zdaniem?

– Nie, to nawet ładnie z twojej strony. No więc jeżeli rzeczywiście dojrzejesz do wprowadzenia idei w czyn, służę pomocą. Tylko że to nie wystarczy. Powinnaś... a może nie tylko ty, ale jeszcze ktoś, żeby było chociaż dwoje terapeutów, zrobić takie specjalne kursy, gdzie cię nauczą podstaw różnych dziedzin przydatnych w takiej rehabilitacji. Jeździsz, jak rozumiem, dobrze?

– Raczej tak. Wszyscy w Rotmistrzówce jeździmy raczej dobrze. Mam na myśli dorosłych.

– Pytam, bo te kursy zaczynają się egzaminem z jazdy. Konie macie jakie?

– Cztery wielkopolaki.

– Tu też wiele czynników wchodzi w grę.

Wdał się w te czynniki, przy czym ujawnił się jako wielki znawca tematu i pasjonat. Gadał około czterdziestu minut bez przerwy. Udało mi się pojąć, jaki ogrom pracy musiałabym odwalić i postanowiłam wziąć jeszcze na wstrzymanie. Najpierw trzeba ostatecznie rozwinąć Rotmistrzówkę, bo wciąż jeszcze jesteśmy po trosze w fazie organizacji.

Powiedziałam im o tym. Zadeklarowali pomoc, jakby co, i poszliśmy obejrzeć ich własne konie, to znaczy konie tej strasznej baby, szefowej – cyborga. Było ich w sumie sześć, a przy terapii pracowały dwa. Jeden misiowaty fiord i jeden nieduży ślązak. Obydwa bardzo sympatyczne, ufne i spokojne. Pewnie muszą takie być, skoro noszą na grzbietach wrzeszczące dzieci autystyczne... Trochę mi o tym Rafał naopowiadał.

– Ten ślązak jest mój osobisty – powiedział teraz, drapiąc konia za uchem. – Kupiłem go za nieduże pieniądze, bo niedomagał i urodę ma średnią, więc chcieli się go pozbyć. Tutejszy weterynarz doprowadził go do pełnej kondycji. Bardzo miły zwierzak. Nazywa się Handel, zupełnie idiotycznie, więc mówimy na niego Hanys.

– Dobre imię dla ślązaka – zaśmiałam się i poklepałam Hanysa, który miał to generalnie w nosie. – Oczywiście wałach?

– Oba wałachy. Ogierów się nie używa do terapii, mogą być klacze, ale one miewają swoje fanaberie, jak to kobitki – wyjaśnił mi Tadzio.

– Tadziu, a wy obaj macie takie kursy?

– Mamy. Mnie to było naprawdę potrzebne, Rafałowi chodziło głównie o kwitek, bo ze spraw medycznych był lepszy niż wykładowcy na kursie...

– Nie przesadzaj. – Rafał skrzywił się niechętnie. – Posłuchaj mnie, Emilko. Gdzie mieszkają ci wasi letnicy?

– We Wrocławiu – odpowiedziałam, nie wiedząc, po co mu to.

– Poradź im, żeby zapisali dzieciaka na hippoterapię. Nie wiem, jak to wygląda we Wrocławiu, czy tam aktualnie ktoś to robi, ale niech go przywiozą do nas. Nie jest to bardzo daleko. A z tego, co mi mówisz, wygląda, że małemu dobrze by zrobiły ćwiczenia na koniu.

– Teraz ty się przejąłeś?

Śmiałam się z niego, ale, oczywiście, bardzo mi się podobało, że się przejął. Od razu postanowiłam, że sama Grabowskich przywiozę do Książa. Jakoś chciało mi się jeszcze kiedyś spotkać tego całego Rafała. No i Tadzia, rzecz jasna, też.

Tadzio spoglądał na mnie uważnie. Chyba się zaczerwieniłam. Co on ma za oczka, bystre takie! Rafał nie zauważył niczego.
– Przejąłem się. Uważam, że jeśli tylko można pomóc, to należy pomóc.
– A może byśmy cię tam odwiedzili na wsi? – zapytał znienacka Tadzio. – Ciekaw jestem, jaka ta wasza Rotmistrzówka jest, a Rafał mógłby przy okazji zobaczyć tego chłopca.
– Jasne – ucieszyłam się. – Przyjedźcie koniecznie i to jak najszybciej, zanim letnicy pojadą do domu.
– Pojutrze mamy wolne. – Rafał chyba wciąż błądził myślami wokół Marcinka, na mnie w każdym razie nie zwracał szczególnej uwagi. – Obaj. Nasza szefowa poprowadzi jazdy, a terapia nam spadła, bo nasz klient na pojutrze dostał grypy, a drugi pojechał na wakacje. Tadek, ty się możesz urwać?
– Jakoś się urwę. To co, będziesz na nas czekać z drugim śniadaniem?
– Wręcz upiekę wam bułeczki – zadeklarowałam, postanawiając natychmiast, że namówię do tego Lulę i Ewę, którym pieczenie bułeczek wychodzi genialnie i nie wiadomo kiedy.
Pożegnaliśmy się i odjechałam z ciepłem w sercu.
Chyba byłam nienormalna kompletnie, żeby się z Lesławem zakopywać w tej złotej klatce (czy można się zakopać w klatce?) i przez tyle czasu w ogóle nie wyściubiać nosa do ludzi! A teraz – tabuny, tabuny życzliwych mnie otaczają.

Lula

Przyjechali ludzie z telewizji i jakaś kolejna egzaltowana panienka z prasy, żeby zrobić materiały o naszej galerii. Gdyby nie chodziło o nasze wspólne dobro, a przede wszystkim o dobro Wiktora i jego twórczości – chyba bym sama osobiście tę panienkę przegnała na cztery wiatry. Robiła do niego ewidentnie i bezczelnie słodkie oczy. Wiktor traktował ją uprzejmie, co jest jak najbardziej zrozumiałe, natomiast Ewa udawała, że ją to nic nie obchodzi. Ona jest czasami dziwna.
Dziennikarz z telewizji natomiast nie mógł oderwać oczu od Emilki, jego kamerzysta zresztą również. Trudno się dziwić. Emil-

ka w siodle, w swoim kowbojskim rynsztunku (to znaczy, w dżinsach, kraciastej koszuli i kapeluszu), oczywiście na grzbiecie Latawca... szkoda, że nie było pod ręką żadnego Kossaka. Nie wiem, czy kamera potrafi jej oddać sprawiedliwość.

Janek, który, jak zwykle myśli o wszystkim, zajął się w tym dniu uprowadzeniem letniczki, pani Mirelli. Zaciągnął ją na wycieczkę do kowarskich sztolni i pół dnia opowiadał jej o kopalniach uranu. Swoją drogą – kiedy on zdążył nabyć tę całą wiedzę? Letnicy, którzy pozostali w Rotmistrzówce, czyli pan Bogumił z dziećmi i doktor Kirysek, wyrażali się o wypoczynku u nas wyłącznie w superlatywach.

Ten dziennikarz, którego zresztą Emilka zabrała na małą jazdę (dała mu spokojną Lolę, żeby mu się aby nic nie stało), obiecuje, że spróbuje umieścić materiał w ogólnopolskich wiadomościach, albo w Teleekspresie. Dobrze by było, bo tak naprawdę potrzebujemy reklamy.

Pojutrze przyjeżdżają Niemcy! Ta Niemka to rzeczywiście stara baronowa von Krueger, czyli dawna właścicielka Marysina. Babcia Stasia jest poważnie podekscytowana. Zapowiada, że żadnych rewizjonistycznych skłonności u gościa, nawet najbardziej honorowego, tolerować nie będzie...

Żeby nam tylko dwie babcie nie wywołały trzeciej wojny światowej...

Emilka

Tadzio i Rafał przyjechali, jak obiecali i z miejsca zostali przyjęci do rodziny. Pojawili się w porze drugiego śniadania – niestety, nie udało mi się namówić Ewy i Luli do upieczenia dla nich bułeczek – one żyją już dniem jutrzejszym, kiedy to mają się pojawić dawni właściciele Marysina i naszego domu. Bo okazało się, że to rzeczywiście sama pani baronowa (Jagódka konsekwentnie mówi: babronowa) zjeżdża do włości.

W braku bułeczek wykorzystałam jeden śmieszny przepis ze starych „Wysokich Obcasów" i osobiście upiekłam muffinki. Ludzie – takie coś mogę codziennie piec! Tylko trzeba się postarać o specjalną blachę z dołkami, bo ja używałam tysiąca małych, karbowanych foremek. Myć to świństwo potem...

Rafał zrobił piorunujące wrażenie na Ewie, widziałam to. Natomiast Tadzia natychmiast pokochali wszyscy, bo taki on już jest, ten Tadzio. Nie można go nie kochać.

Na mnie chyba też Rafał robi wrażenie. Nie chciałam się do tego przyznawać, ale coś w nim jest takiego, że...

Mniejsza z tym, co w nim jest takiego.

W każdym razie natychmiast po zeżarciu trzech muffinek (czy muffinków?, czy one są chłopczykami, czy dziewczynkami, te muffinki?) poszedł oglądać nasze konie. I Latawca, i jego siostrę uznał za nadające się do hippoterapii – to na wypadek, gdybyśmy się jednak zdecydowali – powiedział. Mysza jest za stara – powiedział, a Bibułka zanadto szurnięta. Powiedział.

Zauważyłam, że kiedy on wie, co mówi, to mówi to jakoś bardzo autorytatywnie. Ale nie z obrzydliwą pewnością siebie, tylko tak, że słuchacz od razu wie, że on ma rację. Lesław też był autorytatywny, ale u niego dochodziła jakaś taka protekcjonalność. Teraz to widzę.

A potem poszedł zaprzyjaźniać się z Marcinkiem. Rafał, oczywiście, nie Lesław. Udałam się chyłkiem za nim, żeby zobaczyć, jak paskudny Marcinek daje mu odpór, ale doznałam zaskoczenia nie lada.

Po pierwsze, Marcinek przeszedł już chyba wstępne szkolenie u Kajtka i Jagusi, nie wrzeszczał bez sensu ani się nie miotał. Po drugie – podejście, jakie zaprezentował Rafał napełniło mnie głębokim szacunkiem do niego. Znowu żadnej obrzydliwej protekcjonalności, żadnej fałszywej litości, sama rzeczowość, a jednocześnie taki jakiś rodzaj ciepła, który skłonił Marcinka do rozmowy – i to dosyć długiej, a normalnie on po pięciu miniutach się męczy i zaczyna marudzić...

Ciekawe, dlaczego Rafał nie jest już lekarzem, skoro ma taki kontakt z pacjentami?

A jeszcze bardziej ciekawe – czy on to ciepło ma zarezerwowane tylko dla chorych dzieci???

Po konferencji z Marcinkiem poszedł rozmawiać z jego rodzicami, zastawiłam im specjalnie mały stolik pod starą jabłonią, żeby mogli spokojnie dojść do jakichś wniosków. Doszli. Zdaje się, że umówili się na wstępne jazdy w Książu. Jutro pojadą na rekonesans.

Ho, ho. Więc i mamę Marcinka potrafił spacyfikować! Słyszałam o zaklinaczach koni, a on się objawił jako zaklinacz...

Nie, nie powinnam być złośliwa w tym przypadku – Grabowskich dotknęło straszne nieszczęście i należy im tylko współczuć. Nie wiadomo, jak ja byłabym okropna na ich miejscu.

Ale starałabym się nie być!

Kto wie, może Pani Śliwka też się starała, tylko w końcu pękła?

Muszę być dla niej milsza. To znaczy, ja i tak jestem miła, ale będę też miła wewnętrznie.

Po obiedzie, również byle jakim (JUTRO PRZYJEŻDŻA BABRONOWA!!!), pojechaliśmy sobie we trójkę do lasu. Wzięłam tym razem Bibułkę, Rafał jechał na Latawcu, a Tadzio na Loli. Chcieli jeszcze lepiej poznać oba nasze koniki, które, być może, kiedyś będą pomagać takim Marcinkom.

Aczkolwiek nie wiem, czy się odważę...

Wiedziałam, oczywiście, że Tadzio jest świetny rajter, ale i Rafałowi nic nie brakuje. Urządziliśmy sobie małą galopadkę na zakończenie jazdy. Gdybyśmy byli bohaterami porządnego romansidła, zapewne moja Bibuła czegoś by się wystraszyła i poniosła, a Rafał by mnie ratował, po czym ja bym się osunęła w jego męskie ramiona, a on by mnie pocałował, bo by nie wytrzymał na widok mojej olśniewającej, bezbronnej urody. Niestety, głupia Bibuła była dziś jakaś niemrawa, nie zdenerwował jej nawet pętający się pod nogami Pędzel, który nie wiadomo skąd się wziął na łące pod lasem. Potem przyleciała Niupa i też usiłowała się z nami ścigać. A Bibułka nic. I oni twierdzą, że nie nadaje się do hippoterapii?

Dlaczego Rafał w ogóle nie zwraca na mnie uwagi? Czy trzeba mieć porażenie mózgowe, żeby się człowiekiem zainteresował?

Ale chyba nie czuje do mnie jakiejś specjalnej odrazy, bo kiedy, wyściskawszy solennie Tadzia, uściskałam i jego – też mnie uścisnął.

Chociaż niemrawo.

Czekaj ty, neurologu po przejściach, jeszcze wyduszę z ciebie serdeczniejsze pożegnanie.

Albo powitanie...

Przyjechali!

Przyjechali.
Część domowników z tej przyczyny wpadła w popłoch, w tym Lula. Rozumiem to, bo jako historyczka (wprawdzie sztuczna, ale zawsze) czuje brzemię tych minionych wieków. A doprawdy – czterdzieści wieków patrzy na nas z wysokości fikuśnych loczków na głowie pani babronowej! Albo coś koło tego. Jak powiedział Napoleon. Albo ktoś inny. Sprawiła nam kilka niespodzianek. Przede wszystkim po wygrzebaniu się z mercedesa wielkości salonki kolejowej, a pomagał jej przy tym ten cały wnuk i jego narzeczona, ani jej się śniło siadać na wózek, tylko rozprostowała kruche ramionka na całą długość, przeciągnęła się jak młoda kicia i zamiast się witać, poleciała do ogrodu, gdzie dopadła starej jabłoni i – jak Boga kocham – rzuciła się jej na szyję. To znaczy jabłoń nie ma szyi, ale pani babronowa (o matko, przylepiło się do mnie, żebym tylko do niej tak nie powiedziała!) przytuliła się do niej i tak stała jakiś czas. Wszystkich nas zamurowało, a widziałam, że nasz pozytywny Janek już był gotów spieszyć z pomocą, gdyby pani starsza obaliła się ze wzruszenia przy drzewie. Mogła jej żyłka pęknąć albo co.
Nic jej nie pękło. Oderwała się od jabłoni i przydreptała do nas.
– *Entschuldigung* – powiedziała. – Ja przepraszam. Wzruszenie. To moje... Apfelbaum... ja sama... kedysz.
Zrozumieliśmy, że sama ją kiedyś posadziła. Babcia Stasia natychmiast się nastroszyła i widać było, że będzie bronić ziemi przed Niemkinią do ostatniej kropli krwi.
Czujny Janek zaczął gości witać płynną niemczyzną, ale pani starsza pomachała na niego niecierpliwie.
– Nie mówicz po niemiecku, ne mówicz! Ja umim po polsku, oni też. Ja wszystko rozumim, to jest Polska, my prijechali do was w goszczi, tylko ja tak bardzo chciala zobaczić moja jablon-

ka... Ja szę nazywam Krueger, Marianne, to ode mnie ta wioska byla Mariendorf, panstwo wie?

Państwo poczuło ulgę, babcia się trochę odstroszyła i wyciągnęła prawicę do sędziwej Marianny.

– Witam panią w Rotmistrzówce – powiedziała bardzo godnie.

– Nazywam się Stanisława Suchowolska, a to moi przyjaciele, właściwie rodzina...

Przedstawiła nas wszystkich, a mnie się ciepło zrobiło na sercu z powodu tej rodziny. Chyba nie tylko mnie. Leciwa Marianna ściskała nam ręce po kolei i robiła wrażenie, jakby naprawdę cieszyła się, bez rewizjonistycznych podtekstów, że tu jest.

– A to jest mój wnuk – zwróciła naszą uwagę na potężnego blondasa, stojącego skromnie dwa kroki za babunią. – On jest Rupert von Krueger, bardzo porzondny szlowiek, też umi po polsku, on jest biolog, konczil Harvard, bo Oma chczala mu dacz wiksztalcenie i dala! On ma dwadżeszcia osim lat, a to jest jego narzyczona, Malwina. Malwina tyż sztudiowala w Harvard, oni szę tam poznali, ona jest Polka, tyż biolog i mówi, że będze tu robicz praca naukowa!

– Praca naukowa? – zdziwiła się babcia. – W Marysinie? Tu już jest taki jeden pan, co pracuje naukowo, ale on pisze pracę historyczną...

– Może nie całkiem w Marysinie – zaśmiała się Malwina, ukazując końskie zęby (nic na to nie poradzę, ma takie, chociaż ogólnie jest ładna... dosyć). – Interesuje mnie środowisko przyrodnicze wysokogórskich jezior, a tu można spotkać niesłychanie interesujące endemity. Pobędziemy teraz z babcią przez te dwa tygodnie, może trzy, i ja się zorientuję, jakie są możliwości zorganizowania tu obozu dla studentów.

– Harvardu? – wyrwał się zdziwiony Wiktor, który dotąd nie przemówił, pilnie przyglądając się pani babronowej.

– Nie – zaśmiała się końskozęba Malwina. – Uniwersytetu Warszawskiego. Ja tam od niedawna pracuję.

– Malwina jest doktor – poinformowała nas Marianna z widoczną dumą. – Doktor! A ma dopiero dwadżeszcza szesz lat!

– Była cudownym dzieckiem – szepnął Janek do Luli, ale Marianna usłyszała i energicznie pokiwała srebrnoblond loczkami.

– Byla, byla – potwierdziła radośnie. – Rupert też byl, ale jemu

150

szę nie chcżalo uczić. I prawie nie zostal doktorem, tylko ja mu powiedziala, że jak nie zrobi doktorat, to ja mu nie zostawię majątek. No to zrobil, ale Malwina go muszala czągnącz.

Na moje oko ta Malwina mogła Ruperta (chyba też babrona? przepraszam, barona...) zaciągnąć dowolnie daleko, nawet do profesury, albo do ołtarza, bo wyglądał na strasznie zakochanego. Patrzył na nią maślanym wzrokiem i wcale tego nie krył. A na niej jakby to nie robiło wielkiego wrażenia. Chłodny z niej typek. Coś jak nasza Ewa.

Staliśmy tak cały czas na dworze i nikt nie kwapił się do wejścia. Ostatecznie udało się Jankowi wepchnąć całe towarzystwo do domu. Rupert dotąd nie pisnął nawet słowa. Rozmieściliśmy ich w pokojach na dole, oczywiście Pudełki musiały się wynieść ze swojego lokum, ale nie miały za złe, bo poczciwe są te nasze Pudełki. Daliśmy im trochę czasu na ochłonięcie (Niemcom, nie Pudełkom) i odświeżenie się po podróży, i zapowiedzieliśmy obiad za dwie godziny.

Ewa, która tak samo straszliwie się przejęła jak Lula, nie mam pojęcia dlaczego, zaczęła teraz histeryzować na temat, co to będzie, jeżeli pani baronowa nie zechce spożyć tych skromnych darów bożych, które przygotowaliśmy. Bardzo to zdenerwowało babcię, która najeżyła się prawie tak, jak przy powitaniu gości.

– A co by jej też mogło nie smakować – warknęła na Ewę, która załamywała ręce na środku kuchni. – Wszystkim smakuje, to i jej musi. To nie jest hotel Ritz, tylko gospodarstwo rolne. No, tak jakby rolne. Płody ziemi jej damy i niech jeszcze płacze ze wzruszenia, bo to jej Heimat, jej rodzinna marysińska ziemia wydała te jajka, z których zagniatałaś ciasto na pierogi!

– Babciu, czy ziemia wydaje jajka? – Obecna w kuchni Jagódka pociągnęła babcię za rękaw. – Bo ja widziałam, że to kury wydają jajka. To jak, babciu?

– Moja mała gospochna – rozczuliła się babcia. – To taka przenośnia, wiesz? Ziemia rodzi ziarenka, kury żrą te ziarenka, o ile im Emilka nie zapomni podsypać...

– Babciu!

– Wczoraj zapomniałaś. Ale ja rozumiem, przyjechali twoi przyjaciele, zwłaszcza ten większy, hehehe, jak mu. Robert. Rupert. Nie, Ryszard.

– Rafał!

– No właśnie. Więc, Jagódko, one jedzą ziarenka i dają jajka. To tak jakby ziemia... rozumiesz?

– Tak, babciu. Rozumiem. I wiśnie do pierogów też dała ziemia. Tylko że na drzewie. Czy babcia jej odda pierścionek? Pani babronowej? Ten, co babcia znalazła?

Obie z Ewą spojrzałyśmy na babcię. Pierścionek! Ale babcia nie dała się zaskoczyć. Sięgnęła do kieszeni i wyjęła błyszczący przedmiocik.

– Od wczoraj o tym myślę. Chyba trzeba jej to pokazać. Może to naprawdę jej?

– Na pewno jej, babciu.

– A skąd wiesz, Jagódko?

– Kajtek mówił – powiedziało dziecko z niezachwianą pewnością. No tak, jeśli Kajtek mówił...

– A gdzie jest Kajtek? – zainteresowała się babcia. – Nie widziałam go od rana i przy powitaniu tych Niemców też go nie było.

Jagódka była poinformowana.

– Kajtek siedzi w stajni i układa psy. Żeby nas nie skrompo... nie skompromitowały przy pani babronowej.

– Rychło w czas – mruknęła Ewa. – No dobrze, Emilka, możesz nakrywać do stołu.

Chciałam jej odszczeknąć, bo nakrywać miała Lula, ale gdzieś znikła, a znów Ewa wyglądała, jakby zaraz miała pęknąć, więc już nic nie powiedziałam, tylko wzięłam się do pracy. Jagódka zaoferowała mi pomoc, którą przyjęłam. W atmosferze spokoju i profesjonalizmu rozstawiłyśmy na stole w salonie nakrycia dla trojga Niemców, czworga Grabowskich i jednego Kiryska. Grabowscy powinni zaraz wrócić z tego Książa, a Kiryska trzeba będzie wyciągnąć z góry, gdzie klepie w komputer od samego świtu. Bardzo szczęśliwy jest nasz Kirysek, bowiem kontakty z miejscową ludnością przysporzyły mu mnóstwa materiału do jego pracy naukowej. Zachodzi taka możliwość, że Kirysek już nigdy od nas nie wyjedzie, tylko nie ruszając się z miejsca, zrobi habilitację, a wykłady na swoim uniwersytecie będzie prowadził za pośrednictwem internetu.

Jagódka pod moim bacznym okiem układała właśnie na stole małe łyżeczki, kiedy do salonu wparadowała babronowa. Bez świty, pewnie teraz świta zajęła łazienkę. Pani starsza była świeża, pachnąca na odległość i bardzo zadowolona.

– O, co ja widzę – zachwyciła się na widok stołu. – Będże wspólny obiad! Bardzo szę cieszę. Jak w rodżynie. Czy ja mogę szę popaczecz?

– Bardzo proszę – powiedziałam uprzejmie. – Może jakiś aperitif?

– Aperitif? Nie, dżękuję. Ladnie państwo tu urządziło. Ja przepraszam, że taka jestem... ekscytowana... ale pani rozumi?

– Oczywiście. Proszę się czuć jak u siebie w domu – chlapnęłam bez namysłu i dotarło do mnie, co powiedziałam. Kurczę! Żeby ona tylko nie wzięła tego dosłownie!

Babronowa popatrzyła na mnie chytrymi oczkami.

– *Nein, nein* – zaśmiała się. – Nie u szebie, ja wim. To wszystko wasze, ne moje. Ale było moje i ja to pamiętam. Dżewczynka pomaga, ładnie. Gdże ja będę szedżecz? Bo szę trochę zmenczila podróżą, sządę i popaczę, jak wszyscy przychodzą.

Pokazałam jej honorowe miejsce u szczytu stołu. Normalnie zasiada tam babcia w swoim wielkim, rzeźbionym krześle, ale postanowiliśmy, że przy takiej liczbie gości najpierw nakarmimy ich wszystkich, a potem sami spokojnie zjemy, może nawet w kuchni. Niemkini okazała dezaprobatę.

– *Nein, nein.* Czi to ne jest przipadkiem miejsce starej pani domu? Ja ne mogę zajmowacz miejsca pani domu. Ja byla pani domu, dawno, dawno. Dżyszaj ne.

– Jest pani honorowym gościem – powiedziałam. – Te wszystkie miejsca są dla naszych letników, my będziemy jeść później.

– Ne jak w rodżynie? – Babronowa była jakby zawiedziona. – Ja bardzo proszę! Ten sztól jest duży bardzo, można go rozłożycz! Ja chcalam porozmawiacz! Pani Stanyslawa, pani Stanyslawa, dlaczego wy ne chcecze zjeszcz razem z nami?

– Pani Marianno. – Babcia weszła do salonu z bukiecikiem astrów w małym wazoniku. – My nie chcemy państwa obrazić, ale mamy wielu gości, a nas jest też sporo, więc będzie nam łatwiej najpierw nakarmić gości. Po obiedzie zapraszamy na taras, na kawę i ciasto, tam zmieścimy się wszyscy.

– To może tylko pani? – Babronowa nie dawała za wygraną, ale babcia na to się wyprostowała (a figury Marianna mogłaby jej pozazdrościć!) i prychnęła z wysoka:

– Proszę wybaczyć, ale nie mogę być gościem we własnym domu. Nie czułabym się najlepiej. Jutro wyjeżdża od nas jedna rodzina, będą miejsca przy stole dla wszystkich.

Postawiła swój wazonik na stole między nakryciami i mrucząc coś pod nosem, wyszła, symulując pośpiech i wielkie czymś zaabsorbowanie.

Babronowa wcale się nie przejęła.

– Nech pani chociaż mnie nie zostawia – poprosiła, ale ja wcale nie miałam zamiaru jej zostawiać samej, bo to chyba byłoby strasznie nietaktowne. – Ja rozumim, że wasza pani Stanyslawa mnie nie lubi, ale ona ne ma racji. Ja tu naprawdę ne przijechala po swoje, bo wiem, że to wszistko już ne moje. Ja chczala zobaczycz moja stara wieś. Mój Mariendorf. Tu chyba coś jeszcze zostalo z tamtych czasów?

– Kościół na pewno – zaczęłam się zastanawiać. – Nasza Rotmistrzówka, czyli dawny pałac... te wszystkie domy tutaj też są stare... Leśniczówka na pewno stara...

– Lesznyczówka? – Babronowa ożywiła się widocznie. – No tak, lesznyczówka stara, za to lesznyczy na pewno mlody...

– Krzysio Przybysz? Młody, trzydzieści parę lat – przytaknęłam. Babronowa zareagowała nad podziw gwałtownie.

– Pani jak powiedżala? Przibysz? Naprawdę Przibysz? Kristof? On miał dziadka Josefa?

– Pojęcia nie mam. Pani znała jakiegoś Przybysza tutaj?

– Gajowy mojego męża nazywal szę Przibysz. On tu jest od zawsze, ten mlody Kristof?

– Nie, dopiero od niedawna. Przedtem pracował w Górach Izerskich, to niedaleko stąd...

– Wiem, wiem.

Babronowa nagle zaniemówiła. Siedziała w tym honorowym tronie i myślała o czymś intensywnie, stukając suchymi paluszkami po stole.

Tymczasem zaczęli się schodzić wszyscy pozostali goście, zawiadomieni przez Kajtka i Jagódkę, że obiad w drodze. Kirysek z głową w chmurach, jak zwykle, za to Grabowscy jacyś inni niż przedtem. Znalazła się też Lula i podczas kiedy, wspomagana przez Janka, dokonywała niezbędnych prezentacji, ja odciągnęłam Grabowskiego na bok i zapytałam, jak tam wypadła wizyta w Książu.

154

– Wielkie nadzieje, pani Emilko, wielkie nadzieje – zaszemrał Grabowski. – Moja Mirella popłakała się z tego wszystkiego, pan Rafał z panem Tadeuszem nie mogli jej uspokoić, to znaczy pan Tadeusz ją uspokajał, a pan Rafał przeciwnie, kazał mu przestać, bo powiedział, że Mirella musi się porządnie wypłakać. Chyba miał rację, ona, biedactwo, jeszcze nigdy tak nie płakała, tylko raz, kiedy się dowiedziała, co jest Marcinkowi...

Tu sam otarł łzę, a mnie ścisnęło w gardle.

– Godzinę płakała. Pan Rafał kazał ją zostawić w pomieszczeniu, to się chyba nazywa siodlarnia, a my wszyscy poszliśmy popróbować, jak to będzie z tym koniem.

Przestał mówić, a do mnie dotarło, że jeśli będę naciskać, to i on będzie płakał przez godzinę.

– Wszystko rozumiem – powiedziałam szybko. – Rafał powiedział, że może z tego być poprawa u Marcinka i będziecie do nich jeździć na tę hippoterapię.

Grabowski skinął głową.

– Niech pan teraz nic nie mówi, może pan sobie chlapnie trochę koniaczku dla kurażu, bo teraz nie może pan się rozryczeć, ale po obiedzie ja bym panu radziła prysnąć do lasu i pod jakimś krzaczkiem dać sobie luz. To jest bzdura, że mężczyźni nie płaczą. Twarde głąby, to owszem, ale jak się ma ludzkie uczucia... Jasiu, Jasiu, chodź do nas! Trzeba panu zapodać koniaczek!

Jasio podszedł ze znakiem zapytania w oczach, więc mu szybko powiedziałam, o co chodzi, a on bez słowa wziął Grabowskiego na stronę i oddał mu samarytańską przysługę. Do mnie z kolei podeszła Lula.

– Coś sobie pomyślałam – zawiadomiła mnie. – Chyba nie jest dobrze, że oni tak sami siedzą. Potrzebny jest jakiś łącznik, ktoś, kto im pokieruje konwersacją. Babcia miała być domowym bóstwem. Dołożę dla niej nakrycie i niech siada z nimi.

– Niegłupie jest to, co mówisz – pochwaliłam. – Wiesz co, ten stół ma dwanaście miejsc, gości mamy osiem sztuk, plus babcia, to dziewięć; dajmy jeszcze nakrycia dla naszych dzieci, niech zjedzą i będziemy mieli z nimi spokój.

– To jedenaście.

– To dołóżmy im jeszcze jakiegoś faceta, niech pilnuje flaszek i wino nalewa w stosownych momentach. Gdzie jest Wiktor?

– Wiktor za stodołą, maluje pejzaż – zaśmiała się Lula. – Ewa chciała go zabić, bo odmówił jej drylowania wiśni do pierogów. Poza tym nakryła go, jak wykańczał tę Bibułę z klozetpapierem pod kopytami... widziałaś ten obrazek?

– Widziałam. O matko! On się naraża niepotrzebnie. Dawaj Janeczka w takim razie. Jak to dobrze, że on nie jest artystą! A ja pójdę przekonać babcię, żeby schowała patriotyczne zapędy do kieszeni...

Babcia, na szczęście, okazała rozsądek i zgodziła się grać rolę bogini domowego ogniska. Babronowa bardzo się ucieszyła i koniecznie chciała jej odstąpić pontyfikalny tron, więc Janek przytaszczył z gabinetu rotmistrza drugi, taki sam i obie stare damy zasiadły po dwóch końcach stołu. Jak się zorientowałam, donosząc im pożywienie, na nich właśnie spoczął ciężar konwersacji, bowiem Grabowscy prawie nic nie mówili, wciąż pod wrażeniem świeżej nadziei, Marcinek był zmęczony i skupiał się na obiedzie, do Kiryska jeszcze nie dotarło, że oto ma pod nosem żywy materiał do swoich badań historycznych, a dzieci były onieśmielone. Babron Rupert nadal nie odzywał się, tylko wchłaniał. Albo dokładał żarcia na talerze ukochanej Malwiny. Malwina od czasu do czasu coś bąkała, koncentrując się jednakowoż na spożywaniu. Ogólnie biorąc, płody ziemi marysińskiej w postaci rosołu z kur sołtyski, potrawki z białego mięska z towarzyszeniem zielenin ogrodowych i wreszcie pierogów z wiśniami, zyskały uznanie populacji.

Dziwiłabym się, gdyby nie! Ostatecznie podżerałam wszystkiego, donosząc półmiski i wiem, jakiej klasy było to jedzenie!

Ewa, Lula i ja pożywiłyśmy się w kuchni, jak przystało na służbę domową. Wiktor nie pojawił się, widocznie natchnienie go żarło na tej łące za stodołą.

Kawę i ciasto podałyśmy na tarasie, wyrzucając uprzednio dzieci z towarzystwa. Wzięły sobie po kawale placka i poszły złożyć wizytę ulubionym kurom. W przypadku młodych Grabowskich miała to być wizyta pożegnalna, Ewa dała im więc trochę różnych jadalnych paprochów, żeby stworzonkom posypały. Bogumił Grabowski też nas opuścił, zapewne poszedł popłakać sobie w ukryciu, tak, jak mu to życzliwie poradziłam.

Na tarasie młody von Krueger wreszcie przemówił ludzkim głosem.

– Poproszę śmietankę – powiedział, wymawiając trochę jak Stefan Moeller, ale w sumie bardzo prawidłowo. Spojrzałyśmy po sobie z Lulą i omal nie parsknęłyśmy śmiechem. Zupełnie jak ten młody lord, który nie mówił nic aż do piątego roku życia, kiedy to powiedział: poproszę sól. Na pytanie, dlaczego nie mówił nic wcześniej, odparł spokojnie: bo dotąd zupa była dosyć słona. Chyba nasz Rupert nie jest specjalnie rozgadany.

– Rupert umi po polsku – przypomniała nam jego babcia. – On szę nauczyl, żeby swojej babczy sprawicz przyjemnoszcz.

Błysk w oku Malwiny spowodował, że zwątpiłam w zapewnienie Marianny. Coś mi się wydaje, że motywacja mu wezbrała na tym Harvardzie, kiedy spotkał chłodną polską piękność z zębami konia.

Co ja tak z tymi jej zębami? Ona jest naprawdę ładna, a uczciwie mówiąc, bardzo ładna. Przecież nie zazdroszczę jej tego Ruperta! Stanowią urodziwą parę, trzeba im to przyznać.

Babronową zainteresował przypadek Marcina, więc jego mama, Pani Śliwka, znowu miała okazję do popłakania. Ależ ona się zmieniła od tego poranka w Książu! Spadło z niej całe napięcie, które kazało jej wybuchać w tak licznych awanturach... A przecież na pewno nikt jej nie obiecał wyleczenia Marcinka, najwyżej poprawę jego zdrowia. Widocznie i w tym przypadku miała miejsce swoista hippoterapia. A może Rafałoterapia?

Mały występ, ale niegroźny w sumie, dały nasze psy. Okazało się, że układanie ich w wersji Kajtka polegało na tym, że zamknął je w siodlarni, ale zamknął tylko na skobel, więc zwierzątka popracowały trochę zębami, wyrwały framugę ze ściany i odzyskawszy wolność, przyleciały obwąchać nowych gości. Całe szczęście, że goście okazali się psiarzami, więc nawet głupi Pędzel, który wskoczył babronowej na kolana i dał jej buzi, nie dostał w łeb. Przeciwnie. Starsza pani okazała zachwyt, bo, jak twierdzi, dziecięciem będąc, miała takiego samego kundla, który nazywał się Otto von Bismarck (pan ojciec nie przepadał za Żelaznym Kanclerzem). Pędzel wykorzystał sytuację i wyżebrał spory kawałek placka. Pokochał Mariannę za ten placek i nie poszedł z Niupą straszyć kur, tylko położył się nowej przyjaciółce na nogach.

I wydawałoby się, że wszystko jest w porządku i będzie w porządku, ale nie, cholera! Nic nie będzie w porządku.

Już kiedy zobaczyłam Łopucha, miałam przeczucie, że nic dobrego z tego nie wyniknie. Pojawił się na tarasie jak duch, pewnie wlazł przez otwartą furtkę jak do siebie i po cichu podszedł do nas.

– Dzień dobry szanownym państwu – powiedział z tym swoim obrzydliwie fałszywym uśmieszkiem. – Widzę, że państwo mają dużo gości, to miło, cieszę się, że interes kwitnie. Naprawdę, bardzo się cieszę. Bo trochę się, jako sąsiad, bałem o państwa, czy sobie dacie radę.

– Dzień dobry, panie Łopachin – warknęła krótko babcia. – Miło, że pan się o nas troszczył. A konkretnie o co chodzi?

– Nie zaprosi mnie pani do towarzystwa? – Ależ bezczelny łobuz! – Nie, nie, ja się nie narzucam, broń Boże... Pani rotmistrzowa myśli, że ja nieżyczliwie. Nic bardziej mylnego. Wprost przeciwnie. Chcę się dołożyć do interesu. Przyprowadziłem gościa. Może znajdzie się jeszcze jeden pokój wolny?

– Nie znajdzie się – warknęła znowu babcia.

– Ale my jutro wyjeżdżamy. – Odmieniona Grabowska chciała koniecznie wykazać życzliwość dla świata i ludzi. – Będzie dużo wolnego miejsca. Tu jest cudownie, pański kolega na pewno będzie zachwycony.

Babcia przewróciła oczami. Niemcy patrzyli na nią ciekawie, zastanawiając się zapewne, dlaczego nie chce pieniędzy, które same jej w ręce idą.

– Pańscy znajomi nie mają u mnie miejsca, panie Łopachin. Ani dzisiaj, ani jutro, nawet jeśli wszyscy moi goście wyjadą!

Bezczelny Łopuch oparł się o barierkę.

– Ależ to nie jest mój znajomy, droga pani. To jest znajomy jednej z pań. Przypadkiem trafił do mnie, szukał Rotmistrzówki, którą widział w telewizji, zachwycił się... Proszę, proszę, niech pan podejdzie, może jeśli sam się przedstawi, pani zmieni zdanie... Bardzo kulturalny pan, zamożny, dobrze sytuowany...

Ględził tak i ględził, a ja już wiedziałam. I zdrętwiałam. I oczywiście – zza mojego młodego klematisa wyłonił się przeklęty Lesław! Chyba mu dobrze było w tym kiciu, bo wyglądał jak wypasiony biznesmen, a nie jak kryminalista. Ukłonił się towarzystwu, powiedział kilka gładkich zdań o tym, jak bardzo zapragnął odwiedzić Rotmistrzówkę, widział ją w Teleekspresie, jest

158

pod wrażeniem, tym bardziej, że w pięknej pani instruktorce jazdy konnej rozpoznał przyjaciółkę...

Gdzie ja miałam rozum, kiedy lazłam z koniem pod kamerę???

– Emilko, tak się cieszę, że cię widzę! Nie przywitasz się ze mną, kochanie?

Chciałam coś powiedzieć i nie mogłam. Chciałam mu powiedzieć, żeby się natychmiast wynosił, że wszyscy tu wiedzą, kim on jest, że nie chcę go oglądać za żadne skarby świata – i nie mogłam słowa wykrztusić. Czułam, że krew mi odpływa do pięt, nieodwracalnie, zaraz padnę i umrę!

A Leszek stał za tą balustradką i śmiał się!

Niemcy znowu byli zdezorientowani, Grabowska miała minę wystraszonego chomika, bo już widziała, że wyrwała się niepotrzebnie, a do wtajemniczonych w moje sprawy domowników docierało właśnie, z kim mają do czynienia. Pierwsza przecknęła się babcia.

– Emilko – zwróciła się do mnie tonem miłej pogawędki. – Czy ten pan jest tym, kim myślę, że jest?

Kiwnęłam głową, bo wciąż nie mogłam wydobyć głosu.

– Czyżby Emilka pochwaliła się mną? No tak, byliśmy przecież o krok od ślubu. No więc jestem. Czy teraz mogę liczyć na cieplejsze przyjęcie?

Babcia wstała z miejsca i zmierzyła intruza strasznym wzrokiem.

– Nie, panie. Nie może pan liczyć na żadne przyjęcie. Doskonale wiemy, kim pan jest, czym pan się trudnił, skąd pochodzi pański majątek. I mamy pana za skończonego łobuza. Proszę opuścić mój dom i nie wracać. Chyba, że chce pan mieć do czynienia z policją, która dowie się jeszcze dzisiaj, że byliśmy przez pana nachodzeni!

Lesław szykował się już do jakiejś riposty, kiedy zza jego pleców ukazał się naszym oczom Wiktor w lekko powalanej różnymi kolorami bluzie, z płótnem na blejtramie w ręce.

– Jestem – zawiadomił nas beztrosko. – Ładny pejzażyk wykonałem, śmieszne światło dzisiaj sieje przez te chmury... Zaraz wam pokażę. Co się stało? – Zorientował się wreszcie, że coś jest nie tak. Spostrzegł Łopucha w krzakach, obcego faceta przy tarasie i miny nas wszystkich.

159

– Pan Kałach nas odwiedził – zawiadomiła go babcia z marsową miną i, jak ją znam, utajoną uciechą na myśl o wrażeniu, jakie zrobi tym prostym tekstem. Leszek znieruchomiał. Chyba się jednak nie spodziewał takiej jawności. Wiktor też znieruchomiał. Przy Leszku wyglądał dosyć potężnie. Te dwa miesiące na wsi dobrze zrobiły jego mięśniom, podczas gdy Leszek w mamrze chyba jednak nie chadzał do siłowni. No i był o głowę mniejszy od naszego przystojnego malarza.

– A, to pan – mruknął malarz. – Słyszałem, że wypuścili pana z pierdla na chwilę. Jasiu, jeśli panowie nie chcą się oddalić, to może my dwaj...

Janek już wstawał z miejsca, a zupełnie niespodzianie uniósł się też z ławy małomówny Rupert.

– Ja pomogę panom – powiedział i zaprezentował dwa metry męskiej tężyzny. Babcia Stasia popatrzyła na niego z dużą życzliwością.

– Inteligentny chłopiec – pochwaliła. – Potem wszystko wytłumaczymy. Na razie trzeba panów przekonać...

– Nie trzeba. – Lesław udawał obojętność, ale dosyć szybko wycofał się spod tarasu. – Zaszło jakieś nieporozumienie, ale nic na siłę. Emilko, gdybyś chciała się ze mną skontaktować, będę mieszkał u pana Łopucha. Zostaję tu, bo lekarz mi poradził... dla zdrowia. Pa, kochanie.

Odeszli dość spiesznie. Chciałam też odejść, ale babcia mi nie pozwoliła, a Wiktor z Jankiem zamienili rolę wykidajłów na rolę pocieszycieli, co polegało na tym, że usiedli z dwóch stron obok mnie i na zmianę karmili mnie plackiem siostry Miriam i poili kawą ze śmietanką od krowy sołtysi Ani. Babcia tymczasem uznała, że towarzystwu należy się wyjaśnienie.

– Nie wszyscy wiedzą – tu skłoniła głowę przed Rupertem, do którego wyraźnie nabrała sympatii – że nasza Emilka miała nieszczęście związać się swego czasu z panem, który zawiódł jej zaufanie, okazując się łobuzem, kryminalistą i na dodatek narkotykową fiszą. Emilka opuściła rodzinne miasto, żeby już nigdy nie mieć z nim do czynienia, dzięki temu jest teraz z nami, a ja sama i Rotmistrzówka bardzo dużo jej zawdzięczamy. Tak naprawdę to dzięki niej istniejemy. Nie protestuj, Emilko, wszyscy wiedzą, jak było! To ty chciałaś wykupić Bibułkę i ty wymyśliłaś agroturystykę. Ty namówiłaś Lulę i Janka, i Wiktorów na przyjazd do Marysina. Jesteś naszym dobrym duchem i nie pozwolimy cię skrzywdzić!

Tym dobrym duchem mnie dobiła, więc beknęłam niepowstrzymanie, trochę pewnie z ulgi, a dużo ze wzruszenia. Na to dopadła mnie Grabowska i dalejże mi ni stąd, ni zowąd dziękować za Rafała, i ściskać mnie, i też się, oczywiście, pobeczała, drugi raz dzisiaj. Rupert, który nie zaczął beczeć, ale znowu zaniemówił z emocji, podszedł do mnie i długo potrząsał moją reką, wyrywając mi ją z ramienia i tym sposobem zapewniając, że on też nie pozwoli mnie skrzywdzić. Nasze chłopaki, czyli Wiktor i Janek, zaczęli go klepać po łopatkach, aż grzmiało. Zrobiło się jakoś lepiej.

Dużo lepiej.

Ponieważ babronowa aż płonęła z ciekawości, więc w skrócie opowiedziałam swoją rzewną historię, znaną już domownikom. I bylibyśmy tak do skończenia świata wałkowali moje niedoszłe małżeństwo z capo di tutti capi, gdyby nie Jagódka. Kręciła się jakoś niespokojnie, widać było, że coś ją gryzie, wreszcie podeszła do babci i coś jej naszeptała do ucha. Babcia aż klasnęła w ręce.

– Słusznie, Jagódko, dziecko moje kochane. Przestańcie już o tych przestępcach, bo mi tu Jagódka przypomniała o jednej ważnej rzeczy. Pani Marianno...

Tu po raz drugi dzisiaj sięgnęła do kieszeni spódnicy, a nam znowu dech zaparło, bo już wiedzieliśmy, co z niej wyciągnie. Chwila zrobiła się osobliwa.

– Czy pani widziała kiedyś ten pierścionek?

Podała klejnocik Jagódce, a ta zaniosła go Mariannie. Starsza pani wzięła go w palce i znieruchomiała.

– On tu był – ni to stwierdziła, ni zapytała, a w głosie miała podejrzaną chrypkę.

– Tu, w domu, w pustej skrytce – potwierdziła babcia. – Znaleźliśmy po wojnie, kiedy przyjechałam tu z moim mężem, świeć Panie nad jego duszą, moim Kazimierzem.

– To mnie dał mój mąż – wyszeptała Marianna. – Mój mąż. Jak on jeszcze był mój narzyczony...

Wsunęła pierścionek na palec.

– Ja go nie nosiłam codziennie – westchnęła prawie niedosłyszalnie. – Bo mnie wtenczas palce puchły, to znaczy, jak byłam w cząży...

No i tym razem to babronowa nam się pobeczała.

Lula

Co za niewyobrażalna sytuacja...

Nie, bzdury gadam, jaka niewyobrażalna. Realna, jak najbardziej, ale jak z kiepskiego filmu. Emilki były narzeczony objawił się jak gdyby nigdy nic! W momencie, kiedy przyjechała była właścicielka Marysina i naszej Rotmistrzówki, wtedy jeszcze pałacu... To cud prawdziwy, że nie spakowała natychmiast manatków i nie odjechała. Chociaż może nie cud, bo ona wygląda na kobietę z charakterem.

A ja za to kompletnie się rozlatuję, nie wiem dlaczego, nerwy mnie noszą, wszystko mnie drażni, nie mogę pozbierać myśli i w ogóle jestem do niczego. Emilka śmiała się ze mnie, że to przyjazd baronowej tak mnie wytrącił z równowagi, ale nie, to nie jest prawda.

To nie baronowa mnie wytrąca z równowagi, tylko Wiktor.

Wiktor i Ewa. Ona jest dla niego okropna po prostu, warczy na niego, nie chce zrozumieć, że jego powołaniem nie jest projektowanie kampanii reklamowych dla najwytworniejszych nawet wychodków! Wiktor jest artystą, to wszystko, co teraz tworzy, jest wspaniałe, dojrzałe, pełne wyrazu, radości, optymizmu! Kiedy porównuję to, co malował w Krakowie – w tych rzadkich chwilach, kiedy miał czas na malowanie – z tym, co robi teraz... Dwa światy! Dlaczego ona tego nie chce przyjąć do wiadomości?

Ona tego chyba nawet nie zauważa. Dla niej liczą się tylko pieniądze. Pieniądze, pieniądze. Dużo pieniędzy. Chyba jest tu okropnie nieszczęśliwa. Za to Wiktor jest szczęśliwy i Jagódka też. Żadnej astmy, żadnych duszności, żadnych uczuleń. Biega i bawi się z Kajtkiem i psami, aż miło popatrzeć.

Ach, nawet pies jest tu szczęśliwy. Niupa przypomina wesołego kundla z disneyowskich kreskówek. I też wyładniała. Sierść jej błyszczy i morda się śmieje.

A Ewie morda się nie śmieje! Ewie ona się zaciska w wąską kreseczkę, a oczy rzucają niedobre błyski.

No to niech wyjedzie! Niech wyjedzie i... zostawi go mnie.

No dobrze, Ludwiko Kiszczyńska, stara, głupia, zakochana kustoszko od siedmiu boleści! Wreszcie wydusiłaś z siebie.

Tak.

Miałam nadzieję, że przejdzie mi to szczeniackie uczucie z czasów licealnych, kiedy pomieszkamy razem, popracujemy... a trzeba było przypomnieć sobie literaturę powszechną! Brzydka Sonia miała doktora Astrowa na wyciągnięcie ręki całe lata i wiedziała, że on jej nie chce, i też jej nie przeszło.

No to co? Mam siąść koło babci Stasi jak koło wujaszka Wani i powiedzieć: bierzmy się do roboty???

A może to nieprawda, że on mnie nie chce? W końcu bardzo się starałam zawsze, żeby tego mojego zadurzenia nie zauważył...

To co mam zrobić? Iść do niego i mu powiedzieć: kocham cię, zostaw tę swoją głupią i pazerną żonę, niech ona sobie jedzie, gdzie chce, a my tu zostaniemy i będziemy razem szczęśliwi?

Oczywiście, nic nie zrobię. Będzie wszystko tak, jak było do tej pory, będziemy pracować (naprawdę, jak u Czechowa!), Jagódka będzie dorastała, ja będę się starzała.

Przyszła Emilka i zapytała, czemu ryczę. Upewniłam się, że przyszła wiedziona intuicją, a nie dlatego, że mnie było słychać i kazałam jej spadać.

Poszła sobie, a mnie się zrobiło jeszcze gorzej, bo przecież przyszła jak przyjaciółka, a ja ją potraktowałam... lepiej nie mówić.

Emilka

Coś się dzieje z Lulą. Nie wiem co, bo mi nie chciała powiedzieć. Wyduszę to z niej prędzej czy później.

Lesław przytaił się gdzieś, pewnie u Łopucha w zagrodzie. Ależ się, dranie, skumali błyskawicznie! Ciągnie swój do swego.

Grabowscy wyjechali i zrobiło się jakoś luźniej. Muszę pojechać do Książa, zobaczyć, jak im wychodzi ta hippoterapia. Coś mnie do niej jednak ciągnie. Do hippoterapii, oczywiście. Oraz do Tadzia. Obecność tam pewnego mało mi w sumie znanego neurologa po bliżej nieokreślonych przejściach nie ma dla mnie żadnego znaczenia!

Lula

Zbliża się początek roku szkolnego i nasze dzieci pójdą do szkoły w Ściegnach. Ciekawe, jaki tam jest poziom nauczania. Ewa, oczywiście, sarka na zapas, a Janek spokojnie twierdzi, że w podstawówce najważniejsze jest to, żeby dzieci były blisko domu i nie miały zbyt wielu stresów. Nie wiem, czy tak jest naprawdę. Ale Janek jest pewien swego.

Już nic nie wiem!

Rozgłos medialny sprowadził nam wprawdzie na głowę Emilkowego gangstera, ale również ściągnął do nas gości. Przyjeżdżają różni ludzie, żeby odwiedzić galerię. Trochę też ksiądz przyprowadza. Jedna pani zmusiła nawet swego męża, żeby jej kupił w prezencie urodzinowym mały pejzażyk Wiktora, a kilka innych umówiło się na zakupy w bliżej nieokreślonej przyszłości.

Wydaje mi się, że nasi niemieccy goście czują się u nas zupełnie dobrze. Baronowa nosi na palcu swój pierścionek zaręczynowy, co chwila na niego spogląda i wzdycha. Kiedy ona tak wzdycha, babcia wydaje coś jakby sapanie. Ale wciąż chyba nie może się do niej przekonać. Malwina, czyli pani doktor (ja też mam doktorat i co z tego?, po co mi taki doktorat?, ja chcę Wiktora, a nie doktorat z głupiej historii sztuki!!!) przeważnie zaraz po śniadaniu pakuje plecaczek i staje gotowa do wyjścia. Wtedy Rupert spogląda na baronową przepraszającym wzrokiem, mamrocze po niemiecku, że on tylko podrzuci Malwinę do Karpacza, do wyciągu i znikają oboje. Spod wyciągu, albo spod Wangu, albo z innego startowego miejsca Rupert telefonuje do babki, że chciałby iść z Malwiną w góry, babka chichocze i udziela mu dyspensy. Zostaje sama, ale się tym nie przejmuje, twierdząc, że nie ma dla niej większej przyjemności niż przesiadywanie pod starą jabłonią, rozmyślanie o przeszłości i przyglądanie się, jak Wiktor maluje. Poza tym zaprzyjaźniła się z Emilką. Emilka ma w sobie coś takiego, co zjednuje ludzi, niezależnie od płci, wieku i narodowości, jak widać.

Wiktor zaczął malować jej portret. Mariannie, nie Emilce. Trochę surrealistyczny, mam nadzieję, że nie zależy jej na monidle. Będzie miała dzieło sztuki.

Emilka

Ależ nasza babronowa jest świetną staruszką! Dlaczego ja myślałam, że w tym wieku to już się przeważnie nie żyje? Szkoda, że babcia Stasia wciąż się na nią trochę boczy. Powinny się wreszcie starowiny dogadać! Na razie nic z tego, coś babcię Stasię stopuje.

A babronowa codziennie zostaje za sierotkę, bo Rupert wywiewa z domu, gonić uczoną ukochaną. Ukochana biega po górach w poszukiwaniu miejsca, gdzie mogłaby śledzić swoje endemiczne robaczki. I w nosie ma starszą panią. Więc ja się nią trochę zaczęłam zajmować i już na drugi dzień poprosiła, żebym mówiła na nią babcia, czyli po ichniemu Oma. Fajnie. Staram się nie myśleć, że był taki rodzaj smalcu. Wiem, bo rodzice kiedyś przy mnie wspominali peerelowsko-staropolskie smakołyki. Mówię do niej Omcia, a ona nie ma nic przeciwko temu.

Wiktor maluje Omci strasznie dziwny portet. Jest na nim nasz ogród i Omcia w tym ogrodzie w charakterze młodej dzieweczki w powiewnej sukience. Tylko twarz ma dzisiejszą. I jabłonka jest mniejsza, i kwitnie. A cała reszta ogrodu jest jesienna. To jest niesamowite. A kolory po prostu walą człowieka po oczach. Nie to, żeby były rażące, tylko takie są – Lula mówi: nasycone. Ten Wiktor ma łeb!

Czy to nie z powodu Wiktora Lula ryczy po kątach? Bo racjonalnego powodu nie widzę. Nadal nie chce się przyznać... ale to kwestia czasu..

Leszek na razie nie daje znaku życia. Staram się o nim nie myśleć, niestety, świadomość, że gdzieś tu jest w pobliżu, przeszkadza mi w spokojnym zasypianiu.

Omcia zażyczyła sobie koniecznie sprowadzenia przed jej oblicze leśniczego Przybysza (Prziybysza, Kristofa) z powodu jego praprzodka, który jakoby pracował w dawnych czasach w jej majątku. Niestety, Krzysia aktualnie gdzieś wysłali z jakąś leśną misją, będzie z powrotem za tydzień.

Żeby wynagrodzić Omci brak leśniczego, zaproponowałam jej, że ją zabiorę do Książa. Ucieszyła się, bo w prehistorii znała tamtejszych właścicieli, książąt Jakichśtam. Mówiła jakich, ale zapomniałam. Może Anhalt-Zerbst? Bo skąd ja znam to nazwisko? Nie, Anhalt była caryca Katarzyna. Wiem, bo urodziła się w Szczecinie, w domu, który ohydnie przerobiono na modernę, PZU tam dzisiaj jest. Więc ci w Książu nazywali się jakoś inaczej. Muszę zapytać Lulę, ona będzie wiedziała na pewno.

Kiedy zwiedzałyśmy zamek, trochę się bałam, że moja Omcia dostanie ataku nostalgii oraz smutku z powodu bijącego po oczach braku środków na porządną renowację zamku, ale niczego takiego nie dostała.

– Wisz, dżecko – powiedziała beztrosko, popijając soczek na tarasie pod parasolką – tak to już jest. Czasy szę zmieniają, zmienia się wszystko, wszystko płynie... Czeszmy szę, że żyjemy, że ty jesteś mloda i szliczna, że ja szę jeszcze mogę poruszacz. Cóż taki *Schloss*... zamek, tak? Do drzwi tyż jest zamek? To jak wy wiecze o czym mowa? Nieważne. Wiatry historii zmiatały nie takie zamki. Ja teraz w Austrii mam swój zamek... wygodny dom z ogrodem, werandę, gdże szedzę i piję kafę... jeszli mi mój doktor pozwoli, a jak ne, to *Mineralwasser*. I dobrze. I ptaki mnie szpiewają, i slonce mnie szwieczi. Twoje zdrowie. Prosit!

Wypiłyśmy toast soczkiem – ona z marchwi i banana, a ja z różowego grejpfruta.

– A jak to jest z tym Omci wózkiem inwalidzkim? – zapytałam, bo przecież mieliśmy wiadomość, że ona jeździ na wózku, a teraz proszę – obleciała ze mną cały zamek, prawda, że latałyśmy nisko i powoli... ale jednak.

– Mój wózek? Mam wózek. Czasami muszę go używacz. Teraz na częszcze jestem po kuracji w szpitalu dla starych... dla stara wiedżma... tam mnie zawsze trochę reperują.

– Czemu stara wiedźma? – rozśmieszyła mnie tym określeniem. – Omcia wcale nie wygląda na wiedźmę!

Teraz ona się roześmiała.

– Pozory mylą. Czasem mój kochany Rupert nie może ze mną wytrzimacz. Jak mnie zacznie reumatyzm krzywda robicz, to zobaczysz! Ohoho, pacz, ten młody szlowiek chyba idże do nas?

Rzeczywiście, zbliżał się do nas Tadzio, którego zawiadomiłam wczoraj o naszych planach wyjazdowych. Trochę miałam nadzieję, że weźmie z sobą neurologa, ale był solo. Za to miał na sobie kompletny strój jeździecki w stylu angielskim, taki z żakietem i cylindrem. Niech mi nikt nie mówi, że nie szata zdobi człowieka! Tylko dlaczego on się tak wystroił? Na cześć pani baronowej? W ręce niósł dwie piękne, bladozłote róże, zapewne pożyczone z klombu, widziałam takie przed zamkiem. To chyba jego stała metoda.

– Dzień dobry paniom – ukłonił nam się szarmancko i wręczył każdej z nas pachnące kwiecie. – Nazywam się Tadeusz Leszczyński. Czy powinienem mówić po niemiecku? Bo w zasadzie jestem w stanie...

– Ne czeba, ne czeba – zaświergoliła moja baronowa, najwyraźniej pod urokiem stylowego młodziana. – Emilia mi ne mówiła, że przidże do nas taki szliczny rajter! A gdże panski... *Pferd*, no, koń?

– Pferda zostawiłem na parkingu – odparł Tadzio. – Czy mogę paniom zaproponować małą przejażdżkę?

– Na szodle? To ty masz o mnie, młody szlowieku, o wiele za dobre zdanie...

– Myślę, że sobie poradzimy. – Tadzio prezentował miłą beztroskę. – Zresztą nie będzie pani musiała jechać wierzchem. Przygotowaliśmy pojazd.

Przygotowaliśmy – powiedział! To znaczy, że neurolog gdzieś tam się jednak kręci! Tak się tą swoją dedukcją ucieszyłam, że nawet nie spytałam Tadzia, co za pojazd. Złapałam niemrawą kelnerkę, zapłaciłam za nasze soczki i pomału, ze względu na leciwe nóżki pani babronowej, opuściliśmy urocze miejsce na tarasie pod parasolką. Moja nowa babcia była coraz bardziej zachwycona Tadziem, który dwornie posłużył jej ramieniem i uważał, żeby się aby nie potknęła na schodach. Zanim doszliśmy do podjazdu przed zamkiem, zdążyła wypytać go o cały niemal życiorys. Z dojeniem krów włącznie.

Na podjeździe czekał nas ów zapowiadany pojazd. Hohoho. Ni mniej, ni więcej, tylko śliczna, lekka bryczulka, zaprzężona w masywnego, karego ślązaka! Na koźle siedział – któżby jak nie neurolog – hippoterapeuta... Nie był tak prześlicznie ubrany, jak

Tadzio, widocznie nie odczuwał potrzeby szpanowania cylinderkiem. Reprezentował styl wiejsko-ziemiański, w swojej kurtce z licznymi kieszeniami i pagonami.

Obok bryczki tuptał sobie w miejscu, lekko już zniecierpliwiony folblut Milord, znany mi osobiście z mojej poprzedniej bytności w Książu. A więc pojedziemy bryczką, z konną eskortą sztuk jeden.

Pół sekundy mniej więcej zastanawiałam się, czy rzucać się na szyję Rafałowi, czy przybrać pozę bardziej oficjalną, ale kiedy on sam jakoś tak się do mnie nachylił, ułatwiając mi zadanie, uznałam, że owszem, mogę go uścisnąć. Cmoknął mnie gdzieś w okolicy prawego ucha. Załadowaliśmy babronową na siedzenie i – niestety – nie wypadało mi usiąść przy Rafale, na co miałam straszną ochotę, zajęłam miejsce przy niej. Wtedy Oma wykazała intuicję zbliżoną do geniuszu.

– Ty tutaj, dżecko, nie szadaj – powiedziała, a mnie w uszach zabrzmiały chóry anielskie. – Ja wolę miecz dużo miejsca, a ty sobie usiądź koło tego przystojnego pana, na ty ławeczce z przoda. Ja w twoim wieku zawsze jeżdżyłam z przoda.

– Okay – rzuciłam niby to obojętnie i już chciałam wysiąść, żeby się przesiąść, ale Rafał odwrócił się ze swego siedzenia i podał mi rękę, żebym mogła przeleźć górą. Oparłam się na tej jego ręce i wykonałam kilka niezbyt wytwornych manewrów, depcząc aksamitne obicia siedzeń. Nie była to duża bryka, z przodu więc było dosyć wąsko i mogłam zupełnie legalnie usiąść blisko niego. Nie tak może blisko, jakbym chciała, ale też całkiem nieźle. Upewnił się, że nie zlecimy, ani ja, ani starsza pani i ruszyliśmy spokojniutko przez te przepiękne alejki, z tym nadzwyczajnym starodrzewem... och, trzeba było lepiej się przykładać do zajęć z dendrologii, to bym może umiała określić wiek tych drzew...

No, stare były i już. Boże kochany, jak nam się pięknie jechało! Dlaczego ja się urodziłam w tym beznadziejnie rzeczowym dwudziestym wieku, zamiast w epoce przejażdżek bryczulką po parkach! Wróciłabym do tamtej epoki... pod warunkiem, że należałabym, do klasy posiadającej te bryczulki. No i że Rafał też by tam się znajdował – i w epoce, i w stosownej klasie społecznej.

Nie kombinujmy. W końcu jadę tą bryczką, słoneczko świeci, a Rafał siedzi obok... siedzi obok...

Nie mogłam tak po prostu siedzieć i oddawać się marzeniom, bo by to było podejrzane, spróbowałam więc konwersacji.

– Skąd wzięliście tę zabójczą brykę?

– To nasza, ośrodkowa. To znaczy, naszej szefowej, wiesz której.

– Tej cybernetycznej.

– No właśnie.

I znowu nam się zacięło.

A za naszymi plecami Tadzio jadący tuż obok babronowej, ucinał sobie z nią miłe pogawędki, opowiadając jej, gdzie jedziemy, co oni robią, ach, nie wiem, co jeszcze, szybko przestałam podsłuchiwać.

Dlaczego Rafał przestał być lekarzem?

I czy nie trzyma on gdzieś w zamknięciu jakiejś żony??? A może ma ją w Janowie Podlaskim? Jeździł tam w sprawach rodzinnych.

Do żony i gromadki dziatek!

Odsunęłam się od niego trochę. Nie zareagował.

No, dlaczego nie zarcagował???

Okazało się, że nasi panowie mają nam do zaproponowania zwiedzenie stajni, tych wielkich, należących do stada. Moja babronowa nie miała nic naprzeciwko, owszem, zadowolona była nader, bo lubi koniki. Szczególną sympatią pałała do tutejszej rasy, masywnych ślązaków. Kiedy potem usiedliśmy przy herbacie na dziedzińcu domu, w którym mieszkali Tadzio i Rafał, opowiedziała nam, jak to widziała kiedyś w telewizji podczas zawodów w powożeniu książęńską bryczkę z czterema takimi czarnymi potworami, do tej pory zapomnieć tego nie może, tak jej się podobało!

– Ja wam to mówię, dżeczy, to biło jak jedna welka lokomotiwa!

– Ciężka, ogromna i pot z niej spływa – mruknął pod nosem Tadzio, ale oczy mu się śmiały. – Lubi pani duże rzeczy – dodał głośniej.

– Ja, tak, bardzo lubię! Nawet pamiętam, jak szę nazywał ten... kierowca? Nie, powożący. Adamczak on szę nazywał. Teraz ja stara już jestem, muszę szę ogranyczać, dla mnie teraz wózek inwalidzki i czepłe poduszki na nogi, ale popaczecz lubię. A tu nie robi szę zawodów?

– Robi szę, to znaczy, robi się, jak najbardziej. Ten zaprzęg, który tak pani zapamiętała, wciąż startuje. Jeśli pani będzie tu dłużej... albo może kiedyś pani przyjedzie specjalnie na zawody, warto te bryki zobaczyć na torze przeszkód.

– *Cross*, ja wim. Ja w Nemczech bardzo chętnie jeżdżyła na takie zawody. *Natürlich*, tylko popaczecz. Jak była młoda panenka, to nawet sztartowała w takich zawodach dla amatorów. Ale ne bryczka, tylko pojedynczy rajter. Mój koń był taki trochę jak Emilii Latawec. Tylko cały czerwony, bez tej nogi. Słuchajcze, dżeczy, ja jestem z wami bardzo szczęszliwa, ale już szę trochę zmęczyłam. My chyba z Emilią wróczymy teraz do domu, a wy do nas konecznie prz... przyjedż... cze. Trudny jest wasz język!

– Aleź pani włada nim doskonale – zaśmiał się Tadzio, którego starsza pani wyraźnie bawiła.

– Wlada, ne wlada, trudny jest. To dlatego pan Rafal ne mówi?

– Ja czasem mówię, proszę pani. – Tym razem Rafał się roześmiał. – Tak jakoś dzisiaj się zamyśliłem. A kiedy pani się tak ładnie nauczyła mówić po polsku? Bo kiedy pani tu mieszkała, to były przecież Niemcy, nie było tu Polaków?

Trochę się przestraszyłam, że on tak swobodnie porusza temat, który może być dla Omci smutny, albo drażliwy, ja sama bym nie zaryzykowała, ale Omcia potraktowała jego pytanie najnormalniej w świecie.

– Trochę Polaków bylo, nedużo – powiedziała. – Do nas przijeżdżali za pracą. U mojego męża pracowal w lesze taki jeden Polak, nazywal szę Przibysz. Ale on mówił po nemecku. Ja wtedy ne mówila po polsku. Ja szę nauczila, jak już byla stara baba. Tak sobie pomyszlała wtedy, że może kedysz tu wrócę, to będę mogla mówicz z ludżmi ich językiem.

– Zawsze pani chciała tu wrócić?

No, on jest niemożliwy!

– Zawsze nie. Na początku bardzo. Bardzo! Potem szę przyzwyczaiłam do myszli, że to już nygdy nie będże moje. Tak szę kręczy ten szwiat. Byla wojna, Nemcy przegraly, trudno. Ale nasza rodżyna nie byla biedna. My meszkamy tyż w górach, w Tirol. Tam ne jest gorzej niż tu. Ja mialam dżeczy, teraz mam Rupert, on jest mój ukochany wnuk, a mne już nedużo zostało. Mój

170

mąż, on ne chczał wracacz. Ja szanowala jego zdanie. Ale kedy umarł, cztery lata temu, zaczęlam myszlecz, żeby tu przijechacz, zobaczycz.

– I jak wrażenia?

– Mariendorf, Maryszin, moja wiesz, biedna. Widacz, po domach widacz. A mój stary dom, na szczęszcze miał gospodarza dobrego. Tylko też widacz, że penędzy brakowalo. Teraz mlodży gospodarze, ja widzę, będże dobrze. Ja wim, co ty mne chczal spytacz, mlody szlowieku. Mne tu już serce ne cząignie. Tu ne mój dom, mój dom tam, w innych górach. Pobędżemy tu kilka tygodni i pojedżemy do domu, do nas. Ja ne wim, co będże z Rupert...em, on szę zakochał w polska uczona... w polskej uczonej. Ja już gorzej mówię, muszę jechacz odpocząicz. Mne z wami dobrze, chłopcy, wy przyjedżcze do Mariendorf. Dobrze, Emilia?

– Dobrze, Omciu. Niech przyjadą – zgodziłam się niedbale. – Zapraszam was, chłopaki, do nas. A jak dostanę się do mojego autka?

– Zaraz ci je przyprowadzimy. Daj kluczyki. Panie tu posiedzą, a my szybciutko...

Dałam Tadziowi kluczyki, a on na chwilę zniknął nam z oczu i po tej chwili wyprowadził zza węgła potwornej wielkości motocykl, bardzo stylowy, chyba nie harley, bo bez tych idiotycznych trzymadeł w górze, może jakiś japoniec. Zdumiałam się, bo do nas przyjechali swojego czasu najzwyklejszym golfem, ale mi wyjaśnili, że golf Rafała, a Tadzio ma hobby motocyklowe... Nie wiedziałam! Wsiedli na siodełko obaj, zawarczeli, nasmrodzili i zniknęli nam z oczu. Omcia aż się zarumieniła, widocznie konie mechaniczne lubi tak samo jak te z owsianym napędem.

Mechaniczne cacko przypuszczalnie rozwijało szybkość nadświetlną, bo wrócili błyskawicznie. Moje auto przyprowadził Rafał. Pożegnaliśmy się, Tadzio z atencją zapakował Omcię do samochodu, a ja zajęłam się skomplikowanym manewrem wyprowadzania auta z ciasnego dziedzińczyka.

W pewnej chwili złapałam spojrzenie Rafała. Patrzył za mną! Tadzio też patrzył.

Lula

Mała sensacyjka w domu. W telewizji ukazała się wiadomość o krakowskim profesorze, któremu zarzucono przyjmowanie łapówek i inne takie niesympatyczne rzeczy. Wprawdzie operowano tylko imieniem i pierwszą literą nazwiska, Antoni H., ale Ewa natychmiast rozpoznała swojego profesora, przez którego miała tyle przykrości i musiała opuścić Kraków. Bardzo się wiadomością podnieciła, zwłaszcza że Antoniego H. zawieszono z miejsca w pracy na uczelni. Komentator mówił, że dowody przeciwko niemu są absolutnie nie do zbicia, studenci zaczęli zeznawać, tak że wyleci na pewno, jest to tylko kwestia czasu.

No to co, że kwestia czasu? Czy Ewa myśli, że zaproponują jej powrót? A nawet jeśli? Zostawiłaby tak Rotmistrzówkę i wszystko? A wtedy co z Wiktorem? Co z Jagódką i jej alergiami, które tak bujnie zakwitały w krakowskim powietrzu?

Wczoraj dzieci poszły do szkoły i oboje zgodnie uznali, że jest w porzo.

W porzo!!!

W domu też jest w porzo. Nerwową atmosferę wprowadza tylko Ewa. No i czyhający gdzieś pod skrzydłem, czy raczej pod liściem Łopucha Emilkowy gangster. Przytaił się i siedzi. Emilkę to denerwuje, ale nie ma się co dziwić.

Nasi goście powoli zmieniają się w domowników. Malwina i Rupert regularnie znikają, niezależnie od pogody (na ogół zresztą jest ładnie). Do Kiryska nareszcie dotarło, z kim mieszka, więc wbił pazury w baronową i nie popuszcza. Baronowa ucieka mu jak może, bo rzeczywiście, jest dosyć męczący. Na szczęście robi przerwy w odpytywaniu jej, kiedy kończy mu się pojemność taśmy w dyktafonie. On wtedy pędzi na górę, żeby to wszystko przenieść do komputera, a ona oddycha z ulgą i albo jedzie gdzieś z Emilką (były już w Książu, na zamku Czocha i w Szklarskiej Porębie), albo zajmuje się plotkowaniem z babcią Stasią.

Albowiem nasza kochana babcia przestała się boczyć na panią Mariannę, doceniła, że obie są zbliżone wiekiem i dogadały się staruszki, aż miło. Jak się zdaje, ich ulubionym zajęciem jest omawianie naszych spraw sercowych. Nie wiem, czy domyśliły się, jaki jest mój stosunek do Wiktora, mam nadzieję, że nie, natomiast przyłapałam je kiedyś na zastanawianiu się, czy też Emilka aby ma świadomość, jak przystojny i sympatyczny jest ten młody lekarz – nie – lekarz, ten Rafał, którego tu kiedyś przywiózł jej stary znajomy.

Nie wiem, czy Emilka byłaby zadowolona...

Swoją drogą, ten Rafał na mnie też zrobił niezłe wrażenie, tylko dlaczego nie praktykuje, skoro jest lekarzem i to już z pierwszym stopniem specjalizacji?

Babcie też się nad tym głęboko zastanawiały. Nasza sugerowała nawet, że kogoś zabił w ramach błędu zawodowego i stracił prawo uprawiania profesji. Marianna uważała, że nie. Że raczej przeżył jakąś osobistą tragedię związaną z medycyną i to go skłoniło do porzucenia praktyki. Ona twierdzi, że ma oko do ludzi, a wnioski wyciągnęła z tego, że Rafał się zamyśla.

Ja też się zamyślam.

Wczoraj spaliłam całą blachę bułeczek.

Trochę mnie nudzą te bułeczki.

Umówiłam się na rozmowę w tutejszym muzeum regionalnym, w Karpaczu. Nie jest wykluczone, że będę mogła u nich popracować.

Olga podsyła do nas cały minioobóz młodzieżowy, przyjadą za trzy dni i pomieszkają do końca września. Mają zamiar korzystać z jazdy konnej, a ona sama będzie im organizowała wspinaczki skałkowe. Trochę się przeraziłam, kiedy usłyszałam słowo „obóz”, ale okazało się, że to raptem sześcioro studentów pierwszoroczniaków. Przyjeżdżają w Karkonosze co roku, ona się nimi opiekuje z mniejszego lub większego doskoku.

To trochę tak, jak my kiedyś.

Tylko że my byliśmy dosyć biedni, a to są bez wyjątku dzieci bardzo zamożnych rodziców. Olga kazała nam bez skrupułów zedrzeć z nich najwyższe stawki. Do tej pory przez kilka lat z rzędu mieszkały w luksusowym pensjonacie w Karpaczu, teraz rodzice postanowili trochę przyoszczędzić. Ale bez przesady z tą oszczędnością – powiedziała nam Olga. My i hotel Paradise to niebo i ziemia.

Pierwszy raz będziemy mieć tak zwane pełne obłożenie i odrobinkę się tego boimy. To znaczy ja się boję, bo wszyscy pozostali mi tłumaczą, że damy radę spoko.

Spoko.
Spoko, w porzo i nara. Tak się teraz mówi.
Mój Boże...
Jutro wybiera się do nas Krzysio Przybysz, z wizytą kurtuazyjną do baronowej.

Emilka

Coś podobnego! Dziadek – nie, pradziadek Krzyśka naprawdę miał na imię Józef i pracował u naszej babronowej! Jako gajowy. Genetyka to potęga. Po mieczu im to szło, no i Krzysio geny przyrodnicze odziedziczył.

Zaprezentował się Omci bardzo godnie, przyszedł w pełnej gali mundurowej i w towarzystwie Joasi (drobne dzieci zostawił w domu i Omcia była niepocieszona – nie rozumiem, jak można się fascynować drobnymi dziećmi, nawet jeśli są to praprawnuki naszego gajowego).

Na widok Joasi poczułam jakby leciutkie kąśnięcie sumienia, nie powinnam odciągać Krzysia od niej i od tych drobnych dzieci, nawet jeśli chodzi o niewinne zwiedzanie okolicy terenowym samochodem służbowym... Ona jest jakaś taka... bezbronna. Inna rzecz, że nie musiałam tego jej cud piękności leśnika specjalnie ciągnąć, sam lazł. Joasia chyba nie ma pojęcia o tym, że on miałby ochotę uczynić drobny skok w bok. Bo miałby, nie czarujmy się. A ona patrzy w niego jak w tęczę.

No, dobrze.

NIE BĘDĘ WIĘCEJ PODRYWAĆ LEŚNIKA.

To znaczy, ja go tak naprawdę nie podrywałam...

E tam. Spuśćmy zasłonę milczenia nad tą podejrzaną sprawą.

Zwłaszcza, że podejrzanych spraw mamy chyba więcej, jeśli chodzi o leśniczego Przybysza Krzysztofa. Starsza pani coś bardzo wnikliwie wypytywała o tego pradziadka Józefa, ale pradziadka Krzysio w ogóle nie znał, czego ona jakoś nie chciała przyjąć do wiadomości – upływ czasu umknął jej uwadze, czy co? Ale Krzysio się zaparł i twardo stał przy swoim: pradziadek umarł we wczesnych latach pięćdziesiątych, czyli mniej więcej dwadzieścia lat przed przyjściem na świat prawnuka, obecnego leśniczego.

Babronowa była dosyć niezadowolona.

– Ale dżadka swojego chyba znałesz, chłopcze? – Spuściła wreszcie ze swoich wymagań jedno pokolenie.

– Dziadka znałem, niestety, niedługo – odparł spokojnie indagowany. – Odszedł od nas, kiedy miałem siedem albo osiem lat. Babcia go przeżyła o dobre dziesięć lat, ale też już dawno jej nie ma.

– Oni, twoi dżadkowie, mieszkali tyż tutaj?

– Tutaj, to znaczy w Marysinie? Jakiś czas tak, dziadek mieszkał chyba ze swoimi rodzicami, ale znalazł sobie pannę po drugiej stronie gór, to znaczy już w Izerach, w Świeradowie Zdroju. I tam się przeniósł do leśniczówki koło Czerniawy. Potem mój ojciec pracował w dyrekcji Parku Narodowego, a ja, kiedy skończyłem studia, objąłem tę starą leśniczówkę mojego dziadka. Ona cały czas należała do Lasów Państwowych...

Babronową mało obchodziły Lasy Państwowe.

– A powiedz mi, mój Kristof, ja czę przepraszam, że tak czy mówię po imieniu... ale jak ty jestesz prawnuczek naszego Josefa, to ja ni mogę inaczej...

– Ależ bardzo proszę, mnie jest bardzo miło.

– No to jak tobie jest miło, to mnie też. Ty sluchaj mnie, a u czebie w domu szę wspominalo tamte czasy w Mariendorf?

Krzysio się zamyślił. Czekaliśmy cierpliwie na wyniki jego pracy myślowej.

– Chyba tak – powiedział wreszcie niepewnie. – Ale wie pani, jak to jest z dzieciakami. Ja rzadko słuchałem, co mówili dorośli.

– Bardzo nedobrze – skarciła go babronowa. – Czeba sluchacz, co starsi mówią.

– Masz coś konkretnego na myśli, Marianno? – Babcia Stasia pomału zaczynała chwytać, że coś tu jest na rzeczy i bolało ją, że nie wie, co.

– Nie, nyc konkretnego, tak tylko bym chcala posluchacz o moim starym Mariendorf. – Babronowa wycofywała się rakiem, ale babci nagle zaświtało.

– Nie kręć – powiedziała surowo. – Ja chyba wiem, o co ci chodzi. O tę skrytkę w murze? Na strychu?

Babronowa znieruchomiała, my też.

– Skrytkę? – zapytała niepewnie.

175

– Przecież wiesz chyba najlepiej, że była skrytka. Przecież stamtąd jest twój pierścionek!

Babronowa podniosła na babcię chytre oczka.

– I co?

– I co, i co! I nic. Nie wiem, co tam było, pewnie twoje biżuty rodowe, ale myśmy ich nie znaleźli.

Babronowa sklęsła w sobie.

– Jak to ne? A pierczonek?

– Pierścionek wyleciał i leżał na podłodze, w kąciku. Marianno, ja cię proszę. Przestań kręcić. Kto tę skrytkę wymurował? Twój gajowy?

Krzysiek i jego żona zrobili wielkie oczy, bo do tej pory pojęcia nie mieli ani o skrytkach w naszym domu, ani o udziale pradziadka w ukrywaniu barońskich biżutów. Marianna wzruszyła ramionami.

– Mój gajowy nie. Skrytkę zrobil mój mąż. I rzeczywiszcze schowal tam nasze klejnoty. Sama biżuteria. Niedużo, ale ladne sztuki. Ale jak ty mówisz, Stanyslawa, że ich tam ne bylo...

– Nie było, mówię przecież. Ktoś nas uprzedził.

– A nas, to kogo?

– Mojego męża. Nie chciało mu się wieczorem pracować, świeć Panie nad jego duszą, a rano już skrytka była pusta. Ktoś nam podprowadził zawartość.

– Podproważyl?...

– No rąbnął sprzed nosa. Zabrał. Nie pytaj mnie kto, bo nie wiem.

– Babciu – wtrącił Wiktor, również obecny w salonie. – Mówiłaś nam, że panu Rotmistrzowi pomagali jacyś ludzie. A tego pradziadka Krzysia tam nie było przypadkiem?

– Nie wiem, dziecko, może i był, ale ja ich nie znałam po nazwisku, tych Kazimierza pomocników.

W tym momencie przypomniał mi się dzień, kiedy po raz pierwszy dokonywałyśmy z Lulą zakupów w miejscowym sklepie i kiedy przyjechał tam, prosto z drogi Krzyś. On nam się przedstawił i wtedy obecne w sklepie Trzy Gracje, czy może tylko jedna z nich... a może dwie... zareagowały dziwnie na jego nazwisko. Jedna, chyba jedna to była i chyba Ani sołtyski matka, stara Jachimiukowa! Coś tu jest na rzeczy i ja się dowiem, co.

Babronowa tymczasem pękła do reszty.

– Ja wam powiem – zaczęła i natychmiast podniosła nam wszystkim ciśnienie. – Ja wam powiem, bo wy jesteszcze utszywe ludże...

Dopóki myślała, że babcia gdzieś melinuje zawartość skrytki, to kręciła jak pies ogonem!

– Kristof. Twój pradżadek pomagal mojemu mężu... mężowi, tak? Pomagal przi tej skrytce. Ją robicz. Już byl wtedy konec wojny, mne mąż wyslal do Tirol, ja wtedy byla w cząży z Ruperta stryjem. Mąż do mnie przijechal, a w domu na wszelki wypadek zrobili skrytkę. Josef nam prziszęgal, że w razie nebezpieczenstwa on ta biżuteria wyjmie i gdżesz schowa. Ja myszlę, że on wtedy ją wyczągnąl, co ty mówisz, Stanyslawa. A my już tu ne mogli wróczycz potem i wszystko, co tu bylo, to nam przepadlo.

– A dlaczego nie zabrałaś tych precjozów ze sobą do rodziny? – spytała babcia Stasia karcąco. – To chyba nie była duża paczka.

– Mój mąż uważal, że to nebezpieczne bylo. Tak jeżdżyć z fortuną w walizkach. Mówil, że można życie straczycz. Ja ne wim, czy on mial rację, czy ne mial. Ja mu wierzylam, że on robi, co najlepsze jest. Wy wszystkie... wszyscy... na pewno ne słyszeli o mojej biżuterii?

Obecni popatrzyli na siebie podejrzliwie. Nikt się nie przyznał. Widziałam, że babcia Stasia bardzo usilnie pracuje umysłowo. Może jej się coś kojarzyło? Zapytam ją przy okazji, na osobności.

Rozmowa chyliła się ku upadkowi. Temat biżutków się wyczerpał, a żaden inny nie wydawał się równie atrakcyjny. Przybyszowie pożegnali się niebawem i poszli sobie. Marianna poczuła, że jest starszą panią i udała się na spoczynek. Chciałam dopaść naszą babcię, ale ona też poszła do siebie, zapowiadając, że musi się przespać przed kolacją.

Zastanawiałam się, czy by jeszcze kogoś nie wtajemniczyć w moje przemyślenia, normalnie pogadałabym z Lulą, zwłaszcza, że ona była wtedy ze mną w sklepie, ale z Lulą ostatnio dogadać się nie można. Chyba przeżywa jakiś niezdrowy rozkwit uczuć wyższych. Poczekam, aż jej przejdzie.

Muszę dopaść Jachimiukową!

Lula

Ewa dostała pismo z uczelni.

Listonosz, taki specjalny, od priorytetów, przyniósł je, kiedy wyprawiwszy dzieci do szkoły, siedzieliśmy przy śniadaniu, więc natychmiast zażądaliśmy publicznego odczytania, spodziewając się ciekawych rzeczy.

Nie zawiedliśmy się.

Ewa otworzyła list, przeczytała i podniosła brwi bardzo wysoko. Poza tym wyraz jej twarzy się nie zmienił.

– Wiecie co – powiedziała swoim spokojnym głosem. – Oni już dawno wiedzieli, że Hruby jest świnia.

– Kto? – zapytaliśmy jednogłośnie.

– Dziekan. I rektor. Studenci już dawno rozrabiali, tylko władze uczelni miały nadzieję, że przyschnie. A ponieważ prasa i telewizja to rozgrzebały, więc już nie można było sprawy trzymać pod korcem.

– Pod czym? – zapytała indywidualnie baronowa.

Wytłumaczyliśmy jej, co to znaczy pod korcem i o co chodzi w aferze z Ewą. Ewa tymczasem czytała pismo po raz kolejny, a jej twarz zmieniała kolor na przemian na amarant i kość słoniową.

– No mów, dżecko, o co chodży! – Baronowa złapała wątek i teraz pragnęła dalszego ciągu.

– Już mówię. Zdaje się, że moi koledzy też przemówili.

– Tam to jest napisane? – zdziwiła się babcia Stasia.

– Nie, ja czytam między wierszami. Teraz wszyscy na wydziale są szalenie odważni i wkopują Hrubego, aż gwiżdże. On nie tylko z mojej pracy zrzynał, z innych też.

Znowu zamilkła i kilka razy zmieniła kolor.

– No mów – pogonił ją Janek Pudełko, podczas kiedy Wiktor jakby nie interesował się całą sprawą, spoglądając w okno i jakby utrwalając sobie pod powiekami obraz późnoletniego ogrodu.

– Już mówię. Proponują mi objęcie katedry. Po Hrubym.

– Jak to, przecież nie masz habilitacji!

– Uznali, że moja habilitacja jest kwestią czasu. Niedługiego. I że należy mi się rekompensata za straty moralne.

Zapadła cisza, której nasi goście nie śmieli przerwać, bo widzieli, że coś tu się wydarzyło bardzo ważnego. Wiktor konsekwentnie oglądał ogród.

– I co im odpowiesz, Ewuniu?

Oczywiście, tylko Janek odważył się zadać Ewie to pytanie.

– Nie wiem.

Wiktor oderwał się z trudem od widoku za oknem.

– Chyba musimy to przemyśleć razem, nie uważasz?

– Nie wiem.

– Ile czasu dali ci na odpowiedź?

– Mogę zaczynać od października. Napisali, że katedra będzie na mnie czekać. Na razie i tak musieli mianować kogoś p.o.

– Chyba trochę się teraz ciebie boją, Ewuniu – zauważył Janek.

– Masz na nich bata, w pewnym sensie.

– W pewnym sensie mam – rzekła drewnianym głosem Ewa i wyszła z salonu.

– Cokolwiek zrobicie – powiedziała babcia Stasia ostrożnie – miejcie na uwadze Jagódkę...

– Ja mam na uwadze Jagódkę – odrzekł Wiktor nienaturalnie cicho. – Jagódkę i siebie też. Wcale nie zamierzam się stąd ruszać.

I zupełnie wbrew temu, co powiedział, wstał z krzesła i też wyszedł, ale chyba nie poszedł za swoją żoną, bo po chwili zobaczyliśmy go przez okno, jak ze sztalugami w ręce idzie ogrodem.

W pierwszym odruchu chciałam za nim pobiec, ale coś mnie powstrzymało. Niewykluczone, że ostatki zdrowego rozsądku. Bo zaraz potem ten rozsądek mi się skończył i chyba powiedziałam coś głupiego, zanim też opuściłam towarzystwo.

Ale nie poszłam za Wiktorem. Wzięłam z wieszaka torbę i pojechałam autobusem do Karpacza, porozmawiać w muzeum w sprawie rozpoczęcia terminu mojej pracy. Na początek mogę nawet jako wolontariuszka.

Owszem, mogę jako wolontariuszka do końca września. Od października dostanę jakieś marne grosze. Dobre i to. A najlepsze, że nie będę cały czas siedziała w Rotmistrzówce.

Emilka

Ewa zafundowała nam sensację. Pan profesor, ta świnia, został odsunięty od pracy i jej zaproponowano objęcie po nim stanowiska. Ta wiadomość przerwała nam spożywanie spokojnego śniadanka złożonego z płodów ziemi, to znaczy z jajecznicy, miodu i twarożku w dużych ilościach.

Oczywiście, natychmiast chcieliśmy wiedzieć, czy przyjmie propozycję, która znowu przewróciłaby do góry nogami życie całej jej rodziny – ale powiedziała, że się zastanowi i wyszła. Na to Wiktor oznajmił, że się stąd nie ruszy i też wyszedł. Lula jakby chciała polecieć za nim, ale na szczęście zmieniła zamiar. Może dlatego, że Janek spojrzał na nią ostrzegawczo.

– No, no – mruknęła babcia Stasia. – Żeby nam tylko coś złego z tego nie wynikło...

– Ja wcale nie wiem, czy to by naprawdę było coś złego – wybuchła znienacka Lula, poderwała się jednak z miejsca i odmaszerowała sztywno. Babcia prychnęła coś pod nosem i złapała Janka za rękaw.

– Leć za nią, zanim zrobi jakieś głupstwo!

– Przepraszam, babciu, ale nie. Lula jest dorosła – powiedział cicho Janek. – Nie wiem, co mógłbym jej powiedzieć, zresztą nie wiem, co babcia ma na myśli, mówiąc... a zresztą... Przepraszam panie.

I wyszedł, prawie równie sztywno jak Lula.

Omcia patrzyła na babcię ze zdziwieniem i – moim zdaniem – niezdrowym podnieceniem.

– Stanyslawa, Emilia, ja proszę, powedzcze mi, o co tu chodży? Babcia zamachała rękoma.

– Ach, wiesz, to takie skomplikowane. Lula kocha się w Wiktorze, Janek w Luli, Wiktor w Emilce...

– Babciu – uznałam za konieczne interweniować. – Wiktor się we mnie nie kocha, babcia ma skłonności do nadinterpretacji! Może miał na mnie oko na samym początku, ale teraz traktuje mnie jak siostrę! On chyba teraz nie ma w ogóle głowy do kobiet, bo dorwał się do swoich pędzli i przecież sama babcia widzi, że maluje bez opamiętania!

– No, może – babcia rezygnowała z części swojej koncepcji z wyraźnym żalem. – Ale nie powiesz mi, dziecko, że Lula się w nim nie durzy! Zawsze robiła do niego maślane oczy i teraz, jak tu wszyscy zamieszkaliście, co było szczęściem dla mnie starej i ratunkiem przed cholerną Sosnówką Górną, też za nim wzdycha!

– Babciu!

– No co babciu, babciu! Ja przecież nie mówię, że Wiktor powinien rzucić Ewę, zresztą ja ją bardzo lubię, no, może nie tak jak Lulę, ale przecież to wszystko i tak nie ma znaczenia, oni mają dziecko!

– Właśnie. Mają dziecko. I ja mam nadzieję, babciu, że Ewa właśnie ze względu na dziecko zdecyduje się z nami zostać. Jagódka tu się świetnie czuje. Wiktor też, kurczę blade! O Boże, muszę iść, nakarmić moje kury! Zapomniałam przed śniadaniem!

– A nie posprzątasz ze stołu? – sprowadziła mnie babcia na ziemię. – Coś mnie dzisiaj łupie w krzyżu, dziecko...

– Słuchaj mne, Stanyslawa – podjęła temat babronowa, podczas kiedy ja zbierałam talerze i półmiski na tacę. – Mlodży są zawsze wyrywczy... ne, porywczy. Czeba ich temperowacz. Gdyby ne ja, to mój Rupert by może wcale ne wyszedl na ludży. Ja czy powiem, co czeba robycz. Jeżeli wy mówicze, że Lula szę kocha w Wiktorze, a Janek w Luli, to czeba, żeby Lula pokochała Janka. A Ewa i Wiktor muszą sobie sami odpowiedżecz na pytanie, co dla ich familia jest najważniejsze!

Zamarłam nad miską niedojedzonego twarożku. Na zmartwionej twarzy babci pojawił się nagle szeroki uśmiech, a oczka jej błysnęły porozumiewawczo.

– Marianno, jesteś genialna. Tylko jak ja sobie poradzę, kiedy ty wyjedziesz? Mogę sama nie dać rady, bo to wszystko uparciuchy straszne...

– Ty szę ne martw, Stanyslawa, ja jeszcze tak szybko ne wyjadę, Malwina tu znalazla jakiesz nadzwyczajne robaki, Rupert bez niej do Oesterreich ne wróczy, ja to widzę. My tu jeszcze będżemy meszkacz i meszkacz. Chyba, że nas ne chcecze...

– A co ty mówisz, kochana, mieszkajcie jak najdłużej! Emilko, chyba lepiej idź do kuchni, bo starsze panie muszą sobie swobodnie porozmawiać.

– Babciu! Co wy macie zamiar zrobić?

– Jeszcze nie wiem. Ale sama widzisz, że Marianna ma rację, ta sytuacja u nas zupełnie nie do zniesienia, Lula jest wolna i Janek jest wolny, oboje zakochani na razie kompletnie bez sensu, a Wiktor musi coś zrobić, żeby utrzymać swoją rodzinę...

– Ależ ona mu się jeszcze wcale nie wali, ta rodzina!

– Tym bardziej. Chyba, że ty kochasz się w Janku...?
– Babciu!
– No właśnie. Więc pozwól, żeby dwie doświadczone osoby
w spokoju zastanowiły się nad rozwiązaniem...
– Babciu! Wcale nie wiesz tak naprawdę, czy oni, to znaczy
Lula i Janek...
– Co oni? – Babcia spojrzała na mnie fluternie zza okularów.
– Chyba nie jesteś ślepa, moje dziecko!
– Babciu!
– Idź już do kur, kochana, jak jeszcze raz powtórzysz „bab-
ciu", to mnie zemdli. No, pa.
Oddaliłam się w lekkim osłupieniu. Nie wiem i nie chcę wie-
dzieć, co się tu wydarzy, kiedy te dwie matuzalemki zabiorą się za
urządzanie nam życia erotycznego oraz uczuciowego...
Ciekawe, swoją drogą, kogo przydzielą mnie. Bo chyba nie
gangstera.

Lula

W muzeum mam rozwinąć dział historyczny. Proszę bardzo, mogę
rozwijać. Zwłaszcza teraz, kiedy mam w zasięgu ręki baronową
i Kiryska.

Trochę zaniedbałam przez to działalność kuchenną, więc mam
wyrzuty sumienia wobec Emilki, na którą spadają dodatkowe
obowiązki, ale musiałam chociaż na trochę wyrwać się z domu.

Janek prowadzi za mnie zajęcia z tymi studentami od Olgi,
którzy przyjechali na obóz. Twierdzi, że radzą sobie z koniem, ale
nie wykazują ani odrobiny entuzjazmu.

Ewa i Wiktor na razie nie poczynili żadnych rozstrzygnięć. Jagódce nic nie powiedzieli, chodzi więc dziewczynka do szkoły, niczego się nie domyśla i jest szczęśliwa. Jeżeli Ewa ją stąd zabierze...

Wiktor po pierwszym wstrząsie jakby przestał w ogóle myśleć
o sprawie i uznał ją za zamkniętą. Jak zwykle pracuje razem z Jankiem w stajni i w wolnych chwilach maluje. Wygląda na to, że jako
malarz będzie miał większe powodzenie niż w Krakowie, bo po kilku artykułach i po materiale w telewizji oraz dwóch audycjach ra-
diowych, zaczęli tu zjeżdżać ludzie specjalnie po to, żeby obejrzeć

naszą galerię. Nie jest ich specjalnie wielu, bo i sezon właściwie się skończył, ale są. A w Krakowie, zdaje się, było cienko. Na pewno dla mediów Wiktor jest atrakcyjniejszy jako malarz-outsider, ten, który uciekł na wieś, niż jako jeden z całego stada krakowskich plastyków, niemogących się dochrapać własnej wystawy. Udało mu się nawet sprzedać trzy prace jakiemuś nowobogackiemu, który urządza sobie dom na pokaz, a dwie inne zamówił Urząd Powiatowy.

Myślę i myślę – co to będzie, jeżeli Ewa zdecyduje się wracać do Krakowa. Czy Wiktor pojedzie z nią? A jeżeli nie, to czy Jagódka zostanie na wsi, która tak doskonale jej posłużyła?

A jeżeli Wiktor zostanie bez Ewy? To co...

Co będzie ze mną?

Zupełnie niespodziewanie zaproponował mi wczoraj przejażdżkę. Poszłam do niego na łąkę, popatrzeć, jak maluje – tym razem tę łąkę i chmury, oczywiście, w swoim własnym ujęciu, dosyć symbolicznie potraktowane – po kolorach, jakimi się posłużył, widać, jaką burzę ma w duszy – i wtedy nagle rzucił pędzel, i zaproponował, żebyśmy zrobili sobie taka małą jazdkę, jak za dawnych czasów. Były takie czasy, zanim Ewa się na niego zdecydowała, że braliśmy od Rotmistrza dwa konie, ja przeważnie Bobrycę, a on dużego karego Glogera, którego bardzo lubił – jechaliśmy we dwoje, gdzie nas oczy poniosły.

Dawno to było i, niestety, nic z tego nie wynikło.

Wzięliśmy tym razem Bibułę i Latawca i przez pół godziny galopowaliśmy po okolicznych drogach.

I znowu, niestety, nic z tego nie wynikło.

Ale chciał ze mną pojechać. To chyba jest coś.

Kiedy wróciliśmy do stajni, był w niej Janek, dosyć ponury, z dwiema studentkami, czyścili boksy. Reszta studenterii przygotowywała ognisko za stajnią. Ciekawe, dlaczego to dziewczyny czyściły boksy, podczas kiedy panowie studenci zabawiali się w małych piromanów?

Zaprosili nas na to ognisko. Nas, to znaczy instruktorów jazdy, Janka i mnie. Bo jednak ze dwie jazdy z nimi miałam, na samym początku.

Dowiedziałam się przy tym ognisku, dlaczego to panienki czyściły boksy, a nie ich koledzy. Podobno same się napraszały. Koniecznie chciały popracować z panem instruktorem.

183

Ciekawostka.

Było w sumie dosyć nudno. To znaczy wszyscy się świetnie bawili, pijąc piwo i śpiewając mniej lub bardziej głupkowate piosenki i zażerając się podejrzanymi kiełbaskami ze sklepu Rybickiej, pieczonymi na patykach – tylko ja się jakoś nie mogłam rozkręcić. Janek zachowywał się jak król życia. Te panienki go oblazły, przytuliły się do niego z obu stron i karmiły go tą kiełbasą, słowo daję. Nawet śpiewał z nimi jakieś dziwne piosenki ogniskowe. W życiu takich nie słyszałam, pomijając już to, że w ogóle nie słyszałam, żeby Janek śpiewał.

Emilka

Miałam wczoraj straszne przeżycie i to w kościele.

Poszłam na plebanię, zwizytować kochane siostrzyczki w sprawie kolejnego placka, ale plebania świeciła pustkami, więc udałam się do kościoła z myślą, że pewnie sprzątają, albo co, bo nie była to pora żadnych nabożeństw. Lubię ten kościółek, jest mały, ale ładne freski w nim się zachowały, niektórzy twierdzą, że niejakiego Willmanna, który na Dolnym Śląsku był za kogoś w rodzaju tutejszego Michała Anioła. Lula uważa, że to nie żaden Willmann, ale też wartościowe. Mnie tam jest wszystko jedno, najważniejsze, że ładne. W ogóle małe kościółki wywołują u mnie coś w rodzaju nostalgii.

Siostrzyczek w środku nie było, nikogo innego też. A trochę miałam nadziei, że będą Gracje, bo muszę przecież z Jachimiukową pogadać na temat dziadka Przybysza. Siadłam sobie w ławce, zaczęłam wdychać zapach późnych lilii (ciekawe, u kogo jeszcze się utrzymały do tej pory!) i oddawać się tej nostalgii, kiedy nagle poczułam, że ktoś siada obok mnie.

Jezus Maria, Leszek!

Chciałam natychmiast wstać i wiać, ale przytrzymał mnie za łokieć.

– Siedź, kochanie, przecież nic złego ci nie zrobię – powiedział głosem przymilnym, a mnie dreszcz obleciał od tej przymilności, bo słychać było, że fałszywa jak te nasze Chełmońskie. – Chciałaś sobie przecież posiedzieć, prawda?

– Prawda – powiedziałam tak zimno, jak tylko potrafiłam. –
Ale chciałam posiedzieć sama. Bez towarzystwa.
I jeszcze raz spróbowałam się ruszyć, a on mnie znowu przy-
trzymał.
– Zrób dla mnie wyjątek. Przecież byliśmy dobrymi przyjaciółmi. Zapomniałaś?
– Daj sobie luz – prychnęłam. – Jakimi przyjaciółmi? A co ja
o tobie wiedziałam?
– Dużo wiedziałaś. Na przykład jak wygląda moja blizna po
wyrostku robaczkowym. Albo jakie noszę slipy. Albo jak całuję.
Albo jak...
– Zamknij się. Jesteśmy w kościele. Doskonale wiesz, o czym
mówię.
– No wiem, wiem, ale uwierz mi, Emilko moja kochana, że
trzymałem cię w nieświadomości dlatego tylko, żebyś się niepotrzebnie nie denerwowała. W moim pojęciu kobieta jest istotą
wyższego rzędu, ma być szczęśliwa i beztroska, zwłaszcza jeśli jest
taka piękna jak ty...
– Odsuń się!
– Chwila. A rolą mężczyzny jest zapewnić jej ten spokój, tę
beztroskę, żeby jej się zmarszczki pod oczami nie robiły...
– Odsuń się, bo narobię wrzasku!
– Już się odsuwam. Tylko powiedz mi, moja piękna, czy naprawdę ani odrobiny nie tęskniłaś za mną? Rozumiem, że
w pierwszej chwili mogłaś być w szoku, ale później? Nie było ci
mnie brak? Tak łatwo zapomniałaś o naszych wszystkich nocach
i dniach? Czy może znalazłaś sobie kogoś, kto cię pieprzył tak dobrze jak ja?
– Spadaj natychmiast, gnojku!
Ku mojemu zdziwieniu, podniósł się z miejsca. Ale nie odcho-
dził.
– Rozumiem. Nie wrzeszcz. Kobieta bywa zmienna. Ja się nie
przywiązuję tak łatwo, więc i ciebie odżałuję. Tylko wiesz, jest jeden problem.
Wiedziałam. Wiedziałam!
– Sprzedałaś samochód? Bo masz jakąś paskudną astrę dla
ubogich...
– A ty skąd tak wszystko o mnie wiesz? – zapytałam dla zyska-

nia na czasie, z nadzieją, że wymyślę jakąś inteligentną odpowiedź.

– A bo zaprzyjaźniłem się tutaj z kilkoma osobami. – Uśmiechnął się paskudnie. Boże, jak ja mogłam go kochać? Jak mogłam uznawać, że on jest sympatyczny? – Może znasz...

– Łopucha znam, pewnie. Jak na niego wpadłeś?

– Do Olka Łopucha miałem dojście przez wspólnych znajomych. Kiedy się dowiedziałem, z telewizji zresztą, bo twoi rodzice nie bardzo chcieli ze mną gadać, że pracujesz jako instruktorka jazdy konnej w tej wiosce, uruchomiłem tych znajomych, oni mnie polecili Łopuchowi i oto jestem. Zdaje się, że nie przepadacie za sobą wzajemnie? Podkupiłaś mu jakiegoś konia?

– Bo chciał oszukać babcię. Nie lubię oszustów, panie Kałachu.

– Och, nie, nie używam tego pseudonimu ostatnio. Owszem, przydawał się, w pewnych określonych środowiskach, ale chwilowo zawiesiłem życie zawodowe. W każdym razie oficjalnie. Wróćmy do tematu. Sprzedałaś samochód?

– A co cię to obchodzi? To był mój samochód. Dałeś mi go w prezencie.

– Dałem go w prezencie mojej kobiecie – podkreślił tę „moją kobietę". – Sytuacja zmieniła się diametralnie, kobieta przestała być moja, ostatecznie nie będę nalegał, ale w tym układzie chciałbym odzyskać chociaż auto. Ewentualnie pieniądze.

– Kto daje i odbiera ten się w piekle poniewiera – powiedziałam zuchwale, bo trochę ochłonęłam z pierwszego przestrachu. – Zresztą nie mam tego głupiego chryslera. Ukradli mi go.

– On nie był taki głupi. Naprawdę ci go ukradli?

– Możesz sobie sprawdzić na policji. Albo w prokuraturze. Chcesz, to ci podam telefon do pana prokuratora. Zresztą znasz go, to on cię zamknął.

– Jeżeli to ten, który mnie zamknął, to owszem, znam go – powiedział Lesław z pozornym spokojem, ale widziałam, że zacisnął szczęki. – I to sam prokurator prowadził śledztwo w sprawie kradzieży naszego samochodu?

– Mojego. Nie prokurator, tylko policja. Ale... on był wprowadzony. Ja się z nim zaprzyjaźniłam.

Chryste Panie, omal nie powiedziałam, że to on mi doradził skorzystanie z auto casco i że chrysler się spalił...

– A wiesz, że mało mnie to obchodzi. Skoro samochód skradziono i policja go nie odzyskała, to chyba Warta wypłaciła ci auto casco?

– Jeśli chcesz się dowiedzieć, to poproś Wartę, żeby ci powiedziała – zakpiłam, ale w nerwach cała. – Albo policję.

– Wolałbym się tego dowiedzieć od ciebie. – Lekko poczerwieniał, co oznaczało, że był już wściekły. – Zaraz.

– Wypchaj się – odrzekłam z mocą, bo zauważyłam wchodzącego do kościoła księdza. – Księże Pawle, księże Pawle! Potrzebuję pomocy! Ten człowiek mnie napastuje!

– Radzę się zastanowić – syknął. – Bo pożałujesz! Chcę mieć dwie trzecie z tego, co za chryslera dostałaś. Jedną trzecią ci odliczę. Za usługi seksualne pierwszej klasy. Spokojnie, proszę księdza, tej pani coś się wydawało, chciałem tylko spokojnie porozmawiać, ale ona jest jakaś nadpobudliwa...

Wycofał się pod wściekłym spojrzeniem księdza (czy ksiądz powinien w ogóle miewać wściekłe spojrzenia?) i odszedł, a ja, oczywiście, rozryczałam się, gdy tylko trzasnęły drzwi kościoła.

– Nie płacz, Emilko – mruknął ksiądz, z którym od dawna przeszliśmy na ty. – Czy to był twój sławny były? Bo coś słyszałem...

– Wszyscy już chyba słyszeli – załkałam. – Niedługo telewizja przyjedzie i zrobi ze mną wywiad o moim życiu z gangsterem... Albo zostanę atrakcją pierwszych stron tabloidów!

– No, no. Nie przesadzajmy. Ja to usłyszałem w ramach tajemnicy... mniejsza z tym. Ale wolę wiedzieć, czy się dobrze domyślam. Tak na wszelki wypadek.

– Pewnie, że dobrze. Niestety...

Znowu ryknęłam, a ksiądz przytomnie zaproponował, żebyśmy się przenieśli na plebanię, gdzie siostrzyczki napiekły ciasta i dla nas, i dla siebie, i na wszelki wypadek.

– Chyba, że chciałabyś się wyspowiadać – spojrzał na mnie spod oka.

– To już wolę ciasto – powiedziałam szczerze. – I tak ci wszystko opowiem.

Uśmiechnął się i poszliśmy na plebanię. Po drodze doszłam do wniosku, że przecież nic złego nie zrobiłam, więc proszę bardzo, niech wszyscy wiedzą. Im więcej ludzi będzie wiedziało, że w Marysinie mieszka chwilowo szef gangu narkotykowego, tym lepiej dla mnie. Dlatego nie protestowałam przeciwko obecności siostrzyczek, kiedy opowiadałam swoją ponurą historię.

Ksiądz Paweł miał minę nieprzeniknioną, a siostrzyczki trochę się zgorszyły, dowiedziawszy się, że żyłam z Leszkiem bez ślubu. Siostra Miriam wytknęła mi to w pewnym momencie.

– Ale zamierzaliśmy się pobrać – zaprotestowałam. – Zresztą widzi siostra, że tak lepiej wyszło. By teraz byłabym żoną bandyty i gangstera. I co? Musiałabym mu lojalnie paczki do mamra posyłać.

Siostra Miriam przeżegnała się ze zgrozą, a Józefa dołożyła mi placka.

– Jedz, dziecko. Wyroki boskie tak chciały i nie nam się sprzeciwiać. Ale co ty teraz, biedulo, zrobisz?

– Nie wiem – powiedziałam ponuro.

– Nie martw się na zapas – rzekł energicznie ksiądz. – On się najpierw musi dowiedzieć, czy Warta wypłaciła ci pieniądze, czy nie. Na razie nie ma pewności, czy nie toczy się jeszcze dochodzenie w sprawie kradzieży, bo policja nie zawsze działa błyskawicznie. W końcu się dowie, ale to nam daje trochę czasu. Zastanowimy się, co zrobić.

– Ja nie wiem – wtrąciła nie mniej energicznie siostra Miriam – czy my nie możemy czegoś zrobić w tej sprawie. Konkretnie ksiądz...

– Ja?

– Ksiądz. Trzeba na mszy ludziom powiedzieć, że we wsi mieszka bandyta. Jak się wszyscy dowiedzą, to mu się zrobi gorąco!

– Ale nie tak kawę na ławę – ulepszyła koncepcję siostra Józefa. – Musi ksiądz się zatroszczyć o grzesznika. Powiedzieć ludziom, kto to taki, co zrobił i żeby się wszyscy modlili za naprawienie krzywdy i za jego nawrócenie na drogę cnoty...

Prawie się znowu rozpłakałam – ze wzruszenia, że siostrzyczki takie kochane i ze śmiechu, że takie pomysłowe. Ale sam pomysł nie był chyba głupi...

– Coś w tym jest – mruknął Paweł. – Muszę się z tym przespać. Odprowadzę cię do domu, żebyś nie musiała sama taszczyć tego placka. I żebyś się nie czuła nieswojo. A po drodze powiesz mi, co to są tabloidy.

Wyściskałam siostry na pożegnanie. Miriam chyba miała trochę opory, bo w końcu okazałam się jawnogrzesznicą, ale zwyciężyły w niej chrześcijańskie uczucia i nawet dołożyła mi hojną ręką pół blachy placka jako specjalny bonus.

Lula

Te dwie studentki biegają za Jankiem wszędzie, a jak go przez pół godziny przypadkiem nie widzą, to przychodzą najspokojniej w świecie do naszej kuchni i wypytują o niego. Trochę mnie to denerwuje, ale babcia mówi, że agroturystyka na tym polega, że goście mają wszędzie wstęp.

Mam nadzieję, że z wyjątkiem mojej sypialni!

Podsłuchałam dzisiaj rozmowę. Oczywiście przez przypadek, bo ja z zasady nie podsłuchuję, ale kiedy zorientowałam się, o czym Ewa chce rozmawiać z Jagódką, to po prostu nie miałam siły odejść od miejsca, gdzie one obie przebierały fasolkę szparagową na obiad... Rozsiadły się za stajnią na takim małym trawniczku, był tu kiedyś ładny gazon, ale niewiele z niego zostało, Emilka obiecała go zrekonstruować na przyszłą wiosnę, ale teraz rośnie tu tylko kilka niemrawych bylin. Za to winobluszcz posadzony dawno temu przez Rotmistrza, pięknie i obficie pnie się po takiej specjalnej kratce, Emilka mówi, że to się nazywa trejaż. Przez ten trejaż z winobluszczem mało widać, właściwie nic, za to wszystko słychać. Zaczęła Ewa.

– Jagódko, chciałabym z tobą poważnie porozmawiać.

– Ja też, mamusiu – powiedziała ożywiona Jagódka. – Bo widzisz, chciałabym się zapisać na zajęcia karate, u nas był w szkole taki pan z Jeleniej Góry i nasza pani Ola teraz prowadzi zapisy. Kajtek będzie jeździł, tylko on już jest zaawansowany, ja też bym chciała. Do początkujących. To moglibyśmy jeździć do Jeleniej Góry razem, bo te zajęcia się będą odbywać w tych samych godzinach dla naszych grup, tylko różni instruktorzy je będą prowadzić, rozumiesz?

– Rozumiem, kochanie. Odcinaj te koniuszki i odrzucaj, jeśli będą jakieś brzydkie fasolki, na przykład zgniłe.

Dobrze, że Emilka jej nie słyszała. Wyhodowała fasolkę szparagową, jakiej świat nie widział, wszystkie strąki jak złoto, a ta tu mówi „zgniłe"! Gdzie jej miały zgnić, na krzaku?

– Dobrze, mamusiu. A na karate mnie zapiszecie? Bo tato mówił, że to będzie dla mnie dobre. Żebym się nauczyła znokautować każdego, kto mi będzie chciał zrobić krzywdę. Tylko powiedział, że to ty musisz zadecydować. Ale powiedział, że czasy są trudne i kobieta powinna sama zadbać o swoje bezpieczeństwo. I był u nas w klasie taki policjant, opowiadał nam o akcji „kobieta bezpieczna" i też mówił, że dobrze by było, jakby kobiety, to znaczy dziewczyny, zapisywały się na karate, albo na jakieś inne sztuki walki. A ten pan instruktor mówił, że nie tylko o walkę chodzi, ale że to jest szkoła charakteru. Kajtek też tak mówi. No to co, zapiszecie mnie?

Prawie usłyszałam, jak mała rączka ze strąkiem zawisa nad miską w oczekiwaniu na odpowiedź! Boże święty, na miejscu Ewy w tym momencie poszłabym po rozum do głowy! Przecież trzy miesiące temu to dziecko w życiu nie wygłosiłoby przemowy tej długości! I z takim żarem! I ona chce małej odebrać to wszystko, co ją tak cieszy?

Może i Ewa nie jest całkowitą idiotką, bo chyba słyszałam, jak westchnęła. Może coś do niej dotarło.

– Bardzo byś chciała?

– Bardzo. Kajtek mi pokazywał różne chwyty i wykopy i takie śmieszne, no, przewracał mnie na ziemię, jak ja na niego leciałam z kijem! Wiesz, ja wcale nie chciałam go uderzyć tym kijem, ale on powiedział, żebym się nie bała, tylko żebym go walnęła zdrowo, bo i tak mi się to nie ma prawa udać. No to ja najpierw tak go biłam na niby, ale on się tylko śmiał i mówił, żebym walnęła naprawdę. Więc ja go walnęłam i wiesz, on coś takiego zrobił, że ja się przewróciłam!

– Boże, Jagódko, przecież on mógł ci zrobić krzywdę!

– Nie, mamusiu, on mnie tylko przewrócił na trawę i nic mi nie zrobił, nic mnie nie zabolało. Powiedział, że na tym kursie też się tak nauczę.

– A w Krakowie nigdy nic takiego cię nie interesowało...

Kiedy ją miało interesować? W przedszkolu, czy w pierwszej klasie? Poza tym nie było tam Kajtka...

– Bo tam nie było Kajtka, mamusiu, to ja nie wiedziałam... I jeszcze sobie pomyślałam, że jakbym się nauczyła takiej walki obronnej, to mogłabym obronić ciocię Emilkę przed jej gangsterem...

Emilka niewątpliwie by się ucieszyła. Ciekawe swoją drogą, czy jest jeszcze w Marysinie ktoś, kto nie słyszał o jej osobistym gangsterze.

– A skąd ty wiesz o gangsterze? – Głos Ewy zabrzmiał chłodno. Ona chyba nie przepada za Emilką.

Wiedziałam, jaka będzie odpowiedź.

– Kajtek mi powiedział. W tajemnicy. Tylko ty, mamusiu, nikomu nie mów.

– Dobrze, kochanie. Nie powiem, ale ty się w zamian zastanów nad jedną rzeczą...

Tu Ewa zamilkła, zapewne układając sobie w myślach przemowę. Jagódka odezwała się pierwsza, raczej niepewnie.

– Ale nie wrócimy do Krakowa, mamusiu?...

To chyba Ewę zagniewało, usłyszałam w jej głosie nutę irytacji.

– Skąd wiesz... Dlaczego myślisz, że o tym chcę z tobą mówić?

– Bo Kajtek mówił...

– Jagódko! Nie denerwuj mnie! Skąd Kajtek może wiedzieć, czy ja chcę wracać do Krakowa czy nie! To znaczy, czy my wszyscy chcemy...

– My nie chcemy, mamusiu. Tato i ja.

– Kajtek ci to powiedział?!

– O tatusiu Kajtek. I mnie pytał, czy ja bym chciała wrócić do Krakowa, ale ja nie chcę.

– Dlaczego?

– Bo nie.

– To nie jest odpowiedź, kochanie. Bo nie. Proszę, podaj mi jakiś racjonalny... rozsądny powód. Dlaczego uważasz, że tu jest lepiej niż w Krakowie.

– Bo jest lepiej.

Cholera. Doigrała się kochająca mamusia. Jagódkę znowu zatkało i zaczęła szeptać! Tylko wcale nie jestem pewna, czy to właśnie nie podobało się Ewie bardziej. Według niej prawdopodobnie dziecko ma być ciche i bezwonne.

Może jestem niesprawiedliwa.

– Jagódko, kochanie. Porozmawiajmy.

Milczenie.

– Wiesz, jak to jest, kiedy ktoś cię niesłusznie posądzi o coś, czego nie zrobiłaś, prawda?

Milczenie.

– Wiesz, jak to jest okropnie nieprzyjemnie... a jeśli jeszcze na dodatek ktoś cię ukarze za coś, czego nie zrobiłaś... rozumiesz, że bardzo, ale to bardzo chciałabyś wtedy udowodnić wszystkim, że się mylili, że nie mieli rację, że jesteś w porządku, prawda?

Milczenie.

– Ja wiem, że to rozumiesz. Wiesz, że mamusia pracowała w Krakowie na uczelni i straciła tę pracę właśnie dlatego, że ktoś jej zrobił krzywdę. Dlatego właśnie przyjechaliśmy tutaj, prawda?

Miałam wrażenie, że nie tylko dlatego, ale nie zabierałam głosu, przytajona za moim winoroślowym trejażem. Jagódka też nic Ewie nie odpowiedziała. Kochająca mateczka zmuszona była kontynuować występ solowy.

– Teraz okazało się, że to nie ja byłam nie w porządku, tylko zupełnie ktoś inny...

– No, ja wiem – zaszemrała Jagódka. – To był twój profesor. Ale teraz jego wyrzucili z uczelni i ty możesz wrócić do swojej pracy...

Ewę za krzakiem jakby zamurowało, ale dość szybko odzyskała głos i wybuchła:

– A skąd ty to wiesz, dziecko? Przecież starałam się, żebyś nie miała styczności z tymi brudami! To są sprawy dorosłych! Ojciec ci wszystko powiedział?

Naiwna.

– Nie, Kajtek...

Nie słuchałam już, co będzie dalej, bo nagle wystraszyłam się, że Ewa poleci szukać Kajtka i przy okazji wykryje mnie z uchem przyklejonym do trejażu. Uciekłam metodą szybkich i bezszelestnych kroczków. Mam nadzieję, że nikt mnie przy tym skradaniu się nie zobaczył.

Muszę porozmawiać z Wiktorem!

Emilka

Ale numer! Ewa dała się poznać jako prawdziwa tygrysica.

Wróciliśmy z takiej małej, ale przyjemnej jazdki z dwiema najzdolniejszymi do koni studentkami (niech pęknę, jeśli obie nie za-

192

kochały się śmiertelnie w Pudełku, w każdym razie usilnie robią takie wrażenie, a Janek na to jak na lato) – to znaczy one jechały sobie dostojnie na Myszce i Loli, Janek na Bibułce, która miała tego dnia jakieś muchy w nosie, no i ja na moim kochanym Latawcu. Cóż to za sympatyczny koń! Od razu wiedziałam. Zrównoważony i odpowiedzialny, ale lubi sobie pohasać, jak mu się pozwoli. Czasem mu pozwalam, bardzo jest wtedy zadowolony z życia i rozkwita dosłownie na oczach.

Zaraz, to nie miało być o koniach.

Zdążyliśmy wprowadzić konie do stajni i właśnie braliśmy się zespołowo za ich rozsiodływanie, kiedy wleciała do nas Ewa jak furia, ale taka zimna furia, widać było, że się w środku gotuje, a na zewnątrz tylko jej szczęki latały.

– Jasiu! – zakomenderowała strasznym głosem. – Musimy porozmawiać. Natychmiast. Panie tu sobie poradzą z tymi końmi. Proszę cię, chodź ze mną!

Studentki, bardzo zawiedzione, coś tam zaczęły marudzić, że bez pana Janka to one nie chcą, ale Ewa tylko na nie spojrzała i zamknęły się obie natychmiast. Mnie potraktowała jak powietrze, chwyciła Janka żelaznym uściskiem za ramię i wywlokła ze stajni.

– Ona go chce zgwałcić – syknęła konspiracyjnie studentka Asia.

– Raczej zabić – poprawiła ją studentka Patrycja zwana przez Jagódkę Partycją. – Widziałaś, co ona miała w oczach? Emilka, o co jej chodzi?

– Pojęcia nie mam. – Byłam prawdomówna. Gdyby dopadła tak Wiktora, owszem, miałabym kilka koncepcji, ale Wiktor znowu gdzieś za stodołą oddawał się twórczości. Widziałam go rano. Minę miał prawie tak wściekłą jak pani małżonka i chlastał farbami gdzie popadnie.

W tym momencie zobaczyłam Lulę. Szła przez podwórko i wyglądało na to, że jest jej wszystko jedno, dokąd dojdzie. Wychyliłam się przez stajenne drzwi i zawołałam na nią. Spojrzała na mnie mało przytomnym wzrokiem.

– No chodź – ponagliłam ją. – Pomożesz nam przy Bibule, Janek poszedł i zostawił ją odłogiem. Chodź, dawno konia nie wąchałaś.

Lula ostatnio gdzieś się włóczy zamiast jeździć. Chyba momentami ma nas dosyć.

Jak można mieć nas dosyć?

Przyszła do tej stajni i zdjęła siodło z Bibułki, wciąż z tym nieprzytomnym wyrazem twarzy.

– Słuchaj, Lula – zagadnęłam ją po chwili. – Wpadła tu przed chwilą Ewa i wywlokła Janka, wściekła strasznie, chciała z nim rozmawiać teraz, już, natychmiast. Nie wiesz, co ona do niego ma?

Lula znieruchomiała z końskim ogłowiem w ręce. Spojrzała na mnie i na obie studentki, którym natychmiast uszy się wydłużyły.

– Czy nasz kochany pan instruktor jest w niebezpieczeństwie? – zapytała Patrycja, od niechcenia klepiąc Myszkę szczotką po zadku. Mysza tego nie lubi, więc się odmachnęła ogonem.

– Nie rób jej tak – warknęła Lula. – Bo ja cię trzepnę szczotą po tyłku. O Boże, przepraszam.

– Nic nie szkodzi – zaświergoliła Patrycja. – To ja przepraszam. Sorki, Myszunia, więcej nie będę. Chcesz jabcio?

Mysza zawsze chce jabcio. Albo chlebek. Albo marchew. Albo cokolwiek do jedzenia. Dostała duży ogryzek.

– Ja bym coś radziła – wtrąciła się do rozmowy Asia. – Pani Ewa wyglądała dosyć... niebezpiecznie. My sobie tu we dwie poradzimy, zresztą zawołamy naszych chłopaków, to nam pomogą, a panie instruktorki niech lecą z odsiecą. Leczą z odsieczą. No, lecą na ratunek.

Spojrzałyśmy z Lulą po sobie.

– A nawet jeśli nie na pomoc – dodała przytomnie Patrycja – to przynajmniej dowiecie się, o co chodzi. I nam powiecie, bo my byśmy nie chciały, żeby nam ktoś uszkodził naszego kochanego pana Janka...

Lula zacisnęła wargi. Ale ja już uznałam, że Bóg przemawia przez usta dziecka. To znaczy studentek. Zostawiłam uprząż Latawca na murku i wzięłam Lulę za łokieć, bo było widać, że sama raczej się nie ruszy.

– Chodź, Lula, one mają rację, ja chcę wiedzieć, co Ewa ma do Janka.

Wyszłyśmy ze stajni przy akompaniamencie pisków studentki Asi, której Latawiec próbował obgryźć warkocz. Ona ma prawie

194

takie same piękne włosy jak Lula, ale w odróżnieniu od niej wie, co z nimi zrobić. Tylko na jazdę zaplata słowiański warkocz, a przeważnie paraduje w obłoku płowych loków.

– Słuchaj – powiedziała Lula półgębkiem, kiedy tylko zniknęłyśmy studentkom z oczu. – Ja chyba wiem, co ona ma do Jasia. I nie mam pewności, czy aby powinnyśmy się wtrącać.

– Skąd wiesz?

– Podsłuchałam.

– Co zrobiłaś?!

Ludzie kochane, świat się kończy, Lula podsłuchuje! Moja szlachetna Lula!

– Przypadkiem, oczywiście – dodała. Oczywiście.

– Ale mów, kobieto, CO podsłuchałaś.

Pokrótce opowiedziała mi, jak to Ewa zamierzała przeprowadzić ze swoją córeczką małą rozmówkę indoktrynacyjną, która miała się zakończyć stworzeniem wspólnego damskiego frontu rodzinnego przeciw Wiktorowi. Niestety. Jagódka nie tylko nie dała się wciągnąć w konszachty, ale ujawniła daleko idące poinformowanie w sprawach zawodowych matki. Które to sprawy matka chciała utrzymać przed nią w tajemnicy, zapewne uważając, że ośmioletnie dziecko nie ma jeszcze dostatecznie rozwiniętego mózgu, żeby zrozumieć, kto komu robi świństwo. Okazało się jednak, że kolega Kajetan Pudełko wszystko wiedział i Jagódce, swojej małej przyjaciółce, wyklepał. Na dodatek mała wszystko zrozumiała. Na drugi dodatek nie uważała chyba, żeby to było najważniejsze na świecie. Ho, ho. To Kajetan ma przerąbane, a jego tata Jan Pudełko raczej też. Bo przecież to Pudełko syna wychował na podsłuchiwacza, podglądacza, wtrącalskiego i paplę.

Echo wykładowego głosu Ewy niosło się całkiem nieźle i dochodząc do ganku, na który zawlokła biednego Jasia, wiedziałyśmy już, że mamy rację. Siedzieli tam oboje na wiklinowych fotelikach, a ona się na niego darła.

Zamknęła się, kiedy podeszłyśmy do balustradki, ale nie z naszego powodu, tylko po to, żeby Jasio miał możliwość udzielenia jej odpowiedzi na wszystkie zarzuty, jakie wobec niego wysunęła. Ona sama była już zanadto wściekła, żeby jej przeszkadzała nasza obecność. Jasio dostrzegł nas i miłym gestem zaprosił na ganek.

– Chodźcie, dziewczyny – rzekł pogodnie, ale chyba nie do końca, bo usta mu się jakoś tak zaciskały, nietypowo jak dla niego. – Ewa ma do mnie mnóstwo pretensji...

– I mam nadzieję, że wytłumaczysz mi, jak to się stało, że twój syn wie wszystko o nas, dorosłych, wszystko, czego wiedzieć wcale nie musi! I jeszcze uznaje za stosowne omawiać to z moją córką! Ona ma osiem lat, przypominam ci!

– Niedługo będzie miała dziewięć – wtrącił Jasio, podczas kiedy my z Lulą mościłyśmy się na dwuosobowej kanapce dla szczupłych. Ewę niewinna uwaga Janka, naturalnie, jeszcze bardziej rozzłościła.

– Tak czy inaczej jest za młoda, żeby dyskutować z Kajtkiem o moich sprawach osobistych! Mam nadzieję, że porozmawiasz ze swoim synem i dobitnie go przekonasz, że wtrącanie się w nie swoje sprawy jest karygodne! Niedopuszczalne!

– Ewa, ty chcesz się na mnie tylko wyładować, czy może przyszłaś porozmawiać?

– A o czym tu rozmawiać! Kajtek wściubia nos w cudze życie!

– Chyba nie do końca jest tak, jak to osądzasz...

– Jak to nie do końca? To skąd on wie o moich problemach zawodowych?

– Ja z nim rozmawiałem na ten temat.

– Ty?

– Ewa, wszystko ci wytłumaczę, tylko proszę, teraz mi nie przerywaj, bo nie mam ochoty na kłótnie. Rozumiem, że jesteś wzburzona, ale posłuchaj. Kajtek jest moim synem i nasze sprawy rodzinne zawsze omawiamy na plenum. Plenum jest dwuosobowe, ale to nie zmienia postaci rzeczy.

– Mnie chodzi o moje sprawy rodzinne, nie o twoje!

– Ewuniu, wydaje mi się, że odkąd zamieszkaliśmy razem, stworzyliśmy wszyscy coś na obraz i podobieństwo rodziny. Kajtek bardzo polubił twoją Jagódkę, myślę, że z wzajemnością, ona zyskała w nim takiego trochę starszego brata, a w nim się rozwinęły instynkty opiekuńcze. Mnie osobiście to się bardzo podoba.

– Ależ on się dla niej stał absolutnym autorytetem!

– Absolutnym to może nie, ale sama widzisz, że się zżyli przez tych kilka miesięcy. Stale są przecież razem. Kajtek do mnie przyszedł niedawno zmartwiony, bo jak powiedział, Jagódka się martwi. Twierdził, że zauważyła, że między tobą i Wiktorem powstały pewne... zadrażnienia... Prawdę mówiąc, trudno było tego nie spostrzec. Chciał wiedzieć, o co wam chodzi. Jakoś nie mogłem mu powiedzieć, żeby poszedł grać w piłkę. Wolę w takich przypadkach sam mu naświetlić sprawy, a nie żeby kombinował nie wiadomo co. Potem przyszło to pismo do ciebie, z uczelni. Dzieci przecież doskonale wiedziały od dawna o twoim profesorze i dlaczego zdecydowałaś się tu przyjechać...

– Widzę, że uważasz, że wszystko jest w jak najlepszym porządku – syknęła Ewa i zerwała się ze swojego fotelika, aż z poduszki poszło pierze. Muszę ją zszyć, to znaczy powiem Luli, żeby ją zszyła, ona jest bardziej precyzyjna. – A wy – tu zwróciła się do nas, skulonych na kanapce – na pewno jesteście tego samego zdania, co Janek, prawda?

– Prawda – pisnęłam. Lula się nie odezwała.

– Nie, ja tu chyba naprawdę nie mam co robić. – Ewa odwróciła się na pięcie i odmaszerowała w bliżej niesprecyzowaną dal. Z głębi domu wychynęły dwie damskie postacie.

– A co tu się dzieje, moje dzieci kochane? – zapytała babcia Stasia, podsuwając babronowej fotelik po Ewie. – Jakieś nieporozumienia rodzinne?

– Powedzcze, powedzcze, ja wam może doradzę – zachęciła nas życzliwie Marianna. Więc opowiedzieliśmy rzewną historię na trzy głosy. Obie babcie pokiwały siwymi głowami. To znaczy nasza siwą, a Omcia kunsztownie farbowaną na popielaty blond.

– A co na to wszystko Wiktor? Gdzie on się w ogóle podziewa?

– Wiktor, babciu, przeważnie chowa się za stodołą, albo za jakimiś krzakami, żeby go nikt nie wytropił – doniosłam. – Produkuje masowo dzieła sztuki.

– Chyba trzeba go tu przywołać i niech teraz on się wreszcie wypowie – zdecydowała babcia. – Jest głową tej rodziny, przynajmniej nominalną.

– Był głową, jak zarabiał kokosy u pani klozetowej – mruknął filozoficznie Janek. – A i wtedy tylko do pewnego stopnia. Zaraz go ściągnę.

I nie ruszając się z miejsca, wyjął komórkę i wysłał do Wiktora sms-a.

– A co będzie jeśli Ewa naprawdę będzie chciała wracać do

Krakowa? – Jakoś mi się smutno zrobiło na samą myśl. Nie jestem przesadną wielbicielką Ewy, ale jednak ma ona wiele dobrych stron, a poza tym wszyscy razem rzeczywiście chyba stworzyliśmy jakąś taką przyjemną,wieloosobową rodzinę. No i co będzie z małą fajną dziewczyneczką pod tytułem Jagódka?! Zmieni się zapewne w jeszcze mniejszą, wystraszoną i smutną Jagódkę, serce pęka na samą myśl, do końca życia miałabym wyrzuty sumienia na myśl o tym dziecku...

– Niedobrze będzie – orzekła krótko babcia i zacisnęła usta.

– Czeba czeczywdżałacz – oznajmiła odkrywczo Omcia, najwyraźniej bardzo dumna, że wypowiedziała bez poprawek takie długie i trudne słowo. – Dla dobra dżecka. Doroszli nech sobie żyly przegrizą. Dżecko czeba chronycz!

Lula spojrzała na nią z nadzieją w oczach.

– Ale jak, pani Marianno, jak?

– Ty też mów do mnie Oma, dżecko – powiedziała łaskawie Marianna. – Ja szę do was tu przywiązalam i też szę czuję jak w rodżynie. Ty szę nie dżyw, moja droga, ja muszę szybko kochacz ludży, tak powiedżał ten wasz poeta ksządz, tak? Tylko nie dlatego, że oni odejdą, ale ja szę muszę spieszycz. A co zrobicz, to powinien zrobicz Wiktor, a nie ktosz z nas. Tylko Wiktor. O, idże.

Wiktor miał artystycznie poplamioną bluzę i chmurnie łypał spod tych swoich imponujących brwi.

– Jestem, Jasiu. Co to, jakaś narada rodzinna?

– Siadaj, stary. Zostałeś wezwany na dywanik. Masz tu moje krzesło, ja sobie przyniosę zydelek.

– Zrobiłem coś złego? – zdziwił się Wiktor. – Może trochę się ostatnio obijam w sprawie stajni, ale widziałem, Jasiu, że w osobach tych dwóch laseczek masz dzielnych pomocników, podejrzewam, że one tam wszystko za ciebie robią...

– Prawie wszystko, ale nie chodzi nam o stajnię...

– Wiktorku – powiedziałam przyjaźnie, żeby się nie wystraszył. – Sam mówisz, że narada jest rodzinna, to znaczy, że jesteśmy dla ciebie rodziną i wice wersa. To jest w porządku. Więc teraz jako twoja rodzina oczekujemy od ciebie podjęcia męskiej decyzji i przecięcia tego węzła... jak mu było, Lula? Temu węzłu?

– Oczko mu się odlepiło, temu misiu – mruknęła Lula. – Węzeł był gordyjski.

– Otóż to. Przecinaj, Wiktorze.
– Ale o co chodzi? – Brwi Wiktora znowu powędrowały w górę.
To zeźliło babcię.
– Wiktor! Nie chowaj głowy w piasek! Chodzi o Ewy pracę
w Krakowie i o to, że ona chciałaby tam wrócić! A przynajmniej
na to wygląda. Rozmawiała dzisiaj z Jagódką w tej sprawie.
Wiktor opadł na fotel.
– Nie gadajcie, naprawdę, doszło do tego? Skąd wiecie?
– Powiedziała Jankowi – poinformowałam szybciutko, żeby
Lula nie zdążyła się przyznać do podsłuchiwania.
– Niedobrze. Bo ostatecznie pal sześć, że ja się tu czuję jak ry-
ba w wodzie, ale Jagódce ta wiocha zrobiła po prostu świetnie.
Słuchajcie, to tylko tak wygląda, że mnie nic nie interesuje poza
moimi obrazkami, ja naprawdę widzę, co się dzieje z moją córką.
Cholera. I ten Kajtek, Jasiu, to niesamowite, jak oni się zaprzy-
jaźnili, Jagódka nigdy, ani w przedszkolu, ani w szkole nie miała
z żadnym dzieciakiem takich wspaniałych kontaktów...
– Może dlatego, że Kajtek się nią trochę opiekuje – zauważył
Janek.
– Prawdopodobnie.
Brwi Wiktora zrobiły stożek nad wbitymi w mój klematis
oczami.
– Tośmy sobie wyjaśnili pryncypia – odezwała się babcia. – Teraz pora na zastanowienie się, co z tym pasztetem zrobisz, Wiktorku, jako głowa rodziny.
– Babciu kochana, sama wiesz, jaka ze mnie głowa. Nominal-
na. Ewa ma dużo silniejszy charakter. Ja nie chciałbym się stąd
ruszać i nie chciałbym zabierać Jagódki, ale jeśli ona się uprze...
– A czy wchodzi w grę taki wariant – zaczęłam się zastanawiać
– że Ewa wyjedzie, a wy zostaniecie? I ona będzie tu przyjeżdżać
na wszystkie wakacje?
– Myślisz, że Ewa chciałaby sama zamieszkać w tym wielkim
mieszkaniu w Krakowie?
– Może nie sama. Tam przecież jacyś wasi pociotkowie mieszkają, może by się ścieśnili? Zresztą pociotków nieładnie byłoby
tak znienacka wyrzucać z mieszkania...
– Może to i niegłupie, Emilko... W tym naszym mieszkaniu
zmieści się pułk wojska, nie tylko Ewa z pociotkami. Ale to by

było jednak jakoś dziwnie. Jagódce potrzebna jest mama tak samo jak ja. I jak Kajtek.

– No to szę zastanów – zabrała głos Omcia – co jest lepiej. Jagódka tutaj, z wami wszystkimi bez mamy, czy Jagódka w Krakowie z mamą, ale bez was, bez Kajtka, bez swojej nowej szkoły...

– Czy nie uważacie – wtrąciła Lula – że nie powinniśmy tych spraw rozstrzygać bez Ewy?

– Oczywiście – odparła natychmiast babcia. – Ale my nie rozstrzygamy, tylko omawiamy życzliwie, bo dobrze by było, gdyby Wiktor przy naradzie z Ewą miał już zdanie wyrobione... skoro sam uczciwie twierdzi, że ona ma silniejszy charakter...

– Bo jest jeszcze wariant taki – to Janek – że oni wszyscy wyjadą. Albo że wszyscy zostaną.

Uznałam, że teraz moja kolej.

– Matematycznie rzecz ujmując, w Jankowych wariantach zawsze jest dwa na jeden. Może być dwójka szczęśliwych na jedno nieszczęśliwe albo odwrotnie. Jeśli tylko Ewa wyjedzie, wszyscy będą mieli dyskomfort. Na logikę, powinieneś jej przetłumaczyć, że ma zostać.

– Źle kombinujesz – poprawił mnie Janek. – Obawiam się, że w żadnym wariancie nie będą szczęśliwi. Zachodzi rozbieżność dążeń, moi kochani. Ciężka sprawa. Chyba musisz, Wiktorze, jak najszybciej porozmawiać ze swoją żoną...

– Cholera – powiedział Wiktor po raz drugi dzisiaj. – Obawiam się, że macie rację, skoro ona już gada z Jagódką, to nie mogę dłużej udawać, że mnie nie ma. Trzymajcie za mnie kciuki.

Podniósł się z miejsca ciężko jak stuletni starzec i poszedł szukać swojej ślubnej.

Swoją drogą – dlaczego ten mój nieślubny znowu się przytaił? Denerwuje mnie świadomość, że on tu gdzieś siedzi w opłotkach i rozmyśla, jak mnie zażyć. Gdybym miała te pieniądze, to bym mu oddała, a sama zaangażowała się do pracy przy tym całym endemicznym towarzystwie Malwiny. Niby mogłabym sprzedać astrę i wycofać stówę z funduszu Rotmistrzówki, ale wtedy zostałabym utrzymanką ich wszystkich.

Otóż NIGDY.

Jagódka znowu prawie nic nie mówi, tylko tak nieśmiało szepcze jak na początku pobytu w Marysinie. Już dwa dni tak szepcze, a ja widziałam moment, od którego to się zaczęło. To znaczy słyszałam. Przez kratki trejaża.

Z Wiktorem jeszcze nie rozmawiałam, ale wciąż uważam, że muszę to zrobić. Chociaż może właściwie to bez sensu, co ja mu powiem poza tym, cośmy zbiorowo wymyślili podczas narady na ganku?

Powinnam chyba chcieć, żeby Ewa sobie pojechała i zostawiła ich tutaj, ale z drugiej strony – co wtedy? Pójdę do Wiktora i powiem: jestem? Bierz mnie, jak chcesz? A jeżeli on NIE CHCE?

Beznadziejna miłość w wieku lat trzydziestu pięciu powinna być surowo zabroniona. Gdybym miała dziesięć lat mniej, może nic by mnie nie powstrzymało. Ten idiotyczny rozsądek!

Nasi niemieccy goście jakoś tak niepostrzeżenie przeobrażają się w naszych niemieckich przyjaciół. Zwłaszcza baronowa, która wszystkim nam, oczywiście oprócz babci, kazała mówić na siebie Oma, czyli babcia. Z naszą Stasią wypiły bruderszaft (szwesterszaft chyba powinno być) rytualną nalewką na wiśniach. Oczywiście, na wiśniach leśniczyny Joasi Przybyszowej.

Afera Łaskich i niebezpieczna bliskość Emilkowego gangstera usunęły w cień sprawę zaginionych precjozów Marianny, ale wydaje mi się, że ona wciąż ma nadzieję na wznowienie poszukiwań. Może chciałaby na przykład, żebyśmy w wolnej chwili przekopali dokładnie całą posesję na metr w głąb. Ale jeśli nawet babcia się zgodzi na coś takiego, to Emilka padnie jak Rejtan na swoich wycackanych grzędach i może nawet rozedrze koszulę na piersiach, ku uciesze obecnych przy tym akcie mężczyzn.

Wciągnęłam się w pracę w muzeum i jest to bardzo przyjemna praca. Na razie sporządzam inwentaryzację eksponatów i materiałów historycznych zalegających piwnicę, czyli magazyn. Uczony Kirysek z chęcią zaoferował mi pomoc, kiedy tylko będę jej potrzebować. Odwiedził mnie w mojej piwnicy i stwierdził, że owszem, kilka interesujących rzeczy tam posiadamy. Może nie jakieś specjalne rewelacje, ale niezłe, niezłe...

Biednemu Kiryskowi, jak się zdaje, kończą się zasoby finansowe i będzie musiał się od nas wyprowadzić. Nie wiem, jak on to przeżyje. Może namówi Mariannę, żeby go finansowała...

Emilka

Wiktor wciąż nie chce powiedzieć, jaki był wydźwięk jego rozmowy z Ewą! Twierdzi, że dali sobie kilka dni na uzyskanie odpowiedniego dystansu.

No więc, zanim oni się zdystansują odpowiednio, postanowiłam poszukać sobie zajęcia intelektualnego, żeby nie myśleć stale o Lesławie (nadal siedzi cicho) i odwiedziłam sołtyskę Anię, w nadziei, że spotkam u niej starą Jachimiukową i wycisnę z niej zeznania co do prastarego Przybysza Josefa, dziadka leśniczego. Jachimiukowej nie było, za to Ania w nerwach cała, bo jej najstarszy syn zasilający obecnie szeregi wojska polskiego przeszedł pomyślnie cały szereg specjalistycznych badań i zakwalifikował się do Iraku!

– Nie wiem, Emilko, czy ty potrafisz sobie wyobrazić, co ja czuję... Boże kochany, przecież tam wszystko się może zdarzyć... I po co on się zgłaszał?

– Pewnie ciągnęła go męska przygoda. Nie martw się na zapas, ja wiem, że to głupio brzmi, ale przecież nie ma obowiązku od razu oberwać, nawet w Iraku! A będzie miał co opowiadać do końca życia.

– Miałam nadzieję, że go okulista wyreklamuje, ale nie. A ten się cieszy, głupi chłopak!

– Faceci tak mają. Bądź pewna, że męska połowa Marysina zazdrości mu jak nie wiem co.

– Mężczyźni naprawdę pochodzą od innej małpy. Boże, dlaczego ja cię trzymam w przejściu, wejdź, proszę, zrobię kawy, mam świeże ciasto, upiekłam takiego zwykłego drożdżaka, moje dzieci lubią. Może mama przyjdzie do tej pory, poszła na orzechy do lasku za waszymi padokami.

– To się musiałam z nią minąć. Słuchaj, moja droga, a może tobie się obiło o uszy cokolwiek w związku z Józefem Przybyszem, dziadkiem naszego Krzysia?

202

Sołtyska Ania zatrzymała się w połowie drogi między nowoczesną kuchnią a starym, stylowym kredensem wielkiej zabytkowej wartości (wiem, bo mi Lula powiedziała) i przybrała minę tajemniczą i niewyraźną zarazem.

– O, widzę, że coś słyszałaś?

Ania dotarła do kredensu, wyjęła półmisek złocistego i pachnącego drożdżaka grubo posypanego kruszonką i postawiła przede mną na stole.

– Czekaj, jeszcze ta kawa, zaparzę i porozmawiamy. Ale ja wiem niewiele. Tyle co z plotek.

– Plotki to najlepsze źródło informacji. Gadaj, bo umrę z ciekawości!

Ania siadła wreszcie, nalała nam obu kawy z dzbanka i obłamała ze swojego kawałka placka całą górę z tą piękną kruszonką. Ucieszyłam się.

– Podżerasz najpierw kruszonkę? Ja tak zawsze robiłam w dzieciństwie, a mama biła mnie na niby po łapach.

– Nie, nie podżeram. Wręcz przeciwnie, zostawiam dzieciakom. One za nią przepadają. Jak wszystkie dzieci, łącznie z tobą...

– No też coś, łącznie ze mną! Mów o tym gajowym!

– Naprawdę niewiele mogę powiedzieć. Mama mówiła i inne starsze panie, że był tu za Niemca taki polski gajowy Przybysz i że bardzo się przyjaźnił z właścicielem majątku. Czyli chyba z ojcem albo mężem tej waszej hrabiny?

– Baronowej. Z mężem, nie z ojcem. Ale to ona sama nam powiedziała. Nic więcej nie wiesz?

– Chodziły słuchy, że razem zakopywali jakieś skarby.

– To my wiemy. Zrobili skrytkę w jednej ścianie i schowali tam klejnoty rodzinne. Natomiast po wojnie ktoś tę skrytkę splądrował, zanim pan rotmistrz Suchowolski zdążył się do niej dobrać. W ostatniej chwili mu te klejnoty wyciągnęli. Nie wiemy, kto. Słuchaj, Ania, a czy ten polski gajowy po wojnie tu się nie kręcił? Bo Krzysztof nie wie. On jest bardziej powojenny niż ta cała heca.

– Ja też jestem bardziej powojenna. Czekaj, chyba idzie moja mama, może ona coś będzie wiedziała?

Jachimiukowa pojawiła się w polu naszego widzenia, czyli za oknem, z dużą foliową, taką hipermarketową torbą, porządnie wypchaną. Chciało jej się tyle tych orzechów zrywać? Chciało. Pracowita pszczółka. Ja tam nigdy do leszczyny nie miałam cierpliwości.

Złożyła swoje łupy w kuchni i siadła z nami przy stole. Pokrótce wprowadziłyśmy ją w temat. Zrobiła chytrą minę, ale zaraz niewinnie złożyła buzię w ciup i oddała się konsumpcji placka z kruszonką. Też zresztą bez kruszonki, którą odłożyła dla dzieci. Ciekawe, czy ja będę kiedyś odkładała najlepsze kąski dla swoich dzieci. Ale raczej nie, bo mi się to wydaje strasznie niepedagogiczne.

– Powiem wam, dziewczęta, co wiem – wygłosiła wreszcie, widocznie dochodząc do wniosku, że nie ma z czego robić tajemnicy. – Stary Przybysz był tu po wojnie. Ale dziwny był z niego człowiek. Małomówny. Coś w sobie chował, jakieś tajemnice. My nie wiedzieli, jakie, bo po wojnie wszystko tu przyjechało, jako ludność napływowa, bo przedtem tu Polski wcale nie było. A on tu był od samego początku. W lasach pracował jako leśniczy. Ludzie mówili, że on był gajowym u tego Niemca, co tu wszystko miał, tego Kruegera. Nie wiem, skąd to wiedzieli, może kiedyś komuś przy kieliszku sam Przybysz powiedział, tylko że on właściwie nie pił. I strasznie był cięty na szabrowników, podobno chciał ocalić te wszystkie dobra Kruegerów, żeby się nie zmarnowały. No to same rozumiecie, że nie miał szans. Bo na szaber tu przyjeżdżali ludzie z całej Polski, jak się rozniosło, że ziemie odzyskane nasze będą. I tak wszyscy myśleli, że to tylko na trochę i zaraz wrócą do Niemiec. Może Przybysz chciał dla dawnego swojego grafa jego dobytek zachować, nie wiadomo. On tu wtedy pan był całą gębą, a wiecie dlaczego? Bo dubeltówkę miał i jeszcze jakieś sztucery. I jeszcze wam powiem, że on nie tylko szabrowników próbował pędzić, ale tu w lasach było pełno niemieckich bandytów, z nimi też walczył.

– W pojedynkę? – spytałam nieco zdziwiona. – Taki Zorro?

– W pojedynkę nie, miał tam paru ludzi w leśnictwie, to mu trochę pomagali. Tylko że wszyscy się bali, bo Niemcy groźni byli, a szabrownikom znowuż było wszystko jedno, mogli zabić. Tylko stary Przybysz, no, on wtedy nie taki stary był, to on się nie bał nikogo i niczego. My mu się wszyscy dziwili, bo żonę miał piękną i dzieci drobne, ale widać uważał, że łaska pańska nad nim. No i była.

Mama Jachimiukowa zakończyła opowieść i popiła kawki. Wyglądało na to, że więcej nic nam nie powie, bo nie wie. To logiczne, jeśli stary Przybysz zajął się klejnotami baronowej, to raczej nie rozgłaszał tego wszem i wobec. Przeciwnie, schował gdzieś porządnie i w tajemnicy. Jako człowiek znający tutejsze lasy i góry, mógł je upchnąć wszędzie. No to raczej na miejscu Omci pożegnałabym się ze spadkiem.

Po powrocie do domu, oczywiście, wszystko porządnie Mariannie streściłam i dodałam wnioski od siebie, ale ona pokręciła głową.

– Nekonecznie, moje dziecko. Ja myszlę, że czeba pomyszlecz... Rozumiesz, co chcę powedżecz. On był inteligentny szlowiek, jakby chował gdżesz daleko, to by na wszelki wypadek zostawił jakeś instrukcje... wskazówki. Rodżyna by wiedżiala. Chyba, że już je sprzedali, te moje brylanty. Ale to by Kristof lepszym autem jeżdżył. Ja sama muszę szę domyszlicz. Sama...

To prawda. Jeśli gajowy upchnął gdzieś pospiesznie biżutki i nie miał pewności, czy zdoła przekazać właścicielce koordynaty, to musiał wybrać jakieś miejsce, które jej samej z czymś by się skojarzyło. Niech więc starsza pani włączy świadomość i podświadomość, bo strasznie jestem ciekawa, jak wyglądają takie klejnoty po przodkach baronach Von und Zu...

Lula

Wygląda na to, że Ewa jest o krok od podjęcia decyzji. I chyba będzie to decyzja powrotu do Krakowa.

Rozmawiałyśmy wczoraj o tym, ale ona jakoś dziwnie się zachowuje. Przytomna Ewa teraz ma objawy najprawdziwszej nerwicy. Mówi przerywanymi zdaniami i ma kłopoty z gramatyką. Ale czy o gramatykę chodzi w tym wszystkim?

Zapytałam ją wprost, co zrobi z Jagódką i aż mi się jej żal zrobiło, taki miała wyraz twarzy...

– Nie wiem – powiedziała po prostu. – Nie mam pojęcia, co powinnam zrobić. Sama widzę, że Jagódka tu rozkwitła, że jest nie ta sama, trochę nawet jestem zazdrosna o Kajtka, bo on jest dla niej chyba większym autorytetem niż my oboje z Wiktorem razem wzięci. Och, Lula, mówię ci, gdyby nie Jagódka, to by mnie tu już dawno nie było.

– A wtedy, jak miałaś rodzinną naradę z Wiktorem, to doszliście do czegoś?

– Doszliśmy, ale to coś to była awantura. On dostał małpiego rozumu na tle wsi, na pieniądzach mu już w ogóle nie zależy, przecież nie możemy żyć z jego obrazów, bo nie będziemy mieli na chleb!

– Ale macie jeszcze jakieś oszczędności?

– Mamy, ale przecież nie na całe życie.

– A nie brałaś pod uwagę takiego wariantu – zapytałam bardzo ostrożnie – że pracujesz w Krakowie, a wszystkie wolne dnie spędzasz tu?

Natychmiast pożałowałam pytania, bo przecież ona powinna się natychmiast domyślić, o co mi naprawdę chodzi: żeby zostawiła Wiktora i dziecko i pojechała sobie, robić karierę! Wyglądało jednak na to, że się nie domyśliła.

– No i jak to sobie wyobrażasz? Czy bylibyśmy jeszcze wtedy rodziną?

– A jaką rodziną będziecie w Krakowie, gdzie ty będziesz w swoim żywiole, a Wiktor i Jagódka stracą to, co im tak dobrze robi?

No i tak jeszcze międliłyśmy temat z pół godziny i nie doszłyśmy do żadnych konstruktywnych wniosków.

Że też ona nie może zrozumieć: ona ma wyjechać, a Wiktor ma zostać!

Emilka

Leszek znów zatacza koło mnie podejrzane kręgi. Pojawił się w naszej galerii i objawił chęć zakupienia obrazów Wiktora. Mieliśmy strasznie wymieszane uczucia, bo z jednej strony gangusia należy bezwzględnie pogonić, z drugiej – Wiktorowi potrzebna jest forsa i potrzebne jest potwierdzenie własnego ja. A kto w końcu ma pieniądze na sztukę w tym kraju? Biznesmeni albo gangsterzy. Ostatecznie nie pogoniliśmy go, babcia tylko postawiła warunek – gotówka na stół.

– Dobrze – powiedział. – Zapłacę gotówką za te trzy pejzaże, te zielono-błękitne, tyle ile pan chce. Tylko jest jeden warunek – moja przyjaciółka Emilka jest mi winna sporą kwotę – jak tylko się ze mną rozliczy, zapłacę panu i jeszcze dokupię sobie ze dwie abstrakcje...

Ależ bezczelny typek! Dobrze, że wyszłam godnie do moich kur i nie było mnie przy tym, kiedy objawił prawdziwe oblicze, bo chyba bym mu oczy wydrapała. Babcia była, Janek i Wiktor, to znaczy Janek doszedł, jak tylko zobaczył, kto wchodzi do domu. W obecności dwóch facetów Lesław pewnie nie chciał robić awantur. Zapuścił tylko taki próbny balonik, żeby nas zdenerwować. Podobno chłopcy powiedzieli mu do słuchu, ale babcia nie chciała mi powtórzyć, udając, że nie zapamiętała, a oni obaj powiedzieli, że się wstydzą.

Coś mnie ciągnie do Książa. Tak sobie, w celach rozrywkowych. No i tam nie ma Leszka, przynajmniej dotąd.

Lula

Dzisiaj ostatecznie wyszłam na idiotkę. Nie wiem, czy to nie przyspieszy decyzji Wiktora...

Od jakiegoś czasu wyglądało na to, że Ewa podjęła już decyzję, przynajmniej w sprawie swojej pracy, o ile nie w sprawie całej rodziny. Trzy dni temu powiedziała nam przy kolacji, że ma zamiar pojechać do Krakowa, zorientować się, jak się sprawy mają. Niezobowiązująco – tak to określiła. Ale widać było, że chętnie zamieni pieczenie bułeczek i sprzątanie Rotmistrzówki na swoje dawne życie. Od natychmiastowej decyzji powstrzymuje ją zapewne wzgląd na Jagódkę. Biedna mała, żyje teraz pod straszną presją, bo prawdopodobnie doskonale wie, że matka chce wyjechać. A ona nie chce i ojciec też nie chce...

Wczoraj bladym świtem wzięła samochód Wiktora, bo lepszy od jej cinquecenta i pojechała. Nie było jej cały dzień, a wieczorem zakomunikowała nam swoją decyzję – niezależnie od tego, co postanowi Wiktor, ona zamierza spróbować – zacznie zajęcia, zorientuje się, co i jak, a potem ewentualnie zabierze do Krakowa Jagódkę. Dzisiaj pierwszy raz w historii świata Wiktor wstał wcześniej od Janka i sam poszedł do stajni robić poranny obrządek. Jagódka i Kajtek przy śniadaniu prawie słowem się nie odezwali. W ogóle atmosfera była zwarzona, nawet Marianna nie miała ochoty do żartów, zwłaszcza że Malwina i Rupert też zapowiedzieli wyjazd do Warszawy za kilka dni – Malwina musi się zorientować co do swoich powinności na Uniwersytecie Warszawskim, gdzie będzie wykładać jakąś wysoko wyspecjalizowaną biologię i biedna Marianna nie wie, jak postąpi jej ukochany wnuczek, czy przypadkiem nie zechce też się zaczepić gdzieś w Polsce, żeby zostać blisko ukochanej – a wtedy ona będzie musiała sama wrócić do swojego Tyrolu... Prawie nie ruszyła śniadaniowych frykasów, skubnęła tylko jakąś bułeczkę i poszła, mocno utykając, pod ulubiony jawor, czy raczej pod ulubioną jabłonkę. Zainstalowaliśmy tam dla niej na stałe wygodną ławkę, żeby mogła sobie patrzeć, jak dojrzewają czerwone jabłuszka, ale nie wiem, czy jabłuszka były jej w głowie.

Emilka uznała, że w takim ponurym domu nie sposób wytrzymać i pojechała do Książa. Rzekomo aby obejrzeć tamtejszą porcelanę, bo przydałaby nam się jedna elegancka zastawa do podwieczorków, nikt na poziomie nie pije herbaty w porcelicie...

Dopóki na horyzoncie nie pojawił się interesujący neurolog, jakoś jej ten nasz porcelit nie przeszkadzał w piciu herbaty.

Janek, jak zwykle ostatnio, obwieszony z obu stron dwiema irytującymi studentkami, urządził obozowiczom pierwszą lekcję skoków – na razie właściwie przechodzenia ponad leżącymi na ziemi drągami. Nie chciało mi się na to patrzeć, a tym bardziej słuchać tych wszystkich pisków i nie przyjęłam propozycji Janka, żeby zrobić im pokaz prawdziwych skoków. Ponieważ w domu było wszystko zrobione, poszłam do mojego muzeum i zagłębiłam się w inwentaryzacji, która też, nawiasem mówiąc, jakoś mi nie szła. Popracowałam dwie godziny z marnym skutkiem i coś mnie z tego muzeum wypchnęło. Autobus do Jeleniej Góry sam mi się napatoczył, więc wsiadłam i pojechałam. Po drodze sprecyzował mi się zamiar wypicia kawy na rynku; są tam takie sympatyczne ogródki pod arkadami.

Na rynku hasała gromada dziwnych ludzi na szczudłach, owiniętych kolorowymi płachtami. No tak, Wrzesień Jeleniogórski. Teatry uliczne, trubadurzy, rybałci, linoskoczkowie i inne tałatajstwo. Z kilku scen ustawionych wokół ratusza dobiegały głośne i nieskoordynowane dźwięki rozmaitych prób – dwie zwalczające się perkusje robiły co mogły, ktoś produkował straszne jęki na skrzypcach.

Normalnie byłabym zachwycona, bo uwielbiam atmosferę takich festynów, kocham zwłaszcza teatry uliczne, omal sama jednego nie założyłam swojego czasu, bo strasznie chciałam pokazać rzecz o Everymanie na środku Szczecina, ale tym razem nie byłam w nastroju do figli. Skoro jednak postanowiłam wypić kawę...

Pomyślałam, że dobrze. Wypiję szybko i wrócę do Rotmistrzówki, gdzie już będzie pora szykowania obiadu. Ale nie będę się katować tymi rykami na dworze, wejdę do jakiegoś środka.

Najbliższy środek tematycznie stosowny to było Pożegnanie z Afryką. Chyba są tam ze dwa stoliki i może mniej tam słychać te próby.

Stoliki owszem, były. Przy jednym z nich siedział ponury jak nieszczęście Wiktor. Chciałam się szybko wycofać, bo coś mi mówiło, że nie jest najlepszym pomysłem na dziś rozmowa z Wiktorem, ale już mnie zobaczył i nawet jakby się uśmiechnął.

– Lula, jak to miło – powiedział tak smętnie, jakby mu wcale nie było miło. – Co tu robisz? Myślałem, że dłubiesz coś w swoim muzeum. Jaką kawę ci zamówić?

– Jakąś dobrą. Może być z czekoladowym zapachem. Albo nie, czekaj, niech będzie raczej waniliowy.

– Ciasteczko?

– Może być ciasteczko.

Usiadłam przy dwuosobowym stoliku i poczekałam, aż upora się z zamówieniem. Panienka zza lady zabrała się do zaparzania pachnącej na kilometr kawy, a on przyniósł mi to ciasteczko. Z orzechami.

– No więc powiedz, co tu robisz?

– Przyjechałam tak sobie, napić się kawy. Coś mi nie szło w muzeum. A ty? Tobie też nie szło?

– Ja miałem bizneslunch.

– Bizneslunch w sklepie z kawą?

– Nie, w knajpie. Ale spławiłem moją kontrahentkę i zachciało mi się kawy.

– Jaką kontrahentkę?

– Tę od wychodków.

Matko Boska! Postanowił wrócić do projektowania reklam!

– Wracasz do reklamy?

– Do pewnego stopnia. Wiesz, Lula, ona cały czas miała nadzieję, że do niej wrócę, mam na myśli moją zleceniodawczynię. Zamilkł i pochylił się nad resztką swojej kawy.

– Wiktor, mów!

– Co mam ci mówić? Lula, ty wiesz najlepiej, ja bym chętnie zapomniał o tym wszystkim, tych debilnych reklamach klozetpapieru, koniecznie z seksualnym podtekstem, cholera, ona ma fioła na tle seksualnych podtekstów, uważa, że nic, co nie kojarzy się z dupą... bardzo cię przepraszam...

– Nie przepraszaj. Wychodek się kojarzy.

– Ale nie w tym sensie. Rozumiesz, nie udawaj. W każdym razie zgodziłem się z nią spotkać i chyba przyjmę od niej zlecenie, bo jeśli znowu zarobię kupę forsy, to może Ewa nie będzie tak bardzo chciała wracać do Krakowa... Chociaż ona i tak będzie chciała wracać. Ona wcale nie chce mieszkać na wsi i uważa, że ja stroję fochy, że udaję natchnionego artystę, jednym słowem, że udaję. Nie wiem, przed kim miałbym udawać. Ja naprawdę nie lubię Krakowa ani innych miast, zwłaszcza tak snobistycznych. Dobrze mi tutaj. Powiedz, Lula, co ja mam zrobić?

– Zamień ją na mnie, ty ośle.

Nie do wiary. Powiedziałam to. Wiktor najpierw jakby nie usłyszał, co mówię, a potem gwałtownie podniósł głowę znad filiżanki. Zanim zdążył jakoś werbalnie zareagować, panienka zza lady przyniosła nam tacę z kawą. Oblał mnie zimny pot. Matko Boska, co ja zrobiłam najlepszego! Dziewczyna wolno i nieporadnie ustawiała przed nami filiżanki i dzbanuszki, a ja czułam, jak rumieniec wypływa mi na policzki. Wiktor dla odmiany jakby przybladł. Przyjrzał mi się uważnie.

– Lula, ty serio mówisz?

W spojrzeniu miał najzwyczajniejszy popłoch. Oprzytomniałam i wybuchnęłam śmiechem.

– Jasne, że serio. Nie widzisz, jakie by to było korzystne?

Wypuścił powietrze i uśmiechnął się blado.

– Przepraszam cię, głupio gadam. Oczywiście, żartowałaś, a ja to wziąłem na poważnie. Widzisz, co zmartwienie robi z człowiekiem. Swoją drogą może to i szkoda, że się nie zeszliśmy, kiedy był czas po temu. Trochę się kiedyś w tobie podkochiwałem przed maturą.

– Też się w tobie podkochiwałam – powiedziałam lekkim tonem, przez ściśnięte gardło. Podkochiwałam, Boże drogi! Jeżeli kiedykolwiek kogokolwiek rzetelnie i prawdziwie uwielbiałam, to jego. I niestety, nie chciało mi przejść.

– No patrz... To dlaczego ja się właściwie ożeniłem z Ewą?

Z głupoty – chciałam wygarnąć mu prawdę w oczy. Oraz dlatego, że ona sobie tak życzyła, wlazł pod jej pantofel, pod oba pantofle, a ona sobie na nim zatańczyła. Nie, nie w pantoflach, w butach oficerkach.

Nie wygarnęłam mu w oczy niczego, tylko rzuciłam swobodnie:

– Bo w niej się nie podkochiwałeś, tylko kochałeś ją naprawdę.

– Aha. No, może masz rację.

– Ja myślę, że oboje się kochacie – ciągnęłam fałszywie – tylko jesteście teraz w trudnej sytuacji.

– Cholernie trudnej.

Nasypał sobie po raz drugi cukru do filiżanki, zamieszał, spróbował i wykrzywił się szpetnie.

– Czemu mi nie powiedziałaś, że już posłodziłem? Lula, a gdybym teraz się rozwiódł, to byś za mnie wyszła? I zostalibyśmy na wsi?

Zaczynałam się czuć jak na chińskich torturach, nie wiem, jak wyglądają chińskie tortury, ale u nas w domu było takie porzekadło. Niewykluczone, że chodziło o lizanie stóp przez kozę. Może zresztą o coś bardziej męczącego. Na pewno coś bardziej męczącego. Przybrałam wyraz twarzy światowej kobiety i nawet zaśmiałam się, dość nerwowo, ale on tej nerwowości nie dostrzegł.

– Mój drogi. Natychmiast bym za ciebie wyszła. Licz na mnie. Czy już mam zacząć szukać modelu ślubnej sukni? Z welonem ma być?

Zagapił się na jakiegoś szczudlarza w białej szacie, miotającego się po rynku.

– Z welonem, koniecznie z welonem. Ten warkocz byś sobie spięła na czubku głowy i welon by ci wisiał z tyłu na trzy metry. Albo na pięć. Z koronki, nie z żadnego tiulu. Mogłaby być taka delikatna koniakowska, ta, z której teraz baby majtki robią, tylko cieńsza. Druhny by go niosły. Albo Jagódka z Kajtkiem. Suknię byś miała z przodu zabudowaną, ale z tyłu dekolt do pasa. Rękawy zakrywające pół dłoni, żeby ci tylko paluszki było widać. I bukiet takich wielkich różowych piwonii, jakie Emilka hoduje koło stajni...

Jeśli kiedyś wyjdę za mąż, pójdę do ślubu w granatowej garsonce! Czy on naprawdę nic nie rozumie, wizjoner cholerny, artysta? Ja naprawdę chciałabym za niego wyjść i mieć tę suknię, i ten welon, nawet włosy bym sobie upięła tak, jak on mówi! Emilka na pewno nie pożałowałaby piwonii na bukiet...

– Lula, dlaczego płaczesz? Co się stało? Powiedziałem coś?

– Powiedziałeś o wiele za dużo – rzuciłam i prawie przewracając fotelik, wybiegłam z kawiarni, pozostawiając go nad dwiema porcjami kawy i z niezapłaconym rachunkiem za obie.

Becząc idiotycznie, przemierzyłam rynek na skos i schowałam się w jednej z bocznych uliczek. Nie gonił mnie. Wpadłam do jakiejś pizzerii, znalazłam toaletę i schowałam się w niej na jakiś czas. Nie bardzo wiedziałam, co teraz robić, jak wyjść w tym stanie na widok publiczny, a nade wszystko – jak wrócić do Rotmistrzówki i spotkać się tam z nim twarzą w twarz. Ktoś zaczął dobijać się do toalety, w której znalazłam schronienie, musiałam więc się ruszyć. Niedaleko poszłam, obok była mała restauracja, dość ciemna, ze ścianami wytapetowanymi międzynarodową prasą. Znalazłam sobie najciemniejszy kącik i usiadłam, aby przemyśleć sprawę już w miarę przytomnie.

Teraz już nie ma mocnych. Wiktor wie wszystko, musiał się domyślić, jakie domyślić, sama mu powiedziałam, wywaliłam kawę na ławę.

A może jeszcze mogę poudawać głupią?

Nie, chyba jednak nie. Natomiast mogę nosić twarz chłodną i nieprzeniknioną, i niech sobie Wiktor robi, co chce. No i obawiam się, że teraz muszę jak najszybciej pomyśleć o wyjeździe z Rotmistrzówki.

Ja nie chcę wyjeżdżać z Rotmistrzówki!

Emilka

Byłam w Książu i zakupiłam na rzecz Rotmistrzówki dwunasto-osobowy serwis do kawy z pięknej porcelany w cebulowy, niebieski wzorek. Z przyległościami, to znaczy z dodatkowymi talerzykami, dzbankami, półmiseczkami na łakocie i takimi tam drobiazgami.

To wszystko, oczywiście, po to, żeby w domu nie było niestosownych komentarzy na temat, po co ja właściwie jeżdżę do Książa.

Po skorupy jeżdżę!

Kiedy załadowałam już kartony z zastawą do samochodu, pojechałam do Tadzinka, no bo jak tu nie odwiedzić Tadzinka, skoro jest się już w Książu w celu nabycia skorup?

Zupełnie przypadkowo w okolicy Tadzinka pętał się jakiś typek, zdaje się, neurolog. Czy może były neurolog.

No dobrze, nie będę łgać przed własnym laptokiem (Jagódka mówi „laptok", gdzieś to usłyszała i spodobało jej się, mnie też się podoba). Coś mnie pcha do neurologa. Wciąż nie wiem, czy nie jest on przypadkiem człowiekiem żonatym i dzieciatym, a jakoś głupio mi Tadzia pytać. Kiedy przyjechałam, obaj zajęci byli prowadzeniem hippoterapii z jakimiś powykręcanymi dzieciaczkami. Boże, ja nie mogę patrzeć spokojnie na takie dzieciaczki. W dodatku oba były ciche i sympatyczne, nie takie jak nasz ancymonek Marcin, też w końcu biedny dzieciaczek. Ale już wolę tego wrzaskliwego potwora, on jakoś walczy, a nie takie bezbronne stworzenia. Dziewczynka to była i chłopiec, oboje upośledzeni umysłowo i na dodatek z jakimiś schorzeniami wynikającymi z porażenia mózgowego, czy czegoś tam równie okropnego. Ich rodzice byli obecni, ja nie wiem, jak im się udaje zachowywać taką pogodę ducha.

Nie potrafiłabym pracować z tak bardzo nieszczęśliwymi dziećmi. Załamałabym się nerwowo, dostałabym depresji i popełniła samobójstwo. Albo coś w tym rodzaju.

– Nie załamałabyś się – powiedział Rafał, kiedy siedzieliśmy już u nich w domu przy herbacie z sokiem malinowym (nie wiedziałam, że to takie dobre, niekoniecznie na przeziębienie i poty).

– Ty jesteś silna dziewczyna, ja to widzę. A z naszymi dziećmi to jest tak, że oczywiście, można siąść i płakać, załamać ręce i mówić: o Boże, jakie one biedne, patrzeć na to nie mogę, chyba lepiej sobie pójdę i zapomnę jak najszybciej, bo jeszcze mi się przyśni. Nam też nie było lekko, przecież też mamy jakieś tam sumienia i współczujemy dzieciom i rodzicom. Ale mamy też świadomość, że w jakimś stopniu im pomagamy.

– A co to za stopień – mruknęłam nietaktownie i natychmiast zapchałam sobie gębę herbatnikiem, żeby już nie palnąć niczego równie głupiego.

Nie obrazili się.

– Nie za wielki – przyznał Tadzio – kiedy patrzeć na to z punktu widzenia normalnego człowieka, takiego jak ty i ja. Natomiast z punktu widzenia naszych klientów, to jest całkiem sporo. Zapewniam cię, moja śliczna Emilko, że obserwujemy wielkie postępy u tych pokręconych, jak to je ładnie określiłaś, dzieci.

– Ja tego określenia nie użyłam złośliwie – zaznaczyłam w trosce o swój obraz w oczach Rafała. Tadzia też, oczywiście. – One są pokręcone.

– No, są. Po roku pracy z nami trochę mniej. Może chciałabyś spróbować trochę nam popomagać?

Wystraszyłam się. Po chwili jednak pomyślałam sobie, że właściwie... dlaczego nie? Nie musiałabym już kupować żadnych niepotrzebnych porcelan... zresztą ileż zastaw do kawy możemy mieć w Rotmistrzówce?

– A jak to sobie wyobrażasz, Tadzinku?

– Po prostu. Przyjedziesz raz i drugi, kiedy będziemy mieli zajęcia, umówimy się przedtem telefonem, żebyś wiedziała kiedy, powiemy ci, co należy robić i będziemy ci patrzeli na ręce, żebyś nie zrobiła klientowi krzywdy, zamiast pomóc.

– O kurczę, nie wiem.

– Spróbuj – zachęcił mnie Rafał z uśmiechem. – Wiedzy nigdy dość, zdobędziesz nowe doświadczenie, no i potem już będziesz miała jasność, czy chcesz wprowadzać hippoterapię w Rotmistrzówce, czy nie.

No, proszę państwa, skoro Rafał mnie namawia... Dlaczego nie miałabym zostać jego uczennicą na indywidualnym kursie hippoterapeutycznym? Na pewno jest doskonałym instruktorem. Okazuje się, że niekoniecznie trzeba być chorym dzieckiem, żeby zwrócił na człowieka uwagę. Wystarczy zadeklarować chęć niesienia pomocy chorym dzieciom. Ależ proszę uprzejmie, bardzo lubię nosić pomoc komukolwiek, taką już mam naturę, harcerka ze mnie prawdziwa. Może przy okazji dowiem się, co z tym jego stanem rodzinnym.

Wróciłam do Rotmistrzówki w stanie lekko i przyjemnie podekscytowanym, wywaliłam wszystkim przed nos stertę porcelany, wysłuchałam wyrazów uznania z powodu jej subtelnej urody (miło mi, chociaż to nie ja ją robiłam, tę porcelanę) i rozejrzałam się za Lulą. Jakoś zawsze czekam na jej akceptację moich poczynań, chciałam, żeby i ona pochwaliła niebieskie cebulki – ale dowiedziałam się, że Lula jak poszła rano do muzeum, tak do tej pory jej nie ma.

Ohohoho. Była szósta po południu. Chciałam zadzwonić do niej na komórkę, ale od razu odezwała się sekretarka.

– Babciu – spytałam babcię Stasię (chyba by je trzeba jakoś ponumerować, te nasze babcie, skoro już mamy dwie) – czy babcia wie, gdzie się podziewa Lula?

– Nie mam pojęcia, dziecko. Sama się zaczynam martwić. Nie wiem, czy to się jakoś łączy, ale godzinę temu wrócił z Jeleniej Góry Wiktor, jakiś zdenerwowany...

– No to co? – zdziwiłam się. – Przecież Lula nie pojechała do Jeleniej, tylko poszła spisywać stare szpargały w tym swoim muzeum.

– Ale Wiktor teoretycznie pojechał tylko porozmawiać z Olgą o tych jej folderach, bo się umówili, że on jej zrobi koncepcję plastyczną, czy jak to się nazywa. Powinien był już dawno wrócić, najdalej o dwunastej w południe, zwłaszcza, że na pierwszą się umówił z księdzem Pawłem, ksiądz przyszedł i tyle że zjadł z nami obiad. Ewa sama musiała ten obiad zrobić, zła była jak osa. Dobrze, że mamy tyle mrożonych pierogów... Marianna uwielbia pierogi... i tego wszystkiego, coście, dziewczynki, przygotowały. Rupert z Malwiną mieli zjeść w Strzesze. Studenci dostali gołąbki, Janek obrał ziemniaki, co to jest właściwie, żeby mężczyzna obierał ziemniaki?

– Równouprawnienie, babciu – mruknęłam. Swoją drogą Janek jest kochany, ja też powinnam była pomyśleć o obiedzie, ale po co miałam myśleć, skoro były one obie, Ewa i Lula, to znaczy

215

Lula miała być. O Boże. Może naprawdę Wiktor coś wie? Może coś między nimi zaszło?

– Ja ci mówię, Emilko – podjęła wątek zasadniczy babcia Stasia – ty go znajdź, bo ja nie wiem, gdzie on poleciał, wściekły taki i porozmawiaj z nim, proszę. Nie wiem, co się dzieje ostatnio, wszyscy naburmuszeni chodzą.

– Niech się babcia nie dziwi. Wszyscy się martwią, że Ewa zabierze Wiktora i Jagusię i wyjadą stąd, a przecież dobrze nam razem było, nie?

– Och – powiedziała babcia i też się zasępiła. – Masz rację dziecko. Ale może nie dojdzie do najgorszego. Znajdź tego Wiktora, proszę, bo ja się denerwuję!

– Już idę. A gdzie Omcia Marianna?

– Wywołuje cienie przeszłości pod swoim apfelbaumem. Podejrzewam, że śpi, bo ziewała cały dzień. Trzeba ją stamtąd zabrać, bo jeszcze się przeziębi.

Postanowiłam do babronowej wysłać Janka, ponieważ nie miałam ochoty na beztroskie szczebiotanie. Janek właśnie wracał z jazdy ze swoimi studentkami, które dla niego zaniedbały wspinaczki skałkowe i inne przyjemności, poświęcając się bez reszty doskonaleniu jazdy konnej pod okiem ukochanego instruktora. Oczywiście nie miał nic przeciwko zholowaniu Marianny spod jabłoni, a studentki natychmiast zaofiarowały mu swoją pomoc, którą przyjął chętnie.

Swoją drogą ten nasz Janeczek zakwita ostatnimi czasy. Co to jednak znaczy odrobina adoracji... nawet dla faceta!

Wiktor mógł być w trzech miejscach. Za stajnią na łączce, gdzie szczególnie chętnie produkował zachody słońca w ekspresyjnych kolorach, ewentualnie na końcu padoków, z widokiem na konie, których i tak tam teraz nie było, ewentualnie w swoim własnym pokoju w towarzystwie swojej własnej żony Ewy. Wariantu C postanowiłam nie brać na razie pod uwagę, poleciałam za stajnię, ale były tam tylko nasze dzieci, zajęte produkowaniem latawca z niesłychanie długim ogonem. Udałam się więc w stronę padoków i rzeczywiście, Wiktor siedział na kamieniu, oparty plecami o polną jarzębinę i gapił się w przestrzeń. Podeszłam i popukałam go w ramię. Podniósł na mnie oczy, mało przytomne w wyrazie.

Uznałam, że najlepiej będzie wziąć go z zaskoczenia.

– Cześć, Wituś – powiedziałam tonem rzeczowym. – Babcia Stasia uważa, że wiesz, gdzie się podziewa Lula.

– Skąd mam wiedzieć, kiedy mi uciekła?

– Uciekła ci?

Wiktor obrócił się na kamieniu w moją stronę. Jego wspaniałe brwi wyglądały w tym momencie bardzo bezbronnie.

– Emilka... ja nie chciałbym o tym mówić.

– Za późno. Już powiedziałeś. Słuchaj, ja mogę trzymać buzię na kłódkę, ale chcę wiedzieć, o co chodzi.

Westchnął ciężko, a brwi zjechały mu się na czole.

– Może i lepiej będzie, jeśli się dowiesz... Jesteście zżyte z Lulą...

– Jak siostry – oznajmiłam, nieco kłamliwie. – Co się stało? Zrobiłeś jej krzywdę?

– Nie wiem. Chyba tak, ale bezwiednie.

– Bezwiednie czy nie, to ma znaczenie tylko dla ciebie. Ona oberwała i nic jej tego nie odbierze. No mów wreszcie, co jej zrobiłeś.

Usiadłam obok niego na drugim kamieniu, nie miałam tylko jarzębiny pod plecy.

– Wszystko ci powiem, tylko najpierw odpowiedz mi na jedno pytanie, dobrze? Dlaczego Lula nie wyszła za mąż?

O kurczę.

– Bo nie trafił jej się książę z bajki – mruknęłam wymijająco.

– Emilka, bądź poważna. Proszę.

Zezłościłam się i postanowiłam wyłożyć karty na stół. Ostatecznie Wiktor nie jest pierwszym lepszym glancusiem nie wiadomo skąd, tylko przyjacielem, a ostatnio prawie że rodziną.

– Bo się ożeniłeś z inną, Wiktorku. I moim zdaniem, ona ci to dzisiaj powiedziała, potem dotarło do niej, że ci to powiedziała, a potem poszła, gdzie oczy poniosą. Mam rację?

– Jakbyś przy tym była. To znaczy ona nie powiedziała tego wprost, tylko tak wyszło. Nie wiedziałem, jak zareagować...

– I jak zareagowałeś?!

– Nijak.

– To chyba dobrze. Słuchaj, kurczę, trzeba coś zrobić...

– Uważasz, że powinniśmy zacząć jej szukać? – Zerwał się z kamienia, gotów już, natychmiast lecieć na poszukiwanie. Uznałam, że to dobrze o nim świadczy, ale uspokoiłam go gestem.

– Siedź. Ona wróci, bo jest rozsądna oraz inteligentna i nie będzie robić szopek. Wypłacze się gdzieś w jakimś kącie i wróci, jak jej zejdzie czerwone z oczu. Pytanie, co ty teraz zrobisz?

– W jakim sensie? – Wiktor jakby się przestraszył.

– No przecież nie w tym, że natychmiast wniesiesz pozew o rozwód! Chyba, że chcesz?...

Klapnął ciężko na swój kamień i ukrył brwi w dłoniach.

– Ależ u ciebie to proste...

Doszłam do wniosku, że to najlepszy moment, żeby zamilknąć. On teraz powinien poczuć potrzebę wywnętrzenia się. A skoro ja będę milczeć, on będzie mówił sam z siebie.

Miałam rację.

– Zastanawiałem się nad tym cały dzień, Emilko. Cały dzień, a w każdym razie od chwili, kiedy... no, kiedy mi się wiedza poszerzyła. Ty wiesz, że ja się w niej kiedyś trochę kochałem... Strasznie mi się podobała. Tylko że ona była zawsze taka jakaś... niedostępna, zawsze rzeczowa, chłodna, koleżanka to owszem, przyjaciółka już mniej, dziewczyna do kochania już całkiem nie...

Czy wszyscy mężczyźni to idioci? Albo gangsterzy?

– W międzyczasie jakoś się związałem z Ewą, samo to wyszło, chodziliśmy z sobą rok, pobraliśmy się... Słuchaj, w życiu bym nie przypuszczał, że Lula by chciała...

Swoją drogą, jak znam Luleczkę, zrobiła wszystko, żeby tego nie przypuszczał. Kobiety też czasami zasługują na baty. O mój Boże, nachachmęcili, a teraz ja muszę drogi prostować!

– Dopiero dzisiaj tak jakoś jej się wymknęło. Właściwie nawet nic konkretnego, ale...

– To już mówiłeś. Czy obraziłeś ją w jakiś sposób?

– Obraziłem? Nie, raczej nie. Nie w sposób świadomy.

– Rozumiem. Poczuła się odarta ze swojej tajemnicy i teraz jest jej okropnie głupio. Tak?

– Chyba tak to wygląda.

– Musisz z nią porozmawiać, kiedy już przyjdzie. Jak przyjaciel. Żeby się za nią nie wlokło.

– Ale co ja jej powiem? Co ja jej powiem, Emilko?

– Prawdę i tylko prawdę. Rozwiódłbyś się dla niej?

Aż podskoczył. Brwi zjechały mu na środek czoła i tak zostały.

– Wiktor, bądź mężczyzną. Dam sobie głowę uciąć, że odkąd ci uciekła i dotarło do ciebie, co jest na rzeczy, nie myślisz o niczym innym. Do jakiego wniosku doszedłeś?

Miał tak przerażoną minę, że złagodniałam.

– Wiktor. Pamiętaj, że jestem twoją przyjaciółką, Luli też i chcę dla was jak najlepiej. A ponieważ nie jestem osobiście zainteresowana, to mogę ci służyć przytomnością umysłu, bo z twoją chyba jest coś nie tak...

Westchnął rozdzierająco.

– Nie wiem, skąd ty to wszystko wiesz, czy ty naprawdę studiowałaś rolnictwo, czy może psychologię?

– Ogrodnictwo. Którą kochasz?

Znowu go zatkało.

– Obie, jak rozumiem. No to którą kochasz bardziej?

– Jezu, jaka ty jesteś rzeczowa. Nie wiem, którą. Ja w ogóle nie miałem pojęcia, że można kochać dwie kobiety naraz. Okazuje się, że można. Z Ewą jestem siłą rzeczy związany bardziej... z drugiej strony ona się ostatnio zrobiła trochę nieznośna, ja pewnie też... nie bardzo możemy się porozumieć. Z Lulą rozumiemy się w pół słowa. No i zawsze mi się podobała, pociągała mnie. Ale jest przecież Jagódka...

No, raczej!

– Nie potrafiłbym się z nią rozstać. Ja wiem, że to tak wygląda, jakbym był kiepskim ojcem, jakbym się nią mało interesował. Ale my się bardzo kochamy, moja mała córeczka i ja. Nie wyobrażam sobie, że mielibyśmy się spotykać na jakichś cholernych widzeniach raz na tydzień, albo co dwa... Ja ją muszę mieć blisko siebie. Jeśli się rozwiodę, Ewa mi jej nie zostawi.

Znowu go zablokowało, ale nic nie mówiłam, czekałam, aż sam się odetka. Oraz wyciągnie wnioski. Wyciągnął. Westchnął strasznie i przemówił.

– Wygląda na to, że powinienem wrócić z Ewą do Krakowa, a Lulę poprosić, żeby zapomniała o wszystkim.

– Uważasz, że Jagódka też powinna wrócić do Krakowa? – zapytałam bezlitośnie.

Uśmiechnął się niewesoło.

– Nie powinna, zdecydowanie. Ja zresztą też nie chcę tego tak naprawdę. Boże, Boże, co się porobiło...

Widziałam, że na samą myśl o powrocie do Krakowa biedny Wiktorek aż się zwija do środka. Szkoda chłopaka. Niczemu nie zawinił. Nikt niczemu nie zawinił. Dlaczego wszyscy mają cierpieć? Postanowiłam, że muszę znaleźć jakieś wyjście, bo przecież na żadne z nich nie można liczyć w tym względzie. Uczucia im wzięły górę i szare komórki dostały wolne dni.

– Słuchaj, mój drogi. Słuchaj mnie, bo będę mówić rozsądnie. Ewa niech jedzie i niech spróbuje nowego życia na uczelni. Ty też jedź, ale nie na zawsze, tylko na jakiś czas, zrób biznesową przyjemność tej swojej klozetpani, zarób jak najwięcej kapuchy, żeby Ewa poczuła solidny finansowy grunt pod nogami, a Jagódkę zostawcie nam. Nic nie mów, jeszcze nie skończyłam. Chyba nie chcecie wpędzić dziecka znowu w te wszystkie alergie? Lubisz patrzeć, jak się mała dusi? Nie, Ewa też raczej nie. My się nią zajmiemy, a wy będziecie przyjeżdżać na wszystkie weekendy i wolne dni. Wreszcie twój ambitny japoniec zapracuje na swoją benzynkę. W międzyczasie Lula też złapie drugi oddech, bo jak ją znam, to właśnie w tej chwili szuka najbliższego połączenia do Timbuktu, albo gdzieś równie daleko. Trzeba jej to wyperswadować. I ja się tego podejmuję. Uważam, że pół roku, może mniej, wystarczy nam do tego, żeby Lulę jakoś w tobie odkochać i żebyście wy oboje z Ewą zdecydowali, gdzie będziecie mieszkać. Jagódce nawet pół roku na wsi dobrze zrobi na zdrowie, a ponieważ przy Kajtku ona zdecydowanie mężnieje, więc i charakter jej okrzepnie, i jakby co, łatwiej zniesie powrót do Krakowa. Co ty na to?

Pomyślał jeszcze krótko, a potem wyraźnie podjął decyzję. Objął mnie ramieniem, uścisnął serdecznie i w końcu pocałował w rękę.

– Dziekuję ci, moja mądra młodsza siostrzyczko. Jak to jest, że taka ładna dziewczyna ma taki łeb jak sklep?

– To dlatego, że rozstrzygam cudze losy – przyznałam uczciwie. – Nie jestem tak okropnie zaangażowana uczuciowo i mogę sobie spokojnie teoretyzować. Ale może byś mi w ramach rewanżu podpowiedział, co mam zrobić z moim osobistym prawie mężem gangsterem na lewej przepustce?

– Ajajaj – zmartwił się. – Rzeczywiście. Powinniśmy cię jakoś chronić z Jankiem do spółki...

– Zapomnij. Poradzę sobie jakoś, Janek mi pomoże, ksiądz, Tadzio jest blisko... Rafał... obie babcie. Tłum ludzi. A ty idź teraz do Ewy i przeprowadź z nią męską rozmowę. Tylko jej nie bij. A ja poszukam Luli i też jej przemówię do rozsądku.

Poszliśmy w stronę domu, przyjaźnie objęci i zaraz natknęliśmy się na Ewę, niosącą z kurnika koszyk z jajkami. Obdarzyła nas podejrzliwym spojrzeniem.

– Nie patrz na nas takim wzrokiem – poprosił Wiktor, wypuszczając mnie z braterskiego objęcia. – Jesteśmy niewinni. Natomiast chciałbym z tobą poważnie porozmawiać, Ewuniu.

Podniosła brwi, zupełnie tak jak niedowierzający Wiktor. Małżeństwa się upodabniają. Zabrała jej te jajka.

– On ma rację – powiedziałam pospiesznie. – Musicie porozmawiać. Wiktor właśnie wymyślił bardzo mądrą rzecz, ze mną już skonsultował, bo ja jako niezaangażowana mam tu obiektywne spojrzenie, rozumiesz. Ale myślę, że to świetne rozwiązanie.

– Rozwiązanie czego? – zapytała. – I dla kogo świetne?

– Wiktor ci wszystko wyjaśni. Świetne dla was wszystkich: dla ciebie, Jagódki, Wiktora... – Położyłam nacisk na tę wyliczankę, w nadziei, że Wiktor nie chlapnie z rozpędu całej prawdy o Luli i jej udziale w aferze. – No to ja lecę. Te jajka mają być na kolację?

– Babcie zapragnęły placuszków – poinformowała mnie i została odciągnięta przez męża na stronę. Pewnie poszli z powrotem na koniec padoków, pod jarzebinę czerwoną.

A ja udałam się do kuchni i wyprodukowałam milion placków ze śliwkami. Babcie w ich wieku nie powinny jeść takich ilości tłustych, smażonych racuszków! Niemniej zjadły i jakoś nie umarły, natomiast wprawiło je to w doskonały nastrój. Siedziały potem długo na ganku i uczyły się nawzajem jakichś przeraźliwych polskich i niemieckich pieśni. Zdaje się, że były to ponure ballady o nieszczęśliwych miłościach.

Lula wróciła dopiero późnym wieczorem i od razu poszła do siebie. Dałam jej spokój. Na razie.

Lula

Wszystko nam się rozpada.

Emilka

Wyjechali. Ewa jeszcze trochę palpitowała, zanim zgodziła się na jedynie słuszne rozwiązanie opracowane przez Wiktora (niech sobie tak myśli, co mi szkodzi), Wiktor strasznie sponurzał na myśl o rozstaniu z Jagódką (czy tylko?!), Jagódka się poryczała, ale w końcu rozsądek zwyciężył. W przypadku Jagódki walnie dopomogły, oczywiście, oba Pudełka, duże i małe, roztaczając przed nią wspaniałe perspektywy nauki konnej jazdy i innych gier i zabaw terenowych z włażeniem na duże drzewa włącznie. Dyplomatycznie powiedziały jej o tym w nieobecności Ewy, która mogłaby zażądać przyrzeczenia niweczącego rozkosz włażenia na te drzewa. Łzy Jagódki obeschły i tylko upewniła się, że tatuś i mamusia będą codziennie dzwonić. Tatunio kupił jej w tym celu telefon komórkowy, a Kajtek zobowiązał się zabić każdego w szkole, kto chciałby na ten telefon uczynić jakikolwiek zamach (mali chuligani mają się w szkołach świetnie, mimo zaangażowania ochroniarzy stojących na bramce).

Lula udaje, że wszystko jest w najlepszym porządku, ale widzę wyraźnie, że zachowuje się jak kiepski automat, zdecydowanie sprzed epoki droidów z Gwiezdnych Wojen.

Studenci od Olgi też zbierają się do odlotu, bo zaczyna się rok akademicki. Nie płaczemy specjalnie z tej przyczyny, albowiem Olga podeśle nam na dniach kolejny obozik, tym razem jakichś wesołych emerytów. Nie do wiary. Grupa facetów po siedemdziesiątce i kobitek-emerytek, zamierzających zdobywać góry i młodą (???) piersią wchłaniać wiatr, czy jakoś tak. I prężnymi stopy deptać chmury. I nawet jeździć na koniach, bo to wszystko jakiś klub miłośników kawalerii (chyba przedwojennej!), niedostatecznie bogatych, żeby posiadać własne konie. Hej, hej, ułani, malowane dzieci.

Jutro wyjeżdża też do Warszawy Malwina, zainaugurować zajęcia na swoim uniwersytecie. Wierny Rupert podąża za nią, więc

Omcia jest troszkę markotna. Na pocieszenie postanowiła zostawić sobie uczonego Kiryska i sponsoruje mu pobyt w Rotmistrzówce. Kirysek nie chciał przyjąć tak wspaniałomyślnego gestu, ale było mu okropnie szkoda wyjeżdżać, nie dokończywszy pasjonującej współpracy z panią babronową, która wszak jest nieocenionym źródłem informacji historycznych. Dusza historyka zwyciężyła wrodzone poczucie przyzwoitości – tak to określił, sumitując się straszliwie przy wczorajszej kolacji – niech więc już będzie, co ma być...

– Pewnie, że będże, co ma bycz – powiedziała Omcia swobodnie. – Ma bycz tak, jak ja chcę. A ja chcę z panem rozmawiacz, Herr Kirysek, bo tylko pan pozwala mi tak dlugo gadacz bez przerwy.

– Ależ Omciu – obruszyłam się zupełnie szczerze. – Przecież my bardzo lubimy, jak nam opowiadasz o życiu!

Omcia zachichotała z miną nader chytrą.

– A bo ja szę przy was hamuję, moje dżecko. Jakbym mówila godżynę bez przerwy, to żadne z was by tego ne wyczimalo. Albo dwie. A Herr Kirysek wyczimuje i nawet proszy jeszcze. Poza tym ja chcę szę dołożycz do szwiadomoszczy historycznej w narodże.

– Polskim czy niemieckim? – zainteresował się Kajtek.

– A to zależy, czy Herr Kirysek będże mial tlumaczenia – odrzekła logicznie Omcia. – W kaszdym raże my tu z panem robimy piękne z pożytecznym... Tak to szę u was mówi? No. I to mne trochę poczeszy, jak mój Rupert wyjedże...

– Ale my niedługo wrócimy – zakomunikowała beztrosko Malwina. – Prawdopodobnie też z grupą studentów. Chciałabym aż do zimy prowadzić w Karkonoszach badania. Bardzo ciekawie się zapowiadają, na pewno powstanie poważna praca na ich podstawie.

– A tych studentów tak ci ze studiów wypuszczą, Malwinko? – Babcia Stasia była sceptyczna. – Przecież oni mają normalne zajęcia.

– Mam plany co do takiej grupki idącej indywidualnym tokiem studiów – wyjaśniła Malwina. – Kilka miesięcy spędzonych na prawdziwych badaniach plus wykłady i ćwiczenia, które będę z nimi prowadziła, dadzą im na pewno więcej niż tak zwane normalne zajęcia na uniwersytecie, z daleka od jakiejkolwiek przyrody.

– I kto za to wszystko zapłaci? – Babcia miała jednak wątpliwości. – Studenci?

– Uniwersytet. To znaczy nie do końca, ale my mamy sponsora na te badania.

– Omcia? – zaśmiałam się.

– Wyjątkowo nie. – Malwina też się uśmiechnęła. – Są na to fundusze różnych unijnych i pharowskich programów. Wycisnę z nich, ile się tylko da.

Po Malwinie widać było, że zawsze wyciśnie, ile się da, ze wszystkiego, co jej wpadnie w ręce. Oczywiście w dobrej sprawie. I świetnie, albowiem będziemy potrzebowali gości, ażeby utrzymać Rotmistrzówkę.

Lula

Zostaliśmy sami.

Może zresztą nie do końca sami, ale bez Ewy, Malwiny, Ruperta – no i bez Wiktora. Mam wrażenie, że wszystko to dokonało się z mojej winy, co jest, naturalnie, kompletnie bez sensu, bo jeśli nawet miałam swój niewielki udział w wyjeździe Wiktora, to przecież nie miałam najmniejszego wpływu na Malwinę i Ruperta. Wygląda na to, że coś niedobrego dzieje się z moim postrzeganiem rzeczywistości. Doktor Freud miałby zapewne to i owo do powiedzenia na ten temat. Ponieważ jednak doktor Freud jest również chwilowo nieobecny wśród nas, a pozostali nie orientują się – i na szczęście! – w moich dusznych perturbacjach (chociaż nie dałabym głowy za Emilkę, ale ona, nawet jeśli wie cokolwiek, nabrała wody w usta i siedzi cicho) – mam spokój. To znaczy, mogę sobie sama rozmyślać do woli... i zastanawiać się, co powinnam teraz zrobić?

Rozsądek podpowiada, że nic.

Nie będę ukrywać, że odpłakałam swoje. Kiedy uciekłam Wiktorowi z Pożegnania z Afryką, nie wiedziałam, co zrobić, gdzie uciec, a przede wszystkim – jak mu się na oczy pokazać. Chciałam natychmiast wyjeżdżać, gdzie oczy poniosą, na szczęście (na szczęście???) nie bardzo wiedziały, gdzie mnie ponieść – bo przecież ani do Szczecina, gdzie w moim mieszkaniu przebywa kilku sympatycznych marynarzy pływających, ani do Australii... Do Australii jeszcze byłoby nieźle, bo daleko, ale po pierwsze nie mamy armat, czyli nie miałabym pieniędzy na podróż. Wróciłam z kamienną twarzą do Rotmistrzówki i udawałam, że boli mnie głowa. Migrena to pożyteczna rzecz do wymówek, już w dawnych wiekach panie miewały globusa w trudnych momentach.

No i jakoś rozeszło się po kościach. Łaska boska, że Wiktor nie próbował już niczego wyjaśniać ani tłumaczyć.

A jutro wyjeżdżają studenci. Rano przyszły do mnie te dwie panienki, co to ostatnio świata nie widzą poza Jankiem, Asia i Patrycja.

– Bo wiesz – powiedziała Patrycja, mizdrząc się okropnie – ty jesteś od dawna zżyta z Jasiem... może byś nam poradziła... chcemy zrobić pożegnalne ognisko...

– Z prezentami na do widzenia – wtrąciła Asia i potrząsnęła mi przed nosem bujnym uwłosieniem w kolorze blond. – Nie wiemy, co by naszego kochanego pana Janeczka najbardziej ucieszyło...

– Naszego kochanego pana instruktora – dodała Patrycja, wytrzeszczając na mnie oczy, artystycznie umalowane w różne kolory. Z taką tęczą na powiekach powinna wyglądać jak idiotka, ale wygląda po prostu świetnie, czego nie rozumiem. I nie rozumiem, dlaczego Janek na widok tych jej abstrakcyjnych malowideł uśmiecha się pod wąsem i bezwiednie prostuje plecy. A może i nie bezwiednie. A ona do niego wytrzeszcza o wiele bardziej niż do mnie.

– Mam wam podpowiedzieć, co macie mu kupić na pożegnanie? – upewniłam się.

– No tak. Żeby nas ciepło wspominał – zagruchała Asia. – Myślałyśmy o jakimś kosmetyku, nie wiesz przypadkiem, jakiej on używa wody po goleniu? Bo pachnie po prostu bosko!

Bosko, patrzcie ludzie, ciekawe, czy one go wąchają przed jazdą, czy po!

– Nie wiem, czym się Janek oblewa – powiedziałam zgodnie z prawdą. – Zapytajcie lepiej Kajtka.

Patrycja zamrugała kilometrowymi rzęsami w kolorze blue marine.

– Kajtka nie – rzekła stanowczo. – Kajtek nie będzie wiedział. Na pewno poprzekręca nazwy i marki, no, rozumiesz, nie mamy do niego zaufania w tej mierze.

– Ale ja wam mówię, że nie wiem!

– Ale może mogłabyś się dowiedzieć? – Patrycja spoglądała na mnie uwodzicielsko spod blond loka.

– Jeśli go zapytam, to nie będzie miał niespodzianki. Kupcie mu coś neutralnego. Albo coś dowcipnego. Wykażcie się pomysłem.

Studentki popatrzały po sobie z głębokim zastanowieniem.

– Może stringi – podrzuciła z wahaniem Patrycja.

Stringi!

– Nieeee. – Asia kręciła głową z powątpiewaniem. – Stringi ryzykowne. On jest taki poważny...

Tu zastygła z rozmarzonym wyrazem twarzy, tylko blond firanki majtały jej się nad oczami, które przymknęła, zapewne piastując pod powiekami obraz Jasia Pudełko w seksownych stringach i niczym więcej.

Goły Janek Pudełko. To ciekawe. Czy on w ogóle ma co pokazywać? Całymi latami siedział przed komputerem – zaraz, skoro Kajtek jest wysportowanym karateką, to może Janek też? Może nawet było coś kiedyś mówione na ten temat, ale nie pamiętam, nie zwróciłam uwagi. Wiktor... to wiem, Wiktor jest zbudowany jak jakiś olimpijczyk Praksytelesa, albo może Fidiasza... Widziałam nieraz, bo Wiktor chętnie łaził po obejściu z nagim torsem, a Janek zawsze miał na sobie dżinsy i jakieś podkoszulki z dziwnymi nadrukami. Pytałam go kiedyś, co to za figury, a on mi powiedział, że fraktale. Nawet wytłumaczył, co to jest, ale nie słuchałam uważnie, bo właśnie wtedy przyszedł Wiktor z portretem Marianny, tym z sadem i jabłonką.

– No to jak uważasz? Będzie dobrze? Janeczek się ucieszy?

– Przepraszam, zamyśliłam się. A co mu w końcu chcecie kupić?

– Teraz to ci nie powiemy – obruszyły się studentki. – Nie słuchałaś, co mówiłyśmy!

– Oj, mówiłam, że przepraszam...

Ale już uciekły, chichocząc. Pensjonarki!

A wieczorem okazało się, że podarowały mu rękawiczki do jazdy konnej, bardzo ładne, irchowe, starannie wykonane i wykończone (musiały nieźle kosztować). Na grzbiecie lewej było wyszyte czerwoną nicią imię Asia, a na prawej, oczywiście, Patrycja. Nie mam pojęcia, kiedy zdążyły to wyhaftować.

Oczywiście, jak się do niego przykleiły, to nie odkleiły się przed zakończeniem wspólnej biesiady ze śpiewami, grubo po północy. Twierdziły przy tym, że jest zimno i one muszą po prostu zadbać o kochanego pana instruktora, bo jeszcze zmarznie, biedaczek. Zaproponowałam w tym momencie przeniesienie biesiady do salonu, gdzie jest ciepło i gdzie nie musiałyby go z takim poświęceniem ogrzewać własnymi ciałami, ale zostałam zakrzyczana. Krzyczał między innymi Janek. Coś takiego.

Protestowały też obydwie babcie, bardzo energicznie. Babcia Stanisława kazała przynieść z szaf różne futra i szuby, okręciły się tym i były bardzo zadowolone.

Prezenty rzeczywiście były dla nas wszystkich, co uznaliśmy za miłe i wzruszające. My, kobiety, zostałyśmy obdarowane niedrogimi, ale gustownymi biżutkami z kamieni półszlachetnych; pewnie studenci odwiedzili muzeum minerałów w Szklarskiej Porębie, na zakręcie szosy – babcie dostały ametysty w postaci broszek, Emilka i ja wisiorki – ona z pasiastym szaro-niebiesko-beżowo-brązowym agatem, sama wytworność, a ja z pięknym, czerwonym karneolem, przeświecającym od środka. Jagódkę ucieszył sznureczek różnobarwnej mieszanki, a Kajtek dostał... pudełko. Malutkie, wycięte z jednego kryształu różowego kwarcu.

– Ale fajne. – Obracał je w dłoni, najwyraźniej nie chcąc zadać cisnącego się na usta pytania: po co mi to?

– To jest małe pudełko dla małego Pudełki. Schowasz w nim sobie swoją największą tajemnicę – powiedziała Patrycja.

– Albo dasz w nim pierścionek zaręczynowy jakiejś pięknej damie za jakieś piętnaście lat – dodała Asia. – Tak naprawdę my też nie wiedziałyśmy, dlaczego ci je chcemy podarować, ale coś nam mówiło, że tak mamy zrobić. Należy słuchać impulsów w życiu, wiesz, młody? Iść za porywem serca.

– Aha – powiedział ostrożnie młody. – Moja mama mówiła, że serce nie jest dobrym doradcą. Że trzeba raczej słuchać zdrowego rozsądku.

Spojrzałam w popłochu na Janka. Skrzywił się trochę, odłożył zabójcze rękawiczki i mruknął w stronę swojego pierworodnego:

– A ja myślę, że najlepiej jest znaleźć jakiś złoty środek. Niewykluczone, że takowy zresztą nie istnieje – dodał po chwili.

– No to czego ja mam się właściwie trzymać? – zapytał Kajtek rozsądnie.

– Na życie nie ma mądrych – westchnęła babcia Stasia. – Młodzieży, czy nie moglibyście zaśpiewać czegoś wesołego, bo powiało egzystencjalnym smutkiem z tej całej dyskusji. Jak z grobu.

Na to Asia z Patrycją jak jeden mąż przytuliły się do Janka i wydały z siebie rzewną pieśń:

– Mój sokoleeeeeee czarnooki!

– Sokół nie ma czarnych oczu – zaprotestował jeden ze studentów zwany nie wiadomo czemu Gwózdkiem, widocznie posiadający zacięcie ornitologiczne. – On ma bure takie.

– Pyyyytaj o mnie góóóór wysokich – zawodziły dziewczyny, nie odrywając się od Janka. – Pytaj o mnie kwiatów polnych...

– Ptaków polnych!

– Ptaków. Ptaków? I uwooooolnij mnieeeee!

Janek wyglądał jak rozweselony właściciel niedużego haremu.

– Mój sokole, mój przejrzystyyyyy!

– No nie – zaprotestował Gwózdek. – Ja się nie zgadzam na żadne przejrzyste sokoły. Przecież to ewidentna bzdura. Śpiewamy coś innego.

– Ja proszę rozmarynu – zażądała znienacka babcia Marianna. – Ty mne, Stanyslawa szpiewala taka piosenka o rozmarynu. Mne szę to podobalo.

– O mój rozmarynie, rozwijaj się – zaśpiewał ochoczo Gwózdek. – O to chodziło, pani hrabino?

– Baronin, ne hrabina. Baronowa – sprostowała Marianna z wdziękiem. – Wy do mne, dżeczy, też możecze mówicz Oma, babcza. Szpiewaj, szpiewaj.

– Pójdę do dzieewczyny, pójdę do jedynej, zaciągnę się... na sznurku...

– Dlaczego na sznurku? – chciała wiedzieć Marianna. – Czągnącz na sznurku? Do czego?

– Do dziewczyny to zapytam się – skorygowała babcia Stasia. – Dopiero jak mi odpowie „nie kocham cię"...

– Już wiem – zawołał ucieszony Gwózdek. – Ułani werbują, strzelcy maszerują, zaciągnę się...

– Na sznurku – dośpiewali Kajtek z Jagódką.

– Do czego on szę zacząjnie na sznurku???

– Dadzą mi kabacik z wyłogami, dadzą mi kabacik z wyłogami...
– Co to jest kabaczyk? On szę je? Warziwo?
– I czarne buciki, i czarne buciki z ostrogami...
– Na sznurku!
– Nyc ne rozumim, ale to ladna piosenka, szpiewajcze dalej. –
Marianna pogodziła się z losem i pociągnęła zdrowy łyk koniaczku przyniesionego przez nas wyłącznie do użytku starszych pań
(młodzież i tak wolała piwo). Pieśń popłynęła już bez przeszkód,
aż dobrnęła do okropnie nieprzyzwoitej ostatniej zwrotki, nie jestem pewna, czy istniejącej w pierwotnej wersji utworu. Marianna
znowu domagała się tłumaczenia, ale zakrzyczeliśmy ją gremial-
nie. Jest w narodzie jednak jakieś poczucie stosowności.

Ogólnie było bardzo miło, ale chyba nie będę płakać za studentkami Asią i Patrycją. Ciekawe, czy Janek zamierza nosić te
cudne rękawiczki!

Emilka

Pusto bez Ewy i Wiktora! Studentów też już nie ma, niby można
trochę odetchnąć, ale jakoś smutno! Omcia markoci za Rupertem, dobrze, że ma Kiryska na pociechę. A do mnie zadzwonił
Tadzio z propozycją, żebym przyjechała do Książa, popatrzeć,
jak oni męczą dzieci. Jadę! Rotmistrzówka sobie beze mnie poradzi jeden dzień!

Czy mi się wydawało, czy Asia i Partycja pobierały z rąk Omci
jakąś forsę przy wyjeździe? Może miałam przywidzenia zresztą,
wyjeżdżali jakoś strasznie rano.

Lula

Nie do wiary, ale Janek nosi te idiotyczne rękawiczki! Pojechaliśmy sobie dzisiaj na taką małą, całkowicie prywatną jazdkę po
okolicznych łąkach – Janek na Latawcu, ja na Bibułce, Kajtek na
Loli i Jagódka na Myszy. Pierwszy teren Jagódki. Była szalenie
podekscytowana – w przeciwieństwie do Myszy, której zapewne

zdawało się, że idzie luzem, bez jeźdźca. Oczywiście, stara, cwana kobyła, miała w nosie polecenia swojej małej rajterki, ale skoro już szła w zastępie, to nie chciało jej się robić żadnych sztuczek. Odważyliśmy się nawet na malutki kłusik – ja bym nie ryzykowała, ale Janek spokojnie stwierdził, że tyle razy Jagódka już kłusowała na lonży i tak jej to dobrze szło, że nie ma strachu. No i miał rację – Jagódka szczęśliwa cała, wyprostowana jak miniaturowy ułan, płynęła na kosmatym grzbiecie swojej przyjaciółki Myszki, aż miło było na nią popatrzeć. Jechałam pierwsza i czasem odwracałam się, żeby zobaczyć to szczęście w jej ślepkach. Przy okazji widziałam szeroki uśmiech Kajtka (po Janku go ma) i zadowolenie na obliczu jego ojca (trzymającego wodze dłońmi przyodzianymi wytwornie w irchę z haftem. Czerwonym!!!). Janek zamykał nasz mały zastępik – świadomość, że mamy go za sobą, że patrzy na nas i czuwa, żeby nic złego się nie wydarzyło, była nawet miła.

Spotkaliśmy na drodze Krzysia Przybysza. Jechał swoją terenówką, na nasz widok zatrzymał się, wyraził aprobatę dla wzorowej postawy w siodle małej Jagódki (rozpromieniła się jak samo słońce) i zakomunikował, że za nami tęskni. Bardzo był ostatnio zajęty, ale chciałby wpaść, pogadać, wypić herbatę... A Emilka jest?

Powiedziałam zgodnie z prawdą, że pojechała do Książa, gdzie ma dwóch przyjaciół, starego i nowego, którzy uczą ją pracy z chorymi dziećmi. Podkreśliłam przyjaciół. Krzysio zmarkotniał. No, no. Niech on lepiej pamięta o pani leśniczynie i swoich leśniczątkach.

Emilka

Ja się muszę wreszcie dowiedzieć, dlaczego Rafał przestał być lekarzem! Podejście do pacjentów ma lepsze niż Bruno Walicki, a może nawet niż doktor Pawica! Niestety, ani się zająknął na ten temat, dwie godziny natomiast gadał – do mnie! – o schorzeniach neurologicznych, w których leczeniu pomocna jest hippoterapia. Jednocześnie woziliśmy na grzbiecie Hanysa dziewuszkę z porażeniem mózgowym, na dodatek z domieszką autyzmu (Tadzinek w tym czasie zajmował się drugą dziewuszką). To nie do wiary, jaki ten koń jest mądry! Nie mogło mu być wygodnie, bo panienka miotała się na nim, w dodatku wydając dziwne dźwięki o wysokiej częstotliwości, które musiały mu wiercić dziury w uszach. Złego słowa jej nie powiedział. Wcale przy tym nie robił wrażenia mułowatego, takiego, co to mu jest wszystko jedno, czy wozi kartofle, czy żywych ludzi. Przeciwnie, reagował, uważał, słuchał i patrzył, co się dzieje. Byłam nim zachwycona i kiedy odprowadzaliśmy go po zajęciach do stajni, pocałowałam go w wielki czarny nochal. W odpowiedzi usiłował mi zdjąć apaszkę z szyi. I zjeść.

Trochę się bałam tych zajęć, bałam się, że nie zniosę widoku tych biednych, chorych i nieszczęśliwych dzieciaczków, ale Rafał miał rację – kiedy zaczęliśmy z nimi pracować, ważne było tylko, żeby zrobić swoje, żeby dać im jak najwięcej i w jak największym komforcie.

– Pamiętaj – mówił do mnie Rafał, kiedy oboje szliśmy przy małej Izie (jej mama wykorzystała moją obecność i pognała do zamku, kupować jakieś filiżanki – poleciłam jej niebieskie z cebulowym wzorkiem), uważając, żeby nie spadła z szerokiego grzbietu Hanysa – możesz początkowo mieć wrażenie, że to wszystko tutaj to jest robota głupiego. Ale jeśli popracujesz z nami dłużej, sama zauważysz poprawę. Iza początkowo leżała mu na grzbiecie jak wór, a teraz reaguje, widać, że się cieszy, że go lubi, że jest jej przyjemnie. Masz pojęcie, że ona nie wyrażała przedtem żadnych emocji?

– Rafałku – powiedziałam nieśmiało. – A z czego ty wnosisz, że ona okazuje jakieś emocje? Bo ja nic nie widzę...

Roześmiał się.

– Kwestia czasu. Ja patrzę na Izunię od pół roku. No dobrze, mała – zwrócił się do dziewczynki, która bezwładnie zwisała z Hanysa, lekko się przy tym śliniąc. – Zmienimy teraz pozycję. Połóż się trochę inaczej. No, hopsia.

Z delikatnością i siłą odwrócił dziewczynkę tak, aby leżała na koniu równolegle do jego grzbietu.

– Przytul się do konika, nie bój się. To przecież tylko nasz stary, dobry Hanys. Bardzo ładnie. Teraz sobie jeszcze trochę pochodzimy. Ciocia Emilka będzie cię pilnowała z drugiej strony, żebyś nie spadła. A ja sobie pójdę tutaj, obok ciebie.

231

Izunia coś mruknęła i jakby spróbowała objąć szyję Hanysa. Bez powodzenia, rączki zwisły jej bezwładnie wzdłuż boków konia. Spojrzałam na Rafała, prawdopodobnie rozpaczliwie. Znowu się uśmiechnął.

– Mówię ci, jest postęp. Uwierz mi. Trzy miesiące temu nawet nie próbowała próbować. No to jazda.

Ruszyliśmy znowu w ten monotonny spacer. Rzeczywiście, na tym etapie świadomości mogę mu tylko uwierzyć.

Złapałam się na tym, że chcę mu wierzyć.

Podczas kiedy my we dwoje pracowaliśmy z Izunią, Tadzio woził drugie dziecko, a pomocy udzielała mu drobna blondyneczka o zatroskanym wyrazie twarzy.

– To jest mama Zuzanki – poinformował mnie Rafał znad grzbietu Hanysa. – Bardzo dzielna i wspaniała osoba. Niestety, samotna. Tatuś zorientowawszy się, że dziecko jest ciężko chore, dał dyla. Wrażliwiec. Nie mógł patrzeć, jak się męczą ukochane istoty.

– O matko – powiedziałam. – Ale gnój. Pomaga im jakoś?

– Z tego co wiem, to przysyła dwieście złotych miesięcznie na dziecko. Więcej nie może, bo jest na świeżym dorobku. Zostawił im mieszkanie i to go bardzo nadszarpnęło, więc nie może się zanadto rzucać z tymi pieniędzmi.

Ironia i obrzydzenie w głosie Rafała kontrastowały z delikatnością, z jaką obracał znowu Izunię na Hanysowym grzbiecie. Popatrzyłam na blondyneczkę. Będzie trochę ponad trzydziestkę. Ładna. Taki kwiatek, typu niezapominajka na przykład, albo może lobelia, stroiczka. Delikatna. Ale skoro radzi sobie z taką sytuacją, to żadna z niej niezapominajka, tylko raczej górska pierwiosnka, co to wyrośnie na ziarnku piasku przytulonym do skały i nie pozwoli się zwiać w przepaście żadnym wichrom.

Podzieliłam się z Rafałem moimi botanicznymi porównaniami, co go rozśmieszyło, ale przyznał mi rację.

– Dostała pani nowe imię – zakomunikował blondyneczce, kiedy zakończyliśmy już zajęcia i obie mamy (ta od Izuni w międzyczasie wróciła z kartonem niebieskich filiżanek) siadły z nami przy małym stoliczku celem złapania oddechu (mama Izuni, na szczęście, posiada tatusia do kompletu, tyle że aktualnie złożonego niemocą w postaci ospy wietrznej, którą podłapał od jakiegoś ucznia w szkole, gdzie uczy geografii). – Jak to było, Emilko? Prymulka?

– *Primula minima*. Pierwiosnka maleńka.

– A może być *Primula maxima*? – wtrącił się Tadzio. – Bo maleńka do pani niespecjalnie pasuje, moim zdaniem. Ja w każdym razie uważam, że pani jest wielka. Mnóstwo ludzi załamałoby się na pani miejscu.

– Nie wiem – szepnęła Primula Maxima, której zatroskane oblicze rozjaśnił zażenowany uśmiech. – Myślę, że pan przesadza, panie Tadeuszu. Mnóstwo kobiet na moim miejscu postąpiłoby tak samo. Przecież Zuzia to moje dziecko. Jedyne. Jeśli ja się nią nie zajmę, to kto to zrobi? Obcy ludzie?

– Jakie to proste w pani ujęciu. – Tadzio śmiał się, jak to Tadzio, ale widziałam, że coś tam jeszcze pod tym śmiechem było.

– To naprawdę proste. Mogłam zrezygnować i oddać Zuzię do jakiegoś zakładu, szpitala, nie wiem gdzie... są takie placówki, moi przyjaciele nawet chcieli mi załatwić miejsce dla Zuzi w takim domu... ale chciałam sama spróbować. No i okazało się, że można wytrzymać. Zresztą w żadnej placówce nikt nie zajmowałby się Zuzią cały dzień, a ja w domu to mogę robić.

– A z czego pani żyje? – wtrąciła się do rozmowy mama Izuni.

– Mam rentę na Zuzię, alimenty od mojego byłego, trochę mi pomagają rodzice i trochę zarabiam sama, bo daję lekcje hiszpańskiego. Nie jest źle.

Pogadaliśmy jeszcze chwilę i obie mamy ze swoimi córeczkami odjechały samochodami marki tico – ta od Izuni miała fioletowe, a Primula srebrny metalik.

Tadzinek westchnął głęboko.

– I taka jeszcze mówi, że nie jest źle – sapnął. – Zarzyna się kobieta z uśmiechem na ustach. Boże, dzięki ci, że nie dałeś mi dziecka z ciężkim upośledzeniem!

– Na razie nie dał ci żadnego – zauważył przytomnie Rafał. – Ale miejmy nadzieję, że twoje dzieci, Tadziu, będą okazami zdrowia i urody. Czego ci życzę.

– O mój Boże, mój Boże – powiedział Tadzio ponuro i poszedł do domu po piwo. I wodę mineralną dla mnie, drajwerki.

Zdobyłam się na odwagę.

– A ty, Rafałku, masz jakąś rodzinę?

– Całe mnóstwo – uśmiechnął się. – Mama, tata, dwie siostry, stado wujków i cioć z obu stron, kuzyni i kuzynki, tabuny powinowatych...

– Miałam na myśli żonę i dzieci.

– Już nie.

Chciałam bezczelnie zapytać, co z nimi zrobił, skoro miał i nie ma, ale wyraz jego twarzy sprawił, że zamknęłam się i nie zapytałam.

Zapadła między nami idiotyczna cisza, miałam ochotę zapaść się pod ziemię albo rozwiać się w powietrzu. Na szczęście w tym momencie zadzwoniła moja komórka. Złapałam ją z uczuciem ulgi.

– Witam cię, Emilko moja droga.

Uczucie ulgi diabli wzięli natychmiast. Lesław!

– No i co u ciebie słychać? Nie odzywasz się do mnie, uciekasz gdzieś do Książa...

Skąd on to wie?

Odblokowało mnie.

– Jakoś nie tęsknię za tobą – powiedziałam sucho. – Do Książa jeżdżę, bo lubię.

– Konie. Rozumiem. Konie i koniarzy. Kiedyś lubiłaś samochody. Ale ja rozumiem, świat się zmienia, a my z nim. A propos samochodów, to skoro Warta wypłaciła ci odszkodowanie, chyba nie ma przeszkód, żebyśmy się mogli rozliczyć. Co ty na to?

– Nie przypominam sobie, żebym miała z tobą jakieś rozliczenia – warknęłam do słuchawki, bo już mi zaskoczenie minęło, natomiast ogarnęła mnie złość. Dowiedział się o odszkodowaniu. A gdzie ochrona tajemnicy klienta? Ale pewnie, co im tam ochrona, jak gangster machnie forsą przed nosem. – I myślałam, że już sobie to wyjaśniliśmy jakiś czas temu!

– I mnie się tak wydawało, kochanie. Wyjaśniliśmy sobie, że oczekuję od ciebie pewnej określonej kwoty, będącej określoną częścią wartości chryslera, którego ode mnie dostałaś, pozwoliłaś sobie ukraść i rozbić... To będzie sto dwadzieścia baniek, o ile dobrze liczę. Na szczęście pomyślałem w porę o ubezpieczeniu twojej zabaweczki.

– Sam mówisz, że mojej. Chrysler był mój. Od samego początku. Jego wartość potraktuj, proszę, jako odszkodowanie za straty moralne, których doznałam, naiwnie ufając w twoją uczciwość.

– Emilko, Emilko, jak to nieładnie wygląda w twojej interpretacji...

– A jeszcze gorzej w rzeczywistości! Pamiętaj, że nawet prokuratura nie położyła łapy na samochodzie, bo uznała, że jest bezapelacyjnie i granitowo mój! W żadnym sądzie nie udowodnisz, że jest inaczej!

– A kto by tam chodził do sądu, kochanie. Jak zapewne się domyślasz, nie mam najlepszego zdania o naszym wymiarze sprawiedliwości. Z wzajemnością zresztą. Myślę natomiast o różnych domowych sposobach...

Tu mnie wreszcie zatchnęło. Matko Boska, jakie domowe sposoby? Przecież to gangster, mafioso, co on ma na myśli?

– Jesteś tam jeszcze, Emilko? Pamiętaj, kochanie, że nie ma to jak rękodzieło.

Jakie rękodzieło, Boże jedyny? Chce mnie zamordować? Ręcznie! Upozoruje wypadek?

– Bo wiesz – ciągnął spokojnie i jadowicie. – Macie tam w tej swojej Rotmistrzówcc różne zwierzątka, podobno do niektórych jesteś przywiązana specjalnie... słyszałem o jakimś Latawcu, podobno głupi koń, nie wiem, co ty w nim widzisz takiego, ja tam zawsze uważałem, że konie mechaniczne są przyjemniejsze i bardziej, jakby to powiedzieć... dla białych ludzi...

Matko Boska po raz drugi! Konie!

– Jeżeli naszym koniom stanie się jakakolwiek krzywda – syknęłam roztrzęsiona – zabiję cię!

W słuchawce dał się słyszeć serdeczny śmiech mojego byłego gangusia. Jak ja mogłam być w nim zakochana???

– Emilko, dziecko. A kto mi udowodni cokolwiek? Czy ja się w ogóle zbliżam do tej waszej zapowietrzonej stajni? Ja nie lubię koni, one mnie nawet może uczulają, dostaję od nich egzemy...

– Sam jesteś cholerna egzema! – wrzasnęłam. – Nie waż się palcem tknąć naszych koni! Ty ani twój pieprzony personel! Natychmiast zgłaszam na policję pogróżki z twojej strony! Mam tu świadków tej rozmowy, włączyłam głośnik od samego początku, słyszeli i potwierdzą!

– Słyszeliśmy i potwierdzimy! – ryknął basowym głosem Tadzio, który zdążył już wrócić z napojami i strzygł uszami jak zaniepokojony folblut. Odebrał mi słuchawkę i kontynuował przemowę. – Emilka ma tu przyjaciół i jeśli stanie się jej jakakolwiek krzywda, to krew się poleje, rozumiesz, pętaku? Twoja! Jeszcze jeden telefon i będziesz miał mordę jak befsztyk tatarski. A teraz... Tu mój dzielny obrońca w słowach baaardzo nieprzyzwoitych powiedział Leszkowi, co ma zrobić i dokąd się udać. Wyłączył komórkę i podał mi ją z zatroskanym wyrazem poczciwego oblicza.

– Rozumiem, że to był ten twój?

Pokiwałam głową, niezdolna wydusić z siebie ludzkiej mowy. Rafał patrzył na nas szeroko otwartymi oczami.

– Cholera – mruknął Tadzinek. – Ja mu wprawdzie nawtykałem, ale boję się, że on się niespecjalnie przejął. Przypuszczam, że niejeden mu takie teksty wstawiał... O co mu chodziło?

– Chce, żebym mu oddała dwie trzecie odszkodowania za tego chryslera, co ci mówiłam, pamiętasz.

– Nie wygłupiaj się. Nic mu nie oddawaj, musisz z czegoś żyć. Na policji zamelduj koniecznie, my z Rafałem poświadczymy, że ci groził. A propos, tobie, czy koniom?

Streściłam rozmowę, której teoretycznie obaj byli świadkami. Tadzio kiwał głową ze zrozumieniem, natomiast Rafał poprosił o wyjaśnienia.

– Bo, widzicie – rzekł jakby nieco strapiony – ja nie jestem w kursie dzieła, a chciałbym wiedzieć, co to za ponure afery otaczają naszą Emilkę.

Powiedział „naszą"! Zrobiło mi się lepiej. Pokrótce opowiedziałam mu stosowne fragmenty swojego życiorysu. Słuchał uważnie... zupełnie jakbym była mamą dziecka z porażeniem mózgowym.

– No, no – mruknął, kiedy skończyłam. – To wszystko jest raczej nieprzyjemne. Tadzio ma rację, trzeba iść na policję, zadzwoń może też, Emilko, do tego swojego znajomego prokuratora. Mam nadzieję, że uda wam się upilnować konie. Czy ktoś ze wsi u was pracuje?

– Nie, my sami sobie radzimy – odpowiedziałam i nagle zrobiło mi się zimno. Po wyjeździe Wiktora była mowa o tym, że dorywczo do pomocy Jankowi trzeba będzie zatrudnić któregoś Misiaka. Znowu złapałam komórkę. – Jasiu! To ja, Emilka. Słuchaj, czy ty już się umawiałeś z Misiakami? Byli już w Rotmistrzówce?

– Jeszcze nie, dopiero jutro mamy układać paszę na zimę...

– Jasiu, ja cię proszę, natychmiast ich odwołaj! Nie mają prawa zbliżać się do Rotmistrzówki! My ci pomożemy, Lula i ja. Damy sobie radę sami. Tylko ich natychmiast odwołaj!

– Dobrze, ale co się stało?

– Leszek, wiesz, mój były...

– Wiem. Co Leszek?

– Groził, że coś zrobi koniom, mówił o Latawcu. Jasiu, ja cię proszę!

– Dobrze, rozumiem, nie martw się. Zaraz ich złapię i unieważnię nasze plany. Kiedy wracasz?

– Niedługo. Chyba jeszcze zajadę na policję, tak mi radzą chłopaki tutaj...

– Bardzo rozsądnie. Czekamy na ciebie. Trzymaj się, dzielna Emilko.

Kochany Janeczek. Nie gada po próżnicy, wie, co jest ważne, reaguje natychmiast i prawidłowo. Czy ta Lula jest nieprzytomna? Z drugiej strony, może jemu się odwróciło pod wpływem studentek? I teraz będzie szukał młodszej? Ależ się porobiło. Muszę nią chyba jakoś potrząsnąć.

– W porządku?

– W porządku, Tadziu. To ja chyba będę wracać. Nie wiem, na którą policję jechać, tu, czy w Karpaczu? Jak myślicie?

– Chyba w Karpaczu... bliżej ciebie, to znaczy twojego obecnego miejsca zamieszkania...

– Albo w Jeleniej Górze – dodał Rafał. – Tam jest jakaś ważniejsza policja, kiedyś była wojewódzka.

– To ja już pojadę – westchnęłam. Taki był miły dzień i diabli wzięli wszystko... – A prawda, co z tym waszym świadkowaniem? Bo chyba naprawdę byłoby dobrze, żeby ktoś poświadczył, że on mi groził...

– Pojedziemy z tobą – zadecydował Tadzio bez namysłu. – Za tobą. Przejedziemy się motorkiem. Miał być jeszcze dzisiaj na terapii Marcin Grabowski, pamiętasz go? Ale jak byłem po piwo, to dzwoniła jego mama, że jest przeziębiony i leży w łóżku. Mamy czas. Patrzcie, jak to dobrze, że nie wypiliśmy tego piwa.

Dostrzegłam pewną możliwość i postanowiłam ją wykorzystać.

– A może by któryś z was pojechał moim samochodem? Bo ja

– zaszemrałam, starając się, żeby to wypadło bezradnie – tak się jakoś głupio poczułam, to chyba przez te emocje...

– Dobrze, ja z tobą pojadę – zgodził się natychmiast Rafał, zapewne wiedziony odruchem lekarza, opiekuna słabszych. – A jak się czujesz, powiedz?

– No, tak byle jak – miauknęłam, spoglądając na niego rzewnie. – To trudno określić. Właściwie nic mi nie jest, mogę jechać sama...

– Lepiej nie – pokręcił głową Rafał. – Nie ma sensu ryzykować, teraz niby nic, a jeśli zasłabniesz w drodze?

Lekko uniesiona brew Tadzinka powiedziała mi, że on chyba domyśla się, co jest na rzeczy. Zawsze byłam okazem zdrowia.

Dobra, dobra. Byłam, ale może już nie jestem! Teraz jestem kobietą po przejściach i mam prawo do słabości!

Tadzio prychnął śmiechem i poszedł szykować swojego stalowego rumaka marki Kawasaki. My zaś wsiedliśmy do astry – on, ma się rozumieć, po lewej stronie, a ja na fotelu pasażera – Rafał wrzucił jedynkę...

Nawet nie chciało nam się rozmawiać po drodze. Jeśli się w czyimś towarzystwie dobrze milczy, to chyba coś znaczy?

Tuż za Wałbrzychem wyprzedził nas jadący z prędkością nadświetlną szalony motocyklista.

– Dawca nerek – powiedziałam z lekką pogardą, myśląc jednocześnie o regularnym profilu Rafała i o tym, czy regularny profil oznacza uporządkowaną osobowość. Sądząc po Rafale, owszem, oznacza.

– Wypluj to słowo – zaśmiał się właściciel regularnego profilu. – To przecież Tadek.

– O Matko Boska! Tfu, tfu, na psa urok, na koci ogonek! Nie poznałam go w tym baniaku na głowie! Wygląda jak kosmita!

– Panienki to kochają – zakomunikował profil. – A Tadzio ma kompleksy, więc lubi sobie czasem dodać blasku...

– Tadzio zawsze miał kompleksy. – Jak miło jest plotkować o przyjaciołach! – I za nic na świecie nie chciał uwierzyć, że żadnej normalnej dziewczynie nie będzie przeszkadzał jego wzrost, bo nie we wzroście jest Tadzinka siła! Siła Tadzinka mieści się w jego osobowości oraz uroku osobistym.

– Powiedziałabyś mu to? – Zerknął na mnie znad kierownicy.

– Ja mu to sto razy mówiłam. Ja i wszystkie koleżanki z naszego roku. Groch o ścianę, mówię ci.

– Może on chciał nie sto razy i nie od wszystkich, tylko raz i od jednej?

– Masz kogoś konkretnego na myśli?

– A za kogoTadzio krowy doił?...

Och ty, neurologu, ty nie bądź taki cwany. Bo się nie uchowasz. Swoją drogą, Tadzio opowiadał mu życiorys czy co?

– Krowy to była koleżeńska przysługa – oświadczyłam stanowczo. – A mówił ci, jak mu zrobiłam pół zielnika na pierwszym roku? Może nawet dwie trzecie zielnika.

– Mówił, mówił. Wiesz, że on do tej pory ma ten zielnik? Bardzo przeżył, kiedy sobie znalazłaś kogoś...

– Coś takiego! On ci wszystko opowiadał? To po co udawałeś, że nie słyszałeś o moim gangsterze?

– Tadek mi nie mówił o gangsterze, tylko kiedyś przy piwie usłyszałem historię o pięknej dziewczynie, za którą doił krowy na praktyce, w której się śmiertelnie kochał, a z powodu zielnika nawet trochę myślał, że z wzajemnością... i która to dziewczyna spotkała mężczyznę swojego życia, i to nie on był tym mężczyzną...

– Ten tamten też nie był – powiedziałam gniewnie. – Jak się okazało. Był łobuzem. Łagodnie mówiąc.

– Bardzo łagodnie – zgodził się ze mną Rafał. – Dobrze się stało, że pozbyłaś się go w porę.

– To nie ja się go pozbyłam, to władza mi go sprzątnęła znienacka sprzed nosa. Ja bym za niego wyszła, a teraz nosiłabym mu paczki do mamra. Albo by mnie przez pomyłkę zastrzelił któryś z jego koleżków. Albo bym mu się znudziła i on kazałby mnie zastrzelić któremuś ze swoich koleżków...

– Nie wyobrażam sobie, żebyś naprawdę nosiła paczki do mamra facetowi, który by cię oszukał – zaśmiał się Rafał. – Ale może byście właśnie siedzieli w jakimś ciepłym kraju, na ciepłej plaży, popijali zimne drinki prosto z ananasa...

– W ananasie podaje się to kokosowe świństwo. Ja tego nie znoszę. Ale wiesz, chyba dobrze się stało, jak się stało, chrzanić ciepłe kraje, ja tam lubię polską złotą jesień i nie cierpię, kiedy jest mi za gorąco. I uważam, że miałam wielkie szczęście z tą Rotmistrzówką...

– Pasujesz tam, rzeczywiście.

Zgrabnie wyprzedził ciągnące się niemrawo pod górę dwa TIR-y. Ja bym się tak bała.

– Ty się nie boisz wyprzedzać pod górkę?

– To mała górka, widoczność jest bardzo dobra, popatrz, nie ma ciągłej linii, tylko przerywana...

Miałam straszną ochotę zagadnąć go o jego tajemnicze życie osobiste, o ten zawód, którego się nauczył, ale go nie wykonuje, o żonę... miał ją, czy nie? Ale przypomniałam sobie w porę, jak mnie ściął, kiedy go spytałam o te rzeczy i zamknęłam gębę, zanim zdążyłam ją w tej sprawie otworzyć. Zagadnęłam go natomiast o jakieś szczegóły dotyczące terapii małej Izuni i ten fascynujący temat (to naprawdę ciekawe, choć może nie aż tak, jak ta Rafała hipotetyczna żona i kwestia, komu zrobił krzywdę na stole operacyjnym...) wystarczył nam aż do Kamiennej Góry. Od Kamiennej Góry do rozdroża pod Jelenią Górą omawialiśmy Marcinka Grabowskiego i Zuzię, córkę Primuli M. Wreszcie temat nam się wyczerpał.

– Na co myśmy się w końcu zdecydowali? – zapytał Rafał. – Karpacz czy Jelenia?

– Na nic chyba. Jedźmy do Karpacza. A gdzie pojechał Tadzio?

– Nie mam pojęcia. Zadzwonisz do niego?

Zadzwoniłam, przygotowana na to, że nie odbierze, bo przecież łeb ma w tej wielkiej czarnej bani i nie ma prawa słyszeć sygnału. Odebrał.

– O, Emilka – ucieszył się. – Gdzie myśmy w końcu mieli jechać?

– A gdzie jesteś?

– A rybkę sobie jem w tej smażalni obok Chaty za Wsią. Zamówić wam po pstrągu?

– Rafał, chcesz zjeść pstrąga?

– Pewnie, a co już nie jedziemy na policję?

– Policja nie ucieknie – powiedziałam beztrosko. Obecność neurologa u mojego boku sprawiała mi dużą przyjemność i nie miałam zamiaru rezygnować z niej zbyt wcześnie. Ostatecznie komisariat policji powinien być czynny dwadzieścia cztery na dwadzieścia cztery, a jeśli nie, to tym lepiej, pojedziemy sobie jeszcze i do Jeleniej Góry...

Pstrągi były pyszne, z widokiem na Karkonosze w zachodzącym słońcu. Pewnie za te widoki doliczają człowiekowi datę urodzin do rachunku, ale niech im tam.

Prawie zapomnieliśmy, że mamy coś do załatwienia.

Rafał ocknął się pierwszy. Zarządził płacenie i odwrót. Odwróciliśmy się więc od stawów rybnych i pomknęliśmy jak dwie strzały, mniejsza czarna i większa czerwona, prościutko na policję w Karpaczu.

Przyjął nas sympatyczny blondyn w mundurze i kazał sobie powiedzieć, w czym rzecz.

– Jeden facet groził mi przez telefon – powiedziałam. – To znaczy niezupełnie mnie, ale koniom.

Blondyn spojrzał na mnie jak na wariatkę.

– Koniom groził?

– Mówił, że zrobi krzywdę naszym koniom. Ja jestem z Rotmistrzówki w Marysinie.

– Aha, od pani Suchowolskiej – mruknął blondyn. – To tam się coś dzieje? Bo po śmierci rotmistrza wszystko bardzo podupadło. Ja tam się uczyłem konno jeździć jako szczeniak.

– Już się podniosło z upadku – zawiadomiłam go z satysfakcją. – Mamy ośrodek jeździecki i agroturystykę. Pracujemy tam w kilka osób. Między innymi ja. No. I niedawno do Marysina przyjechał za mną mój były chłop...

– Mąż?

– Nie, ale prawie. Nie został moim mężem, bo się okazał cholernym gangsterem i poszedł siedzieć.

– Skoro poszedł siedzieć, to jak przyjechał?

– Bo wyszedł. Na jakąś lewą przepustkę czy coś.

– Skąd pani wie, że na lewą?

– Bo jest zdrowy jak koń, a podobno wyszedł ze względu na słabe zdrowie. Jak on ma słabe zdrowie, to ja jestem sierotka Marysia. I krasnoludki.

– I mówi pani, że pani groził? Dlaczego? A w ogóle jaki gangster?

– Kałach niejaki. Słyszał pan może?

Blondyn zbystrzał.

– Kałach? Brzezicki?

– Brzezicki Lesław.

– Jest tutaj? Na naszym terenie?

– Jest. Mieszka u pana Łopucha w Marysinie. Chciał u nas. Babcia Suchowolska go wywaliła na pysk.

Blondyn sięgnął po słuchawkę.

– Misiu? Jesteś jeszcze? To zejdź tu do mnie, szybko. Jest u mnie pani, która opowiada ciekawe rzeczy. O Kałachu niejakim. Znasz człowieka.

Odłożył słuchawkę.

– Na Kałacha to ja jestem za mały – wyjaśnił. – Zaraz przyjdzie mój kolega, on się państwem zajmie.

Dał się słyszeć rumor na schodach, po których najwyraźniej zbiegał ktoś w podkutych butach.

Facet, który ukazał się w drzwiach, natychmiast wzbudził mój szczery zachwyt. Tak powinien wyglądać gość od unieszkodliwiania gangsterów! Dwa metry wzrostu, bary niedźwiedzia, łeb ostrzyżony na lotniskowiec, błękitne oczy w ogorzałej twarzy. Przy takim supermanie Wilem Dafoe w swoich najlepszych kreacjach to pikuś.

– Dzień dobry – powiedział od progu głębokim barytonem. – Podkomisarz Mirosław Michalski. To pani?

Podałam mu rękę, którą uścisnął ostrożnie. Niewykluczone, że gdyby uścisnął mniej ostrożnie, to by mi ją zgruchotał. Łapy też miał jak niedźwiedź. Bardzo stosowna ksywa. Tadzio i Rafał również dokonali prezentacji, zaznaczając od razu, że są świadkami, słyszeli wszystko i zamierzają czuwać, żeby mi się krzywda nijaka nie stała.

No, rycerze moi kochani!

Podkomisarz Misio nieco ich zlekceważył, wpijając we mnie błękitne źrenice i przewiercając mnie wzrokiem na wylot. Jakby łakomie. Nie wiedziałam tylko, czy to apetyt na moje wdzięki, czy raczej na Kałacha.

Wyglądało na to, że jednak na Kałacha.

– Pani w sprawie Lesława Brzezickiego?

– Tak, panie komisarzu – zaszemrałam. W towarzystwie tego wielkiego faceta czułam się jak biedroneczka, mróweczka, ewentualnie coś jeszcze mniejszego. Bakteria. Ale nie było to zupełnie nieprzyjemne.

– To ja poproszę państwa do siebie. Siądziemy spokojnie i porozmawiamy jak ludzie. Tu stale ktoś przychodzi.

Zaprowadził nas, waląc podkutymi butami w kolejne schodki, do pokoju piętro wyżej. Władczym ruchem ręki zmiótł z biurka do szuflady jakieś papierzyska, sięgnął do elektrycznego imbryka i prztyknął włącznikiem.

– W sprawie Kałacha to ja nawet kawę zrobię. Mają państwo ochotę?

Państwo mieli. Po tych pstrągach pić nam się chciało wszystkim. Podkomisarz sypnął hojnie fusianki do trzech kubków – jeden miał już przygotowany, pewnie właśnie zasiadał do spokojnej pracy umysłowej – zalał ją wrzątkiem i podsunął nam słoiczek po nutelli.

– Cukier – wyjaśnił. – Śmietanki nie mam, niestety. Teraz proszę, niech pani mówi. Będę nagrywał. Nie przeszkadza to pani, mam nadzieję?

– W najmniejszym stopniu. Dwie łyżeczki poproszę. Zdenerwowałam się. Słodkie dobrze robi na nerwy.

– Spokojnie, tu nic złego się pani przecież nie stanie. – Wielkolud nadzwyczaj uprzejmie posłodził mi kawę; nie mam pojęcia, dlaczego sama tego nie zrobiłam. Tacy duzi faceci budzą we mnie potrzebę bycia pod opieką. Tychże dużych facetów. – Proszę zacząć od początku. Jak się pani nazywa, skąd pani zna Brzezickiego i tak dalej.

Opowiedziałam podkomisarzowi Misiowi pół swojego życiorysu, aż doszłam do dzisiejszego dnia i do telefonu Lesława. Rafał i Tadzio słuchali zupełnie tak samo uważnie, jak podkomisarz. Wszyscy trzej zachowywali kamienne oblicza. Czułam się, jakbym była na planie filmu sensacyjnego. Mało brakowało, a zaczęłabym szeptać. Pohamowałam się, na szczęście.

Moi dwaj przyjaciele potwierdzili prawdziwość tego wszystkiego, co mówiłam o telefonie – od razu zełgałam, że włączyłam głośnik komórki na początku rozmowy i że obaj słyszeli wszystko. Nawet nie mrugnęli okiem.

A w błękitnych oczach podkomisarza Misia pojawiły się dodatkowe błyski. Wyłączył swoje urządzenie nagrywające, wypił jednym haustem pół kubka fusianki, o której zapomniał, słuchając moich rewelacji i wziął głęboki oddech.

– Nie będę ukrywał – rzekł głosem doskonale obojętnym – że powiedziała nam pani sporo interesujących rzeczy. Nie wszystko jednak, co dotyczy pani byłego... męża?

243

– Prawie męża – sprostowałam z godnością.

– Byłego-prawie-męża – zgodził się bez oporu podkomisarz. – Nie wszystko, co go dotyczy, jest w moich kompetencjach. Sprawa może okazać się szersza niż telefon z groźbami. Chciałbym panią prosić, żeby zechciała pani jutro porozmawiać z jednym moim kolegą, a właściwie przełożonym z powiatowej.

– Czy on jest równie piękny, jak pan? – zapytałam, zanim zdążyłam pomyśleć i zobaczyłam z uciechą, jak kamienne oblicze podkomisarza zmienia wyraz na dużo głupszy.

Szybko się opanował.

– Jest piękniejszy – powiedział niedbale. – Wszystkie koleżanki policjantki za nim szaleją. To typ intelektualisty. Spodoba się pani. Czy mogę państwa umówić?

– A pan przy tym spotkaniu będzie?

– Nic by mnie nie powstrzymało. Dziewiąta rano odpowiada pani?

– Wolałabym dziesiątą, to pomogę przy śniadaniu.

– Dobrze. Dziesiąta rano w powiatowej. Trafi pani? A może podjechać po panią do Rotmistrzówki?

– Mógłby pan?

Dałabym sobie głowę uciąć, że zarówno Tadzinek, jak i Rafał spojrzeli na podkomisarza nieprzyjaźnie. Trudno. Zazdrośni? A co w tym złego, że mnie uprzejmy człowiek odeskortuje na policję?

– Oczywiście. Będę jechał z Karpacza, bo muszę tu być rano, chętnie zboczę. Kiedyś uczyłem się jeździć konno u pana rotmistrza.

Pół świata uczyło się jeździć konno u pana rotmistrza.

Pożegnaliśmy się mile (Tadzio i Rafał nieco chłodniej) i pojechaliśmy do domu na kolację.

Ledwie weszliśmy za próg, otoczyli nas rozżarci domownicy, żądający wyjaśnień. Dostaliśmy jeść i pić, ale nie mogliśmy ani jeść, ani pić, dopóki wszystko nie zostało powiedziane. Niestety, jak się okazało, Jankowi nie udało się odwołać Misiaków, bo telefon w ich domu konsekwentnie milczał, a komórek, łobuzy, nie mają. Może im zresztą Leszek zafundował, tylko dranie nie podali numerów...

– I co teraz zrobimy? – Babcia była zatroskana. – Jeżeli oni, nie daj Bóg, zrobią coś koniom...

– Będziemy pilnować stajni całą noc – powiedziałam stanowczo. – Nie możemy ryzykować. Słuchajcie, a gdzie są nasze dzieci?

Dotarło do mnie w tej chwili, że nie widzę Kajtka ani Jagódki i omal nie umarłam ze zdenerwowania. Cholerny Kałach mówił o koniach, ale przecież dzieci...

– Dzieci są właśnie w stajni – zawiadomiła mnie szybko Lula. – Nie martw się, jeszcze jest wcześnie, jeżeli Misiaki mają zamiar jakoś zadziałać, to poczekają, aż dom pójdzie spać. Są razem i są z nimi psy, nic złego się nie stanie.

– A ja tu widzę pewien problem – oświadczył znienacka Tadzinek, ocierając usta po szlacheckim bigosiku przyrządzanym u nas według receptury babcinej, do którego zdołał się wreszcie dobrać. – Bo mianowicie, jeżeli my z Rafałem teraz wyjedziemy, to zostanie wam tylko jeden chłop do tego stróżowania... kobiet chyba nie bierzecie pod uwagę?

– Jest jeszcze Kirysek – bąknęła Lula.

– Ja sobie poradzę – mruknął Janek. – Kiryska bym nie ruszał, on jest gościem. Wezmę psy do stajni, nikt obcy nie wejdzie, bo narobią wrzasku. A ja mam lekki sen. Oraz czarny pas.

W tym momencie zobaczyłam z przyjemnością, jak oczy mojej kochanej Luli otwierają się szerzej. Może nareszcie zobaczyła w Jasiu mężczyznę! Swoją drogą nieźle się tajniaczył. Czarny pas! Słowa na ten temat nie pisnął do tej pory.

W tym momencie do rozmowy wtrącił się Rafał, również odsuwając od siebie pusty talerz po bigosie i spoglądając za nim jakby z tęsknotą.

– Myślę, że racjonalniej będzie podzielić noc na trzy części. Zadzwonimy do naszej szefowej, zawiadomimy ją, że będziemy dopiero jutro. I pomożemy ci, Jasiu, z tym pilnowaniem. Wiesz, w razie czego.

– A nie macie obowiązków we własnej stajni? – chciała wiedzieć babcia.

– Mamy – odparł Tadzio. – Dlatego musimy zadzwonić do szefowej, żeby złapała jeszcze takiego jednego Andrusiaka, on nam czasem pomaga. Dzwoń, Rafał.

– Dobre chłopcy – odezwała się Omcia, która do tej pory tylko słuchała z wypiekami na twarzy. – Ale nie wierzcie im, to ne chodży o żadne konie, ony chcą dostacz rano tego twojego bigosa, Stanyslawa!

Ryknęliśmy wszyscy zgodnym śmiechem. Atmosfera przestała być taka strasznie napięta. Tylko babcia nie chciała poddać się ogólnemu odprężeniu.

– Jedna noc nie rozwiązuje nam problemu – powiedziała nerwowo. – A co będzie jutro? Pojutrze? Tadzio i Rafał nie mogą u nas zamieszkać. Wiktora nie ma. Boże, Boże, ja nie wiem, co będzie...

– Jutro idę na policję – przypomniałam. – Może policja coś wymyśli. Mają tam takiego fajnego podkomisarza, co wygląda jak wcielenie walki z gangsterami. Babciu, on mówił, że tu się uczył jeździć konno. Michalski. Chyba. Mirosław. Mówią na niego Misio.

– Nie Misio, tylko Misiu. – Babcia rozjaśniła się niespodziewanym uśmiechem. – Mianownik kto, co? Misiu. Misiu Michalski. Pamiętam, dobry był chłopak, tylko temperament go roznosił. No i zresztą przejechał się na tym temperamencie.

– Babcia opowie – zażądałam. Rafał i Tadeusz udawali, że interesuje ich wyłącznie herbata.

– Misia wychowywała matka, sama, w Karpaczu, bo ojciec ich zostawił i poszedł sobie do innej pani; od maleńkiego do nas przybiegał po szkole i pracował w stajni, żeby tylko zarobić na jazdy. Opowiadał mi, że matka chciałaby go widzieć na medycynie, ale jemu co innego było w głowie. Skończył jakieś studia, chyba inżynierskie, ale poszedł do policji. Wiem, że był komandosem, takim, co chodzi w kominiarce, antyterrorystą...

Aha. I zostało mu upodobanie do fryzury na lotniskowiec i ogólnego sznytu! A w babci zapewne wtedy właśnie zrodziła się sympatia do antyterrorystów w kominiarkach.

– Pracował w Jeleniej Górze, awansował, podobno bardzo zdolny policjant z niego był, ale go wylali z tej Jeleniej Góry i przenieśli do komisariatu w Karpaczu...

– A co – zaciekawiła się Omcia – szczelił kogosz w dziób?

– Gorzej. Połamał kości jakiemuś bandziorowi, który postrzelił jego kolegę. Podobno chciał go zabić na miejscu, ale skończyło się na ciężkich obrażeniach. No i pożegnał się z awansami na jakiś czas. Dziennikarze zrobili z tego całą aferę, że policjant gorszy od bandyty...

– A ja szę bardzo czeszę, że mu polamal te koszczy – zawiadomiła nas Omcia. – Tak szę należy. P...czysluguje. Ja go chcę poznacz, tego waszego Mysza.

– Będzie tu jutro rano – powiedział Tadzio z pewnym przekąsem. – Po Emilkę. Zawiezie ją do komendy.

– Na policji zawsze przyjemniej z eskortą – oświadczyłam stanowczo i niewinnie. A ponieważ poczułam się nagle kobietą po świeżych przejściach, zmęczoną po prostu straszliwie, zawiadomiłam wszystkich obecnych, że oddalam się do własnego pokoju celem zażycia zasłużonego odpoczynku.

Zrobiłam to i padłam u siebie jak lilia ścięta nieubłaganym ostrzem ogrodniczego sekatora.

Ten sekator nie pasuje do romantycznego stylu.

Moje lilie egzotyczne załatwił Pędzel. W pełni rozkwitu. Też mało romantyczne.

Jak lilia złamana wichurą. Ot co.

Zauważyłam, że kiedy wychodziłam z salonu, neurolog odprowadził mnie wzrokiem.

NO I DOBRZE.

Lula

Ta Emilka jest niemożliwa. Pojawił się tu dzisiaj rano policjant Misiu, na którego czekaliśmy wszyscy, ciekawi faceta, który połamał żebra złoczyńcy gołymi rękami – owszem, owszem, wygląda na to, posturę ma jak najbardziej odpowiednią, wyraz twarzy pokerowy, czyli żaden.

No, może nie do końca taki znowu pokerowy. Kiedy patrzył na Emilkę, tracił sporo ze swej niewzruszoności... Może nawet zaczął wyglądać na faceta, który dostał karetę z ręki.

Nie jestem zazdrosna, ale policzyłam: Wiktor na nią tak patrzył (tłumaczył się głupio, że traktuje ją jako dzieło sztuki wykonane przez matkę naturę – oczywista brednia: albo sztuka, albo natura i on po ASP powinien to wiedzieć!!!), leśniczy Krzyś patrzył, wszyscy studenci z obozu Olgi, ten jej Tadzio od dojenia krów, Rafał świeżo poznany, nawet ten szubrawy Łopuch. Wszyscy faceci po prostu, po co ja wyliczam?

Jak ona to robi?

Zaraz. Nie wszyscy. Nie patrzył tak na nią Rupert, ale on w ogóle nie odrywał oczu od Malwiny.

Janek też nie...

Ciekawe, dlaczego.

Nie działa na niego??? Jak to jest możliwe, skoro działa na wszystkich??????

Ludwiko Kiszczyńska. Stawianie tylu idiotycznych wykrzykników jest manierą pensjonarską, a ty, moja droga, pensjonarką nie jesteś już od...

A kogo obchodzi, od kiedy.

Poza tym nie wykrzykników, tylko pytajników.

I w ogóle MNIEJSZA Z TYM.

Duże litery też są pensjonarskie. Ciekawe, czy Emilka stosuje duże litery i mnóstwo wykrzykników, znaków zapytania i wielokropków w swoim dzienniku laptopowym, czy może notebookowym, w każdym razie elektronicznym? A może to się nazywa blog, czy jakoś tak? Nieważne. Tam ma łatwiej, naciska raz i już jej leci. Może dobrze byłoby mieć komputer osobisty i przenośny?

Sześć tysięcy. Już lecę do banku.

Pozostaniemy przy tradycyjnej metodzie.

Rafał i Tadzio zostali u nas na noc i na zmianę z Jasiem trzymali wartę w stajni. Nic się nie działo, może ten cały gangster zorientował się, że Emilka poszła na policję i nie chciał ryzykować. Do Tadzia natomiast zadzwoniła rano ich szefowa, jak się zdaje, z awanturą. Nie wiem dlaczego, przecież uzgodnili, że zostają i załatwili sobie zastępstwo na wieczór i rano. Tadeusz nic nie powiedział, mruknął coś o nieprzyjemnościach i nawet bez śniadania obaj nasi nowi przyjaciele – chyba już możemy ich traktować jako ogólnych przyjaciół, nie tylko Emilczynych? – odjechali stalowym potworem, który wzbudził dziki zachwyt Kajtka.

Tadzio na odjezdnym zdążył mu jeszcze obiecać, że pozwoli mu się przejechać, kiedy znowu nas odwiedzą.

Emilka na policji siedziała w miarę krótko, wróciła raczej zadowolona i przy obiedzie (odgrzewane mrożone zrazy zawijane z kaszą i zupa borowikowa z kartonu Horteksu z kupnym makaronem – w sumie wstyd, ale czasem i kucharka musi mieć wolne) zdała nam relację ze spotkania.

– No więc ten Misiu posiada w powiatowej kolegę. Starszego kolegę i w ogóle przełożonego. Gula niejaki. To znaczy nie Gula, tylko Gulcewicz, ale taką ma ksywę. Jacek Gulcewicz, bardzo sympatyczny chłopak, podinspektor, to chyba już dość wysoka szarża jak na policjanta. Mam wrażenie, że Misiu też by już był podinspektor, czy coś, ale wdał się w to łamanie żeber i mu się omsknęło...

Założę się o każdą sumę pieniędzy, których nie posiadam, że niejaki Gula również wpatrywał się w Emilkę jak kot w miseczkę świeżo posiekanej wątróbki drobiowej, lekko podsmażonej.

– Ja się od razu zorientowałam, to znaczy właściwie oni mi powiedzieli, że Gula, a nawet Gula z Misiem współpracowali z tym moim znajomym prokuratorem ze Szczecina...

Ach, prawda. Sporządzając wykaz Emilki podbojów, zapomniałam wpisać prokuratora.

– Bo mój osobisty mafioso nie ograniczał się wcale do terenu naszego województwa, broń Boże, razem ze swoimi koleżkami mieli szeroką skalę działania, zdaje się, że cała zachodnia połowa Polski była ich. Więc rozpracowywała go spora gromada co bardziej kumatych policjantów z tego dzikiego zachodu. Jak go wreszcie zapuszkowali, to się zrobiło bez mała święto narodowe. Dajcie trochę mizerii, bardzo proszę. No a kiedy wyszedł z mamra, to znowuż nastała żałoba narodowa. Wszyscy porządni ludzie są w nerwach, że on się jakoś wyłga i od wyroku. Natomiast... o mamo, zatkałam się tą kaszą. Poproszę sosiku.

– Emilko, czy chcesz, żebyśmy cię zbiorowo zamordowali? – zapytała uprzejmie babcia.

– Już mówię. Natomiast mają nadzieję, ci porządni ludzie, o których mówię, że on coś zrobi na tej wolności, to znaczy przepustce. Czy jak to się nazywa. Wtedy go łapną.

– Ne rozumim – powiedziała Marianna, niezadowolona. – Co mu zrobią?

– Złapią go. I znowu posadzą. Już dziękuję za sosik, wszystko było pyszne. Może jeszcze trochę samego mięska. I mizerii dużo, Jasiu, dziekuję.

– Nadal ne rozumim. To ma bycz dobrze, że on cosz złego zrobi?

– Nie, Omciu. Nie to, że on zrobi coś złego, tylko chodzi o to, że jeżeli on coś złego zrobi, to trzeba go na tym przyłapać.

– Na gorącym wyczynku!

– Uczynku.

– To ne jest od wyczyniacz?

– Od czynić.

– Odczynić to uroki – mruknęła babcia, ale cicho, pewnie w obawie, że Marianna zechce drążyć temat etymologicznie, co odsunęłoby nas od kryminału na czas prawdopodobnie dłuższy.

– Oni mi nic nie chcieli powiedzieć, oczywiście – kontynuowała Emilka z ustami pełnymi ogórków – ale ja się sama domyśliłam, bo jestem bardzo inteligentna.

– Emilko, proszę po porządku – zażądała babcia. – Bo ja się gubię. Na czym oni go chcą przyłapać? Na robieniu krzywdy naszym koniom? Tfu, odpukuję.

– Niekoniecznie – oświadczyła Emilka tonem tajemniczym i przełknęła swoje ogórki. – Bo zobaczcie sami. On się kręci wokół nas, ale tak jakoś niemrawo. Niezdecydowanie. To wygląda, jakby sobie od czasu do czasu przypominał, że trzeba mi spsuć trochę nerwów. I tak co jakiś czas się wychyla, a potem znowu przytaja i ja go w ogóle nie obchodzę. Mnie się wydaje, że on gdzieś mąci coś dużego, a to całe dokuczanie nam to jest tylko przykrywka. Rozumiecie? Chodzi o to, żeby wszyscy myśleli, że on tu jest ze względu na mnie, a tak naprawdę to jest wręcz odwrotnie.

Tylko Marianna nie do końca pojęła wywód Emilki, ale Janek wytłumaczył jej to po niemiecku, żeby już się nie męczyła. Zaczęliśmy natychmiast snuć przypuszczenia co do niecnych zamiarów kolegów gangsterów. Najbardziej nam pasował duży przerzut narkotyków, tylko żadne z nas nie wiedziało, w którą stronę one powinny iść – od nas, czy do nas. Zdaje się, że to u nas jest produkcja i nawet cieszymy się dobrą marką w świecie. W każdym razie przejść granicznych jest pod ręką sporo, można też próbować turystycznie, to znaczy na przykład iść na Śnieżkę, albo gdzie indziej i przekazać sobie plecak z amfetaminą...

– Coś ty, ciociu – powiedział z politowaniem Kajtek, kiedy wyrwałam się z koncepcją plecaka z amfetaminą. – Jaki plecak. To się wozi TIR-ami. Mniej się nie opłaca.

– Może na rozkręcenie interesu – zastanowiła się babacia. – Emilka mówiła, że mu skonfiskowali cały majątek.

– Eee, pcwnie miał pochowane to i owo – prychnął z politowaniem dla naszej naiwności Kajtek. – W bankach szwajcarskich na ten przykład.

– To dżecko za dużo ogląda telewizji – pokręciła głową Marianna. – Kryminalów. Zęzacji. Skąd ty to wszystko wiesz, chlopcze?

– Babciu. Takie rzeczy się wie. Wcale nie muszę oglądać filmów, wystarczą Wiadomości i Panorama. I TVN 24.

– Janku, Janku, powynenesz mu zabronycz tyle oglądacz. Bo szę nam dobre dżecko zdemoralizuje.

– Nie ma takiej możliwości, babciu Marianno. – Kajtek lekceważącym gestem strzepnął kaszę z rękawa. – Ja to wszystko muszę oglądać, bo nasza pani od wiedzy o świecie, bo my mamy taki przedmiot, babciu Marianno, no więc nasza pani nam każe być w kursie dzieła. A jak nie jesteśmy, to nam stawia pały. Babciu, ja nawet skład rządu znam na pamięć i przewodniczących wszystkich komisji sejmowych. Na bieżąco. Bo to się zmienia.

– Matko Boska – zmartwiła się babcia Stasia. – To dopiero może ci zaszkodzić, Kajtusiu...

– Ja to traktuję jako ćwiczenie mnemotechniczne – machnął ręką Kajtek.

– Ne mówcze przi mne takie trudne wyrazy!

– On mówi, że sobie pamięć ćwiczy, Omciu. Nie przejmuj się. Ja bym teraz raczej proponowała wszystkim umysłom wyćwiczonym i niewyćwiczonym, żeby się zaczęły zastanawiać, jaki interes ma do zrobienia mój były niedoszły na tym terenie. Dlaczego tu w ogóle przyjechał?

Mniej więcej kwadrans zabawialiśmy się wysuwaniem hipotez, ale wszystkie były dość idiotyczne, a przede wszystkim nie do sprawdzenia. Przez nas, w każdym razie. Postanowiłam więc wziąć rządy w swoje ręce i zagoniłam dzieci do sprzątania kurnika, któremu już się to od dawna należało, Emilkę do porządkowania ogrodu, który zarósł jak busz, Janka wysłałam do koni, babcie na werandę z kawką i niech obserwują teren, a sama poszłam do kuchni, sprawdzić zapasy żywności, bo przecież jutro przyjeżdżają emeryci, a za trzy dni Malwina z tym swoim dziwnym obozem młodocianych biologów (Marianna od tego jaśnieje, bo Rupercik wraca!).

A podejrzanymi interesami Kałacha niech się zajmują Gula z Misiem.

Emilka

Przyjechali staruszkowie i dom nam się zaroił, i rozebrzmiał ochoczymi okrzykami oraz śpiewem chóralnym i solowym. Jest ich sześcioro, czterech przeczasiałych ułanów i dwie amazonki po siedemdziesiątce. Chciałabym ja tak wyglądać, kiedy skończę pięćdziesiąt! Bardzo sympatyczni, potwornie energiczni, przybyli o dziewiątej rano, zjedli szybkie śniadanie, pobiegli do swoich pokojów (daliśmy im trzy mniejsze dwójki, z uwagi na szóstkę studentów, których przywiezie Malwina, a którzy będą mieszkali po troje, w dwójkach z dostawkami), przebrali się z ciuchów podróżnych w ciuchy wysokogórskie – buty alpejskie jakieś, pumpy, wielgachne wełniane skarpety, swetry, wiatrówki i kraciaste koszule pod spodem, zaopatrzyli się w suchy prowiant i pomknęli na najbliższy szlak, dziarsko podśpiewując.

Po ich wymarszu cisza w Rotmistrzówce rozdzwoniła się jak Dzwon Zygmunta.

W tej ciszy usłyszałam wreszcie sygnał własnej komórki. Tadzinek trzeci już raz usiłował mnie złapać, spragniony wieści z placu boju. Poinformowałam go, że na placu boju cisza, a on mnie poinformował, że u nich wręcz przeciwnie, szefowa zrobiła im jakąś koszmarną awanturę, kompletnie nieuzasadnioną – bo przecież rozmawiali z nią w sprawie pozostania u nas na noc – któryś koń dostał kolki i ona uznała, że to dlatego, że ich nie było pod ręką. Jakaś idiotka!

– Mówiłem ci, że ona jest niesympatyczna...

– Ale nie mówiłeś, że wariatka. Mówiłeś, że cyborg. Może coś ma w tym, że robi wam awanturę i oskarża o niestworzone rzeczy?

– Co może mieć? Chciała się wyładować i tyle.

– No, nie wiem. Może. Ale nie podoba mi się to.

– Nikomu się nie podoba. A jak poradziliście sobie z pilnowaniem koni w nocy?

– Nijak. Policja ich pilnowała. Przynajmniej tak twierdzili, że będą dyskretnie rzucać okiem na stajnię. Ale nie widzieliśmy nikogo.

– Pewnie na tym właśnie polega dyskrecja...

Kazał mi jeszcze uważać na siebie i wyłączył się.

Lula

Nasze babcie są jakieś nietypowe i to obydwie. Może zresztą teraz obowiązuje inny model babci niż kiedyś. Kiedy byłam dzieckiem, babcie siadywały na ganeczkach, piły herbatkę drobnymi łykami, wyszywały serwetki haftem richelieu albo kaszubskim (moja babcia miała całą teczkę wzorów kaszubskich, które uwielbiała i słusznie, bo są przepiękne), troskały się o to, czy dzieci aby nie przemoczyły stópek, biegając po zroszonej trawie, co trzeci dzień piekły murzynka albo kruche ciasteczka...

Nasze babcie ani myślą piec cokolwiek. Zażądały natomiast od Pudełków pokazu. Skoro Janek już się zdekonspirował jako karateka (o Kajetanie wiedzieliśmy wcześniej), niech zrobi starszym paniom przyjemność. Janek najpierw się wzbraniał, ale obiecali z Kajtkiem, że troszkę razem poćwiczą i zaprezentują swoje rodzinne możliwości.

Przy tej okazji Janek postanowił jechać do Wrocławia i kupić sobie nowe kimono, bo starego, po pierwsze, nie przywiózł, po drugie zaś, komuś je pożyczył do ćwiczeń i nie pamięta komu, więc nawet nie wiedziałby, komu ma je odebrać.

Już nigdy nie powiem ani nawet nie pomyślę, że znam kogoś naprawdę. Janek informatyk, komputerowiec, jajogłowy, cicha woda – mistrzem sztuki walki?

Ale przecież zawsze świetnie jeździł konno, dlaczego więc nie miałby uprawiać jeszcze jakichś innych dyscyplin?

No to dlaczego ja o tym nie wiedziałam?

Pewnie niewiele mnie to obchodziło, spotykaliśmy się zawsze w grupie, a w tej grupie był również Wiktor...

Dziwna sprawa – Wiktor dzwonił, rozmawiał z Emilką, zapowiedzieli się z Ewą na weekend – a kiedy Emilka przekazała mi tę wiadomość – nie zrobiła ona na mnie większego wrażenia.

Dlaczego?

Czyżby coś się skończyło?

Skoro mowa o końcach – mam nadzieję, że koniec afery kryminalnej absorbującej Emilkę nastąpi w miarę szybko, bo nie mam z niej wielkiego pożytku (z Emilki, nie z afery), a nie chciałabym zaniedbać mojego osobistego zajęcia w muzeum. Chyba zaczynam się przywiązywać do tej ziemi – zabrzmiało to dość patetycznie, ale naprawdę coraz bardziej mam wrażenie, że tu jest moje miejsce na świecie. W Szczecinie teoretycznie robiłam coś ważnego, w ważnym Muzeum Narodowym, a tak naprawdę nikomu nie zależało na rezultatach mojej pracy. A tu, w malutkim muzeum regionalnym, jak tylko skończę inwentaryzację, zasiądziemy z moim szefem do opracowania nowej koncepcji placówki (czyżbym miała zostać Ślimakiem?) ze stałymi i czasowymi ekspozycjami, z terminarzem wystaw na dwa lata do przodu. W oparciu o tę inwentaryzację między innymi. I to będzie nasza wspólna koncepcja, a nie dyrektorskie zarządzenia do wykonania.

A Rotmistrzówka? Tu też się przyjęłam. I nawet odpowiada mi to dzielenie pracy na pół – trochę tu, trochę tam. Spokojnie. Życie nie kończy się jutro ani za tydzień. O czym się dowiedziałam dopiero tutaj.

Wydaje mi się, że Janek z Kajtkiem też się przyjęli. Wiktor z Ewą to dwie niewiadome, a Emilka... trzecia. Z jej temperamentem – nie wiem, do czego ta dziewczyna dąży tak naprawdę.

Emilka

W piątek późnym wieczorem przyjechały Wiktory, a nazajutrz Janek z Kajtkiem zrobili pokaz!

Staruszkowie kawalerzyści, jak się tylko zorientowali, co w trawie piszczy, zażądali, aby pokaz odbył się w ich przytomności, wyznaczyliśmy zatem sobotnie wczesne przedpołudnie jako godzinę zero. Pudełka zaprezentowały się nad wyraz godnie, obaj w kimonach, przy czym czarny pas Janeczka bił po oczach. Kajtek miał jakiś inny, niebieski czy może zielony, nie zapamiętałam dokładnie. Jakoś nie mogę sobie przyswoić tej całej symboliki, te wszystkie pasy, dany i Bóg wie co jeszcze. Dla mnie ważne jest to, co facet potrafi zrobić. Nooooo, Pudełka pokazały, co potrafią. Najpierw demonstrowali różne dziwne chwyty, potem zaczęli się kopać po oczach i przewracać na trawniku – dziw, że obaj wyszli z tego z życiem. I nawet nie połamali sobie nawzajem rąk i nóg, a dałabym głowę, że coś chrupało. Może zresztą nie były to chrupoty, tylko łomot ciał rzucanych na glebę. Babcie – zarówno nasze, jak i ułańskie były zachwycone, a dziadkowie szwoleżerowie (czy szwoleżerzy?, muszę zapytać Lulę, jak będzie prawidłowo) aż klepali się z uciechy po udach i kolanach, wydając rubaszne okrzyki.

Po sprawieniu sobie nawzajem potężnego lania, Pudełka – oba zdrowiutkie, czemu się doprawdy dziwię – przyniosły sobie pomoce naukowe i zaczęły demolkę. Rozwalali jakieś kłody drzewa, cegły, w końcu Janek ułożył na pniaczku spory stos dachówek (z naszej stodoły, stare, zostały po remoncie dachu), skupił się strasznie i walnął w nie kantem dłoni. Rozpryski tylko pirzgnęły dookoła.

W oczach Luli widziałam prawdziwe uznanie. Dla Jasia, notabene, na Kajtka prawie nie spojrzała. A nieładnie, obaj dawali z siebie wszystko. A najśmieszniejsze, że na Wiktora prawie nie zwracała uwagi! Wydaje mi się, że babcie też to spostrzegły i mrugały do siebie cwanymi oczkami na ten temat.

Pudełka zakończyły przedstawienie, kłaniając się sumiennie wszystkim i sobie nawzajem. Otrzymali brawa, na jakie zasłużyli i przyjęli je godnie, jak na samurajów przystało. Czy samurajowie uprawiali karate? Muszę zapytać Lulę. Chociaż po co, zapytam Jasia albo Kajtka, będą mieli lepsze rozeznanie w temacie.

Wiktory jakieś małomówne. Wyglądają, jakby znowu się poprztykali. Jagódka nie posiadała się z radości, kiedy się pojawili, nie pozwoliła się zagonić do łóżka i biegała tylko od ojcowskich kolan do maminych objęć. W związku z tym nie udało nam się ich odpytać, jak tam wyglądają rodzinne przemyślenia i decyzje. Oczywiście, to i owo nam powiedzieli, na przykład, że Ewa wróciła na uczelnię i przymierza się poważnie do objęcia tej swojej katedry po parszywym profesorku, a znowuż Wiktor wpadł w łapy klozetowej bizneswoman, która czekała na niego bez mała z asystą orkiestry dętej – i coś tam dla niej projektuje. Coś dużego, powiedział.

No, jak coś dużego, to zapewne dobrze płatnego. Pewnie tę nową, ambitną kampanię reklamową. Oświadczył, że zamierza się nachapać, a potem znowu spocznie na laurach i będzie malował to, na co będzie miał ochotę.

– Wiesz, Emilko – wyrwało mu się w kuchni, kiedy robiliśmy wszystkim poobiednią herbatę – jak już skończę z tą moją chlebodawczynią i wycisnę z niej wszystkie możliwe soki, i będę bogaty jak świnia, i jak przyjadę tutaj, to żeby nic mi jej nie przypominało, wybuduję sobie taki klopek z drewna za stodołą, a myć się będę w stajni, szlauchem. Żadnych papierów toaletowych, dezodorantów do świeżego powietrza, odwaniaczy, dowaniaczy, mydelniczek, ręczniczków, nic.

– A czym się będziesz wycierał?

– Liśćmi łopucha. A propos, co u naszego nieprzyjaciela?

W kilku zdaniach przedstawiłam mu aktualną sytuację. Zmartwił się.

– Sama widzisz, powinienem tu być. Janek jako jedyny mężczyzna w domu, kiedy tu się takie rzeczy dzieją... Cholera jasna, Emilko, poradź, co mam zrobić. Przecież z moją klozetpanią mogę pracować na odległość, to znaczy na doskok. Jak przekonać Ewę, żeby puściła kantem tę całą karierę naukową? Bo wiesz, ja wcale nie wiem, czy jej naprawdę na tym zależy, czy chciała po prostu mieć satysfakcję. Że jej na wierzchu. Ona lubi, jak jest jej na wierzchu i bardzo cierpiała, kiedy musiała się poddać.

Przerwałam ustawianie filiżanek na wielkiej tacy.

– Myślałeś o rozwodzie?

– Myślałem. Nie zrobię tego Jagódce.

Nagle mnie olśniło. Nie zrobi tego Jagódce!

– Wiktorku – powiedziałam uroczyście. – Jagódce nie. Ewie. Wiem, co musisz Ewie zrobić.

Spojrzał na mnie wzrokiem znękanym i pytającym.

– Dziecko!

Upuścił cukierniczkę, której odpadło uszko.

– Co ty wyprawiasz, będę musiała jechać do Książa, dokupić!

– Ja przykleję...

– Nie, nie będzie ładnie. Pojadę, poświęcę się. Jak moja rada?

– Ależ mnie zaskoczyłaś! Ale czekaj, czekaj, może to właśnie jest genialny sposób... tylko wiesz, Ewa teraz nie nastawia się na życie rodzinne, my się zabezpieczamy...

– Wituś, ile ty masz lat? Ja ci mam tłumaczyć, jak sobie poradzić? Uwiedź ją znienacka, podmień jej pigułki, wysil mózgownicę! Chyba że nie chcesz mieć drugiej córeczki... albo synka.

– Chcę jak cholera – wyznał ponuro Wiktor. – Chyba nawet wolałbym drugą córeczkę. Nazwałbym ją Malinka. Jagódka i Malinka Łaskie.

– A synek Ogórek – przerwałam niecierpliwie.

– Dlaczego Ogórek? – zdziwił się. – Myślałem o Hieronimie, to z powodu Boscha, mam do niego słabość...

– Ogórek jest jagodą – wyjaśniłam. – Nie patrz tak na mnie, naprawdę jest. Pomidor też. Ale niech sobie będzie Hieronim, tylko się nie przyznawaj, że to od Boscha, mów, że od Hirka Wrony. Bosch i tak się facetom kojarzy głównie z wiertarkami. A babom z pralkami.

– Och, Emilko, zabiłaś mi klina...

– Bardzo dobrze. Teraz działaj, kochany, działaj! Tylko nie nazwij czasem synka na Z. Żadne Zygmusie, Zbyszki ani Zdzisie!

– Zdzisio mi się nie podoba. A właściwie dlaczego nie na Z?

– Żeby, jak dorośnie, nie pisali o nim „magister Z. Łaski". Albo „profesor Z. Łaski". No wiesz, to by źle wyglądało w mowie. Ewentualnie możesz mu dać Stanisław, to w skrócie będzie Stan Łaski. I pilnuj Ewy dni płodnych, chyba to umiesz obliczyć, żeby ci się wysiłki nie zmarnowały.

Jeszcze raz obrzucił mnie błędnym wzrokiem, dźwignął tacę, którą mu przygotowałam i postawił ją z powrotem.

– Emilko, a jeżeli Ewa nie będzie chciała z dwojgiem dzieci mieszkać w Rotmistrzówce na górce?

– To zarób tyle, żeby wybudować aneks dla rodziny Łaskich. Albo całkiem nowy dom. Ale lepiej, żebyście byli z nami. Ja się do was przywiązałam, wiesz?

– Och, kochana...

W tym momencie weszła Ewa i obrzuciła nas podejrzliwym spojrzeniem.

– Co, och, kochana? Co wy tu robicie tyle czasu? Czekamy na herbatę, ułani chcą jeszcze iść na wycieczkę do Świątyni Wang.

– Już niesiemy – wyszemrał potulnie Wiktor i puścił do mnie oko.

Odrobinka zazdrości w tej sytuacji nie zaszkodzi. Niech Ewa ma świadomość, że jej mąż jest mrocznym przedmiotem pożądania innych bab.

Lula

Wydawało mi się, że znam Janka jak siebie samą bez mała, ale okazało się, że nic podobnego, w ogóle nie wiem, co w nim siedzi i jaki jest naprawdę. Nie przypuszczałabym nigdy, że jest mistrzem wschodniej sztuki walki, jakiejkolwiek sztuki walki! Spokojny, rzeczowy, niezawodny Janek rozbijający gołą ręką stertę cegieł!

– A bo wiesz, moja droga – powiedział, kiedy zagadnęłam go w tej kwestii – karate też jest tak naprawdę spokojne, rzeczowe i niezawodne. A rozbijanie ręką cegieł czy dachówek, czy jakiejś bandyckiej mordy, to najmniej ważne w tej sztuce.

I dodał kilka naprawdę interesujących zdań na temat wschodniej filozofii. Będę musiała go poprosić, żeby mnie bardziej oświecił na ten temat.

Emilka

W związku z cukierniczką uszkodzoną przez Wiktorka w emocjach byłam zmuszona poświęcić się i pojechać do Książa, kupić nową. Przez chwilę myślałam, żeby może kupić od razu dwie takie same, ale po co? Nadgorliwość gorsza od faszyzmu. Przecież w razie czego mogę zawsze się poświęcać w tej sprawie.

Ewa coś tam mówiła o jakimś sklepie w Jeleniej Górze, gdzie sprzedają taką ceramikę, ale skąd ja mogę wiedzieć, czy akurat mają tam takie cukierniczki? A w Książu mają.

Ewa nie ma pojęcia, że zawisły nad nią czarne chmury spisku uknutego przez jej wiernego męża i młodą przyjaciółkę. Baaardzo jestem ciekawa, jak też Wiktor zabierze się do dzieła. Obawiam się jednak, że nie będzie mi wypadało indagować go o szczegóły. Mam nadzieję, że podejdzie do problemu metodycznie i uwzględni wszystkie okoliczności. Kiedy wyjeżdżali, Jagódka miała łzy w oczach, chociaż starała się udawać dzielnego wojaka. To nie jest w porządku, żeby dziecko było z dala od rodziców.

Teraz mi przyszło do głowy, że może Ewa w podświadomości swojej pokrętnej wcale nie chciała tego Krakowa? Wiktor ją zna, chciała postawić na swoim, a potem – kto wie? Może sprawa małej Malinki (lub małego Ogóreczka – Hieronimka – Boszyka od--obrazków-a-nie-od-pralek-automatycznych) przejdzie łatwiej, niż nam się zdaje w tej chwili?

Czas pokaże.

W nagrodę za to, że jestem taka inteligentna i tak ładnie wyciągam wnioski, podjechałam do chłopaków. I natychmiast tego pożałowałam. Trafiłam bowiem na sytuację dla nich nieprzyjemną, mianowicie ta ich szefowa (nie cybernetyczna, tylko zwyczajnie okropnie chamowata) robiła im właśnie awanturę przy ludziach. Że, mianowicie, postąpili wbrew wyraźnemu zaleceniu i nie zawiadomili klientów o podniesieniu cen za zajęcia hippoterapeutyczne, wszystko drożeje i usługi też drożeją, co to jest, ona nie jest instytucją charytatywną, żadnego kontraktu z Funduszem Zdrowia nie ma i mieć nie będzie, bo za takie drobne fenigi jak od Funduszu można dostać, to jej się nie opłaca, poza tym Fundusz hippoterapii nie refunduje, poza tym nawet gdyby refundował, poza tym to są usługi wysokospecjalistyczne – i tak rzeką całą to płynęło z różowych usteczek, podczas kiedy chłopcy stali jak przymurowani, konie stały jak przymurowane, dzieci z nich zwisały – Zuzia od Prymulki i Marcin Grabowski, a Prymulka i Grabowski oczy mieli coraz większe, przy czym oczy Grabowskiego wzbierały odrazą, a oczy Prymulki troską, bo pewnie forsą to ona nie śmierdzi...

Widziałam, że w Tadzinku też wzbiera coś dużego, ale się hamował. Pewnie nie chciał robić awantur w obecności dzieci, żeby ich dodatkowo nie stresować. Natomiast Rafał nie wytrzymał. Spostrzegł mnie i władczym gestem ręki przywołał, oddał mi wodze Hanysa i łapkę Zuzanki, po czym podszedł do nadającej wciąż baby.

– Bardzo panią przepraszam – powiedział przez zaciśnięte zęby. – Nie będziemy tu rozmawiali na nasze wewnętrzne tematy, państwo nie muszą tego wszystkiego słuchać...

- Pan się zapomina, panie Rafale - syknęło babsko. - To nie pan jest tu szefem, tylko ja. I będziemy rozmawiać tam, gdzie mnie to odpowiada. I wtedy, kiedy mnie to odpowiada. To wasza wina, że nie powiadomiliście w porę klientów o zmianie...

W tym momencie ujrzałam z satysfakcją, jak Rafał ujmuje ją pod ramię i spokojnie, ale raczej stanowczo wyprowadza z pola walki. Blady Tadzio ujął wodze swojego konia z Marcinem na grzbiecie i gestem polecił mi zrobić to samo z Hanysem. Ruszyliśmy wolnym stępem w kółko, jakby nic się nie stało. O tym, że się jednak stało, świadczyły miny zarówno Prymulki, jak i Grabowskiego, którzy teraz, oparci o drągi okalające ujeżdżalnię, rozmawiali między sobą przyciszonymi głosami.

- Dobrze sobie radzisz - odezwał się nagle przy mnie głos Rafała. Nie zauważyłam, kiedy nadszedł. - Zmień jej pozycję, tak, jak ci pokazywałem poprzednim razem. Nic się nie bój, Zuziu, teraz ciocia cię obróci trochę inaczej, będziesz widziała grzywę konika. Złap ją rączkami, spróbuj.

A gdzie tam biedna Zuzia miałaby łapać Hanysa za grzywę tymi powykręcanymi łapkami... Ale jakby spróbowała. Pomogłam jej odzyskać nieco chwiejną równowagę i ruszyliśmy w dalszą drogę w kółko. Rafał szedł z drugiej strony konia, ale nic nie robił, czuwał tylko, żeby nam się dziewczynka nie przegibnęła.

Po raz kolejny w życiu awansowałam na ciocię. Ale numer.

Miałam nadzieję, że Rafał nie zauważył, że omal się nie rozbeczałam, kiedy Zuzia wykonała tę swoją próbę (jaką próbę, cień próby!) łapania Hanysa za grzywę. Pewnie zauważył zresztą, tylko on jest taktowny.

A jakim cudem udało się Tadziowi powstrzymać Marcina od wrzasków dezaprobaty, które to wrzaski doskonale pamiętałam z Grabowskich pobytu w Rotmistrzówce - to już w ogóle nie wiem. Nawiasem mówiąc, Marcin nie zwisał z końskiego grzbietu tak strasznie bezradnie jak Zuzia, ale on od początku był w lepszym stanie. No i nie jest autystyczny, tylko rozbestwiony. Rafał też na niego dobrze działał. Ciekawe, czy to wchodzi w zakres szkolenia?

Zajęcia trwały jeszcze dziesięć minut, do pełnej godziny, a po ich zakończeniu rodzice poprosili nas o chwilę rozmowy. Grabowski rzucił mi się na szyję z uściskami, których zaniedbał na wstępie, ale to z powodu awantury, no i tak naturalnie pani weszła w te zajęcia, pani Emilko...

– Jakby pani to całe życie robiła. Tak się cieszę, że panią widzę, naprawdę. Marcin uwielbia te jazdy i one mu doskonale robią. Panie Tadeuszu, jak teraz będzie z tą ceną?

– Mamy podnieść o dwadzieścia pięć procent...

– Od kiedy?

– Od poprzedniego razu. Rafał, co szefowa powiedziała?

– Niestety, musimy się zastosować. Przykro nam, że państwo byliście świadkami tej sceny, ale rzeczywiście, my tu tylko pracujemy, stawki ustala szefowa. Obawiam się zresztą, że wszędzie jest ostatnio dość drogo...

– Jakoś sobie poradzimy – zawołał żywo Grabowski. – Prawda proszę pani?

Prymula powątpiewająco kręciła głową.

– Będziemy musieli, ale nie wiem...

Reszta tekstu utonęła w głębokim westchnieniu. Tadzinek zrobił się czerwony i podejrzewam, że gdyby pani szefowa była w pobliżu, dostałaby za swoje bez względu na konsekwencje.

Kiedy rodzice i dzieci odjechali, Tadzio wybuchnął i wypowiedział kilka bardzo obrazowych określeń swojej chlebodawczyni. Po czym zamilkł, wziął za wodze oba konie, stojące spokojnie przy drągu i oddalił się w kierunku stajni.

Byłam ciekawa, co Rafał powiedział swojej szefowej, że się tak dała wyprowadzić i zaniechała awantury, która wyraźnie sprawiała jej sporo przyjemności.

– Powiedziałem jej, że jesteś dziennikarką z telewizji wrocławskiej i lepiej przy tobie nie omawiać takich drażliwych kwestii, bo zaraz zrobisz raban na temat biednych, chorych dzieci i ich bezradnych rodziców, których ona chce skroić na pieniądze.

– Uwierzyła?

Uśmiechnął się.

– Może nie do końca, ale wolała nie ryzykować.

– Ona was nie szanuje...

– My jej też nie szanujemy. Ale nie jest dzisiaj łatwo o pracę, więc się nie wyrywamy z tym brakiem szacunku.

– Jak tak dalej pójdzie, będziemy nosić liberię – powiedział zgryźliwym tonem Tadzio, który pozbył się koni i wrócił do nas.

Pomyślałam, że to jest elegancka liberia, bo sobie przypomniałam, jak zabójczo Tadzinek wyglądał w sznycie angielskiego jeźdźca, kiedy przyjechał po baronową w charakterze konnej asysty do bryczki. Ale się nie wyrwałam na wszelki wypadek. Swoją drogą ciekawe, jak Rafał wyglądałby w takim stroju? Przypuszczalnie dużo bardziej zabójczo. A ciekawe, jak wyglądał w lekarskim kitelku? Chyba też nieźle. Teraz szyją dość twarzowe ubrania dla lekarzy

Wracając do Marysina, myślałam jeszcze o czymś. A gdyby tak chłopcy rzucili o ścianę swoją głupią szeficę i zainstalowali się w Rotmistrzówce? Coś mi mówi, że z Wiktorów już nie będzie pożytku, a Janek sam wszystkich męskich robót nie obleci. Kajtek mu, oczywiście, pomoże, my też, ale co chłop, to chłop. W końcu trzeba będzie kogoś obcego wynająć, może niekoniecznie Misiaków, ale z kolei gdzie szukać chętnych do roboty? A płacić kokosów nie będziemy, bo nie mamy z czego. A gdybyśmy tak zaprowadzili u siebie hippoterapię? W okolicy na pewno znajdą się klienci. Trzeba by tylko znaleźć jakieś rozwiązanie dla dotychczasowej klienteli. Ci z okolic Wałbrzycha spokojnie mogą przyjeżdżać do nas, to nie taka znowu straszna odległość, ci z Wrocławia będą mieli gorzej, ale nie wierzę, żeby w okolicach Wrocławia nie było konkurencji. Tadzio i Rafał na pewno mają rozeznanie w temacie.

Zanim dojechałam na Przełęcz Kowarską, miałam wszystko obmyślane i rozplanowane z zakwaterowaniem włącznie. Muszę przedstawić sprawę na rodzinnym panelu.

Lula

Baronowa babcia Marianna jest szczęśliwa – wrócił ukochany wnuczek. Razem z Malwiną i piątką studentów płci obojga, przy czym płeć męska jest w mniejszości, reprezentowana przez dwóch przyjemnych młodzieńców z lokami do pasa i olśniewającymi uśmiechami na sześćdziesiąt cztery zęby każdy. Jeden ma na imię Miłosz, a drugi nie wiadomo jak, bowiem wszyscy operują ksywą Czesław. Stanowią coś w rodzaju jednego organizmu, są nierozłączni, a wyglądają jak weselsza, młodsza i piękniejsza odmiana

Hamleta (o ile pamiętam, był on „tłustej kompleksji i tchu krótkiego", a ci dwaj to sportowcy wyczynowcy) – nieodmiennie w czarnych ubiorach, z łańcuszkami podzwaniającymi na szerokich klatkach piersiowych. Z trudem powstrzymałam się od zapytania, czy mają do tych łańcuszków medaliony z portretami tatusia, króla duńskiego. Trudno mi było uwierzyć, że stanowią absolutną chlubę uczelni, koszą wszystkie możliwe nagrody naukowe i zaginają profesorów. Za moich czasów (piętnaście lat temu!) tak wyglądali wyłącznie playboye żyjący z ciężkiej krwawicy zapracowanych rodziców.

Dziewczyny w tym zespole kontrastowo, jakby chciały podkreślić, że dla nich taki szczegół jak wygląd nie ma najmniejszego znaczenia. Szare myszy, ale z gatunku tych dosyć agresywnych. Chyba postanowiły dla podkreślenia osobowości zrezygnować raz na zawsze z mało ważnych form grzecznościowych, uśmiechów i innych podobnych drobiazgów. Też podobno kosy naukowe, wielkie indywidualności i nadzieja polskiej biologii. Mają na imię: Jana, Justyna i Dominika. Dominika, zwana przez kolegów Niką (koleżanki nie stosują żadnych infantylnych zdrobnień), czasem nie wytrzymuje w powadze i wyrywa się ze zdrowym, rześkim śmiechem (zwłaszcza kiedy ją kolesie rozśmieszają), wtedy bywa karcona podwójnym spojrzeniem ciężkim od nagany.

Dubeltowy organizm pod tytułem Czesław Miłosz natychmiast zapragnął rozszerzyć program obozu szkoleniowego o naukę konnej jazdy, opiekunka Malwina nie miała nic przeciwko, oczywiście za tę fanaberię chłopcy już zapłacą sami. Coś mi się zdaje, że przytłamszona Nika prędzej czy później do nich dołączy. Na razie damska część obozu wyraziła desinteressement w tej rozrywkowej materii.

Biedna ta damska część, przynajmniej dopóki będzie musiała jadać posiłki w towarzystwie naszych wesołych ułanów. Tryskają oni bowiem radością życia, która się dziewczętom wydaje (takie w każdym razie czynią wrażenie) dość obrzydliwa. Nie mam pojęcia, jak one z takim podejściem do życia zdołają wykrzesać w sobie entuzjazm do nauki o rzadko spotykanych robaczkach.

Dziś i jutro studenci mają w planie wyłącznie aklimatyzację, od pojutrza pędzą w góry. Mają szczęście, że jesień zapowiada się ładna i ciepła. Jak mówiła Malwina, będą prowadzić intensywne badania, dopóki ich mróz siarczysty nie wygoni z gór. Doszli do porozumienia z Parkiem Narodowym i będą codziennie dowożeni najbliżej Wielkiego Stawu, jak tylko się da podjechać parkowym łazikiem. Chyba i tak zostanie im do przejścia jeszcze niezły kawałek. Palą się do tego te żylaste, naukowe organizmy. Może to biologia tak ma, nam na historii sztuki by się nie chciało.

Emilka od rana, zamiast mi pomagać, pojechała do Książa, rzekomo po cukierniczkę, której Wiktor utrącił uszko. Cukierniczka ma na imię Rafał. Albo Tadeusz, ale raczej Rafał. Chciałam jej nawet zrobić coś w rodzaju awantury, że mnie zostawia na gospodarstwie samą i to w obliczu nowych gości, ale napatoczył się Janek i zdusił awanturę w zarodku, obiecując mi pomoc. Rzeczywiście, robił wszystko, co mu kazałam, a kiedy Kajtek i Jagódka wrócili ze szkoły, sprawnie przydzielił im zadania, tak że zdążyliśmy ze wszystkim, z pokojami i z obiadem. Emilka wróciła na podwieczorek, przytomnie przywożąc wielką ilość drożdżowych bułeczek kupionych w jakiejś cukierni po drodze. Dobrze, że zadzwoniła, bo już się zabierałam za rozrabianie ciasta.

– No coś ty, Luleczka – powiedziała słodko i moim zdaniem fałszywie. – Po co masz piec, ja tu trafiłam takie prawie jak twoje, świeżutkie, prosto od krowy, prywatna cukiernia w Kamiennej Górze, sama zjadłam trzy, bo zapomniałam o obiedzie i mnie zassało. Słuchaj, stanęłam na stopie i poczułam zapach, facet właśnie z pieca blachy wyciągał!

Chciałam na nią warknąć, żeby nie była taka mądra, bo powinna tu siedzieć i doginać, ale w tym momencie Janek postawił przede mną nadzwyczajnie pachnącą kawę i jakoś mi przeszła chęć do awantur. Drugi raz dzisiaj.

Okazało się, że Janek dosypał do tej kawy trochę czekolady i trochę wanilii, dolał jakiegoś alkoholu i doszedł do wniosku, że musi mnie tym wszystkim uczęstować.

– Należy ci się nagroda za pracowitość – powiedział, podsuwając mi filiżankę. – Nie gniewaj się na Emilkę, młoda jest, to ją nosi. Chyba nawet wiem co.

– Do Książa to ja też wiem co. Słuchaj, Jasiu, jeżeli ty tu wlałeś jakiś koniak, to ja tego nie wypiję, bo przecież padnę. I kto zrobi kolację?

– Zagonimy Emilkę. Ale nie martw się, nie padniesz. Odrobina whisky tu jest, naprawdę parę kropel, nic ci nie będzie. To mój patent na kawę po irlandzku z dodatkami à la Pudełko.

– A może wypijemy jak ludzie, na ganku, a nie w kuchni?

– Na ganku jest za zimno na kawowe posiedzenia, ponadto znajdują się tam ułani i rżną w brydża, nie zważając na chłód. W salonie siedzą obie babcie i cała ta nadzieja polskiej nauki. Tu nam będzie najprzyjemniej.

– Boże jedyny, przecież ja im jeszcze nie dałam świeżej pościeli, nie zdążyłam, przygotowałam, ale wciąż leży na komodzie...

Już chciałam się zrywać od stołu i lecieć, ale Janek niespodziewanie przytrzymał mnie za rękę.

– Siedź. Leży na komodzie, to jeszcze trochę poleży. Komoda to bardzo dobre miejsce na pościel. Przecież nikt normalny o tej porze nie pójdzie spać. Wypijmy spokojnie naszą kawę, póki gorąca, ja ręczę, że będzie ci smakować, tylko nie pozwól jej wystygnąć.

Klapnęłam z powrotem na krzesło. Janek puścił moją rękę, a mnie przemknęło przez głowę, że właściwie szkoda, niechby sobie ją jeszcze trochę potrzymał.

– Nie goń tak, Luleczko – powiedział miękko. – Naprawdę nie musisz. Nie wszystko musi być zrobione natychmiast i nie wszystko musi być zrobione najlepiej na świecie. Wystarczy, jeśli będzie zrobione dobrze. A ja teraz już nie będę czekał, aż mnie zawołasz, pomogę ci we wszystkim. Emilka to dobra dziewczyna, zresztą pogadam z nią, przemówię jej do sumienia, żeby się nie migała. I myślę, że trzeba będzie zatrudnić kogoś do kuchni, czy do sprzątania. Może ta cała, jak jej tam, Żaklina?

· Pod wpływem tej kawy zrobiło mi się bardzo przyjemnie, tak przyjemnie, że sprawa ponownego zatrudnienia Żakliny mało mnie obeszła. Chociaż właściwie to jest dobra idea... I proszę – nikt nie pomyślał o tym, że się przepracuję, tylko Janek. Niezawodny Janek.

Może ja niesłusznie myślę o nim tylko jako o tym „niezawodnym Jasiu", co to zawsze jest na miejscu, kiedy trzeba? Może nie tylko z powodu kawy zrobiło mi się przyjemnie? Dla mnie on był zawsze taki oczywisty!

A te dwie studentki, Patrycja i Asia, latały za nim jak wariatki... Rękawiczki mu kupiły, jakieś meile do niego piszą, Kajtek mówił...

I to karate...
Chyba nie taki Janek oczywisty, jak mi się do tej pory zdawało.

Emilka

Nie przedstawiłam wczoraj mojej nowej idei na rodzinnym forum, ponieważ nie było odpowiedniego klimatu. Omcia cieszyła się jak dziecko, bowiem Rupercik wrócił na jej łono, Malwina przywiozła swoją supergrupę do badania dziwnych stworzonek jeziornych, czy może nadjeziornych, a Jasio zrobił mi wykład, po którym dostałam ataku wyrzutów sumienia, bo rzeczywiście ostatnio zwalam wiekszość roboty na biedną Lulę, a ta perfekcjonistka ani piśnie, tylko robi. Janek twierdzi, że już wczoraj miała przestać milczeć i zamierzała zrobić mi awanturę, ale chyba nie wie, co mówi. Lula i awantura?

Nasi nowi goście jakby należeli do dwóch różnych gatunków przyrodniczych, chłopaki bardzo zabawne i skłonne do harców, a dziewczyny mocno nabzdyczone, z wyjątkiem jednej, która trochę się jednak boi kumpelek i stara się tak samo nadymać jak one. Obiecałam chłopakom – czyli Czesławowi Miłoszowi – że trochę z nimi pojeżdżę; właściwie to oni sami mnie wybrali z naszej instruktorskiej trójki – no i dzisiaj jeździliśmy po okolicy. Mają pewne podstawy, nie będę się z nimi wygłupiać z żadną lonżą, po prostu będziemy sobie robić przyjemne jazdy w teren, a czego się podczas nich nauczą, to ich. Próbowali namówić tę całą Nikę, żeby z nami pojechała, ale odmówiła. Nie na długo jej starczy tej siły woli – chłopaki są śmieszne nieprzytomnie.

Pomiędzy obiadem i podwieczorkiem udało mi się zwołać Sanhedryn w osobach babci, Luli, Jasia i Omci, która odspawała się chwilowo od Rupercika, czy raczej Rupercik ją rzucił i zniknął gdzieś w towarzystwie lubej Malwiny. Porzucona Omcia poczuła samotność, więc nie można jej było zostawić odłogiem.

Opowiedziałam im wszystkim, jaką sytuację zastałam w Książu i jaki mi pomysł zaświtał w związku z tym.

Pierwsza zareagowała Lula.

266

– Widzę, że już całkiem położyłaś krechę na Wik... na Ewie i Wiktorze? A jeśli jednak zechcą wrócić?

– Nie wiem, czy zechcą. Na razie się na to nie zanosi. Ewa dopiero zaczęła pracę na uczelni, Wiktor projektuje nową kampanię reklamową dla tej swojej nadzianej zleceniodawczyni. Poza tym nawet jeśli wrócą, to z Wiktora pożytku w gospodarstwie i tak nie będzie, bo on jest artysta i będzie chciał malować, a nie gnój wyrzucać. Ja uważam, że oni sobie raczej wynajmą albo kupią dom w pobliżu, może nawet tę chałupę po rodzicach starej Kiełbasińskiej, co to dla nich za mieszkanie na stryszku w Rotmistrzówce... to nie na całe życie. A jak już im się rodzina powiększy?

– Ewa będże miala dżecko? – zareagowała żywiutko Omcia.

– Jeszcze nic o tym nie słyszałam. – Mam nadzieję, że nie było widać, jak się czerwienię. – Ale przecież oni są rozwojowi, mogą się rozmnażać. Wiktor robiłby te swoje reklamy dla pieniędzy i malował dla przyjemności, poza tym prowadziłby tę naszą galerię, księdza spotkałam niedawno, pytał, co z galerią, a ja nie wiedziałam, co mu odpowiedzieć.

– To jest chyba dosyć rozsądne – odezwał się Janek. – A powiedz mi, Emilko moja, czy Rafał i Tadek wiedzą o twoim pomyśle?

– Jeszcze nie. Dopracowałam go w drodze do domu, a poza tym nie będę im rzucać takich pomysłów bez konsultacji z wami.

– Bardzo słusznie – zagrzmiała babcia Stasia. – To mi się podoba, Emilko. Szacunek. Prawda, Marianno?

– Prawda, Stanyslawa – odgrzmiała babcia Marianna. – Szacunek dla starszych, dla rodżyny, to jest ważne w życzu. Ważne decyzje czeba konsultowacz. A poza tym ja myszlę, że Emilia ma rację, bardzo dobre chlopcy są Rafal i Tadeusz, tylko nie wiadomo, czy one będą chczaly do nas przyjechacz...

– Porozmawiaj z nimi, Emilko – zdecydowała babcia. – Jeśli im to rozwiązanie będzie odpowiadało, to ja się chętnie zgadzam. Lula?

– Dlaczego nie? Oni są sympatyczni. No i ta hippoterapia... zawsze to jakieś rozszerzenie oferty. Chociaż gdyby Wiktor zdecydował się wrócić...

– Ale tu chyba Emilka ma rację – nie do pracy w Rotmistrzówce. Jasiu?

– Jestem za.

– Doskonale. Teraz wszystko zależy od nich. No, ciekawa jestem, czy się zdecydują. Trochę nam będzie ciasno, ale chyba w sumie nieźle.

No to w sumie znowu muszę jechać do Książa!

Lula

Zauważyłam, że od pewnego czasu moje życie nabrało intensywności. I to chyba od chwili, kiedy Emilka pojawiła się na horyzoncie. Ona pierwsza przecież rzuciła hasło do zaopiekowania się babcią i zamieszkania w Rotmistrzówce, wokół niej też w jakiś naturalny sposób kręcą się wszystkie najważniejsze wydarzenia. Ona skłoniła Wiktora do podjęcia decyzji, na co ja – jego stara w końcu przyjaciółka – nie odważyłabym się nigdy w życiu. Ona też ma właśnie zamiar urządzić życie od nowa Rafałowi i Tadeuszowi i wcale niewykluczone, że oni na to pójdą. Co w tej dziewczynie siedzi? Janek, jak się zdaje, uważa, że samo dobre. Jest to przekonanie charakterystyczne dla wszystkich mężczyzn, którzy się z nią zetknęli. Nie mówię, że nie mają racji, ale też nie jestem pewna, czy nie zaczyna mnie ona troszkę irytować. Może jestem zazdrosna? Tylko o co, na miłość boską? O urodę? Czy raczej o swobodę bycia, na którą sama nigdy nie potrafiłam się zdobyć?

Następnego poranka po tym, jak zbiorowo zaakceptowaliśmy pomysł z hippoterapią, ta wariatka – zamiast pomagać mi przy sprzątaniu po śniadaniu! – wsiadła do samochodu i pognała do Książa.

– Rozumiecie sami – rzuciła nam na odjezdnym – że nie mogę chłopakom przedstawiać naszej koncepcji przez telefon. To za poważna sprawa. Zresztą muszę im patrzeć w oczy i widzieć, jak zareagują, a przez telefon oczu nie widać. Lula, kochana, przysięgam, że jak to wszystko się rozstrzygnie, dam ci tydzień absolutnie wolnego i sama będę wszystko robić, a teraz Janeczek ci pomoże i dzieci, jak wrócą ze szkoły. Jasiu, pomożesz, prawda?

Jasio, oczywiście, skinął tylko głową z maślanym uśmiechem. Doprawdy, czy nawet on musi się maślić na widok pięknych oczu

Emilki? A ona w dodatku rzuciła mu się na szyję i go wyściskała, co mu najwyraźniej sprawiło wielką przyjemność.

Za wielką!

Trzeba tę Emilkę w końcu wydać za kogoś. Tylko czy to pomoże na cokolwiek?

Pół godziny po jej odjeździe zjawił się u nas znienacka policjant Misiu, teoretycznie z wizytą towarzyską u babci Stasi. Babcia szalenie się ucieszyła, natychmiast zawołała swoją przyjaciółkę Mariannę (papużki nierozłączki to przy nich pikuś, jak powiedziałaby Emilka – co ja tak z tą Emilką!) i obie wdały się w beztroskie wyciąganie z przedstawiciela prawa tajemnic służbowych. Doprawdy, nasze staruszki łakną sensacji jak kania dżdżu!

Niestety, podkomisarz Misiu nie dał się wziąć na plewy i nie chciał opowiedzieć babciom, czym się teraz zajmuje w sensie służbowym. Zdradził natomiast bardzo wyraźne rozczarowanie z powodu nieobecności Emilki, którą, jak twierdził, pragnął odpytać o kilka szczegółów dotyczących jej byłego niedoszłego.

– Ty mi oczu nie zamydlaj, chłopcze – powiedziała do niego babcia Stasia z dużą dozą bezpośredniości. – Przecież ja doskonale widzę, jak ci się do niej oczy świecą. Powiedz lepiej, czy już masz coś na tego jej gangstera, bo my tu w nerwach cali jesteśmy o nasze konie, a nie daj Boże i o nas samych. Dzieci mamy w Rotmistrzówce!

Podkomisarz Misiu przewrócił oczyma nad filiżanką doskonałej kawy, którą im uprzejmie doniosłam.

– Pani Stanisławo...

– Możesz mi mówić babciu, jak wszyscy – przyzwoliła łaskawie babcia. – Tylko nie mąć!

– No więc proszę, niech mnie babcia zrozumie. Ja naprawdę nie mogę opowiadać nawet najbliższym osobom o tym, co robimy. Pracujemy, jak możemy. Niech się panie nie obawiają ani o konie, ani o dzieci, pilnujemy was...

– Ja tam was nigdzie nie widziałam!

– To bardzo dobrze, wcale byśmy nie chcieli być widoczni...

– Mlody szlowieku – wtrąciła nagle babcia Marianna – mnie szę wydaje, że wy wcząż nie macze nic. I wcale was tutaj ne ma. A ja panu podpowiem. Czeba udawacz, że szukacze moich brylantów, a jeszcze lepiej wcale nie udawacz, tylko naprawdę szu-

269

kacz, a może przi okazji znajdżecze i będże z was pożitek. Ja szę odwdżęczę. A ten gangster będże widżal, że szę tu ludże kręcą, to da spokój koniom.

– O jakich brylantach mówimy? – zainteresował się szybciutko podkomisarz Misiu.

Marianna wdała się w obszerne wyjaśnienia, ale podkomisarz okazał daleko idący sceptycyzm, twierdząc, że skoro do tej pory brylanty nie dały o sobie znać, to raczej już nie dadzą i należy pożegnać się z nimi z godnością i ostatecznie. Chyba jej nie przekonał. Zmusiła go za to – z wydatną pomocą babci Stasi – do opowiedzenia kilku soczystych przygód z życia antyterrorystów. Podejrzewam, że wszystkie, co do jednej, były na poczekaniu wyssane z palca.

Emilka

Nie wiem, czy coś z tego będzie. Mój młodzieńczy entuzjazm został potraktowany z niespodziewanym (przeze mnie w każdym razie) chłodem. To znaczy, nawet sympatycznie się do niego odnieśli, powiedzieli, że jest im przyjemnie, że się cieszą, tratatata... ale przecież na razie nikt ich z pracy nie wyrzuca, a szefowa chociaż obrzydliwa dosyć, to jednak wciąż jeszcze płaci regularnie, klientów mają stałych i nie mogą tak nagle znikać im z pola widzenia... Jednym słowem mam się wypchać swoimi pomysłami.

Tak dosłownie tego nie powiedzieli, ale inaczej nie można było zrozumieć.

Nie, to nie. Chyba trzeba będzie w tym układzie nająć Misiaków do pomocy Jasiowi w stajni...

I narazić przez to konie! Nigdy.

Prędzej sama będę gnój wyrzucać!

A już się powoli przywiązywałam do myśli o hippoterapii dla tych różnych pokręconych dzieciaczków. Olga, z którą rozmawiałam przez telefon o tej sprawie, uznała, że pomysł jest znakomity, żadnych ośrodków hippoterapeutycznych w promieniu pięćdziesięciu kilometrów nie ma na pewno, bylibyśmy jedyni na rynku. A ona zdążyłaby jeszcze dopisać stosowny tekst w swoim nowym katalogu, w którym mamy wykupione (dzięki Krzysiowi Przybyszowi po życzliwej cenie promocyjnej) ćwierć strony z cudnymi zdjęciami księdza Pawła...

Które to zdjęcia dostaliśmy od niego za najzupełniejsze friko! Trzeba by się księdzu odwdzięczyć i zrobić mu tę wystawę z wernisażem, jakiego świat nie widział.

Chyba będę musiała się tym sama zająć, bo coś mi się widzi, że Wiktor rozwiazuje teraz swoje ważne problemy życiowe i galeria mu nie w głowie.

Lula

Wiktor z Ewą znowu wpadli na weekend jak po ogień. Ewa wciąż zaabsorbowana sprawami uczelnianymi, ściśle doczepiona do swojej komórki i Wiktor prawie nie odrywający się od laptopa, w którym przechowuje koncepcje jakichś nadzwyczajnych chwytów reklamowych, które mają nas przekonać, że jedynie urządzenie łazienki przy pomocy firmy Piprztycka i Spółka przyniesie nam szczęście, zdrowie i gwarantowaną satysfakcję, niezależnie od tego, czy myjemy się cztery razy dziennie, czy też raz do roku około Wielkiejnocy. Aż mi wstyd było za nich, bo prawie nie zajęli się Jagódką, poświęcając jej zaledwie kilka chwil po przywitaniu. Na szczęście Kajtek czuwał, Janek też i obaj zabrali ją na superjazdę w teren, po raz pierwszy tak daleko, poza obręb Marysina.

Zapytałam Wiktora wprost, czemu z nimi nie pojechał? Jagódka na pewno chciałaby, żeby kochany tatuś zobaczył, jaki z niej dzielny rajter.

– A bo wiesz co?... Sam właściwie nie wiem – odpowiedział mi, jak na niego mało inteligentnie. – Od jakiegoś czasu wcale prawie nie odrywam się od tego cholernego komputera, chciałbym już wreszcie dopiąć wszystko na ostatni guzik, oddać babie i skasować ją na pieniądze. Dawno miałbym ją z głowy, ale parę szczegółów jej nie odpowiadało i musiałem zmieniać koncepcje. Jeżeli teraz mi będzie grymasić, to ją chyba zabiję. Ale jeżeli przyjmie, to będę miał na jakiś czas forsę i trochę spauzuję. Tylko czy w tym całym porąbanym reklamowym interesie można spauzować? Nie jest wykluczone, że moja klientka zmusi mnie do przyjęcia zlece-

271

nia od jednej takiej jej koleżansi, co to ma biznes spożywczy, ale ten biznes spożywczy przestał jej wystarczać do szczęścia i teraz koleżansia zamierza wprowadzić na rynek nowe odkrywcze pismo dla kobiet, cholera jasna by to wzięła. Dla ambitnych kobiet, takich, co to buty muszą mieć od Gucciego albo od Prady, kostiumiki od Chanel i Lagerfelda, paltociki od Armaniego, a do urządzania sobie kuchni i sypialni biorą specjalnego dizajnera, który kosi od nich za to tyle, ile przeciętny nauczyciel zarabia przez trzy lata. Z nadgodzinami. Wypisz wymaluj jak nowe Ruskie. Lula, powiedz mi, czy chciałabyś mieć kuchnię urządzoną przez dizajnera?

Pewnie że bym chciała. Takie kuchnie nie nadają się do gotowania w nich obiadów, mogłabym spokojnie urządzić strajk, bo już chwilami mam dosyć bicia kotletów! Gdyby nie Janek, chyba bym oszalała jako gosposia od wszystkiego. Janek zawsze jakoś znajduje czas, żeby mi przyjść z pomocą.

A Wiktora tak naprawdę nic nie tłumaczy. Dziecko to dziecko i nie wolno lekceważyć faktu, że właśnie nauczyło się jeździć na koniu! Nawet jeśli tym koniem jest tylko stara, leniwa, tłusta Mysza.

Emilka

Hura, hura.

Piękny Wiktorek wraz ze swoimi zniewalająco pysznymi brwiami pojawił się na horyzoncie, a Lula nic! Czyżby zaczynały owocować wszystkie nasze tajne posunięcia? Babcie wprawdzie wyparły się w żywe oczy, kiedy znienacka zapytałam je o forsę, którą inkasowały od nich Aśka z Partycją, ale kto by im tam wierzył, starym chytruskom! Zwłaszcza, że natychmiast chciały koniecznie wiedzieć, daczego to ja ostatnio rzucam się Jasiowi na szyję ze zdwojoną częstotliwością (faktycznie, jakoś tak się składa) i chichocząc, wysuwały różne propozycje – jak to określiły – zdynamizowania wzajemnych stosunków tych dwojga. To znaczy Luli i Jasia.

– *Mein Gott* – mówiła Marianna, popijając z wdziękiem herbatkę ziołową – ja już nie mogę paczeć, jak ta biedna, kochana Lula szę męczy! Kto to widżal, kochacz szę w szlowieku z rodżyną! To znaczy, ja sama kiedysz szę kochalam w takim jednym, co tu mieszkal nedaleko, on był spokrewniony z Hochbergami i miał narzyczoną, ale ja sobie nader szybko wyperswadowala taka miloszcz!

– Święte słowa, moja droga – zabasowała jej babcia Stasia, która jednakowoż nad herbatkę ziołową przedkładała ziołową nalewkę, prezent od Krzysia Przybysza. – Lula jest za dobrą dziewczyną, a Janek ma za dobry charakter, żebyśmy tak to puściły swoim torem. Bo jakby to miało iść swoim torem, to Lula raczej by Wiktorowi wybudowała mały ołtarzyk i modliła się do niego codziennie, niż zrobiła jakikolwiek krok w kierunku Janka. Ty, Emilko, też bardzo dobrze wymyśliłaś, ty się na Jasia rzucaj, ściskaj go i komplementuj, ja widzę, że Lula zaczyna patrzeć na to żabim oczkiem, może wreszcie do niej dotrze, że ma pod nosem człowieka jak kryształ! I moim zdaniem on ją chce!

Omcia popatrzyła krytycznym okiem na karafkę z nalewką, ale po drobnym namyśle podstawiła babci kieliszek.

– Może jednak ja spróbuję tego twojego specjalitetu, Stanyslawa, nalej mi, proszę oczupynkę. Tak szę mówi, oczupynkę? *Sehr gut*, bardzo dobrze. Ale ja mam jedna wątplywoszcz. Jeżeli Emilia będże szę Jaszowi rzucala i rzucala, to może on pomyszli, że ona szę w nim zakochala? Hę? A Emilia jest piękna dżewczyna, ja widzę, wszyscy panowie na nią paczą przyjemnie. I co to będże wtedy? Stanyslawa, Stanyslawa, żeby my czasem nie pcze... pczekombynowali? Tak Kajtek mówi, nie? Pczekombynowacz.

– O, do licha – mruknęła babcia Stasia, zupełnie jakby mnie przy tym nie było. – Masz rację, Marysiu. Na naszą Emilkę wszyscy lecą, jakby się tak Jankowi odwróciło... Emilka! Ty może jednak przyhamuj troszkę, co? Z tą adoracją Jasia? Jak myślisz?

– No co też babcia – prychnęłam. – Jasio jest monogamista. Jasio może tylko jedną kobietę kochać naraz, a moim zdaniem kocha się w Luli jeszcze od czasów przedpotopowych! Ożenił się tylko przez pomyłkę. Swoją drogą patrzcie babcie, jakie te chłopy niestałe. Powinien był czekać na Lulę; ona na Wiktora czekała, to znaczy była wierna swojemu uczuciu, chociaż Wiktor się wydał za Ewę!

– I naprawdę uważasz, dziecko, że możesz się na Jasia rzucać bezkarnie?

– Na sto procent, babciu.

– No to dobrze. To jednak się na niego rzucaj, a Lula niech będzie zazdrosna. Ziarnko do ziarnka, a zbierze się miarka. Tylko uważaj! A jakbyś zauważyła, że Jasiowi coś się odwraca, natychmiast przestań.

– Dobrze, babciu – powiedziałam grzecznie. – Przestanę. Ale pod jednym warunkiem. Że powiecie wreszcie prawdę w sprawie Aśki i Patrycji! Dawałyście im forsę za uwodzenie Jasia czy nie?

– Zaraz uwodzenie – sarknęła babcia. – Umowa była, że mu troszkę przypodchlebią i to tylko wtedy, kiedy Lula będzie ich miała na widoku. Starały się dziewczęta uczciwie, to i drobna rekompensata słusznie się należała. No i zwrot kosztów.

– Zwrot kosztów?!

– Na przykład za te rękawiczki. Były dosyć drogie, a i Kiełbasińskiej trzeba było zapłacić ekstra za haft, na dodatek w terminie ekspresowym, a jeszcze na skórce źle się wyszywa... Albo za dodatkowe jazdy. Przecież za dodatkowe jazdy u nas się płaci.

– O jejusiu – powiedziałam z podziwem. – A ile babcie im odpaliły za samą fatygę?

– A... taki drobiazg, to zresztą Marianna sponsorowała...

– Omciu?!

– Co, Omczu, co Omczu... Nedużo. Zlecenie było specjalne, estra, czeba było pokazacz ynwencję... No i chyba dalo skutek, tak trochę, nie?

– Omciu, ile Omcia im dała?

– Sto ojro każda dżewczynka dostala plus koszta. Powiedżaly, że to dobrze jest.

– Ja myślę! A co się przy tym najeździły za darmo! Tak nawiasem – dla mnie babcie też przewidziały honorarium?

Babcie spojrzały po sobie z namysłem.

– Dlaczego nie? – zaczęła Marianna, ale Stasia jej przerwała.

– O nie, moja kochana Emilko. Ty musisz się przyłożyć do utrzymania domowej harmonii oraz szczęścia rodzinnego! Jesteśmy rodziną, prawda? Wiktorki najwyraźniej są na drodze do usamodzielnienia się, rodzina się kruszy, więc trzeba umocnić fundamenty!

Argument przemówił mi do wyobraźni.

– Dobrze, proszę babć. Będę umacniała fundamenty. Za friko.

Jakby babcie odniosły wrażenie, że przeginam, to proszę mi dać znać.

No i jak tu nie kochać naszych staruszek?

Lula

Emilka miała dobry pomysł. Zanim Wiktor i Ewa wyjechali, zdążyła przedstawić projekt kolejnej wystawy w naszej galerii – trochę ostatnio zaniedbanej – planowaliśmy zresztą od samego początku, że po obrazach Wiktora pokażemy zdjęcia księdza Pawła. Wiktor został zobowiązany do uruchomienia mediów, najlepiej ogólnopolskich. Siedząc w Krakowie, ma przecież pewne możliwości. Nie uchylał się wcale, owszem, obiecał zrobić maksymalny szum. Ma mu w tym pomóc ta jego potencjalna zleceniodawczyni, jak sam się wyrażał „koleżansia klozetowej bizneswoman". Nie wiem tylko, czy koleżansia, która zamierza tworzyć pismo dla kieszonkowych snobków, zainteresuje się wiejską galerią. Wyraziłam swoje wątpliwości w tym zakresie, ale zostałam zakrzyczana. Przez Wiktora i Emilkę. Oboje zgodnym chórem twierdzili, że nie to ważne, co ważne, tylko to, co się wylansuje. Bardzo dobrze. Niech koleżansia lansuje naszą galerię i niech o niej powie wszystkim swoim koleżansiom.

Zirytowało mnie tylko trochę, kiedy Emilka zaczęła demonstracyjnie pytać Jasia o opinię, niby to niewinnie zaglądając mu w oczy i łapiąc go za rękaw. W ogóle denerwuje mnie ostatnio ta cała Emilka, muzeum przez nią zaniedbuję, moja inwentaryzacja leży i kwiczy, z uczonym Kiryskiem nie mam o czym rozmawiać, chociaż to najmniejsza rzecz, bo go wchłonęło zapisywanie historycznych ciekawostek, które usłyszał od Marianny. Pewnie nam się Kirysek habilituje z tego wszystkiego.

Janek wymyślił ostatnio dzieciom nową rozrywkę – jeżdżą do westernowego miasteczka podpatrywać, jak się tam trenuje konie. Emilka opowiedziała im jakieś cuda o tamtejszym szeryfie i postanowili rozszerzyć sobie jeździeckie horyzonty. Oczywiście na razie wyłącznie w wymiarze teoretycznym. Być może jednak – jak tak dalej pójdzie – Rotmistrzówka zmieni charakter z ułańskiej na kowbojski.

I to będzie już zupełnie bez sensu, bo kowboję rotmistrzów nie mieli.

– Ale miała ich zapewne kawaleria Stanów Zjednoczonych – zauważył Janek, kiedy podzieliłam się z nim wątpliwościami. – Wiesz, ci przepiękni chłopcy, którzy nadjeżdżali zawsze w końcowych scenach prawdziwych starych westernów. I robili porządek z niedobrymi Indianami. Oraz z gangsterami. Nawiasem mówiąc, przydaliby nam się tacy w sprawie Emilczynego kryminalisty, nie uważasz, moja droga?

Odmruknęłam coś niechętnie, bo temat Emilki, zwłaszcza w ustach Jasia denerwuje mnie jakoś ostatnimi czasy. Janek zrozumiał moje mruknięcie opacznie.

– Nie martw się, kochana, ja chcę tylko, żeby dzieciaki miały porównanie. Jedź kiedyś z nami, zobaczysz, jak pięknie Jagódka trzyma się na byku...

– Jasiu, ty oszalałeś?

– Ależ oczywiście, że nic podobnego. Byk jest automatyczny. No, sztuczny. Ale duży i nieźle wywija...

– Jasiu! A jeśli Jagódka spadnie, jak my się Wiktorom na oczy pokażemy?

– Już spadała. Za każdym razem. Tam się walczy do upadu, ale spada na miękkie. Luleczko, czy ty naprawdę myślisz, że ja nie myślę?

– Ja nic nie myślę, ja się boję o dzieci...

– No to się przestań bać.

Spojrzałam na niego jak na dziwoląga i w tejże chwili dotarło do mnie, że zachowuję się jak idiotka, mało tego, że coś mi z głowy wyżera szare komórki, może naprawdę mam za dużo pracy i to przez to?

Muszę pogonić Emilkę!

Chyba miałam rekordowo głupi wyraz twarzy, bo Janek już nic mi nie tłumaczył, natomiast zrobił coś dziwnego – wychodząc już z kuchni, bo oczywiście w kuchni toczyliśmy ten dialog, nad garnkiem zupy pomidorowej zgoła, ze świeżych pomidorów – no więc wychodząc z tej kuchni, z kuchni, w której grzęznę na całe dnie – przez Emilkę i jej wszystkie wykręty! – no więc, wychodząc z tej kuchni, on mnie pocałował.

To był bardzo przyjemny pocałunek. Krótki i jakby mimochodem, ale jednak pocałunek.

Nie cmok-cmok.

Jest to ZASTANAWIAJĄCE.

Będę się zatem zastanawiać, produkując górę zrazów zawijanych z boczkiem i ogórkiem kiszonym oraz z ledwie dostrzegalnym akcentem czosnkowo-cebulowym.

W sumie – chyba lubię robić zrazy. Jest to czynność tak marudna, że można się przy tym zastanawiać do woli...

Emilka

Nie do wiary, co za cholerny gnojek z mojego niedoszłego!

Już myślałam, że te wszystkie groźby w stosunku do koni są tylko takim sobie czczym gadaniem, ale okazało się, że on naprawdę chciał skrzywdzić Latawca! Chyba bym wolała, żeby mnie coś złego zrobił.

Oczywiście, nie zamierzał sobie przy tym osobiście brudzić rąk, tylko wynajął tego starego grzyba Misiaka i jego młodego syna, brudasa. Co za szczęście, że udało się zapobiec nieszczęściu!

I to Rafał zapobiegł, nie kto inny... wiedziałam, że...

Nie wiem, co wiedziałam. Nic nie wiedziałam.

Ale COŚ MI MÓWIŁO. No dobrze, nieważne, co mi mówiło. Mówiło i już.

Wprawdzie udział w wydarzeniu miało jeszcze mnóstwo osób, ale to Rafał złapał gnoja za rękę, bo gdyby nie to – nie chcę w ogóle myśleć!

Akurat wyglądało na to, że Rotmistrzówka świeci pustkami, czas był przedpołudniowy, babcie w salonie przy pogaduszkach, dzieci w szkole, leciwi kawalerzyści zdobywali kolejne góry (ryzykując chyba zawałami serca, bo mają straszne tempo jak na swój wiek podeszły), studenci i Malwina z Rupertem też w górach na spotkaniu z umówionymi endemitami, Lula i ja oraz nasze obydwa psy w kuchni, Janek pojechał do Jeleniej Góry po zakupy półhurtowe... Teoretycznie byli gdzieś w pobliżu chłopcy podkomisarza Misia, ale w praktyce pies z kulawą nogą ich nie widział. Konie łaziły spokojnie po padoku, widziałyśmy je z kuchennego okna. Oczywiście nie wszystkie naraz i tylko sporadycznie, kiedy Lula pozwalała mi podnieść oczy znad upiornej stolnicy z mnó-

stwem pierogów klejonych na zapas... chyba dla armii napoleońskiej wracającej spod Moskwy, albo dla innej, równie licznej i wy-
głodzonej hałastry.

I na to wszystko pojawił się znienacka Misio, przepraszam –
Misiu – we własnej, reprezentacyjnej osobie, zastukał do nas, jak
jaki ułan, w okienną szybę, został natychmiast zaproszony i po-
częstowany świeżymi pierogami – pod ich wpływem chyba zapomniał, po co przyszedł właściwie. Zdaje się, że chciał jeszcze raz
uściślać daty przybycia Lesława do Marysina i naszych z nim nie-
sympatycznych spotkań – ale te pierogi go strasznie wciągnęły,
zresztą nie było pośpiechu, więc siedział i spożywał, i jeszcze gapił
się na mnie, co chyba denerwowało trochę Lulę. A czasem często-
wał Niupę i Pędzla farszem, co denerwowało Lulę jeszcze bardziej. I tak czas nam upływał mile, kiedy nagle załomotało coś
w szybę, Niupa warknęła, Pędzel zaszczekał i za oknem zmateria-
lizowała się twarz Tadzinka, bardzo wzburzona.

Otworzyłam mu to okno, a on, zamiast witać się kulturalnie,
wrzasnął tylko:

– Natychmiast chodźcie ze mną na padok. Pan komisarz też.
Biegiem!

Zrobiło mi się lekko słabo, natychmiast wyobraziłam sobie nasze konie leżące pokotem w trawie, ale zanim zdążyłam zapytać
Tadzia, co się stało, on już pędził z powrotem. Popędziliśmy więc
za nim – psy na czele, Misiu dławiący się pierogiem i my dwie, całe
w nerwach i w mące.

Na padoku – na szczęście! – nie leżał żaden koń, przeciwnie,
leżał młody Misiak, a na nim siedział Rafał. Dookoła nich w za-
ciekawioną grupę skupiły się konie i psy.

– O, pan komisarz – zauważył Rafał, nie zsiadając z Misiaka. –
Miło, że pan jest, bo pańskich dzielnych wojaków ani widu, ani
słychu. Ma pan może jakieś kajdanki albo co, bo chętnie bym już
wstał z tego gnoja.

– A mam, całkiem przypadkowo – odrzekł ze swobodą podkomisarz i zadzwonił żelazami. – Na jaką okoliczność zatrzymu-
jemy pana Misiaka Dżuniora? Wstawaj, Mundek. Co przeskro-
bałeś?

– O nie – wysapał młody Misiak z trudem i dźwignął się z gle-
by, mocno wymiętoszony. – Tak to nie będzie. Pan komisarz sam

widzi, napadł na mnie ten nieznany mi obywatel i dokonał na mnie rękoczynu, podczas gdy ja bynajmniej nie robiłem niczego złego, tylko chciałem przywitać się z końmi, ja te konie, panie komisarzu, znam...

– Nie pierdziel, Mundziu – zbagatelizował tłumaczenia Misiaka podkomisarz. – Panowie, co się stało?

Rafał wygładził na sobie cokolwiek zmięte ciuchy.

– Pokaż państwu, Tadziu, cośmy zabrali panu, jakmutam, Misiakowi.

Tadzio schylił się i podjął z ziemi mały przedmiocik.

– Co to jest? – zaciekawił się podkomisarz.

– Oni są psychiczni – pospieszył z informacją Misiak. – Przylecieli do mnie z jakimś debilnym patyczkiem i przewrócili na ziemię, ja będę składał na nich oficjalną skargę do prokuratury o napaść...

– Mundziu, prosiłem, żebyś się zamknął – warknął podkomisarz. – Faktycznie, patyczek. Co to takiego, to jakaś tajna broń?

– Taki patyczek – rozpoczął wyjaśnienia Tadzio – jest zaostrzony na końcu. Widzicie to?

Widzieliśmy, ale nic nam to nie mówiło.

– Jechaliśmy właśnie do was z wizytą – podjął Tadzio, już prawie spokojnie – ale tu niedaleko złapaliśmy gumę, więc zmieniliśmy koło i zaraz, po jakichś dwustu metrach złapaliśmy drugą gumę, ale już nie było czego wymieniać, więc postanowiliśmy przejść te pół kilometra na piechotę i poprosić was o jakąś pomoc. Jak doszliśmy do granicy waszych padoków, to nam się zdawało, że ktoś się tu skrada przez krzaki, więc zastosowaliśmy metodę Indian Apaczów, przestaliśmy hałasować i rzucać się w oczy... no i cóż my widzimy? Pan Misiak młodszy podchodzi spokojnie do Latawca, nie rzuca się, więc Latawiec, ufne stworzonko, niczego nie podejrzewa. A pan Misiak go zachodzi od ogona. I powiem wam, że gdyby nie to, że Rafał wykazał się błyskawicznym refleksem, to ten gnój śmierdzący zdążyłby mu ten patyczek wsadzić w tyłek.

Spojrzeliśmy po sobie, nic nie rozumiejąc.

– Złapałem go w ostatnim momencie – przyznał Rafał i przejął narrację. – Miał to w łapie, więc mu tę łapę na wszelki wypadek wykręciłem. Ale też nie wiedziałem, po co chciał to zrobić. Dopiero Tadzio mi wytłumaczył i ma szczęście ten skunks, że go nie zabiłem, a słusznie mu się należy...

Jak jeden mąż spojrzeliśmy tym razem na Tadzinka.

– Opowiedział mi o tym jeden mądry człowiek na naszej wspólnej uczelni, droga Emilko – powiedział Tadzinek przez zaciśnięte zęby. – Taki zaostrzony patyczek wsuwa się koniowi w tyłek, patyczek przebija prostnicę, bardzo szybko dochodzi do zapalenia otrzewnej i po koniu. Kwestia kilku dni i jest to nie do wykrycia praktycznie. Były takie przypadki, niestety.

Zrobiło mi się słabo. Mój Latawiec! Mój kochany, mądry, ufny, zabawny Latawiec...

Podkomisarz Misiu zbladł pod swoją filmową opalenizną i z najwyższą odrazą spojrzał na Misiaka, który coś tam jeszcze usiłował gadać o napaści.

– Panowie – zwrócił się do Tadzia i Rafała. – Jesteście pewni, że on to chciał zrobić?

– Prawie zrobił – odparł Tadzio sucho. – Rafał złapał go za rękę już w momencie, kiedy celował Latawcowi tym patykiem pod ogon.

– Kto ci to kazał zrobić? – warknął Misiu w stronę Misiaka.

– Jakie zrobić, co zrobić? – postawił się Misiak. – Nic mi nie udowodnicie. Coś się wam pop...

Zanim Misiak młodszy wypluł z siebie niecenzuralne słowo, podkomisarz Misiu, dawny uczeń pana Rotmistrza i koniarz, najwyraźniej rozjuszony do białości – odwinął się nagle, a jego potężne ramię wystrzeliło w powietrze. Misiak padł jak podcięty kłos, w to samo miejsce, na którym leżał przed chwilą. Rafał tym razem nie musiał na nim siadać, bo Mundzio nie wyglądał, jakby miał wstawać w najbliższym czasie.

Pochyliliśmy się nad nim.

– W co waliłeś? – spytał rzeczowo Tadzinek.

– W ryj – odrzekł krótko podkomisarz.

– No, no – powiedział Rafał z podziwem w głosie. – Ale cios. Moje uznanie, panie komisarzu...

– Misiu jestem – zawiadomił go podkomisarz. – Cholera, chyba znowu mnie poniosło. Ale wiecie, ja kocham konie. Ciekawe, dokąd mnie przeniosą tym razem, jeśli się okaże, że mu coś połamałem.

– Czekajcie, zobaczę. – Rafał pochylił się nad nieruchomym Mundziem. – Jestem lekarzem – dodał wyjaśniająco, na co podkomisarz pokiwał głową ze zrozumieniem, połączonym z odrobiną niepokoju. Podejrzewam, że nie był to niepokój o całość Misiaka.

– Raczej mu połamałeś – poinformował Rafał, podnosząc się znad Misiaka, który już zaczynał ruszać się i pojękiwać. – Nic groźnego w sumie, obie szczęki poszły. Wyjdzie z tego.

– Cholerny świat – mrukął podkomisarz. – Właściwie szkoda, że tylko szczęki, skoro mam zostać prostym krawężnikiem. No i Gula mnie zabije, obiecałem, że będę się hamował.

Rafał spoglądał na niego z zastanowieniem.

– A powiedz mi – zaczął powoli – co by było, gdybym to ja mu złamał te szczęki, wtedy kiedy go łapałem na gorącym uczynku? No wiesz, w afekcie, z prędkości, żeby zapobiec złemu uczynkowi w stosunku do niewinnego zwierzęcia...

Misiak poruszył się gwałtownie i usiłował coś powiedzieć.

– Zamknij się, lachu nieprany – huknął podkomisarz. – No więc, jakby ci tu powiedzieć – zwrócił się do Rafała, a oczy obydwu zaślniły tym samym, podejrzanym blaskiem. – W zasadzie nic by nie było. Zapobiegłeś ewidentnemu przestępstwu, z jakiego paragrafu, to się jeszcze dopasuje... Tadek był świadkiem, że nie miałeś czasu na konwersacje. Tadek?

– Oczwiście, że byłem świadkiem. Patrzcie, to przecież kawał byka, gdyby go Rafał nie znokautował, to by mu zwiał. A może i nas by pobił.

– No to ustalone – podsumował Rafał. – Ty go może jednak skuj, Misiu, albo co.

– Tak, chyba jednak zdecydowanie powinienem. – Misiu użył wreszcie swoich służbowych kajdanek. Mundzio wstał, chwiejąc się na nogach, a widok jego rozbitej gęby sprawił mi żywą przyjemność. – A teraz powiedz, Mundziu, na czyje zlecenie pracujesz?

Mundzio zabełkotał coś niewyraźnie.

– Ach, prawda. Masz kłopoty z wymową. Tak czy inaczej zabieram cię chwilowo do nas, jakiś lekarz do nastawienia ci gęby chyba się znajdzie. Pana doktora też do nas poprosimy celem złożenia zeznań, doprawdy pechowo się złożyło z tą szczęką, ale proszę się nie martwić, najważniejsze, że udało się panu zapobiec okrucieństwu w stosunku do zwierzęcia. Oraz zniszczeniu cudzej własności, jeżeli przyjmiemy bardziej materialistyczny punkt widzenia. Pan też, prawda? Jako świadek. Może jutro, pojutrze? Kiedy panom pasuje?

– Może być jutro. Całkiem rano albo całkiem po południu, bo mamy jazdy z niepełnosprawnymi.

– To jeszcze się zdzwonimy w tej sprawie. A propos...

Podkomisarz wyjął z kieszeni komórkę, wybrał numer i zażądał radiowozu celem przewiezienia złoczyńcy do aresztu.

– Będą za kwadrans – zawiadomił nas.

– To chodźcie na herbatę – zaproponowała Lula, która dotąd prawie się nie odzywała z wrażenia.

– Może ja mu opatrzę tę szczękę, którą rozbiłem? – spytał Rafał niepewnie.

– Ach, szkoda fatygi, doktorze. Zanim go zawiozę do nas, wstąpimy z nim na pogotowie. Lepiej wypijmy herbatę, bo jeszcze mam w przełyku tego pieroga, którego jadłem, kiedy mnie zaskoczyłeś, Tadziu.

– To my w końcu jesteśmy na pan, czy nie? – Tadzio zdradzał zakłopotanie.

– Tylko w warunkach oficjalnych, dobrze?

– Ależ proszę uprzejmie...

Misiu przymocował Misiaka kajdankami do drzewka nieopodal, po czym panowie, świadcząc sobie wzajemne reweranse, odeszli w kierunku domu, na którego ganku pojawiły się już obydwie babcie.

A mnie coś zastopowało przy Latawcu, który gmerał mi teraz pyskiem we włosach w konsekwentnej acz nieuzasadnionej nadziei, że da się tam znaleźć coś do zjedzenia. Powoli docierało do mnie, jakiego losu uniknął, w jakich cierpieniach musiałby zginąć, gdyby chłopakom nie udało się złapać tego śmierdziela za łapę. Zrobiło mi się dziwnie, przytuliłam się do pachnącej sianem, lśniącej jak czyste złoto szyi i rozryczałam jak nigdy w życiu. Trzeba być ostatnim z ostatnich, żeby tak po prostu chcieć zabić takie miłe, ufne, pogodne stworzenie, które nigdy nikomu nie zrobiło krzywdy; takie piękne zwierzę, takiego kochanego złocistego Latawca...

Ryczałam tak dosyć długo, a on cierpliwie stał w miejscu i czekał, aż się od niego odlepię. Być może nie nastąpiłoby to w ciągu najbliższej doby, bo chyba wylewałam też przy okazji cały żal do świata i Leszka (pierwszy raz, odkąd się rozstaliśmy, poryczałam się tak porządnie), ale kiedy byłam w stanie największego zapuchnięcia, poczułam, że ktoś mnie obejmuje za ramiona i odwraca ku sobie.

Kolejne chwile spędziłam, mocząc dla odmiany przód kamizelki z tysiącem kieszeni, które mnie gniotły w twarz. Rafał, podobnie jak Latawiec, nic nie mówił, pozwalając mi wypłakać się do woli.

Przestałam w końcu lać łzy, ale jeszcze sobie trochę tak postałam. Dobrze mi z tym było. No i w końcu zaczęłam się zastanawiać, jak ja mu pokażę twarz, która teraz nadawała się tylko do tego, żeby na niej usiąść.

– Masz jakieś chusteczki?

Sięgnął do kieszeni, jednej z tych, do których nie byłam aktualnie przyklejona i podał mi jedną chusteczkę higieniczną luzem.

– Mam tylko tę jedną. Poradzisz sobie?

Poradziłam sobie, wydmuchując w nią nos. Reszta twarzy pozostała mokra, zapuchnięta, prawdopodobnie czerwona i ohydna.

– Wolisz, żeby zostawić cię samą, czy pobyć z tobą?

– Nie wiem. Jeśli chcesz ze mną pobyć, to na mnie nie patrz.

– Dobrze, nie będę patrzał. Chodź, usiądziemy sobie gdzieś na osobności, ale może w domu, bo mi zmarzniesz na kość. Albo w stajni. Gdziekolwiek, ale już nie na świeżym powietrzu...

Faktycznie, nie zwróciłam uwagi, że to nie lato i że wieje zimny wiatr z zachodu, a ja wyleciałam z tej ciepłej kuchni jak do pożaru, w samej lekkiej sukience.

Poszliśmy do siodlarni i usiedliśmy w najciemniejszym kącie na szerokiej ławie. Wolałabym, żeby usiadł bliżej, ale widocznie uznał, że dostatecznie mnie uspokoił i więcej nie musi. I tak przód klatki piersiowej miał całkiem zamoczony. Siedział tak i nic nie mówił, ja też siedziałam i nic nie mówiłam, a po paru minutach znowu mnie złapało i znowu zaczęłam ryczeć. Nawet chciałam przestać, bo przestraszyłam się, że mnie uzna za histeryczkę i dostanę w dziób, może mi nawet złamie szczękę, jak Misiakowi, bo ma on ten cios, nie, przecież to nie on, tylko Misiu, och, kurczę, wszystko jedno...

Nie dał mi w dziób, tylko przesiadł się bliżej i znowu mnie do siebie przytulił. Ostatni raz, jak pamiętam, przytulał mnie tak ojciec, kiedy miałam jakieś pięć lat i płakałam gorzko z powodu psa, którego przejechał samochód. Pies był zwykłym kundlem, nazywał się Groszek (tata mawiał: Groszek Niekoniecznie Pachnący) i wpadł pod ten samochód, kiedy biegł do mnie, uradowany, że mnie widzi i cały merdający... Uznałam, że jestem winna jego śmierci – potem na szczęście okazało się, że żyje, dało się go odratować, tylko do końca życia kulał na tylną łapę. Ale ja już zdążyłam przeżyć i jego śmierć, i straszliwe poczucie winy, że to przeze mnie, bo do mnie tak pędził w podskokach...

Teraz też Latawiec omal nie zginął przeze mnie.

Chyba powiedziałam coś w tej sprawie, bo Rafał zaczął mi tłumaczyć, że to nie moja wina, że ludzie są gnoje i łobuzy – niespecjalnie słuchałam, dopóki nie dotarło do mnie, o czym on właściwie mówi. A od pewnego już czasu mówił o swojej rodzinie, o żonie, która była w ciąży, w piątym miesiącu, już wiadomo, że z córeczką, o tym, że ta żona miała wypadek, a on był wtedy w jakiejś podróży, ona trafiła do kliniki, gdzie ją pan profesor mylnie zdiagnozował, przez co nie udało jej się utrzymać przy życiu, to dziecko też zginęło, a wszyscy dokoła dobrze wiedzieli, że pan profesor się pomylił, ale kto by tam w klinice podważał zdanie profesora i ordynatora w jednej osobie...

Wyzwoliłam się z jego objęć.

– Czekaj – powiedziałam, jeszcze lekko skołowana. – Ty mówisz, że lekarze wiedzieli, że on nie ma racji? I nikt mu nie powiedział?

Patrzył na mnie nieprzeniknionym wzrokiem.

– Tak właśnie było. Ja w tym szpitalu byłem na stażu, więc dość szybko do mnie doszło, co, jak i dlaczego. Po prostu nikt się nie chciał wychylić... we własnym, dobrze pojętym interesie.

– Nie rozumiem tego! One... przez to umarły?

– Tak.

– Nie mieści mi się w głowie...

– Mnie też się nie mieściło.

– I to wtedy... zrezygnowałeś z medycyny?

– Tak. Doszedłem do wniosku, że wolę pracować ze zwierzętami niż z ludźmi. Jak dotąd nie żałowałem decyzji.

– Ale przecież nie wszyscy profesorowie są tacy!

– Prawdopodobnie są ordynatorzy przyjmujący słowa krytyki czy choćby wątpliwości, ale ten akurat do takich nie należał. Dawno było o tym wiadomo, więc już nikt nie zamierzał być kamikadze. A mnie się już nie chciało poszukiwać sprawiedliwych.

Nie wiedziałam, co mam teraz powiedzieć. Zaczęłam się też zastanawiać, dlaczego mi to mówi i dlaczego właśnie teraz.

– Czemu mi to mówisz? – usłyszałam własny głos.

Uśmiechnął się niewesoło.

– Chciałem, żebyś przestała płakać. Tak myślałem, że będziesz mnie słuchać, kiedy ci o tym wszystkim opowiem. Trzeba cię było wyrwać z tych szlochów, a nie chciałem uciekać się do rękoczynów...

A jednak!

– To znaczy do bicia? Złamałbyś mi szczękę? Jak Misiakowi?

Zaśmiał się znacznie weselej.

– Starałbym się nic ci nie łamać. Ale to jest niezła metoda na takie ataki żalu.

Nie potraktował mnie jak histeryczkę! Zrozumiał, dlaczego tak beczałam... Swoją drogą milej by mi było, gdyby opowiedział mi swój życiorys w zaufaniu, jak przyjaciółce, a nie w charakterze lekarstwa na ataczek ryku!

Wystąpiłam z tą pretensją, zanim zdążyłam pomyśleć, a on zaczął się naprawdę śmiać.

– Kiedyś i tak bym ci to wszystko opowiedział, Emilko.

– Kiedy?

– Nie wiem. Ale opowiedziałbym.

– Jezus, Maria – przestraszyłam się nagle i zerwałam z ławy. – Zostawiliśmy konie na padoku!

– Nie sądzę, żeby ten cały Misiak miał dublera. Nie martw się, nic złego się nie stanie.

Nie rozumiałam wprawdzie, skąd on ma tę pewność, ale jakoś mi się jego spokój udzielił. Najchętniej siadłabym teraz z powrotem na ławie i kontynuowała zwierzenia, to znaczy słuchałabym jego opowieści z życia, ale nastrój do zwierzeń zniknął gdzieś jak sen jaki złoty. Pozostała moja twarz, w stanie absolutnie do remontu kapitalnego, natychmiast!

Opuściliśmy więc siodlarnię, Rafał poszedł do towarzystwa, a ja chyłkiem przemknęłam się do łazienki. To, co tam zobaczyłam w lustrze, nie nadaje się do opisania.

Po upływie dobrego kwadransa, kiedy pomału zaczynałam przypominać wyglądem kobietę (i to nie najgorszą), przyszło mi do głowy jedno pytanie. Dlaczego mianowicie Rafał i Tadzio postanowili nas odwiedzić znienacka w powszedni dzień przed południem? Chyba nie w przewidywaniu konieczności wykonywania bohaterskich czynów w obronie życia i zdrowia naszych koni?

Przyspieszyłam prace remontowe i pomaszerowałam do salonu, gdzie, oczywiście, znalazłam wszystkich z wyjątkiem Misia i Misiaka (ale się zrobiła... jak jej tam – aliteracja? Muszę spytać Lulę, jak się to polonistyczne zjawisko nazywa. Chociaż Lula ostatnio jakoś krzywo na mnie patrzy, może lepiej sprawdzę w encyklopedii. Albo w internecie). Był natomiast Janek, który wrócił już z zakupami. Atmosfera panowała raczej spokojna, widocznie szok wywołany dramatycznym aresztowaniem na naszym padoku minął im, kiedy ja miałam kłopoty ze sobą.

– Ooo – powiedziała babcia Stasia – Emilka. Dobrze, że jesteś. Czy ty wiesz, dziecko, że znowu miałaś dobry pomysł?

– Ja zawsze mam dobre pomysły – odrzekłam skromnie.

– A o którym teraz babcia myśli?

Babcia zachichotała szatańsko.

– Powiecie jej, chłopcy?

Tadzio odchrząknął, popatrzał na mnie spode łba.

– Jesteśmy ci winni przeprosiny, Emilko nasza kochana...

– No proszę, a to za co?

– Za to, jak cię potraktowaliśmy trzy dni temu, kiedy przyjechałaś do nas z życzliwą propozycją...

– Potraktowaliście mnie okropnie i oziębłe, a co? Wasza szefowa kazała wam zwijać manatki?

– Coś w tym rodzaju. Oświadczyła nam wczoraj, że zamierza zmienić całkowicie profil działalności; myśmy najpierw myśleli, że chce zrezygnować z hippoterapii, ale okazało się, że w ogóle rezygnuje z końskiego interesu, przerzuca się na handel, sprzedaje konie i cały dobytek, nawet już ma kupca. A z tym, co dostanie, wchodzi w spółkę z jednym swoim aktualnym narzeczonym. On handluje używanymi samochodami, a chce zostać autoryzowa-

286

nym dealerem jakiejś porządnej firmy i założyć duży salon samochodowy. W Wałbrzychu.

– O kurczę, to zostajecie na lodzie?

– Tak jakby. Ale nie do końca. Ponieważ złożyłaś nam tę uprzejmą i życzliwą ze wszech miar propozycję, chcielibyśmy z niej skorzystać... do pewnego stopnia.

– Nie denerwuj mnie. A propozycję składałam w imieniu nas wszystkich. Rodziny. I co to znaczy do pewnego stopnia?

– To znaczy, że ja mam na oku pewien ośrodek jeździecki pod Wrocławiem, jestem dość zaprzyjaźniony z właścicielami, swoją drogą musisz ich poznać, świetni ludzie po prostu... co ci będę szklił, Emilko: chcę tam poprowadzić taką hippoterapię, jaką robiliśmy w Książu...

– On ci będzie szklił, Emilko – wtrącił Rafał z podejrzanym uśmieszkiem. – On już ci szkli. Ja ci powiem prawdę w sprawie Tadzia naszego. Otóż Tadzio nasz się przejął, że mała Zuzia pozostanie bez ćwiczeń, bo ta jej mama, wiesz, ten kwiatek...

– Ach! *Primula minima!*

– Właśnie. Primula. Primula nie będzie miała możliwości dziecka rehabilitować, a Tadzio się w Primulę jakby zaangażował...

– Och, Tadziu, naprawdę?

– Niewykluczone – mruknął niechętnie Tadzio. – Chociaż Rafał jest plotkarz.

Ucieszyłam się ogromnie, bo Primula wydała mi się bardzo sympatyczna i taka jakaś... jakby tu powiedzieć – wartościowa. No. Wartościowa. To jest to. Nieważne, że trochę starsza, te kilka lat to pryszcz. W sam raz dla Tadzia, który też jest wartościowy i kochany, i w ogóle... dobrze, że sobie mną już głowy nie zawraca!

W takim razie... w takim razie...

W takim razie Rafał chce do nas!!!

Chyba miałam w oczach coś na ten temat i chyba było to dość wyraźne, bo Tadzio pokiwał głową.

– Tak, droga moja – powiedział. – Słusznie się domyślasz. Pod twoją nieobecność zdążyliśmy już przedłożyć szanownej babci ofertę, oferta została życzliwie przyjęta przez szanowną babcię i obecne tu gremium. Rafał zasili stan osobowy Rotmistrzówki, jako aport wnosząc Hanysa, który jest jego osobistą własnością,

287

poza tym obecna tu pani baronowa postanowiła zakupić od naszej szefowej bryczkę i znanego ci już folbluta Milorda. Folblut i bryczka zostaną na stałe zdeponowane w Rotmistrzówce, ażeby pani baronowa mogła skorzystać z nich zawsze, kiedy przyjdzie jej na to ochota. Dobrze powiedziałem, pani baronowo?

– Bardzo dobrze. *Sehr gut* – pochwaliła baronowa, podzas gdy ja pozostawałam na bezdechu z wrażenia. – Ty jesteś bardzo mądry chłopiec, Tadżo, tylko ty zapomniał poweddżecz, że to wszystko pod warunkiem, że ty nas będdżesz odwedzacz. A czasem ty szę dla mnie ubierzesz w ten elegancki frak i pojedżemy na szpacer w teren, bo tu jest piękny teren. A ja wtedy będę udawacz, że znowu mam szesnaszcze lat... No, dwaddżeszcza.

– Z największą przyjemnością, pani baronowo – zaśmiał się Tadzinek, całując jej zasuszone łapki. – A ja wtedy będę udawał, że jestem baronem!

– Doskonale, doskonale! Mój neboszczik małżonek nawet był trochę do czebe podobny, ja byłam większa od niego. Ale to nam nie szkodżyło, bardzo szę kochaliszmy całe życze. Może nawet nam szę jeszcze uda znajszcz te moje biżutki, co miałam od niego. Tadżo, ty szę zastanawiaj, gdże lesznyczy mógł je schowacz!

– Będę się zastanawiał, pani baronowo.

– No i zostaw wreszcze tę baronową, ja chcę dla was wszystkich bycz babcza. Oma znaczy.

– Dzięki, droga babciu Omciu. A więc, wracając do naszych baranów...

– *Revenons a nous moutons* – mruknęła domyślnie Omcia.

– Właśnie. My jeszcze dwa tygodnie popracujemy na dotychczasowych warunkach, bo jednak do naszej pani dotarło, że trzeba dotrzymać zobowiązań, ludzie popłacili nam za zajęcia z góry, a oddawanie im pieniędzy byłoby aktem bolesnym... a potem zaczynamy nowe życie. Emilko, zaplanowaliśmy za ciebie, że Rafał cię wyszkoli, potem zrobisz stosowne papierki i będziesz prowadziła terapię z nim razem, bo masz do tego wyraźne predyspozycje. Chyba nie masz nic przeciw temu?

Nawet gdyby Rafał nie patrzył na mnie w tym momencie wzrokiem, który wydał mi się pełen ciepła, zgodziłabym się z entuzjazmem. Pokiwałam więc tylko energicznie głową, a Tadzinek kontynuował:

– Świetnie. Myśmy mieli nawet sporo klientów, teraz się nimi podzielimy. Prymulka, Grabowscy, Izunia i jeszcze ze trzy sztuki przejdą do mnie, a wam zostanie kilka osób z Kamiennej Góry, z Jeleniej, jedna z Lubawki i jedna z Piechowic.

– Może Olga zdąży jeszcze dopisać to do oferty – zauważyła Lula.

– Wątpię – zwątpiła babcia. – Ona chyba ma już gotowe te katalogi, ale trzeba ją dopaść, tak czy inaczej. No dobrze, kochani. Uważam, że sytuacja dojrzała do wzniesienia toastu za nową, piękną przyszłość. Janeczku?...

Janeczek zrozumiał cienką aluzję, wydobył stosowny napitek i wznieśliśmy toast – wszyscy z wyjątkiem Rafała, który po uporządkowaniu spraw opon w golfie miał jeszcze prowadzić samochód do Książa.

Bardzo się starałam, żeby nie było po mnie widać wszystkiego, co się we mnie kotłowało. Po Rafale nie było widać nic, ale miałam nadzieję, że jednak obrót spraw go ucieszył...

Lula

Rotmistrzówka jest miejscem absolutnie nieprzewidywalnym. Niczego nie da się zaplanować, bo wszystko się przewraca. O dziwo jednak to, co ostatecznie nam zostaje, jest całkiem do przyjęcia... Nie wiem, czy to wywracanie to jest wpływ Emilki – o co ją podejrzewam od pewnego czasu – czy może jakiś *genius loci*?

Po dramatycznych wydarzeniach związanych z próbą zabójstwa na Latawcu (zyskaliśmy przy tej okazji dwóch nowych przyjaciół w osobach podkomisarza Misia i jego przełożonego Guli, stopnia nie pamiętam, ale bardzo przyjemni obaj) stan osobowy poszerzył nam się o Rafała. Trochę byłam zła na Emilkę, że tak łatwo zrezygnowała z obecności tu Wiktora, ale kiedy ze mnie pierwsza irytacja opadła, doszłam do wniosku, że to bardzo rozsądne posunięcie. Rafał pasuje do nas jako znawca i miłośnik koni oraz jako – jako co? Porządny człowiek? Chyba tak. Po prostu. Od razu wtopił się w nasze życie, zamieszkał w klitce na stryszku, natychmiast przejął część obowiązków Jasia w stajni, uruchomiliśmy tę hippoterapię, bo wraz z Rafałem przyszli klienci, którzy przedtem jeździli do Książa. Spodziewamy się też następnych, bo Rafał natychmiast po decyzji swojej szefowej, likwidującej firmę w Książu, dał ogłoszenie w kilku miejscowych gazetach i dodatkowo w Internecie. Rozkleiliśmy również ogłoszenia (Kajtek i Jagódka pilotowani i wożeni przez Emilkę, spisali się dzielnie w tej sprawie) we wszystkich ośrodkach zdrowia, przychodniach, szpitalach i urzędach. Poprosiłam Olgę, aby spróbowała dopisać tę hippoterapię w naszej ofercie; Olga trochę kręciła nosem, bo już katalogi miała gotowe do druku, ale jeszcze dopisała dwa zdania w katalogu na przyszły rok.

– Macie szczęście, że mi się druk opóźnił – powiedziała.

Przysłała nam też kolejnych gości, którzy zastąpili leciwych ułanów. Dwie rodziny składające się wyłącznie ze starszych osób, wyjeżdżające co roku ze swych domów po to, aby „w luksusie rżnąć w brydża", jak to z prostotą określił senior rodu. Luksus polega na tym, żeby im ktoś robił kanapki na bieżąco i żeby ich nie wołać na obiad, kiedy oni właśnie są w połowie fascynującej rozgrywki. Takie luksusy zapewniamy bez namniejszej trudności, zwłaszcza że gościom nie zależy na wykwintnych obiadkach, kontentują się odgrzanymi mielonymi, gołąbkami i gulaszem. Dwie czwórki im się zebrały, incydentalnie dołączają do nich obie babcie, czasem ja z Jankiem (Emilka pracowicie szkoli się u Rafała w zakresie hippoterapii i nie ma czasu na rozrywki – tak twierdzi, ale nie wygląda, jakby się tym faktem martwiła) – i rozgrywamy całe turnieje.

Niestety, wygląda na to, że idzie martwy sezon. Kiedy brydżyści wyjadą – a wyjadą za tydzień – zostaniemy prawie bez gości. A niebawem wyfruną też studenci, bo już im zimno w górach i „endemity idą spać", jak powiedziała Emilka. Wrócą tu najwcześniejszą wiosną, ale na razie będziemy musieli kontentować się sporadycznie przyprowadzanymi przez Kostasa niemieckimi wycieczkami. Te wycieczki też się zresztą kończą. Oby jak najszybciej nastała zima!

Babcia Marianna na razie nie myśli o wyjeździe. Rupert pracuje z Malwiną na jakiejś dziwnej zasadzie – czy można mieć na uniwersytecie status pracownika naukowego – wolontariusza? Zapowiedział już, że zostaje na czas nieokreślony w Polsce. Zdaje się, że Malwina odmówiła mu swej ręki, a zwłaszcza wyjazdu do

Tyrolu celem zamieszkania na stałe w rodzinnej posiadłości i rodzenia małych Ruperciątek. No i nie miał wyjścia – zrezygnowanie z Malwiny nie wchodziło w grę, więc i on przestał się wybierać do Vaterlandu. A skoro on nie jedzie, to i babcia nie jedzie... Zależności proste jak dzień dobry.

Nasza babcia Stasia jest z takiego obrotu spraw bardzo zadowolona. Chyba się obie staruszki do siebie przywiązały, uwielbiają przesiadywać w saloniku przy nalewkach; chichoczą wtedy, opowiadają sobie różne rzeczy z lat własnej młodości, a czasami – mam wrażenie, że czasami knują coś po kątach. Ciekawe co?

Kiedy nie gramy w brydża, szykujemy wystawę księdza Pawła. Wiktor z Ewą byli w kolejne dwa weekendy; Ewa czegoś niezadowolona – a kiedy ona była tak naprawdę zadowolona? Wiktor... i tu muszę przyznać – po raz kolejny! – rację Emilce, otóż Wiktor nie wygląda, jakby miał zamiar powracać do sprzątania stajni i podrzucania koniom siana. Nic wprawdzie nie mówił na ten temat, ale to się daje zauważyć. Obecność Rafała zaakceptował prawie z entuzjazmem i błyskawicznie przeszedł nad nią do porządku dziennego. W sprawy galerii wszedł z marszu i natychmiast zaprojektował wszystko – od sposobu rozmieszczenia fotogramów do urządzenia wernisażu włącznie. Nie malował tym razem, ale kilka razy zaciekle konferował przez komórkę, najwyraźniej ze swoją zleceniodawczynią (mawia o niej: zlecenio, chlebo, masło i ciastkodawczyni), omawiając jakieś ostateczne szczegóły kampanii reklamowej tych wszystkich zintegrowanych łazienkowych bajerów. Powiedział mi na stronie, z błyskiem w oku, że zgarnie za tę kampanię straszny pieniądz, może nawet przymierzy się do kupna domu.

– Przecież masz mieszkanie w Krakowie – zdziwiłam się.

– Mam, ale nie lubię – odrzekł ponuro. – Wielka stodoła w samym cholernym turystycznym centrum. Ewa uważa, że takie mieszkanie to bardzo wyraźny symbol naszego statusu społecznego, ale ja chrzanię symbole statusu społecznego i w ogólności wszystkie pozostałe symbole też chrzanię. Świątek, piątek, lato, zima, łażą mi tabuny turystów przed oknami, wrzeszczą, co chwila jakieś porąbane happeningi, zero spokoju. A tu bym sobie gdzieś przysiadł i spokojnie robił swoje, galerię byśmy razem ciągnęli, kulturę na wsi polskiej zaprowadzali, a jakże. Emilka mówiła, że jest tu jakiś stary dom w niezłym stanie, do kupienia za niewielkie pieniądze. I bym sobie malował jako ten outsider, taki co to uciekł z wielkiego miasta... Wiesz, Lula, że mam coraz więcej telefonów na ten temat, pisma różne się mną interesują, takie ambitne dla kobitek i fachowe też, a ja się nie oganiam specjalnie, bo reklama mi się przyda. Rotmistrzówce też. Więc wszystkim mówię, że w Krakowie przebywam tylko chwilowo i zapraszam do nas, do Rotmistrzówki. Będziemy mieć ładną prasę na wernisaż Pawła.

Poczułam się lekko skołowana.

– Wiktor, czekaj... a co na to Ewa?

– Ewa jest bardzo zajęta swoją uczelnią, na której też nie tak wcale różowo, jakby się zdawało. Tamten jej były promotor, wiesz, ta świnia, miał sporo przyjaciół w łonie wydziału i oni teraz robią, co mogą, żeby Ewie uprzykrzyć życie. Na razie jest dzielna, kieruje katedrą jako p.o., ale – tu Wiktor zniżył głos w sposób konspiracyjny – ja nad nią pracuję. Nie pytaj, jak, kiedyś ci opowiem. Emilka mi poradziła...

Tu zachichotał strasznie chytrze.

CO EMILKA MU PORADZIŁA???

Emilka

Uczę się na hippoterapeutkę. Moim nauczycielem jest oczywiście Rafał, który jakoś tak bezproblemowo wtopił się w Rotmistrzówkę, jakby od zawsze mieszkał z nami. Nawet Omcia, która chyba początkowo żałowała, że to nie Tadzio do nas przystał, zmieniła zdanie. Pewnie doszła do wniosku, że dobrze mieć własnego lekarza pod ręką, a już zupełnie zmiękła, kiedy Rafał zlikwidował jej ból w kręgosłupie szyjnym. Masażem.

Chwilami przychodzi mi taka myśl do głowy, żeby też mieć ból w kręgosłupie szyjnym albo migrenę, albo co i niechby mi też pomagał za pomocą masażu. Na razie jeszcze się nie odważyłam, ale ochotę mam... muszę się tylko zdecydować, co mnie właściwie boli. Jest tylko jedno niebezpieczeństwo, mianowicie Rafał może rozpoznać symulację. Niestety, nigdzie nigdy nic mnie nie boli... tak naprawdę. Ale od czego inteligencja i wrodzona bystrość umysłu: podpatrzę objawy u babci Omci.

Lula by mnie skarciła za takie sformułowanie – babcia Omcia to przecież babcia-babcia. Tautologia. Czy jakoś tam. No, no, niech ta Lula nie będzie taka zasadniczka.

Razem ze mną uczy się Latawiec. Od tamtego koszmarnego dnia mam do niego stosunek mamy-kwoki do swojego ulubionego kurczaczka. Trzęsę się po prostu nad nim jak głupia jaka. A jemu to chyba wisi, jest beztroski i milutki jak zawsze.

W charakterze autystycznych dzieci występują na takich szkoleniach Jagódka i Kajtek. Trzeba Latawca nauczyć wozić takie zwisające jak worek dzieciaczki. Nasze zwisają artystycznie i z dużym upodobaniem, a Latawiec wykazuje wielkie uzdolnienia. Rafał wyraża się o nim z dużym uznaniem.

Na razie pracuje z nami tylko Hanys, a zajęcia z klientami ustawiliśmy tak, żeby następowały jedne po drugich. Jakoś sobie radzimy. Rafał mówi, że za jakiś tydzień będę już mogła pracować z Latawcem, oczywiście pod jego czujnym okiem.

Mój osobisty gangster udaje, że go nie ma. Oczywiście, na czas zamachu na Latawca ma żelazne alibi, był gdzie indziej, z kimś innym, a Misiak zarzeka się, że sam wymyślił sobie taką formę zemsty na nas, a zwłaszcza na mnie, bo to przeze mnie babcia go wywaliła na pysk z Rotmistrzówki. Będzie miał sprawę i skażą go na bank. I co z tego, pewnie mu Leszek zawczasu zapłacił słono za straty moralne. Misiu i Gula są zmartwieni, chyba strasznie by chcieli posadzić mojego byłego jakoś definitywnie. Zdaje się, że zataczają wokół niego złowieszcze kręgi, ale są nadzwyczaj tajemniczy i nic nie chcą mówić na ten temat. Zastanawiałam się, czy by nie zadzwonić do mojego znajomego prokuratora, do Szczecina, ale w końcu nie zadzwoniłam, bo mi coś przeszkodziło, nawet nie pamiętam, co. Chyba mnie Lula pogoniła do kur.

Gula dzwonił do mnie i usiłował wydrzeć ze mnie tajemnicę – kto mianowicie tak fachowo dał Misiakowi w zęby. Byłam niezłomna, trzymając się ustalonej wersji, ale zdaje się, że mi nie uwierzył. Jego problem, najważniejsze i tak są oficjalne zeznania Tadzia, naocznego świadka. Nie nalegał. Lubię tego Gulę, i Misia też.

Mam teraz problem z wypełnianiem obietnicy danej obydwu babciom. Spektakularne podrywanie Jasia na oczach Rafała nie wchodzi w grę. Wcale nie chcę, żeby sobie o mnie pomyślał (Ra-

fał, oczywiście, ale Janek też), że jest mi wszystko jedno, na kogo
lecę, byle nosił spodnie. Muszę tak kombinować, żeby w okolicy
była Lula, a Rafał wręcz przeciwnie.

Chyba zaczynam ją denerwować. Janek na szczęście w ogóle
na mnie nie zwraca uwagi, to znaczy lubi mnie, na pewno, ale
wszystkie moje wdzięki ma w nosie. Jakoś więcej teraz przebywa
w pobliżu Luli, robią razem różne rzeczy, jeżdżą po zakupy.
I bardzo dobrze, bo staruszki zaczynają się niecierpliwić.
Zwłaszcza Omcia, pozbawiona swojego Rupercika, który odjechał w siną dal za badaczką endemitycznych (czy może ende-
micznych?) robali.

– Emilia, moja kochana, jak dlugo oni będą szę jeszcze na-
myszlacz? Czy oni chcą bycz takie stare jak ja? Żeby już nyc ne
mogli? Sama powiedz, to ne ma sensu. Ja ne mam czasu tak czekacz i czekacz. Ty cosz zrób!

– Robię co mogę, Omciu – mruknęłam. – Ale oni oboje są
powściągliwi.

– Powszcz... Emilka, ty chyba zloszliwie mówisz do mnie takie
trudne wyrazy! Czy ty już ne masz wzgląd na biedna starsza pani?

– Bardzo przepraszam, Omciu. Tak mi się wypsnęło.

– Emilka, jak ty szę ne postarasz, to ja wpadnę w depresję. Ruperta ne ma, biżuteria szę ne znalazła, ja ne mam żadnej rozrywki, chyba będę muszala zachorowacz, dostanę depresję, to przynajmniej będżecze nade mną skakacz, tak to szę mówi?

– Tak, Omciu kochana. Ale nie wpadaj w depresję, ja cię błagam. To tylko jesień tak działa, te krótkie dni. A brydżyki już ci
nie pomagają?

– Już mi szę znudżyły brydżyki. Zresztą oni wyjeżdżają, czy
wszyscy od brydża, i znowu zostaniemy sami. Emilka, Emilka, ja
czy mówię. Czeba zrobicz cosz, żeby Janek wreszcze szę zdecydo-
wal, to zrobimy szlub i wesele i będże szę cosz dżalo!

– Janek, Omciu, chyba jest zdecydowany, tylko Lula jeszcze nie
wie, że to on jest mężczyzną jej życia. A ja już bardziej nie mogę
go uwodzić, bo będzie podpadziocha.

– Podpa co?

– Będzie podejrzanie wyglądało. Małolaty mówią podpadziocha.

– Powedz jeszcze raz – zażądała Omcia. – To jest szmieszne.

294

Powiedziałam jej kilka razy, a ona starannie powtórzyła, też kilka razy. Wreszcie, nieco pocieszona, poszła do babci Stasi, namawiać ją na koniaczek. Słyszałam, jak, wychodząc z pokoju, mamrotała pod nosem: „podpadżocha, podpadżocha".

Lula

Przyszła zima. Właściwie był już najwyższy czas, i tak długo były ładne pogody. Śniegu jeszcze nie ma, ale jest mróz i ogólnie nieprzyjemnie. Wszyscy goście wyjechali, nawet Kirysek, któremu, jak się zdaje, zagrożono wywaleniem z uniwersyteckiego etatu; chyba nie mógł się biedaczek dłużej wykręcać... Bardzo cierpiał, wyjeżdżając, ale jednocześnie był szczęśliwy, bowiem powiózł ze sobą walizkę bezcennych materiałów źródłowych do swojej pracy habilitacyjnej. Emilka zaproponowała mu, żeby – skoro ma tego aż tyle – strzelił od razu dwie prace, ale chyba nie złapał dowcipu. Co nie przeszkadzało mu spojrzeć na Emilkę okiem mężczyzny.

Coś podobnego. Kirysek. Okiem mężczyzny. Chociaż już tak na nią patrzył kilka razy. Okazuje się, że nawet Kirysek.

- Wbrew naszym niepokojom, jakoś wychodzimy finansowo na swoje, bez potrzeby naruszania żelaznych kapitałów odłożonych na specjalnych lokatach. Najbardziej opłacalne okazały się wycieczki Kostasa, które napychaliśmy doskonałym jedzeniem – po naszym pierwszym, strasznym doświadczeniu już bez żadnego picu.

Nie mówi się picu. Bez oszustwa. To wszystko wpływ... nieważne.

Klienci Rafała i Emilki (Emilka już prowadzi samodzielnie zajęcia i szykuje się do zdania egzaminu, bo kurs w zasadzie odbyła pod okiem Rafała) też płacą nieźle. Nie zdzieramy z nich specjalnie, ale też nie możemy im całkiem odpuścić. Uzbierała się całkiem spora gromadka – przyjeżdżają z Jeleniej, z Kamiennej Góry, Kowar, a nawet z Wałbrzycha.

Teraz, kiedy nie mamy stałych gości – oprócz babci Marianny, oczywiście, ale ona zrobiła się już całkiem domowa, no i Ruperta z Malwiną w weekendy (trzymamy dla nich pokój stale i też za to płacą!) – mam więcej czasu na moje muzeum. Inwentaryzacja prawie na ukończeniu. No, może nie całkiem... ale już na pewno minęłam półmetek. Albo i trzy-czwarte-metek.

Wystawa księdza Pawła gotowa, ale czekamy z wernisażem, aż ksiądz wyleczy się z wietrznej ospy, którą zaraził się od jakiegoś dzieciaka ze szkoły. Biedny jest bardzo, ciężko tę ospę przechodzi i wygląda tak, że nietaktowna Emilka omal nie umarła ze śmiechu na widok jego kropkowanego oblicza – a co najgorsze, na nas ta jej głupawka przeszła i rechotaliśmy tak nad łożem nieszczęśnika we trójkę, bo Janek był z nami i był zupełnie niepoważny, ja nie wiem, co się z nim dzieje – to nie ten sam Janek, którego znam od stuleci...

Och, czy ja mam piętnaście lat, żeby tak kombinować, pisać o wszystkim oprócz tego, co mnie najbardziej obeszło ostatnio...

Otóż ostatnio –

Ostatnio...

No dobrze. Wczoraj przespałam się z Jankiem, przy czym określenie „przespać się" nie ma, oczywiście, sensu za grosz.

Od czasu, kiedy mnie niespodziewanie pocałował, wychodząc z kuchni, zrobił to jeszcze kilka razy, a już po tym pierwszym, muszę się przyznać, czekałam na następne i coraz bardziej się denerwowałam, kiedy Emilka nieomal rzucała się Jankowi na szyję z byle powodu – a to, że kawę jej nalał, a to że zakupy takie świetne zrobił – też coś, zakupy – a to znowu że tak cudnie te zdjęcia powywieszał, a to bez żadnego zgoła powodu, ale przecież tak wspaniale, że jednak jesteśmy razem, blablabla. I tak ciągle.

To się robiło coraz bardziej nie do zniesienia.

Zwłaszcza że za każdym razem, kiedy Janek zdecydował się – jak wyżej – jakby to powiedzieć: wrażenie było coraz większe. Nie potrafię tego opisać. Stanowiło to dla mnie nawet źródło swojego rodzaju zdumienia, bo przecież całe życie traktowałam Janka jak brata, a kto to widział całować się z rodzonym bratem...

Coś mi się wydaje, że Janek wcale nie myślał o mnie jak o siostrze. Gdybym była mniej zaślepiona beznadziejnie głupim (miesiąc temu nie przyszłoby mi do głowy takie określenie) uczuciem do Wiktora, zauważyłabym to dawno temu. Może nawet zanim Janek wpadł jak osioł w swoją piękną Romanę. Bo wczoraj...

WCZORAJ.

Ach, wczoraj...

Wczoraj mi powiedział, że ożenił się z nią dlatego, że Kajtek był w drodze, a Kajtek był w drodze dlatego, że pewna piękna (tak powiedział!!!) i nieczuła Ludwika nie zwracała na niego najmniejszej uwagi, przeznaczając tę uwagę dla swojego przystojnego aczkolwiek już żonatego kolegi, malarza abstrakcjonisty...

Tak było.

Jakie szczęście, że już nie jest!

To niezbyt ładnie, że w ogóle nie współczuję Jankowi jego wdowieństwa, ale mam wrażenie, że on sam sobie niespecjalnie współczuje. Gdyby nie Kajtek, pięknej Romany w ogóle mogłoby nie być. A Kajtek i tak ma chyba geny głównie po Janku. Ma takie same odruchy, podobnie mówi – a kiedy już przejdzie mutację, pewnie w ogóle nie da się ich przez telefon odróżnić.

Och, znowu zajmuję się różnymi mało ważnymi rzeczami. Najważniejsze, że Wiktor przestał dla mnie istnieć definitywnie...

Nie. Najważniejsze, że Janek zaczął być dla mnie kimś najważniejszym na świecie. Nie wiem, dlaczego dotarło to do mnie dopiero w łóżku...

Eeee, to też nieprawda. Wiem. On jest cudowny.

Niepozorny Janek.

Niepozorny, a juści.

Na razie nie zamierzamy się ujawniać, to znaczy ja nie zamierzam, Janka prosiłam o to samo – nie mam ochoty stać się obiektem ploteczek naszych drogich babć. Bo jestem pewna, że stalibyśmy się ulubionym tematem rozmów staruszek. Oraz ich chichotów nad szklaneczką nalewki.

To wszystko oznacza, że teraz Janek będzie się do mnie przemykał nocami w pełnej konspiracji, zupełnie jak Romeo, z tym, że nie przed rodzicami będzie konspirował, a przed własnym nieletnim synem. I całą resztą, ale najtrudniej będzie zwiać przed Kajtkiem. Trzeba go ustawić do pionu, żeby wcześnie chodził spać, a nie tkwił nad komputerem do Bóg wie której godziny.

Jeszcze jedno nas różni od Romea i Julii – byli od nas dwa razy młodsi. Julia nawet więcej, bo coś mi chodzi po głowie, że miała czternaście lat, a dwadzieścia osiem to ja miałam sześć lat temu. No, osiem.

No i bardzo dobrze – jak powiedziałaby Emilka i miałaby rację! Miałam już skończyć, ale zapomniałam napisać, że go kocham.

Emilka

Nasz drogi księżulo pomału wychodzi z pryszczy, które miał wszędzie – tak przynajmniej twierdzi, a księdza nie wypada sprawdzać, zwłaszcza W TYM TEMACIE. Zatem na dniach urządzimy wreszcie ten cały wernisaż, na który pół świata już czeka – a tak z kolei twierdzi Wiktor, który rozpętał całą kampanię prasowo-radiowo-telewizyjną, a jeszcze chce do nas przywieźć jako honorowego gościa swoją zleceniodawczynię od wytwornych kibelków i jej zamożną koleżansię z zapędami na mecenasa sztuk wszelakich. Bardzo dobrze, może da się z niej wydusić jakieś pieniądze na galerię. Wiktorek jej w rewanżu namaluje portret, na którym rodzona matka będzie miała trudności z jej rozpcznaniem.

Nie, złośliwie tak mówię, a naprawdę Wiktor jeśli chce, to potrafi. Babcię Omcię odstrzelił jak malowanie, tylko ta cała surrealistyczna otoczka jest mocno niesamowita. Ale obraz w porządku. Omcia kupiła go za straszne pieniądze. W ojro. On nawet nie chciał aż tak z niej zdzierać, ale się zaparła, a jak się Omcia zaprze, to koniec. Mnie malował ze trzy razy, ale żadnego obrazka nie dokończył. Muszę go przydusić, bo wszystkie mi się podobają – na jednym jadę na koniu, ale nie na Latawcu, choć go prosiłam, tylko na bliżej nieznanym kasztanie (a ileż to roboty domalować mu białą nogę i białą strzałkę na czole?), a wokół nas kłębią się jakieś burzowe cumulusy. W różnych odcieniach sinego. Gdybym była goła, byłby istny Podkowiński, czy jak mu tam. Ale nie jestem goła, mam na sobie jakąś dziwną szatkę z piórek. Lula twierdzi, że wyglądam jak Papagena, cokolwiek to by miało znaczyć. Na drugim portrecie Wiktor wkomponował mnie w bukiet kwiatów stojących na stole, w wazonie. Wyglądam jak dziwna róża, nawet włosy mi się układają jak płatki dookoła głowy. I tak sobie kwitnę. Na trzecim portrecie siedzę w fotelu bujanym na werandzie, w kiecce sprzed stu lat i wszystko, włącznie z kiecką, jest jakby przysypane kurzem, tylko ja wyglądam jak świeżo kupiona w supermarkecie. Nawet metka mi z głowy zwisa. On potrafi bardzo dziwnie patrzeć, ten nasz malarz niespecjalnie pokojowy. Chyba to się nazywa talent, ale pewności nie mam, bo ja nieuczona, Lula wie.

Niech pęknę, jeżeli między Lulą i Jasiem coś nie zaszło. Oni, oczywiście, trzymają kamienne twarze, ale nie ze mną takie numery. Tajemniczy uśmiech z gęby Jasia nie schodzi, a od Luli światłość bucha. Mogą sobie udawać do woli.

Pytanie jednak – co zaszło i czy ja mam w związku z tym nadal udawać idiotkę i rzucać się Jasiowi na szyję. Skonsultowałam sprawę z babciami.

– I mówisz, moje dziecko, że coś drgnęło w tym układzie? – zapytała mnie babcia Stasia, nieco powątpiewająca, ale wyraźnie ucieszona. – Ja tam nic nie widzę.

– Ja też nie – dodała równie zachwycona Omcia. – Szy to jest możliwe, żebyszmy ne sposzczegli niczego? Specjalnie zwracamy uwagę!

– Możliwe, możliwe, proszę babć – odparłam stanowczo. – Tylko że oni się tajniaczą. No i nie wiem, do jakiego stopnia się dogadali.

– Do jakiego stopnia? – żądała uściślenia Omcia. – O jakim stopniu mówisz, Emilko?

– No właśnie tego nie wiem. Bo jest możliwe, że poszli do łóżka, ale niekoniecznie. Lula jest romantyczka, a z takimi ścichapęczkami jak Jasio nigdy nic nie wiadomo.

– Aber to nie w lóżku rzecz, moja droga – wzruszyła ramionami Omcia. – I nam też nie o łóżko chodży, tylko o to, żeby Janek szę z Lulą ożenił. Ja jestem stara, ja chcę zobaczycz ich wesele. I chcę zatanczycz na ich weselu!

– Chyba menueta – zachichotała babcia Stasia z odrobinką złośliwości. – Dla nas, moja Marianno to już tylko coś z tej półki....

– Z jakiej znowu półki? Czy wy muszycze do mnie mówicz idiomy?

– Z takiej półki, na której leżą menuety, gawoty i kontredanse. Albo kadryle, hihihihi. Emilko, czy kadryl to to samo, co kontredans? Ach, ale skąd ty możesz wiedzieć. Może Lula by wiedziała. Nieważne, w każdym razie mnie to też dotyczy. Przy dzisiejszych tańcach dostałabym zawału. A ty wylewu. Albo odwrotnie. Emilka, a jak tam twoja ściśle tajna akcja?

– No właśnie, nie wiem, czy nie powinnam już dać temu spokoju, bo jeszcze Lula mnie znienawidzi.

– Z drugiej strony – zastanowiła się babcia Stasia – pewności nie mamy. Może jej się jeszcze odwróci?

– Własznie, własznie – dodała druga babcia. – Nie czeba ryzykowacz. Ty może już nie tak intesywnie, ale dżałaj. Lula muszi czucz twój oddech na plecach.

– A jak się odwinie przez te plecy, jak mi dołoży – powiedziałam melancholijnie, ale babcie były jednomyślne.

– Defetismy! – sarknęła Omcia. – Nic czy nie zrobi. Zresztą prawdżywa przyjażń wymaga ofiar. To dla jej dobra!

Skapitulowałam. Takie dwie babcie mogą człowieka wykończyć, jak się zawezmą.

Poszłam do kuchni, gdzie, jak podejrzewałam, Janek pomagał Luli obierać ziemniaki. Zamierzałam pod byle pretekstem trochę go popodrywać, oczywiście Luli na oczach i wyłącznie w celach wyższych, ale nie udało mi się. Lula z Jasiem całowali się jak szaleni, częściowo tylko skryci za drzwiami spiżarni.

Chyba na obiad będzie makaron. Nie trzeba go obierać.

Lula

Codziennie odkrywam jakieś nowe oblicze Janka. Czasami nawet niejedno. Nic o nim nie wiedziałam tak naprawdę.

NIE ROZUMIEM, DLACZEGO WYDAWAŁ MI SIĘ NIJAKI.

NIE ROZUMIEM, DLACZEGO MNIE W OGÓLE NIE POCIĄGAŁ.

NIE ROZUMIEM, DLACZEGO TRAKTOWAŁAM GO JAK BRATA.

Obawiam się, że wielu rzeczy jeszcze nie rozumiem.

„Późna miłość szalejem kwitnie" – był kiedyś taki teatr telewizji, strasznie ponury, nie pamiętam według czego, bo byłam jeszcze całkiem mała, kiedy to widziałam, na pewno coś rosyjskiego. Tak naprawdę zapamiętałam chyba tylko ten tytuł.

Czy moja miłość do Janka jest na tyle późna, żeby miała zakwitnąć szalejem?

Tam się chyba jakaś starsza pani – starsza według dawnych kryteriów, czyli przed trzydziestką (Boże, to młodsza ode mnie!), kochała w jakimś hożym młodzieńcu. Chyba to wszystko do nas nie pasuje, bo obowiązują inne zasady. A Janek jest i tak o rok starszy ode mnie.

Przeczytałam, co napisałam. Wygląda to idiotycznie.

Miłość ogłupia.

Nie będę tego skreślać, ani wymazywać. Niech sobie takie głupie zostanie, a ja pójdę umyć włosy.

Janek mówi, że kocha moje włosy...

A ja kocham jego wszystko.

Emilka

Odbyłam kolejną konferencję z babciami i próbowałam odmówić dalszego wtrącania się pomiędzy Jasia i Lulę. Babcie stanowczo nakazały mi kontynuować akcję, dopóki nie usłyszymy z ust zainteresowanych oficjalnej deklaracji. Czy one przypadkiem nie chcą wystąpić w charakterze prehistorycznych druhen na ślubie? Moim zdaniem już nie mam tam co robić. Bardzo się oboje starają konspirować, ale chyba tylko Kajtek i Jagódka dadzą się nabrać na te plewy. Skutek praktyczny jest na razie taki, że obiady jemy prawie wyłącznie z zamrażalnika. Na szczęście mamy tam niezły zapasik, zgromadzony przez Lulę w czasie, kiedy szarpała nią nieszczęśliwa miłość do Wiktora, a jeszcze Ewa jej pomagała. W kuchni, nie w nieszczęśliwej miłości.

Chętnie bym sama zajęła się pomaganiem Luli, ale coś mi mówi, że ona nie byłaby z tego specjalnie zadowolona, a poza tym przecież jestem szalenie zajęta przy koniach!

Rafał uznał, że zarówno Latawiec, jak i ja jesteśmy już dostateczne wyszkoleni i od kilku dni zajęcia z naszymi chorymi dziećmi prowadzimy równolegle. Myślałam, że zimą się takich jazd nie robi, ale Rafał twierdzi, że przerwa w ćwiczeniach to by było cofanie się do tyłu. Boże, co ja mówię, dałaby mi Lula za to cofanie się do tyłu. Rafał pewnie ma rację, bo on się naprawdę zna na tym wszystkim. Załatwiłam też sobie zdawanie egzaminów na stosowne kwity bez potrzeby uczestniczenia w szkoleniach, które są daleko i straciłabym na nie mnóstwo czasu. Rafał użył w tym celu swoich znajomości w kręgach hippoterapeutycznych i nawet przy tej okazji zaproponowali mu tam prowadzenie takich kursów, oczywiście od strony medycznej, ale odmówił.

Spytałam go, dlaczego, a on mi odpowiedział po prostu, że mu się nie chce wyjeżdżać z Rotmistrzówki, bo musiałby się rozrywać pomiędzy pracę tu i szkolenia tam, a kto by się przez ten czas zajmował dziećmi?

– No, przecież ja jestem – uznałam za stosowne troszkę się obrazić.

– Dopóki nie masz kwitów, nie chciałbym cię zostawiać samej – mruknął, zakładając kantar Milordowi, bo właśnie wybieraliśmy się na całkowicie prywatną przejażdżkę. – A ty byś się nie bała zostać z całą odpowiedzialnością?

– Trochę bym się bała – przyznałam uczciwie. – Wolę, że nie jedziesz. To znaczy że nie jedziesz tam, a jedziesz tu. Rozumiesz.

– Rozumiem. – Uśmiechnął się do mnie, jak do autystycznego dziecka, to znaczy dosyć czule. – Aczkolwiek niejeden by nie zrozumiał. Może dla odmiany chcesz Milorda, a ja wezmę Latawca?

– Chętnie. Będę mogła patrzeć na ciebie z góry.

Ten cały Milord to zupełnie sympatyczne konisko, tyle że ma chyba metr osiemdziesiąt w kłębie. Rafał bardzo uprzejmie podsadził mnie na siodło, a mnie naraz się wydało, że to właśnie dlatego zaproponował mi zamianę koni. Żeby mnie móc podsadzić. Nawiasem mówiąc, właśnie dlatego zgodziłam się na zamianę... wiedziałam, że nie będzie patrzeć spokojnie, jak usiłuję podnieść nogę do niebotycznej wysokości, na której zwisało strzemię... oczywiście, wcale nie musiałam gramolić się tak niezdarnie... no i tak dalej.

Jak się dobrze zastanowić, to zupełnie zabawna jest taka gra pozorów. Czy nie coś w tym rodzaju uprawiały nasze prababki? Muszę pogadać z babciami na ten temat, oczywiście, jakoś inteligentnie, żeby mi nie zaczęły jeździć po głowie, albo, nie daj Bóg, nie napuściły na Rafała jakichś przystojnych studentek, a to celem przyspieszenia biegu spraw. Wcale mi na tym nie zależy, niech sobie sprawy biegną jak im się żywnie podoba.

Nawet dobrze się składa, że studenci wygrzewają się teraz w cieple sal wykładowych. Bo jeszcze by się której studentce naprawdę spodobał taki przystojny instruktor. Chociaż jako osoby całkowicie zdrowe, nie miałyby u niego szans – taką mam nadzieję. Ale jakby się która wychytrzyła... jeszcze by zaczęła symulować neurologiczne schorzenia, kłopoty z kręgosłupem... lepiej, że wyjechały. Malwina zapowiedziała, że wrócą wczesną wiosną, jak tylko śniegi stopnieją. Podobno bardzo im się u nas podobało, oczywiście przyznawali się do tego otwarcie tylko Czesław i Miłosz, dziewczyny chłodno stwierdzały, że owszem, było miło, ale dla nich i tak najważniejsze były te robaczki wysoko w górach.

Właściwie ani razu nie byłam w tych górach, chociaż tak sobie obiecywałam wycieczki, wspinaczki, eksplorację jaskiń – podobno są tu jeszcze nieodkryte stare sztolnie, w których można znaleźć skarby. No i nie było czasu na nic z tych rzeczy.

Ciekawe, czy Rafał miałby ochotę na wspólne odkrywanie Karkonoszy?

Zapytałam go o to. Okazało się, że on też nigdy nie miał czasu, trochę chodził po górach w czasie studiów i jeszcze w liceum – ale głównie po Tatrach. No to pysznie – czeka nas wiele przyjemności, kiedy śniegi stopnieją. To znaczy, najpierw muszą w ogóle spaść, a wtedy – może jakieś nartki?

Tak sobie ładnie planowaliśmy rozrywki, aż drogą skojarzeń (narty w Alpach!) przypomniał mi się Leszek i beztroska atmosfera przejażdżki natychmiast poszła się bujać.

Rafał natychmiast to zauważył. Powiedziałam mu o swoich nieprzyjemnych skojarzeniach.

– Nie podoba mi się, że on się tak przytaił. Wolałabym, żeby walczył ze mną twarzą w twarz, skoro już mnie tu znalazł.

– A po co ma walczyć twarzą w twarz? Jemu nie są potrzebne otwarte konflikty, jemu są potrzebne twoje pieniądze. Chyba że ta cała heca ma służyć tylko zamaskowaniu czegoś o wiele poważniejszego.

– No tak, braliśmy to pod uwagę. No to w końcu co ja mam robić? Przecież forsy mu nie oddam.

– W żadnym wypadku. Najlepiej nic nie rób. To znaczy – rób swoje, niczym się nie przejmuj, masz sporo zajęć, o ile mi wiadomo...

Faktycznie, mam. W tym tajną misję połączenia dozgonnym ślubem Luli i Jasia. Przemknęło mi przez myśl, czy by Rafałowi o tym nie opowiedzieć – mielibyśmy niezły powód do wspólnego pochichotania – ale od razu zrezygnowałam. Może niech i on będzie trochę zazdrosny? Skoro to ma być taki niezawodny sposób...

Lula

Emilkę zabiję w końcu, będę musiała to zrobić, nie chcę, ale będę musiała!

Janek niby wygląda na odpornego, ale jeszcze nie widziałam faceta, który by pod wpływem wdzięcznych spojrzeń Emilki, tego cholernego trzepotania rzęskami i chwytania za rączki przy każdej okazji nie zgłupiał w końcu kompletnie.

I po co jej to? Po co? Tadzio, kochany chłopak, patrzył w nią jak w tęczę, ona sama go przecież znalazła w tym Książu – i co? I nic. Wydawało mi się, że Rafał jej się podoba, wcale się nie dziwię, wyjątkowo interesujący mężczyzna – i też jakby nic. Woźą te dzieci razem, on ją szkoli, spędzają z sobą pół dnia, jeśli nie więcej – i co? Nic!

Miałam taki odruch, żeby z nią rozsądnie porozmawiać, jak kobieta z kobietą, ale szybko mi przeszły takie pomysły. Sama powinna mieć jaką taką lojalność wobec przyjaciółki, która jej pomogła w trudnym momencie. Do diabła! Gdyby nie ja, w ogóle jej by tu nie było!

Inna rzecz, że gdyby nie ona i jej szalone pomysły, nas też by tu raczej nie było...

Nieważne. Odrobina przyzwoitości, panienko!

Za trzy dni mamy wernisaż fotografii księdza Pawła. Przyjeżdżają wszyscy święci, Wiktor z Ewą, jego mecenaski obydwie – klozetowa i koleżansia, ma być pełno prasy i telewizja z Wrocławia, to znaczy publiczna, poważna, a nie żadna osiedlowa kablówka. Niech sobie przyjeżdżają. Wszystko mamy gotowe – bardzo dobrze, że od jakiegoś czasu wróciła do obowiązków podkuchennej Żaklina, dawna pracownica babci Stasi. Odkąd Emilka zajęła się hippoterapią, zostałam w kuchni zupełnie sama.

Janek mi wprawdzie pomagał, ale jednak miejscem mężczyzny nie jest kuchnia. Może to staroświecki pogląd, ale za to mój.

Emilka

Krakałam, krakałam, aż wykrakałam. Lesław się odezwał. Tym razem przysłał mi sms-a. W odcinkach. „Zapewne miło ci będzie się dowiedzieć, że nasz wspólny znajomy, pan Misiak młodszy, niebawem będzie już z powrotem w domu. To bardzo sympatyczny człowiek, uczynny i życzliwy. Niedobrze się stało, że twój przyjaciel zrobił mu krzywdę, na szczęście mamy znakomitych chirurgów szczękowych w tym kraju. Kolega Misiak coś tam wprawdzie mówił, że to policjant go pobił, ale skoro na rozprawie przyjęto, że to wyczyn pana hippoterapeuty, więc dobrze, niech tak będzie, ja również przyjmę tę wersję jako wersję obowiązującą. Z wszelkimi konsekwencjami, moja droga Emilko. A tak nawiasem mówiąc, wciąż czekam na moje pieniądze. Umówmy się, że do końca roku postarasz się spłacić mi ten drobny dług. Ściskam cię serdecznie – twój Leszek".

Przeczytałam to i serce we mnie stanęło.

O jakich konsekwencjach on mówi?!

Jeżeli zrobi coś Rafałowi...

Boże jedyny! Oddam mu te parszywe pieniądze, sprzedam samochód, niech tylko zostawi Rafała w spokoju!

Sms dotarł do mnie w momencie, kiedy po jeździe z chorymi dzieciaczkami umieszczałam siodła na swoich miejscach w siodlarni. Dzieci zostały już zapakowane przez rodziców do samochodów i odjechały. Rafał czyścił konie w stajni.

Rafał! Czy powinnam mu powiedzieć o cholernym sms-ie, czy przeciwnie, trzymać język za zębami? Ostatecznie to nie jego wina, że mam aż tak bogatą przeszłość, po co miałby się teraz i on denerwować?

Postanowiłam nic mu nie mówić, ale moje postanowienie, jak się okazało, miało parę bardzo krótkich nóżek. Rafał wszedł albowiem do siodlarni i natychmiast spostrzegł, że się cała trzęsę. Spojrzał na mnie bystro, zobaczył komórkę w mojej dłoni, wyjął ją z tej dłoni i przeczytał to, co miałam przed nim skrzętnie zataić.

– Rafał, ja cię bardzo przepraszam – jęknęłam. – Ja mu oddam pieniądze, najszybciej jak tylko zdołam. Ten drań jest gotów na wszystkie świństwa świata, nie pozwolę, żeby ci coś zrobił, sprzedam samochód, niech go diabli wezmą...

– Samochód, czy twojego byłego? – spytał rzeczowo.

– Byłego, oczywiście. Boże, co za męt koszmarny,... Rafał, przepraszam...

– Nie masz za co, Emilko. Samochód, oczywiście, możesz sprzedać, ale zastanów się – kiedy zostaniesz bez samochodu i bez pieniędzy, będziesz się od tego lepiej czuła?

– Będę się czuła gorzej.

– No widzisz, i mnie się tak wydawało.

– Ale nie mogę żyć ze świadomością, że cię narażam na nie wiadomo co...

Usiadł na ławeczce pod wysoko umieszczonym oknem i pociągnął mnie za sobą. Klapnęłam na tę ławkę zupełnie bez siły. Prawdę mówiąc, miałam trochę nadziei, że mnie obejmie, przytuli, albo coś podobnego, niestety – niczego takiego nie zrobił.

– Nie wiem, czy naprawdę mnie na coś narażasz – mruknął. – Właściwie jestem prawie pewny, że nie. Myślę, że on bleffuje, nie wiem dlaczego, może tylko po to, żeby cię zdenerwować.

– Potrzebuje pieniędzy, przecież został bez niczego!

– Nie, nie, kochana. Nie bez niczego. Nawet jeśli został goły, to już goły nie jest...

– Skąd wiesz?!

– Myślę i wyciągam wnioski. Pamiętasz, jaki wyrok dostał Misiak?

Pewnie, że pamiętałam. Rozprawa była tydzień temu, nie mam pojęcia, jak to się udało tak szybko załatwić, podobno nasz wymiar sprawiedliwości jest najbardziej ślamazarny na całym świecie; Rafał i Tadzio robili za świadków, przy czym Rafał twardo obstawał przy tym, że to on uszkodził Misiakowi gębę, wina Misiaka została udowodniona bez najmniejszych trudności, sam się zresztą przyznał, twierdząc, że chciał się na nas odegrać za zwolnienie z pracy. Sam podobno wymyślił taki subtelny sposób zrobienia przykrości „tej całej Sergiej", to znaczy mnie, bo mnie uznał za sprawczynię wszystkich swoich nieszczęść. Dostał karę więzienia z zamianą na grzywnę w wysokości tak kosmicznej, że w życiu nie byłby w stanie jej spłacić...

Rafał popatrywał na mnie bystro.

– Skojarzyłaś, prawda? Jeżeli ten twój...

– Tylko nie mój, proszę!

– Przepraszam, masz rację, oczywiście. Misiak takiego szmalu nie miał, bo gdyby miał, to by nie pracował, tylko ciągnął piwo u Rybickiej w sklepiku. Jeżeli więc ten pan nam tu pisze, że Misiak wychodzi z pudła, to znaczy, że ktoś za niego zapłacił.

– Zleceniodawca...

– Właśnie. A skoro zleceniodawca miał takie pieniądze, to znaczy, że albo się odkuł, albo sięgnął do rezerw, które miał tak schowane, żeby się stróże prawa do nich nie dobrali. Dobrze mówię?

– Tak wygląda...

– Idźmy dalej. Skoro ma pieniądze i to, zauważ, w takich ilościach, że stać go było na wykupienie Misiaka, a to przecież dla niego ani brat, ani swat... skoro więc ma ich tyle, to cóż to dla niego wartość jednego mizernego chryslera?

– Tylko nie mizernego – stanęłam w obronie mojej limuzyny, bo jednak fajna była, nie da się ukryć.

– Nie mizernego – zgodził się. – Tak czy siak, to dla niego pikuś, kochana Emilko. Tu jest na rzeczy coś zupełnie innego.

– Ale co?

– Nie mam pojęcia – powiedział tonem prawie beztroskim. – I nie będę się tym przejmował – dodał stanowczo. – Ty sobie też głowy nie zawracaj. Jak się coś stanie, będziemy się martwić.

– Ale ja się boję!

– O mnie?

– O ciebie! A jak się coś stanie, to już będzie za późno!

Dlaczego w tym momencie Rafał zaczął się śmiać, pozostanie dla mnie na zawsze tajemnicą. Te chłopy nie mają za grosz instynktu samozachowawczego. I w ogóle są dziwne.

Ogromnie i bez sensu zadowolony z siebie, albo z czegoś innego, nie mam pojęcia, wstał z tej niskiej ławeczki i wyciągnął do mnie rękę.

– Chodźmy lepiej na obiad, Lula dzisiaj robiła coś fajnego, nie wiem co, ale bardzo przyjemnie pachniało w kuchni ziółkami. I serkiem. No, chodź.

Zignorowałam rękę.

– Czy możesz mi łaskawie wyjaśnić, co cię tak szalenie rozśmieszyło? – Starałam się, aby mój ton był maksymalnie zgryź-liwy.

– To był śmiech zadowolenia – wyjaśnił, wciąż jeszcze lekko chichocząc. – Jest mi dobrze ze świadomością, że ci zależy na mo-im życiu, Emilko. I nie mów mi, że jesteś przyjaciółką wszystkich żywych stworzeń, bo mi zepsujesz przyjemność.

Jeszcze go nie widziałam w takim frywolnym nastroju. Zawsze był dość zasadniczy!

Taki też mi się podobał. Kurczę, on jest chyba odważny. Tego nie brałam pod uwagę, ale też nie było okazji do stwierdzenia.

No dobrze, niech sobie będzie.

Wstałam z ławeczki i dałam się zaprowadzić na ten serek z ziół-kami. To były naleśniki z grzybkami i szpinakiem plus serek i zio-ła, nie wiem jakie, ale chyba oregano, bazylia i troszkę tymianku. I świeża pietruszka. Rafał spożywał wytworne danie, nie patrząc do talerza, tylko gapiąc się na mnie. Nie chichotał już, bo w końcu trudno chichotać z ustami pełnymi naleśnika, za to w oczach miał iskierki, których przedtem u niego nie stwierdzałam.

Lula

Po raz pierwszy w życiu wyszłam z siebie i dałam się ponieść ner-wom.

Publicznie, niestety.

Janek wprawdzie mnie pociesza, ale w tej chwili mam wraże-nie – zdaje się, że Ania z Zielonego Wzgórza też takie miewała – że już nigdy nie wyjdę ze swojego pokoju i nie pokażę się ludziom.

Emilka

Ale numer! A mówiłam babciom, że nie należy przesadzać, to nie, były mądrzejsze, staruszki zajadłe! I mnie skołowały, a trzeba było słuchać podszeptów własnego rozsądku, skoro już szeptał!

Lula mnie chyba nienawidzi.

Zamknęła się w swoim pokoju i nosa nie wytyka. Janek do niej lata co piętnaście minut, a kiedy wylatuje, patrzy na mnie wzrokiem pełnym wyrzutu. Matko jedyna, dlaczego on na mnie tak patrzy? Chyba mu wszystko powiem.

Zaczęło się wszystko psuć od rana, kiedy mieliśmy jechać do Jeleniej Góry po pierwszych gości wernisażowych, a były nimi dwie Wiktorkowe zleceniodawczynie i dobroczyńczynie (rodzaj żeński od dobroczyńca? To jakieś głupie, powinna być ta dobroczyńca i ten dobroczyniec). Wiktora jeszcze nie było, nie zdążył dojechać z Krakowa, a te dwie damy przyjechały pociągiem z jakichś dalekich zakątków Polski, gdzie zapewne prowadziły skomplikowane i oby intratne interesy kibelkowo-spożywczo-wydawnicze (wydalnicze?). No i trzeba je było odebrać z dworca o poranku. Miał jechać Janek, ale coś mu nie pasowało, coś tam jeszcze chciał zrobić w domu przed ich przyjazdem, więc poprosił mnie, żebym go zastąpiła. Prośbę wygłosił tuż po śniadaniu, kiedy zarówno Lula, jak i obie babcie były pod ręką – postanowiłam więc za jednym zamachem zadziałać na Lulczyną podświadomość i wykazać się przed babciami. Niech wiedzą, że się staram. Dzieci na szczęście już gdzieś wywiały, Rafała też nie było, pojechał do Karpacza po wytworne trunki na popołudnie. No więc kiedy Jasio wystąpił z tą swoją prośbą, wstałam z krzesła, podeszłam do niego – a on jeszcze siedział – i tak prawie po siostrzanemu objęłam go za ramiona i powiedziałam czule:

– Dla ciebie wszystko, Janeczku kochany. Mówisz i masz.

I pocałowałam go w czubek głowy.

Poklepał mnie tylko po ręce, za to Lula – matko moja, jak ona na mnie spojrzała! I omal się nie udławiła jajecznicą.

Zerknęłam jeszcze na babcie, z kamiennnymi twarzami grzebiące w jajkach i prysnęłam gdzie pieprz rośnie. To znaczy do samochodu.

Biznesłumenki rozpoznałam natychmiast po tym, że były dwie – żadnego poza nimi damskiego dwuosobowego kompletu nie było. Obie damy w sile wieku – tak koło czterdziestki, bardzo ładnie zakonserwowanej za pomocą kosmetyków, na które też było mnie stać, kiedy wisiałam na Leszku. Zupełnie sympatyczne poza tym. Bagażu miały z sobą tyle, jakby przyjeżdżały do nas na dwa tygodnie, a nie na dwa dni. Pomogłam im to wszystko zataszczyć do auta, trochę się nawet bałam, że mi nie wlezie do bagażnika, ale wlazło. Po drodze do Marysina gawędziłyśmy sobie swobodnie na temat Wiktora – jaki to on zdolny, a jaki uroczy, a jaki sympatyczny, a jakie ma wspaniałe, niekonwencjonalne pomysły. Ajajajaj. Wygląda na to, że obie się w nim podkochują, nie bacząc, że młodszy i żonaty oraz dzieciaty. Zwłaszcza ta koleżansia od nowego magazynu dla kobiet. Magazyn niebawem się ukaże i będzie miał tytuł „Trendy". Spytałam koleżansię, czy to trendy w liczbie mnogiej po polsku, czy w liczbie pojedynczej po angielsku, czy może w ogóle to oznacza bycie w kursie dzieła, ale ona tylko się zaśmiała perliście i powiedziała, że każda czytelniczka ma sobie to zinterpretować tak, jak jej się podoba. Najważniejsze, żeby się sprzedało.

W zasadzie racja.

Zaledwie dojechałyśmy do Rotmistrzówki, zaledwie obie panie zdążyły się rozgościć – nadjechała ekipa telewizyjna, a zaraz za nią Wiktory z jakimś facetem obwieszonym torbami – jak się okazało, fotoreporterem magazynu „Trendy". Wszyscy ci faceci od robienia obrazków natychmiast przystąpili do systematycznego niszczenia wzorowego porządku, jaki poprzedniego dnia udało nam się w Rotmistrzówce zaprowadzić. Porozstawiali po wszystkich kątach jakieś lampy na statywach, walizki z gratami; kolorowe folie i kawałki fliseliny majtały się wszędzie pod nogami – Lula miała mord w oczach, ale taki jeden główny od telewizorów obiecał jej, że wszystko posprzątają, zanim przyjadą goście na wernisaż. A na razie oni będą robić reportaż o zdolnym malarzu i jego przyjaciołach.

– Ale to będzie wernisaż księdza, a nie Wiktora – zauważyłam mimochodem.

– Nie szkodzi – powiedziała pogodnie pani redaktor od reportażu. – Ksiądz też zaistnieje, oczywiście, ale nas najbardziej interesuje twórczość pana Łaskiego. Nie musimy filmować obrazów na ścianie, sfilmujemy je sobie na sztalugach. W pracowni mistrza. Wywiad z panem też nagramy w pracowni.

– Ale ja w zasadzie nie mam tu pracowni – bąknął Wiktor. – Ja tu głównie malowałem w plenerze...

– To nie problem – machnęła lekceważąco ręką pani redaktor – Wyjdziemy w plener. Pokażemy, jak pan maluje. W plenerze.

– Zapomnij – wtrącił gość, dyrygujący dotąd ustawianiem świateł, chyba operator od tej kamery. – Mróz jest, nie zauważyłaś? Farby mu zamarzną na palecie. Że nie wspomnę o paluszkach. Panie, w zimie też pan w plenerze maluje? Kamikadze pan jest? Klub morsów?

– A nie – speszył się Wiktor. – Ja właściwie tu nie malowałem, kiedy było zimno. To znaczy, kiedy tu malowałem, było cieplej...

– Niech pan się nie przejmuje – zakomenderowała redaktorka. – Rozłożymy te sztalugi gdziekolwiek bądź, Seba pana sfilmuje w ciasnych planach. Seba?

– Ja tu będę miał wyłącznie ciasne plany – zgłosił pretensję Seba. – Jak jeszcze przyjadą goście, to po plecach im będę chodził.

– Seba. Nie takie programy się kładło – zgromiła go pani redaktorka. – Nie robimy „Ogniem i mieczem", tylko reportaż o jednym facecie. Nie musisz mieć miejsca dla armii napoleońskiej!

– Armia napoleońska to „Popioły" – mruknął operator, ale zrezygnował z przekonywania swojej pani i zajął się wyszukiwaniem miejsca, w którym Wiktor mógłby udawać, że maluje.

Doszłam do wniosku, że nie interesują mnie szczegóły telewizyjnego rzemiosła i udałam się do kuchni, żeby pomóc Luli w produkcji setek tysięcy – albo i milionów – maciupkich tartinek z różnymi fajnymi rzeczami dla gości wernisażowych.

Lula cały czas spoglądała na mnie spode łba i nie reagowała pozytywnie na moje próby nawiązania beztroskiej rozmowy. Zrezygnowałam więc i skoncentrowałam się na ćwiartowaniu pomidorków koktajlowych oraz przepoławianiu oliwek. Zdążyłam tego natrzaskać wielką górę, kiedy do kuchni wpadli rozgorączkowani Kajtek z Jagódką.

– Ciociu Emilko! Ciocia jest proszona! Ta pani ciocię prosi!

– Mnie? Przecież to jest materiał o Wiktorze!

– Ciocia przyjdzie! Bo pan Rafał powiedział, że się nie nadaje na gwiazdę telewizyjną, ale ciocia musi go przekonać, bo trzeba pokazać im hippoterapię.

– Ale przecież dzisiaj nie mamy żadnych zajęć.

– Nie szkodzi, to trzeba zaimprowizować, oni tak mówią, to znaczy my z Jagodą możemy udawać te chore dzieci.

– Wykluczone – zaprotestowałam. – Ja tam jestem przesądna, nie będziemy niczego takiego udawać. Rafał się na to zgodził?

– No właśnie nie, dlatego trzeba, żeby go ciocia przekonała!

Umyłam ręce i udałam się do salonu, gdzie goście pokrzepiali się właśnie jednym ze szlachetnych trunków nabytych świeżo przez Rafała.

Redaktorka wczepiła się we mnie prawie że pazurami.

– Pani Milko! W pani moja jedyna nadzieja!

– Zaraz. I nie Milka, tylko Emilka...

– Ciocia nie jest czekoladą – wtrąciła domyślnie Jagódka.

– Ale o co chodzi?

– Chodzi o to, że nie możemy pana Wiktora wypreparować z tej całej rzeczywistości, która go otacza, a zatem musimy pokazać dom, to znaczy Rotmistrzówkę, państwa wszystkich...

– Babcie już pani pokazała?

– Babcie? A nie, babcie pokażemy tylko na wernisażu. Nie będę z nimi robiła wywiadów, nie potrzebuję do rozmów nikogo poza panem Wiktorem. Natomiast potrzebne mi są obrazki z życia Rotmistrzówki. W tym hippoterapia.

– Ale my dzisiaj nie mamy zajęć z chorymi dziećmi.

– Nie szkodzi. Mamy tu dwójkę zdrowych, mogą zastąpić chore. Odwrotnie by się to nie dało zrobić – zachichotała dosyć debilnie.

Spojrzałam na Rafała. Kontemplował czubki swoich butów i nic nie mówił, ale wyraz twarzy miał pełen obrzydzenia. Zastanowiłam się przez chwilkę. Jeżeli to ma być reportaż o Wiktorze w jego środowisku naturalnym i jeżeli tym środowiskiem ma być Rotmistrzówka, to chyba jednak nieładnie byłoby tak całkiem się na to wypiąć.

Dzieciaki wlepiły we mnie wzrok pełen nadziei. Chyba strasznie chciały zagrać w tym filmie.

– Rafał – zaczęłam nieśmiało – ja mam pomysł...

– Naprawdę chcesz, żeby nasze dzieci robiły cyrk? I my z nimi?

– Nie, nie, nigdy w życiu! Ja zresztą uważam, że takie udawanie przynosi pecha. Ale możemy po prostu pokazać, jak uczymy zdrowe dzieci jeździć konno. Bo przecież uczymy. Najlepiej zresztą, żeby Wiktor z nimi pojeździł...

– Pan Wiktor nie – zaprotestowała redaktorka. – Pan Wiktor będzie sfilmowany na koniu, ale sam. W galopie.

– Ach, w galopie – powtórzył Rafał z pewną nutką sarkazmu, której jednak pani redaktorka nie zauważyła.

– W galopie – przyświadczyła. – Ja go odrealnię na montażu.
A państwo mają być taką realistyczną otoczką dla artysty.
Artysta Wiktor był czerwony i nic nie mówił, tylko gapił się
za okno. Biznesłumenki przysłuchiwały się naszym dyskusjom
z uwagą, co jakiś czas przytakując pani z telewizji. Fotoreporter
z pisma „Trendy" biegał dookoła nas i trzaskał zdjęcia z szybko-
ścią karabinu maszynowego. Ciekawe, czy on też będzie Wiktora
odrealniał.

I pewnie byśmy tak do końca świata siedzieli i powarkiwali na
siebie nawzajem, gdyby nie Janek, który, jak zwykle, zaprezentował spokój, opanowanie i przytomność umysłu.

– Pani redaktor – powiedział tonem stanowczym, acz uprzej-
mym. – Emilka ma rację. Nasze dzieci nie będą do kamery grały
dzieci nieszczęśliwych i ciężko upośledzonych, takiej możliwości
proszę w ogóle nie brać pod uwagę. Rozumiem niechęć Rafała,
nie każdy ma ochotę na występy przed kamerą. Jeśli pani chce,
pokażemy pani, jak wygląda normalna jazda z dziećmi, Emilka
i ja. Bo rozumiem, Emilko, że ty nie masz oporów?

W oczach Rafała zobaczyłam ulgę, a buzie Kajtka i Jagódki,
mocno przed chwilą wydłużone, znowu poweselały. Oboje spoglą-
dali teraz z nadzieją to na mnie, to na Janka.

– Nie mam oporów – powiedziałam i nie dodałam, że przecież
mój osobisty gangster już mnie znalazł, obejrzawszy uprzednio
w telewizji. – To jak?

Redaktorka wyraźnie zamierzała się kłócić, ale operator Seba
ją ubiegł.

– Bardzo dobrze – oświadczył. – Niech sobie będzie zwykła
jazda, na cholerę ci, Kaśka, jakieś chore dzieciaki? Tylko musimy
to zrobić szybko, bo mi się ściemnia. Mam jeszcze godzinę światła
dziennego i ani chwili dłużej.

– To trzeba było zacząć od plenerów – warknęła Kaśka i ruszyła się z fotela. – Chodźmy w takim razie. Ale szkoda, proszę
pana, szkoda – to ostatnie było w stronę Rafała, który udawał, że
go nie ma w pokoju.

Poszliśmy do stajni. Pani redaktorka nie chciała filmować żadnych czynności wstępnych, od razu wyprowadzanie ze stajni, do
siodłania wzięliśmy się więc we czwórkę – ściągnięta od kanapek
Lula, Rafał, Janek i ja – żeby jak najszybciej można było przystą-

pić do zdjęć. Osiodłaliśmy cztery konie, Lula i Rafał oddalili się w kierunku niedokończonych przekąsek, a my zabraliśmy się do tych scen aktorskich. Operator ustawił kamerę przed drzwiami stajni, uzgodniliśmy, że napierw pójdę ja z Bibułą, potem dzieci z Lolą i Latawcem, a na końcu Janek z Milordem.

Poczekaliśmy jeszcze chwilkę w stajni, ustawieni w karny rządek, wreszcie pani redaktorka wrzasnęła „proszę!!!" i ruszyłam na czele naszego małego zastępu, prowadząc Bibułę przy pysku.

Na widok kamery kobyła zastrzygła nieufnie uszami, ale nie zrobiła jeszcze niczego głupiego. Za to filmowcy zrobili coś głupiego. Operator zrezygnowanym ruchem zdjął kamerę z ramienia i machnął ręką do swojego pomagiera.

– Za ciemno mi tutaj! Mówiłem, żeby się spieszyć. Dopal mi, szybko!

Zanim zdążyłam się zorientować, na co się zanosi, pomagier podniósł rękę, w której trzymał jakiś przedmiot, przedmiot okazał się cholerną lampą, facet ją zapalił i wściekłe białe światło rozbłysło tuż przed nosem zaskoczonej Bibułki.

Nikt by tego nie wytrzymał, nie tylko nerwowa z natury Bibułka! Oszalała ze strachu, w ułamku sekundy wyrwała mi wodze z ręki, stanęła dęba i w panice zaczęła się cofać do stajni, nie zwracając najmniejszej uwagi na podążające za nią dzieci. Prawdopodobnie rozdeptałaby je zupełnie niechcący, gdyby nie dalekowschodni refleks Jasia, który (Jaś, nie refleks) puścił luzem Milorda, podbiegł te pięć kroków i żelazną ręką złapał wodze Bibuły, dyndające swobodnie. Jeszcze się trochę szarpała, ale udało mu się ją zatrzymać, a po małej chwili nawet uspokoić.

– Ja pierniczę – powiedział operator, prawie tak samo wystraszony, jak biedna Bibuła. – Bardzo przepraszam, nie pomyślałem... Naprawdę, bardzo przepraszam...

– Matko Boska. – W momentach nerwowych stawałam się czasem pobożna. – Jasiu, to cud, żeś ty ją utrzymał! Panowie, nie można koni straszyć, to są nerwowe zwierzęta! Tu się mogło Bóg wie co wydarzyć! Dzieciaki, a wy trzymacie swoje konie?

Trzymały i nawet się specjalnie nie zdążyły zlęknąć. Lola i Latawiec trochę strzygły uszami, a poza tym nic. Byłam z nich dumna, że takie zrównoważone, ale po prawdzie, całe to światło poszło na Bibułę.

314

Operator jeszcze dwa razy przeprosił, że żyje, a potem wrócił do formy i zażądał natychmiastowego dubla, bo światło, jak twierdził, siadało mu w zastraszającym tempie.

– I co, zamierza pan znowu tak nam poświecić? – spytałam. – Bo tu może być prawdziwa kaszana, jak Bibułka wyjdzie z siebie!

– Nie, nie, ja jeszcze raz przepraszam, ale wie pani, ja wyciągam wnioski. Zrobię to na podbiciu, trudno, niech będzie gorsza jakość...

Nie zrozumiałam, na czym on zamierza to zrobić, jakoś mętnie skojarzyło mi się z tańcem w balecie klasycznym, chociaż po zastanowieniu przypomniałam sobie, że tam się tańczy nie na podbiciu, tylko na pointach, ale rzeczywiście nie było czasu na rozmowy, dzień robił się coraz bardziej schyłkowy, chociaż, na szczęście dla operatora i jego podbicia, chmury poszły sobie gdzieś, niebo się rozjaśniło i nawet, chociaż bardzo anemicznie, zaświeciło takie schyłkowe, zimowe słońce.

Nakręciliśmy mało ambitną pod względem aktorskim scenkę wyprowadzania koni ze stajni, potem wsiedliśmy na te konie i pokręciliśmy się trochę po obejściu, podczas kiedy operator biegał koło nas jak szalony, żeby sfilmować to słońce spoza końskich grzbietów. Potem jeszcze zawołali Wiktora, Jasio oddał mu Milorda i Wiktor urządził sobie małą, pokazową galopadkę wzdłuż padoku. Chciał pogalopować wszerz, ale operator zaprotestował, bo miał zamiar filmować go z samochodu jadącego drogą koło ogrodzenia. Pani redaktorka podczas kręcenia tych wszystkich scen, zrobiła się jakaś cicha i bezwonna, najwyraźniej ufając swojemu operatorowi Sebie.

W końcu Seba dał nam spocznij, odstawiliśmy zwierzątka na miejsca (uszy Bibułki wciąż jeszcze były dość nerwowe) i poszliśmy przebrać się w stroje wizytowe, jako że niebawem powinni się zjeżdżać goście wernisażowi.

Kiedy weszłam – już w wersji wieczorowej – do salonu, przebywało tam spore towarzystwo, w tym obydwie biznesłumenki, obydwie babcie, Lula, Ewa, Wiktor, Janek, Rafał, nawet Malwina i Rupert zjechali na uroczystość i cieszyli Omcię swoją obecnością.

Na widok Jasia wezbrało we mnie ponownie tamto wzruszenie sprzed godziny i ten szalony podziw dla niego, i poczułam, że na-

315

tychmiast muszę dać temu wyraz, i uczcić Jasia w przytomności całego zgromadzenia – już, teraz, dopóki są tu prawie sami swoi. Na dodatek babcie wyglądały, jakby jeszcze o niczym nie wiedziały, więc trzeba je było poinformować!

Spontanicznie podbiegłam do Janeczka – jak Boga kocham, bez żadnych ubocznych celów tym razem – objęłam go za ramiona i skierowałam twarzą w stronę babć, wołając jednocześnie:

– Czy babcie już wiedzą, że Janek nam życie uratował dzisiaj w stajni?

Uwaga wszystkich skierowała się z miejsca w naszą stronę, więc skrótowo, ale bardzo obrazowo opowiedziałam, co się stało, leciutko tylko koloryzując z tym ratowaniem życia, bo może jednak Bibułce nie udałoby się nas wszystkich rozdeptać – moja opowieść wywarła zamierzony skutek, rozległy się okrzyki uznania, a ja – nadal spontanicznie jak nie wiem co – dałam ten wyraz swojemu podziwowi i rzuciłam się Jasiowi na szyję.

Janeczek odruchowo oddał mi uścisk, śmiejąc się przy tym i zapewniając, że przesadzam okropnie i że nic takiego, obecni robili sympatyczny gwarek i nagle w tym gwarku dał się słyszeć donośny i lodowato zimny głos Luli:

– Emilka, czy ty musisz się wieszać na szyi wszystkim facetom? Może byś przynajmniej Janka zostawiła w spokoju?

Efekt był piorunujący. Zamarłam, wciąż zwisając z Jasiowej szyi, Jasio też zamarł, ale szybko odzyskał kontenans i strząsnął mnie z siebie. Minę miał dosyć głupią, aczkolwiek dam sobie głowę uciąć i wszystko inne, że nie miał żadnych myśli pobocznych, przyjmując moje adoracje.

Lula jak niespodziewanie dała ognia, tak szybko sklęsła, zapadła się w sobie, wykrztusiła jakieś „przepraszam państwa" i wybiegła z salonu. Janek też wymamrotał „przepraszam państwa" i pobiegł za nią. Już chciałam pójść w ich ślady, ale Ewa przytrzymała mnie za rękę.

– Nie wygłupiaj się – syknęła. – Masz zostać i pomóc mi obsługiwać to wszystko. Sama, bez Luli, nie dam rady! Swoją drogą, co ją siekło? Ty, Emilka, ona jest zazdrosna o Jasia? Naprawdę?

– A bo ja wiem – odszepnęłam kłamliwie, jednym okiem patrząc na nią szczerze, a drugim zauważając radosne miny babć,

316

które – zapewne w przekonaniu, że nikt na nie w tej chwili nie patrzy – chyłkiem uścisnęły sobie zasuszone prawice.

– Ale numer – mruknęła Ewa, do której pewnie nigdy przedtem nie docierała prawda o Jasiu, taka mianowicie, że jest to wspaniały mężczyzna, tylko że się z tą wspaniałością nie obnosi. Możliwe, że nie docierała do niej również prawda o tym, że Lula jest kobietą, a nie pożytecznym domowym organizmem przeznaczonym do sprzątania i gotowania.

Nie wiem, co by się dalej działo, bo już prawie startowały do boju obie biznesłumenki, a te pewnie by nie popuściły, zanim by się wszystkiego nie dowiedziały – na szczęście przybył właśnie bohater dnia, czyli ksiądz Paweł we własnej osobie. A za nim ekipa telewizyjna i cztery kolejne osoby, które okazały się przedstawicielami prasy (w tym magazynu „Trendy") – trzeba więc było zająć się podawaniem drinków, kanapeczek, ciasteczek... potem goście już po prostu pchali się drzwiami i oknami, pół Marysina przyszło, z przyjaciół Ania sołtyska, Krzyś leśniczy, oboje z rodzinami, Olga przyjechała i przywiozła świeżutkie foldery, przyżeglowały nawet jak dwie fregaty pod pełnymi żaglami siostry Miriam i Józefa, bardzo godne i dumne z Pawła, którego traktują jak rodzone dziecko; zrobiło się malutkie pandemonko, a kiedy w końcu udało nam się opanować sytuację, skończył się również upojny wieczór poświęcony sztuce i trzeba było wszystkich żegnać, podawać płaszcze, kurtki i parasole (zaczęło lać), odprowadzać do drzwi, wręczać foldery i wizytówki. Jako ostatni opuścił nasz dom ksiądz, bardzo szczęśliwy, w asyście dwóch ukontentowanych i dumnych zakonnic.

Przez cały czas starałam się w ogóle nie patrzeć w stronę Rafała, który dwoił się i troił, jak my wszyscy dzisiaj zresztą.

Wreszcie zostaliśmy sami, to znaczy w rodzinnym gronie plus zleceniodawczynie Wiktora, które miały zanocować u nas (znowu trzeba się było ścieśnić). Uznaliśmy jednogłośnie, że mimo pewnych niespodziewanych zawirowań (Lula i Janek nie pokazali się więcej), wernisaż udał się nadzwyczajnie.

– Bardzo tu u państwa przyjemnie – ziewnęła dyskretnie dama od środków łazienkowych. – Uważam, że zdobyłaś zupełnie sympatyczny materiał do pierwszego numeru „Trendów", moja droga. Bo chyba chcesz to puścić w pierwszym?

– Oczywiście – odparła biznesłumen spożywczo-wydawnicza, wytwornie pogryzając słonego paluszka. – To będzie dobre wejście, bo w zasadzie Wiktor jest naszym odkryciem, jeszcze się nie opatrzył, a moja Elwira zrobi z tego ładny reportaż, no i dużo zdjęć... Jak to dobrze, że Wiktor jest taki fotogeniczny!

Zaśmiały się obydwie, łakomie spoglądając w stronę Wiktora, który istotnie, z tą swoją nieco chmurną urodą wyglądał na artystę i człowieka miotanego różnymi wizjami twórczymi. Zauważyłam, że kiedy fotograf się do niego przymierzał, z jego pięknie wykrojonych ust natychmiast znikał uśmiech, a oczy zaczynały spoglądać w jakąś nieokreśloną dal. To samo miał, kiedy telewizja robiła z nim wywiad. Spytałam go w przelocie, dlaczego to robi, a on mi w tym przelocie zdążył szepnąć, że żaden uznany artysta zębów nie suszy, o wiele lepiej się sprzedaje mina sugerująca, iż jej właściciel czuje na sobie odpowiedzialność za losy świata. A przynajmniej jego sporej części.

Faktem jest. Nawet modelki ostatnio się nie uśmiechają, preferując wyraz twarzy oficerów jednostki specjalnej Grom.

– Myślicie państwo, że to całe zamieszanie w prasie, radiu i telewizji coś Wiktorowi da? – zapytała babcia Stasia tonem pełnym powątpiewania.

– I Wiktorowi, i Rotmistrzówce – odpowiedziała jej zleceniodawczyni nr 1, ta od łazienek, czterdziestoletnia wystrzępiona blondyna imieniem Megi (znaczy Magda albo Małgorzata). – Pi-ar jest bardzo ważne, droga pani.

– Pi, co? – skompromitowała się nieznajomością rzeczy babcia.

Megi uśmiechnęła się pobłażliwie.

– *Public relations*. Trzeba mieć prasę. I telewizję. Kogo nie ma w mediach, ten nie istnieje. Wiktor zyska popularność, wasza agroturystyka na tym skorzysta, wszystkim będzie lepiej. Bo to przecież nie koniec...

– W życiu moim żadna gazeta o mnie nie napisała – prychnęła babcia – ale jakoś nie czuję, żebym nie istniała. Przeciwnie, istnieję i mam się dobrze, ku zmartwieniu paru ludzi w okolicy!

– Nie jesteś nowoczesna, Stanysława – zaśmiała się Omcia. – *Tempora mutantur,* a ty co?

– Ja też się mutuję, moja Marianno – obruszyła się babcia Stasia. – Przy tych wszystkich młodych ludziach jestem już kompletnie zmutowana. Zwłaszcza pod wpływem Kajtka i Jagódki człowiek zmienia się, sam nie wie kiedy. Ale grania w te strzelające gry na komputerze im odmówiłam, chociaż Kajtek próbował mnie wciągnąć. Może i macie rację z tą publiczną relacją...

– Na pewno – oświadczyła zleceniodawczyni nr 2, czyli Beti (zapewne przerobiona Beata albo zdrobniona po angielsku Elżbieta). – Przekonacie się państwo. Ja bym zresztą chętnie pociągnęła temat Rotmistrzówki...

– Począgnęła? – W głosie Omci dało się słyszeć powątpiewanie.

– Kontynuowała – wyjaśniła uprzejmie Beti. – Na razie napiszemy o Wiktorze jako o malarzu, który ucieka przed światem... a potem o całej reszcie. Dwa albo nawet trzy kolejne numery. Najbliższy po Wiktorze o tym księdzu i waszej przyjaźni. Ludzie lubią, jak się tak krąży dookoła tematu.

Spojrzeliśmy po sobie – my, to znaczy chyba „cała reszta". Wiktor był czerwony jak rak świeżo ugotowany, prawdopodobnie tak się zresztą czuł. Malarz uciekający przed światem! Czego to człowiek nie musi znieść dla pieniędzy.

Na szczęście obie nasze honorowe gościówki poczuły się znużone atrakcjami dnia i wyraziły wolę udania się na spoczynek. Beti zagroziła jeszcze przedtem, że dobierze się medialnie i do naszej hippoterapii, co wywołało ledwie dostrzegalne skrzywienie ust Rafała.

Babcie natychmiast wykorzystały rejwaszek, który się wytworzył w związku z kładzeniem Megi i Beti spać i zaciągnęły mnie do kuchni. Chętnie dałam się zaciągnąć, bo i ja miałam z upiornymi staruszkami do pogadania.

– Słuchajcie, drogie babcie – zaczęłam, zanim którakolwiek z nich zdążyła pisnąć. – Chyba zauważyłyście, do czego doprowadziło to wasze zmuszanie i to, że ja, głupia, temu zmuszaniu ulegałam!

– Bardzo dobrze, Emilko. – Babcia Stasia patrzyła na mnie jakby z cieniem skruchy, ale jednocześnie była całkiem zadowolona. – Bardzo dobrze. Lula wyszła z siebie, przez co mamy jawny dowód, że zależy jej na Janku i że jest o niego zazdrosna. O to nam przecież chodziło, żeby była zazdrosna.

– Babciu! Już od dawna mówię wam, że Lula jest zazdrosna

o Jasia i patrzy na mnie wilkiem z tego powodu! Chciałam przestać, a wy co? Przez was prawdopodobie straciłam przyjaciółkę, znam Lulę, ona mnie teraz nienawidzi. I co ja teraz mam zrobić?

– Nyc, Emilka. Ty nie rób nyc. Ty możesz tylko pogorszycz całą sprawę. Ale tego ne można tak zostawicz. Ja szę podejmuję negocjowacz.

– Z kim, na Boga?

– Z Lulą, oszywiszsze. Ja z nią będę rozmawiacz i jej wszystko wytlumaczę. Powiem, że to my żeszmy czy kazały...

– Omciu, błagam!

– Nedobrze?

– Niech już babcie lepiej nie kombinują. Zobaczymy, jak sytuacja się rozwinie. O matko, po co ja was słuchałam! Trzeba mi było dawno przestać! No trudno, dzisiaj już nic nie zdziałam. Idę spać. Wy też idźcie, na pewno jesteście zmęczone. Tylko błagam, nic już nie wymyślajcie!

Babcie pomamrotały coś, że niby sieję niepotrzebną panikę, ale ostatecznie poszły sobie. Ze zmartwienia zaczęłam robić porządek w kuchni, mając nadzieję, że nie zjawi się w niej Rafał i nie zacznie mnie pytać o akcję Luli... Rafał się nie pokazał, pewnie poszedł do stajni, posprawdzać wszystko przed nocą – taki mu się zwyczaj ostatnio wytworzył, bardzo pożyteczny moim zdaniem. Przyszła za to Ewa i koniecznie chciała dowiedzieć się, co zaszło między Lulą i Jasiem. Odpowiedziałam zgodnie z prawdą, że nie wiem, ale jej to nie zadowoliło. Odmówiłam snucia przypuszczeń, zapytałam ją natomiast o jej akcje na uczelni. Skrzywiła się. Po czym wylała z siebie potok narzekań na ogólną nieżyczliwość cholernych popleczników tego jej dawnego profesora – łajdaczyny. A stanowią oni, jak się zdaje, połowę ciała profesorskiego, czy jakie ono tam jest, habilitowane. Nie ma więc biedna Ewunia łatwego życia, ale zaparła się i zamierza być dzielna.

– Po co, kochana Ewciu? – zapytałam, upychając naczynia w zmywarce. – Po co ci to? Co to za praca w takiej nieprzyjemnej atmosferze?

Nie udzieliła mi satysfakcjonującej odpowiedzi. Zdaje się, że biedna Ewa po prostu musi mieć rację i po trupach, ale będzie to udowadniać. W tym po własnym trupie.

Boże, Boże, dlaczego ludzie są tacy nierozsądni???

Dobrze, nie będę się wymądrzać. Rozsądna się trafiła.

Kładąc się spać, nie myślałam już o biednej Ewie ani o nieszczęsnej Luli. Myślałam o Rafale, o jego oczach, rękach, włosach, nosie, głosie, o jego całej reszcie i o tym, że chyba chętnie bym się w nim zakochała.

Bo na razie nie jestem jeszcze zakochana.

Ale chyba rację miał Wiktor w sprawie posępnych i tajemniczych min. Czy nie dlatego mnie ciągnie do Rafała, że taki w gruncie rzeczy tajemniczy z niego facet? Bo cóż ja o nim wiem? Niewiele. Opowiedział mi wprawdzie tę okropną historię swojej żony i córeczki, ale nawet nie wiem, gdzie on je miał, tę żonę i tę córeczkę. Bo chyba nie w Janowie Podlaskim, tam nie ma Akademii Medycznej z klinikami. A sam Rafał jakiś taki małomówny (oczywiście z wyjątkiem tematu autystycznych i porażonych mózgowo dzieciaczków, które to dzieciaczki wozimy na naszych koniach – o tym to on może godzinami), uśmiecha się wprawdzie miło i uprzejmie, ale niewiele z tych uśmiechów wynika. Raz tylko widziałam prawdziwy błysk w jego oczach – kiedy unieszkodliwił Misiaka Dżuniora i usiadł mu na klacie.

Co to może znaczyć?

Kiedyś się tego dowiem. Na razie padam z nóg.

Lula

Janek uważa, że niepotrzebnie zrobiłam scenę. Przyszedł mi to wytłumaczyć, porzuciwszy nietaktownie całe wernisażowe towarzystwo. No dobrze, ja sama wiem, że scena była bez sensu i że ja też nie powinnam była porzucać towarzystwa, a zwłaszcza dziewczyn, które potem musiały posprzątać – a nie miały już do dyspozycji Żakliny, która pomagała tylko w przygotowaniach.

– Ludwisiu moja kochana – tłumaczył mi Janek (mówi tak do mnie wyłącznie, kiedy jesteśmy sami...) – to, że sobie poszłaś, to naprawdę nie ma znaczenia. Ważne jest, że się uzewnętrzniłaś...

– To znaczy, że co? Że wszyscy się dowiedzieli, że jestem o ciebie zazdrosna?

Nie wiem, czym go tak rozśmieszyłam, ale kolejny kwadrans spędziłam na oddawaniu mu pocałunków i wysłuchiwaniu jego chichotów. To ostatnie mnie w końcu trochę zezłościło.

21. Stateczna...

– Przestań się śmiać jak głupi do sera!

– Ja się nie śmieję do sera, tylko do ciebie. Poza tym rozśmiesza mnie sytuacja...

Wyrwałam się z jego objęć.

– A co w tym widzisz śmiesznego, na litość boską?!

Rozwalił się na fotelu z miną szalenie zadowoloną. Ja tych chłopów nigdy nie zrozumiem. Rzuciłam w niego poduszką. Złapał ją zgrabnie i dopiero teraz omal nie umarł ze śmiechu. Nigdy w życiu nie widziałam, żeby się Janek TAK śmiał! Prawda, że niewiele o nim wiedziałam do tej pory, bo też i nie chciałam się wcale dowiadywać. Sporo lat przez to straciłam. No cóż, zważywszy na istnienie Kajtka, nie będę sobie tego miała za złe. I nie będę żałować. Niech tam. Ale teraz nie pozwolę, żeby się chłop ze mnie naigrawał!

Usiadłam naprzeciwko niego na krześle, zabrałam mu tę poduszkę i spojrzałam mu głęboko w oczy. Jeszcze nieco załzawione od tego śmiechu.

– Odpowiadaj zaraz, dlaczego się tak cieszysz?

– Mam powody – zaśmiał się jakby ostatkiem sił. – Sama popatrz. Kochałem się w tobie miłością nieszczęśliwą i beznadziejną lata całe. W ogóle nie zauważałaś mojego istnienia. Nawiasem mówiąc, musisz mi powiedzieć, co takiego widziałaś w Wiktorze i co w nim teraz przestałaś widzieć...

– Serce kobiety jest nieodgadnione – powiedziałam wyniośle, bo nie było mnie w tej chwili stać na żadną inteligentniejszą odpowiedź. – Mów dalej!

– Dobrze – zgodził się potulnie. – Będę mówił dalej. No więc kochałem cię beznadziejnie, potem cię w ogóle straciłem z oczu i straciłem nadzieję, potem cię spotkałem i znowu twoje nieodgadnione serce skłaniało się ku naszemu przyjacielowi artyście. No więc po raz kolejny straciłem nadzieję... sam się sobie dziwię, że jeszcze ją miałem. To znaczy, odzyskałem, bez sensu. Rozumiesz, co mówię. I nagle – trach, mam cię.

– I co?

– I nic. Szok. Rzucasz we mnie poduszkami i publicznie chcesz skakać do gardła biednej, poczciwej Emilce, bo mi okazała cieplejsze uczucie... całkowicie siostrzane zresztą.

– Nie wierzę w takie siostrzane uczucia!

– Znowu zaczynasz?

– Nie musiała się na tobie wieszać!

– Ona jest spontaniczna. A ja naprawdę byłem dzielny...

Rzuciłam w niego poduszką. Odrzucił mi ją, chichocząc. Matko Boska jedynąca, jak mawiają niektórzy tutejsi. Janek rzuca poduszkami. Świat wychodzi z formy!

Emilka

Ja naprawdę zwariuję. Czy w tej Rotmistrzówce wszyscy coś knują? Od najstarszych starowinek do najmłodszych dzieci?

Koło południa ostatecznie pozbyliśmy się śladów po nawale gości, babcie skryły się w zaciszach swoich pokoi i odpoczywały po przejściach, Lula i Jasio gdzieś znikli, Rafał odwiózł Beti i Megi na dworzec do Jeleniej Góry, Rupert i Malwina odjechali do swych studentów, wyjechali też Wiktorowie – Ewa, aby toczyć dalsze boje na swojej uczelni, Wiktor, aby projektować za ciężkie pieniądze kampanię promocyjną magazynu „Trendy" – a ja usiadłam sobie cichutko przy kuchenym stole, żeby w spokoju pouczyć się do egzaminu na hippoterapeutkę.

W spokoju.

Ledwie przerzuciłam kilka kartek i wciągnęłam się w problematykę, drzwi kuchni uchyliły się jakby konspiracyjnie i weszli przez nie na paluszkach – któż jak nie Kajtuś i Jagódka?

– Idźcie sobie, dzieci – powiedziałam do nich łagodnie, bo ostatecznie lubię oboje i nie będę w nich od razu rzucać widelcami. – Ciocia Emilka jest zajęta jak nie wiem co. No, już was nie ma. Spadóweczka.

– Ciociu, my cię przepraszamy, ale nie spadóweczka. Ciociu!

– Kajtuś, nie dyskutuj. Poszły precz dzieci.

– Ciociu, ale my mamy strasznie ważną sprawę...

– Kochani, ja mam egzamin za tydzień. Przyjdźcie za tydzień. Albo po obiedzie. Ja muszę wykorzystać ten spokój w domu. Wynocha.

Mogłam sobie dużo mówić. Kajtek łagodnie, ale stanowczo wyjął mi skrypty z ręki, a Jagusia bezczelnie wlazła mi na kolana i objęła mnie łapkami za szyję.

– Który to wielki poeta powiedział, że dzieci są zakałą ludzkości? – spytałam retorycznie i beznadziejnie.

– My się cioci musimy poradzić – zaszeptała mi do ucha Jagódka, podczas kiedy Kajtek, stojąc tuż przede mną, wlepiał we mnie swoje wielkie, nie-Jasiowe (pewnie po słynnej Romanie, chociaż Janek też ma dość wyraziste spojrzenie) oczyska. Cóż, widać było, że nie popuszczą. Zrezygnowałam z daremnego oporu, odłożyłam skrypt i strząsnęłam Jagódkę z siebie.

– Dobrze – powiedziałam. – Macie dziesięć minut. Zrobię sobie herbaty, a wam dam soczku wiśniowego, chcecie?

Oczywiście chcieli. Nalałam im hojnie i zasiedliśmy do narady.

– No więc, ciociu – zaczął Kajtek – przede wszystkim musimy cię prosić o dyskrecję.

– Jak w banku – obiecałam poważnie, zastanawiając się, czy oni mają na myśli to, co ja myślę, że mają.

Mieli.

– Czy ciocia uważa, że mój tata i ciocia Lula są w sobie zakochani?

Pewnie, że uważam, ale czy to jest temat do omawiania z takimi małolatami?

– A ty jak uważasz? – zapytałam dyplomatycznie.

– Ja uważam, że tak. Bo oni, ciociu, sypiają ze sobą.

Zadławiłam się herbatą.

Kajtuś zawahał się przez moment, a potem walnął mnie w plecy, aż huknęło.

– Z czego to wnosisz, synku? – wykrztusiłam przez łzy.

– Tato chodzi w nocy do cioci Luli. Tym dorosłym to się, ciociu, wydaje, że my jesteśmy ślepi i głusi. A poza tym Jagoda widziała, jak się całowali w stajni. Ja też widziałem, kilka razy. No więc, ciociu, moim zdaniem, wszystko wskazuje na to, że są bardzo zakochani. I chyba ciocia Lula jest o ciocię zazdrosna... trochę.

Bystre dziecko.

– Czy wy we dwoje z Jagódką omawiacie wszystkie nasze prywatne sprawy?

– Pewnie, że tak. Z kim mam omawiać, jak nie z Jagodą. Jesteśmy tu jak w rodzinie, a przecież żaden dorosły nie będzie ze mną chciał w ogóle gadać na takie tematy.

– Proszę, proszę. A przecież przyszedłeś do mnie, a ja jestem dorosła.

– Komś musieliśmy zaufać – powiedział poważnie Kajetan, a ja poczułam się dumna.

– No dobrze – powiedziałam. – Załóżmy, że są zakochani, ja też mam pewne przesłanki, by tak sądzić. I co z tego wynika?

– Zastanawialiśmy się z Jagodą, czy oni będą się chcieli ożenić. No bo jeśli są zakochani, to pewnie by chcieli. Z drugiej strony tato może myśleć, że ja mogę tego nie chcieć, ciocia rozumie, ze względu na mamę.

– Ciocia rozumie. A jakie jest twoje zdanie w tej sprawie?

Kajtek zamyślił się na chwilę nad swoją szklanką. Jagódka patrzyła w niego jak w tęczę. Wreszcie siorbnął ostatni łyk i odstawił szklankę.

– Ja bym chyba nie miał nic przeciwko temu. Ja lubię ciocię Lulę. Mamy... już nie ma. To nie jest żadna sprawa rozwodowa, więc jakby się ożenili, to by niczego nie zmieniało, no, rozumie ciocia?

– Rozumiem. W odniesieniu do twojej mamy.

– No właśnie.

– Bardzo rozsądne podejście – pochwaliłam. – A jakież wnioski wyciągniemy z naszej wiedzy? I w czym mam wam doradzić?

– Bo ja się zastanawiałem, że jeżeli tato chce się ożenić z ciocią, ale nie chce z mojego powodu, ciocia rozumie, to czy ja nie powinienem mu po prostu powiedzieć, jakie jest moje zdanie? Żeby wiedział. Tylko czy on będzie zadowolony z tego, że ja wiem?

Nikt niewtajemniczony nie zrozumiałby tej wypowiedzi, ale ja byłam przecież wtajemniczona, jak najbardziej. Ale za Boga nie wiedziałam, co powinnam Kajtkowi doradzić!

– Kurczę, Kajtuś, nie mam pojęcia – wyznałam. – Zastanówmy się razem. Gdybyś był na jego miejscu, to co byś wolał?

– Nie wiem. Nigdy nie byłem dorosły.

Fakt. Ja wprawdzie byłam dorosła, ale za to nigdy w życiu nie byłam mężczyzną, a oni, jak wiadomo, mają inne spojrzenie na świat, ponieważ pochodzą od innej małpy.

Chwila. Zastanówmy się, jaki jest Janek.

Przede wszystkim prostolinijny. Nie chachmęt, w najmniejszym stopniu. Wymykanie się do ukochanej i zatajanie tego faktu przed małoletnim synem nie jest chachmęceniem. To jest dyskrecja podstawowa, inna rzecz, że nieskuteczna.

– Kajtuś – powiedziałam z namysłem. – Ja myślę, że możesz zaryzykować i poprosić ojca o chwilę męskiej rozmowy. Jagódkę bym z tej rozmowy zdecydowanie wyłączyła. Ale ty powiedz tacie, tylko błagam, delikatnie, że się orientujesz w jego sercowym problemie i że nie masz nic przeciwko temu.

– Dlaczego ciocia chce mnie wyłączyć? – zgłosiła reklamację Jagódka. – Ja bym chciała, żeby oni się ożenili i ja bym była druhną na ślubie. Bym niosła cioci welon. A cały ślub by musiał być w naszym ogrodzie.

Zdaje się, że dziecko oglądało ostatnio jakieś amerykańskie filmy z życia wyższych sfer biznesowych. Chociaż, kurczę blade, to nie jest najgorszy pomysł. Ciekawe, czy ksiądz Paweł by na to poszedł. A jeśli nie on, to przynajmniej miejscowy urzędnik stanu cywilnego. Tylko trzeba poczekać do wiosny. Wiktor by zaprojektował cały dizajn weselny, a wszystkie trendowate piśmidła zamieściły fotoreportaże.

No, na to ani Janek, ani Lula na pewno by się nie zgodzili.

– Nie chcę cię wyłączać, Jagódko, tylko uważam, że pierwszą rozmowę panowie powini odbyć w męskim gronie.

Jagódce chyba spodobało się określenie „męskie grono" w stosunku do Kajtka, bo zaprzestała wyrażania pretensji. Ale widziałam, że jakby co, to tego welonu nie przepuści.

Stanęło na tym, że Kajtek porozmawia poważnie z ojcem, a potem przyjdzie do mnie i dokładnie mi opowie, jak było. W celach konsultacyjnych, oczywiście. No i trudno by mi było wytrzymać bez tej wiedzy, skoro już i tak zostałam dopuszczona do sekretu.

Lula

Nie wiem, kiedy ten czas upłynął, ale za dwa tygodnie mamy Boże Narodzenie. Babcia Marianna odbierała ostatnio jakieś telefony z Austrii. Zdaje się, że rodzina ciągnie ją z powrotem do Tyrolu.

– Nygdże ne pojadę. Ne ma takiej możliwoszczy – oświadczyła

nam wczoraj przy kolacji. – Tam szę zbierze cała nasza familia i ja szę będę czuła jak stary Matuzalem, jak muzealny eksponat rodżynny. Wszyscy będą na mne paczecz i paczecz, jakim cudem ja jeszcze żyję. I będę muszała znowu zrobicz szterdżeszczy oszem paczuszek pod choinkę. Tak szę tu mówi, choinka, prawda? A najgorsze będże, jak wszyscy cztery synowie mojego szosz...cz...czenca zrobią kwartet smyczkowy i będą męczycz Brahmsa albo innego jakiegosz klasyka. Ja do Brahmsa nyc ne mam, ale on na to ne zasłużył. A mój czoczenec szpecjalnie mał czworo dżeczy, żeby był kwartet smyczkowy. Rupert też ne chce jechacz, bo Malwina ne chce. Może przyjadą tu na dwa dni. Ale oni chcą zobaczycz Weinacht na Podhalu. Bukowyna Taczanska. A ja chcę bycz z wami... jeżeli wy chcecze.

Zapewniliśmy ją zgodnym chórem, że chcemy, jak najbardziej. Babcia Stasia, gdy tylko pomyśli sobie o Bożym Narodzeniu, to zaczyna popłakiwać, jak twierdzi – ze szczęścia. Rok temu miała koszmarną Gwiazdkę, pierwszą bez swojego Rotmistrza, samotną, smutną i z bardzo marnymi perspektywami na przyszłość. Sosnówka Górna i dom świetlanej starości. Teraz będzie zupełnie inaczej, bo cała Rotmistrzówka będzie pełna, nikt z nas nie zdecydował się wyjechać do rodziny, Emilka się przez chwilę zastanawiała, ale ostatecznie uznała, że woli zostać tutaj, z nami wszystkimi. Rafał się jeszcze nie zdeklarował, ale mam nadzieję, że zostanie, żeby Emilka miała kim się zajmować.

Janek tłumaczył mi, że niepotrzebnie jestem o nią zazdrosna, ale jakoś po tamtym moim wybuchu straciłam do niej serce.

Do wczoraj wydawało mi się, że nikt w domu nie wie o naszych spotkaniach, ale Janek wyprowadził mnie z błędu. Miał poważną rozmowę z Kajtkiem i dowiedział się, że synuś dawno się wszystkiego domyślił, mało tego – doskonale wie, dokąd to tatuś wymyka się ze swego pokoju po nocach. Najlepsze, że Kajtek poprosił Janka o tę rozmowę po to, żeby nam dać swoje błogosławieństwo!

Byłam nieco zszokowana, kiedy Janek oznajmił mi te nowiny, a już zupełnie nie rozumiałam, dlaczego on się śmieje. Janek w ogóle ostatnio śmieje się dość często, przedtem nie widywałam go w tak permanentnie dobrym humorze.

– Dlaczego cię to śmieszy? – zapytałam go po prostu, bowiem

miałam do wyboru albo zapytać go po prostu, albo wybuchnąć, a wydało mi się, że chwilowo dosyć wybuchów zaprezentowałam w różnych gronach.

– Bo to jest dość zabawne, nie uważasz? – odpowiedział mi pytaniem i pociągnął mnie na fotel, na którym siedział. Lekko się zachwiałam i usiadłam mu na kolanach. O ile mnie pamięć nie myli, po raz pierwszy w życiu siedziałam na kolanach mężczyzny, który nie był moim ojcem. Czy w tym wieku nie jest za późno, żeby zaczynać takie igraszki jak siadanie mężczyznom na kolanach? Chociaż nie było to wcale nieprzyjemne, raczej dość podniecające. Ale nie zamierzałam się w tej chwili podniecać, zamierzałam tylko rozstrzygnąć nasz nowy dylemat.

Nie jest łatwo rozstrzygać jakiekolwiek dylematy, siedząc na kolanach ukochanego mężczyzny, który w dodatku zaczyna zdradzać tak zwane nieprzyzwoite zamiary.

– Weź no tę łapę, Jasiu – powiedziałam łagodnie. – Musimy się naradzić.

Udał głupiego i nie wziął łapy.

– Możemy się naradzać w tych warunkach – oznajmił uprzejmie. – Mnie to bardzo odpowiada.

– A ja się czuję nieco rozproszona. Nie wiem, czy będę mogła myśleć rozsądnie, kiedy mnie tu duźdasz.

– Co robię?

– Duźdasz, no, gmerasz. Łaskoczesz mnie.

– Mogę na chwilę przestać – zgodził się łaskawie i rzeczywiście zaprzestał duźdania. – Bo mam ci do przedstawienia pewną propozycję. Od razu ci powiem, żeśmy to rozwiązanie wypracowali wspólnie z synem moim Kajetanem...

Nieprawdopodobne. Naradzali się z Kajtkiem na mój temat.

– Coś nie tak?

– Skądże. Mów, Jasiu, mów, słucham uważnie.

– Zacznijmy od tego, że Kajtek pytał, czy mamy zamiar się pobrać...

– I co mu powiedziałeś?

– Że zapytam ciebie. Wyjdziesz za mnie?

No, ja naprawdę nie wiem, czy to jest w porządku, żeby mężczyzna oświadczał się ukochanej kobiecie, trzymając ją na własnych kolanach, w okropnym, rozdeptanym fotelu, który uniemożliwiał przyjęcie jakiejkolwiek przyzwoitej pozycji, odpowiadającej powadze chwili. To nie to, żebyśmy nie mogli spojrzeć sobie w oczy, przeciwnie, mieliśmy oczy nawet dość blisko siebie, ale ogólnie biorąc, nie tak to wszystko powinno wyglądać, nie tak!

– Nie chcesz?

Ten człowiek mnie załamuje!

– Nie, no, chcę, oczywiście, że chcę...

Nie przypuszczałam, że te jego oczy mogą się aż tak rozjaśnić. Dłuższą chwilę spędziliśmy w bardzo ścisłym kontakcie, absolutnie niewerbalnym, acz wiele mówiącym.

– Najchętniej ożeniłbym się z tobą jutro – powiedział, kiedy tylko przestał mnie całować. – Najdalej pojutrze. Ale tak sobie myślę, że powinienem odczekać ten rok żałoby po Romanie, brakuje jeszcze trzech miesięcy, może byśmy zaplanowali sobie taki ładny, wiosenny ślub?

– Byle nie w maju – zastrzegłam. – Podobno majowe małżeństwa są nieszczęśliwe.

– Też o tym słyszałem. Chyba coś w tym jest, bo z Romą pobieraliśmy się w maju...

– I na długo wam starczyło tego szczęścia?

– Ono od początku było problematyczne, mówiłem ci, Kajtek był w drodze, ale starałem się uczciwie zapomnieć o tobie, moja droga... jakby to w ogóle było możliwe. Robiłem, co mogłem. Roma natomiast była dosyć chłodna, dziecko ją trochę nudziło, a trochę denerwowało, potem, jak się okazało, znalazła sobie przyjemniejsze rozrywki, a ja wdałem się w romans z komputerem...

– Też średnio szczęśliwy, skoro ci zmarnował oczy...

– No właśnie. Ale już mi się poprawiło, ten okulista miał rację. Więc, wracając do nas – albo kwiecień, albo czerwiec?

– Czerwiec – zdecydowałam, układając się wygodniej w jego ramionach. – Tu wiosna jest przecież później niż na nizinach, w czerwcu będą kwitły te wszystkie majowe kwiaty, bzy, złotokapów tu jest zatrzęsienie, widziałam...

– O proszę, jak ty się na tym znasz! Emilka cię wyedukowała?

– Nie denerwuj mnie. Sama z siebie też trochę wiem o przyrodzie, wychodziłam czasami z muzeum na światło dzienne!

– Już cię nie denerwuję. Będę potulnym mężem, chcesz?

– O Boże, nie. Z Romą byłeś potulny?

– Raczej wycofany. Nie ma się czym chwalić, ona narzuciła pewne reguły, a mnie z nimi było dosyć wygodnie. Więc się nie wychylałem.

Zastanowiłam się przez chwilę. Janek był zawsze bardzo spokojny, łagodny, opanowany, ale chyba nic z potulności w tym jego spokoju nie było. Dystans. Tak, to było to. Dystans. Coś, na co nigdy nie było mnie stać, chociaż, oczywiście, starałam się nigdy nie pokazywać po sobie emocji, które mnie często ponosiły. Z wyjątkiem ostatnich dni, kiedy to jednak emocje zwyciężyły i pozwoliły mi się kilkakrotnie skompromitować.

Za to Janek stracił swój dystans. Przynajmniej w odniesieniu do mnie.

– Co cię tak bawi, Ludwiczko?

Powiedziałam mu o swoich głębokich przemyśleniach na temat naszych charakterów, a on też się uśmiechnął.

– Ale popatrz, moja kochana, ile z tego twojego braku dystansu wynikło dobrych rzeczy... Gdybyś zachowywała tę kamienną twarz, może nigdy nie zdecydowałbym się do ciebie zbliżyć...

– Nie mów takich rzeczy!

– Tak to wygląda, kochanie. Bo ja się ciebie trochę bałem...

– Przestań!

– Naprawdę. Dopiero kiedy zobaczyłem, jak się szarpiesz, zebrałem się na odwagę.

– W kuchni, notabene.

– W kuchni. Kuchnia to bardzo dobre miejsce, podobno serce domu. Tak mówiła moja mama.

– Moja też. Zanim wyjechała do Australii.

– A właśnie, do Australii. No to na pewno musimy odłożyć ślub, bo chyba zaprosimy twoją rodzinę?

– A twojej nie?

– Moją też, ale moja z Wrocławia ma bliżej. Nawiasem mówiąc, Jagódka zamierza zostać twoją małą druhenką i nieść za tobą welon.

Niedoczekanie. Przypomniała mi się Wiktora wizja – koronkowego welonu na moich upiętych wysoko warkoczach. Żadne takie. Przecież postanowiłam, że pójdę do ślubu w granatowej garsonce!

Nieee... w garsonce jednak chyba nie, szkoda by było tych wszystkich możliwości odzieżowych, jakie daje pierwszy w życiu ślub. Ale żadne welony.

– Ja bym cię nie widział w welonie – odezwał się Janek, jakby czytając w moich myślach. – Rozpuszczone włosy i wielki kapelusz z ogródkiem, co?

– Z ogródkiem i woalką, koniecznie w groszki – zgodziłam się.

– Roma jak była ubrana?

– Miała niebieski kostiumik, a na głowie takie małe coś, nie wiem, jak się to nazywa, taki naleśniczek z kawałkiem firanki.

– Toczek. Z welonikiem.

– Możliwe. Słuchaj, kochana, coś mnie tu zastanawia. O Romie mówisz zupełnie bez emocji, o nią w ogóle nie jesteś zazdrosna?

– Jakoś nie. Sama się dziwię. Zapewne dlatego, że, przepraszam cię, Jasiu, znikła z mojego pola widzenia, zanim zdążyłam się w tobie zakochać. A ponieważ dzięki niej masz takiego fantastycznego Kajtka, no to, sam rozumiesz.

– Rozumiem – powiedział poważnie. – Cieszę się, że tak do tego podchodzisz. Natomiast bardzo cię proszę, nie bądź zazdrosna o Emilkę. Ja ją bardzo lubię, naprawdę, to jest świetna dziewczyna, sama przecież wiesz, ale nic poza tym.

– Postaram się i nie wałkujmy już tego tematu – odrzekłam wymijająco, ale pomyślałam sobie swoje. On nic poza tym, ale nie wiadomo, ile ona poza tym! Lepiej uważać. – Jasiu, czyś ty coś mówił o Jagódce, czy mi się wydawało? Coś o welonie i małej druhence?

– Mówiłem. I jeśli chcesz wiedzieć, czy dzieciaki omawiają między sobą nasze prywatne sprawy, to owszem, omawiają. Chyba tego nie unikniemy. Ja bym nad tym przeszedł do porządku dziennego, zwłaszcza, że przecież Kajtek w końcu zwrócił się z tym do mnie; na męską rozmowę, jak to określił. Natomiast, skoro już zdecydowaliśmy, że się pobieramy, aczkolwiek odkładamy ślub do wiosny, to chyba warto by przestać się tajniaczyć, co? Strasznie bym chciał nie musieć wymykać się od ciebie przed świtem jak wybrakowany Romeo...

– Dlaczego wybrakowany? – zdziwiłam się szczerze. – Absolutnie niewybrakowany!

– Dziękuję ci, słodyczy moja. Ale on był młodszy ode mnie, ten cały Monteki.

– Nie mów do mnie na ten temat! Julia miała czternaście lat!

– Ach, to prokurator by mnie ścigał. Zresztą takie młode panienki to przeżytek. Wracając do rzeczy, chciałbym się móc budzić koło ciebie o dowolnej porze, czasami nawet późno, o ile się poprzedniego dnia umówię z Rafałem co do obrządku porannego. Wiesz, te twoje włosy na poduszce... Teraz, jak uciekam przed świtem, nie mam żadnej przyjemności. Nic nie widzę. Musiałbym wkładać okulary, a to już by była zupełna groza – z punktu widzenia romantycznego kochanka.

– I co proponujesz?

– Poczekałbym jeszcze do Bożego Narodzenia, dwa tygodnie wytrzymam, a to jest dobry czas na dobre nowiny, i oznajmilibyśmy uroczyście wszystkim o naszej decyzji, a potem byśmy mogli zamieszkać jakoś bardziej razem. Przynajmniej w nocy. Bo docelowo to chyba musimy pomyśleć o czymś więcej niż dwa pokoje tutaj; przecież tak naprawdę to są pokoje gościnne, w dodatku w naszym mieszka teraz babcia Marianna, a ona chyba się wcale nie ma ochoty stąd wyprowadzać...

– I dobrze, śmiesznie jest z babcią Marianną.

– Oczywiście. Ale skoro mamy stworzyć rodzinę... myślałaś kiedy o dziecku?

Matko Boska, pewnie, że myślałam! Miliony razy! Ostatnio już nawet zaczęłam mieć wrażenie, że jestem za stara na pierwsze dziecko... zresztą, uczciwie mówiąc, myślałam raczej w kontekście Wiktora niż Janka, oślica piramidalna!

Janek starał się zrozumieć moje milczenie, wpatrując się we mnie intensywnie.

– Myślałaś, ale nie o moim – skrzywił się leciutko. – Rozumiem. A teraz?

– A teraz, jeśli jeszcze nie jest dla mnie za późno...

– Ale nie będziemy się spieszyć, dobrze? Niech to się samo ułoży.

– Bardzo dobrze – powiedziałam, przytulając się do niego. – Zgadzam się na wszystko, na zawiadamianie rodziny podczas Gwiazdki, na przeprowadzki, na co tylko chcesz. To ja zamierzam być potulną żoną. Całe życie chciałam być potulną żoną.

Podejrzewam, że wiele tak zwanych wyzwolonych kobiet tego chce. Tylko do tego potrzeba mieć kogoś z osobowością silniejszą od naszej własnej. Nie mogłabym być potulną żoną dla mięczaka. Jak to dobrze, że wreszcie mi się trafiłeś, Jasiu. A na razie, aż do świąt, dajemy sobie wolne od myślenia na tematy zasadnicze. To znaczy mieszkanie i tak dalej.

– Zgoda. Do świąt będę się od ciebie wymykał. Tylko Kajtka chyba wypada wtajemniczyć. Widzisz, my jesteśmy dosyć związani.

– Sam go będziesz zawiadamiał, czy wezwiemy go przed nasze wspólne oblicze?

– Jak to miło, kiedy mówisz o naszym wspólnym obliczu. Może najpierw ja z nim pogadam wstępnie, a potem go wezwiemy?

– Jak chcesz, mój przyszły mężu...

– Ciekaw jestem, jak długo wytrzymasz w takiej potulności, zanim nie znudzi ci się ona śmiertelnie – zaśmiał się i powróciliśmy do niewerbalnych sposobów komunikacji interpersonalnej. Jak to się teraz mądrze mówi w pisemkach dla ubogich duchem konsumentów homogenizowanej papki medialnej.

Emilka

Zdałam ten egzamin, eksternistycznie zresztą, i dostałam kwity. Jestem hippoterapeutką z uprawnieniami. Sympatyczni faceci w komisji bardzo mnie chwalili. Nie mam złudzeń – wszystko jest zasługą Rafała, który mnie przygotował jakoś bezboleśnie do tego egzaminu i w ogóle do tej pracy, a ja się tego tak bałam na początku!

Żeby tylko on teraz nie uznał, że może mnie zostawić samą z całym tym hippoterapeutycznym majdanem i nie wyjechał do Janowa Podlaskiego albo gdzie indziej!

Na razie się na to nie zanosi, na szczęście całe. W końcu jestem dość świeża zawodowo i będę się pewniej czuła pod okiem doświadczonego fachowca. No. Właśnie tak.

Nie rozumiem swoich własnych uczuć w stosunku do Rafała. Niby nie jestem w nim zakochana, ale kiedy go nie ma w okolicy, czuję się dziwnie i raczej nieprzyjemnie. Grechuta kiedyś śpiewał coś na ten temat, chyba to było ze Słowackiego – albo z Mickiewicza, nie pamiętam, muszę spytać Lulę. O ile, oczywiście, przestanie na mnie kiedyś patrzeć wilkiem.

Jest nadzieja, że przestanie. Kajtek mnie w ścisłej tajemnicy zawiadomił, że w święta dowiemy się wszyscy, jakie to wiekopomne decyzje podjęli wspólnie Lula z Jankiem. Więcej mi nie chciał zdradzić, niewdzięczny szczeniak, a przecież to ja mu poradziłam męską rozmowę z ojcem! Ale on teraz mówi, że nie może zdradzać cudzych tajemnic. Niby racja. Zresztą nic nie szkodzi, i tak się domyślam, skoro podjęli jakieś decyzje, które nadają się do przekazywania rodzinie w sposób uroczysty, to w grę wchodzi małżeństwo i nic innego. Jagódka będzie miała swój welon do niesienia. Ale na ich miejscu poczekałabym do wiosny, niech bzy zakwitną, tulipany botaniczne, narcyzy i inne pachące kwiatuszki stosowne do ślubnej wiązanki. Bo, oczywiście, ja sama jej zrobię tę wiązankę i będzie to bukiet, który przejdzie do historii ślubów marysińskich!

Trochę się teraz denerwuję, bo Lesław nie daje znaku życia, napsuł mi krwi tym głupim sms-em o Rafale i zamilkł. Rafała to nie rusza, tak przynajmniej twierdzi.

Na święta zaprosiliśmy Tadzia, ale okazało się, że zaprosiła go również Primula, więc Wigilię i pierwszy dzień spędzi u niej, natomiast zaproponował, że w drugie święto przyjedzie i urządzi nam – a zwłaszcza Omci, spragnionej liberyjnego rajtra – przejażdżkę bryczką. Może nawet kulig, jeśli będzie odpowiednia ilość śniegu. Na razie się na to nie zanosi, śnieg jest wyłącznie w górach, a tu leżą jakieś takie dziwne placki, które spadły kiedyś przez pomyłkę.

Wiktory, oczywiście, przyjadą. Chciałabym się dowiedzieć, co Wiktor zrobił w wiadomej sprawie! Na razie nie można się z nim dogadać, ilekroć do niego dzwoniłam, był zabiegany jak wariat. Nie dziwię się – musi zadowolić dwie wymagające klientki. Mam nadzieję, że wydusi z nich mnóstwo forsy, co by mu pozwoliło kupić i wyremontować chałupę starej Kiełbasińskiej! Wtedy Lula z Jankiem mogliby zająć ten strych, co to sobie Wiktory przysposobiły i na którym teraz Jagódka boi się sama spać!

Nie chcę, żeby Rafał jechał do Janowa na święta! Ani nigdzie indziej.

Moi rodzice dzwonili z nadzieją, że ich odwiedzę, ale im wytłumaczyłam, że chciałabym zobaczyć Boże Narodzenie tutaj, bo ta nasza Rotmistrzówka tak niespodziewanie stała się naszym prawdziwym domem, a my jakby prawdziwą rodziną – a przecież jesteśmy tu od pół roku dopiero! Zresztą obydwie babcie stanowczo zabroniły mi się ruszać gdziekolwiek, twierdząc, że beze mnie to nie będą prawdziwe święta.

Och, jak fajnie jest usłyszeć coś takiego!!!

Lula

Stał się cud i spadł śnieg. Trzy dni przed świętami. Uczciwie mówiąc, wolałabym, żeby się ten cud wydarzył już w same święta, bo drogi częściowo zasypało i chociaż służby komunalne dzielnie je odsypały, to jednak komunikacja się skomplikowała.

Boże Narodzenie spędzimy absolutnie rodzinnie, bez żadnych gości z zewnątrz. Nie liczę Ruperta i Malwiny, bo oni już też są nasi, a tym bardziej Tadzio, który też się do nas wybiera. O babci Mariannie w ogóle nie wspomnę, bo nie wypada w tym kontekście. Ona jest tutejsza dawniej niż którekolwiek z nas, chociaż miała w tym sporą przerwę. Ale dzielnie nadrabia zaległości, chociaż jej akcent wciąż jest dosyć pocieszny. Za to z gramatyką coraz rzadziej się mija.

Zastanawiałam się, czy Rafał gdzieś nie pojedzie, ale raczej nie. Ciekawe, czy on w ogóle nie ma żadnej rodziny?

Mam trochę tremy na myśl o naszym postanowieniu, to znaczy o tym zawiadamianiu wszystkich co do moich i Jankowych planów matrymonialnych. Nigdy nie byłam w centrum zainteresowania i nie lubię być w centrum zainteresowania, a tym razem, jak sądzę, nie obejdzie się bez tego.

Staram się o tym nie myśleć i koncentruję się na przygotowaniach do świąt, bo, oczywiście, wszystko spadło mi na głowę. Emilka niby stara się mi pomagać, ale prawdę mówiąc wolę, kiedy pomaga mi Janek. Ona z kolei chyba woli pomagać Rafałowi w stajni, więc jeśli nie wchodzi w grę wyrzucanie gnoju spod koni, wymieniają się z Jasiem. Ewa proponowała, że przywiezie z Krakowa znakomite ciasta, ale podziękowałam. Znakomite ciasta z Krakowa mogą być na każdą inną okazję, ale teraz wszystko musi być zrobione w domu. Ciasto na piernik ugniotłam miesiąc temu, a od tygodnia leży upieczony w spiżarni i czeka, aż dojrzeje. Kajtek z Jagódką kręcą się wokół niego, ale zapowiedziałam, że uduszę, jeśli ruszą. Małe pierniczki piekliśmy wczoraj, więc po upieczeniu pozwoliłam im spróbować. Wyprodukowaliśmy sporo dość kulfoniastych aniołków na choinkę, dziś od rana dzieciaki dekorują je zawzięcie za pomocą farbowanego marcepanu, a Janek kręci mak.

Boże, jakie przyjemne są takie przygotowania! W ogóle atmosfera zrobiła się świąteczna, zapachy unoszą się wszędzie jak najbardziej stosowne, bo i ciasta pieczone, i choinka na ganku sieje aromaty – Krzysio Przybysz dostarczył nam ją życzliwie, zapowiadając się z wizytą w drugie święto. W drugie święto będziemy tu mieć pół świata... I to też wydaje mi się cudowne.

Niezależnie od cudowności, na jutro zamówiłam Żaklinę do pomocy przy ostatecznych porządkach i przygotowaniach kuchennych.

Jaka ja byłam mądra, że prezenty kupiłam w zeszłym tygodniu! Gdybym zostawiła to sobie na teraz, oszalałabym i nie zdążyła z niczym.

Janek woła, że mak chyba ma dosyć.

Emilka

Babcie wzięły mnie na dywanik dzień przed Wigilią.

– Emilka, ty coś wiesz – zaczęła babcia Stasia tonem dosyć groźnym, a Omcia stukała w takt jej wypowiedzi swoją laseczką w podłogę. – Ty coś wiesz i nie chcesz nam powiedzieć. My cię przywołujemy do porządku. Czy ty chcesz dwie starsze panie przyprawić o szokowe naciśnienie? Mnie lekarz zabronił się denerwować.

– Mnie też zabronił, a ja czuję, że mnie skoczyło czysznienie dżyszaj rano bardzo poważnie. – Stuk w podłogę. – Ty szę, dźecko, przyznaj. Co wiesz.

– A co ja mam wiedzieć, proszę babć – próbowałam się wykręcić, ale babcie tylko prychnęły dwugłosowo. – Babcie zrozumieją, to nie jest moja tajemnica – usiłowałam zastosować patent Kajtka. Staruszkom oczka błysnęły, jak na komendę.

– Ach, więc jest tajemnica! Tak myślałyśmy, bo Lula ostatnio chodzi jak nieprzytomna, a Janek stale się śmieje! Mów natychmiast, dogadali się?

– Babciu!

– Nie wykręcaj się sianem, moje dziecko!

– Bo szę będżemy domyszlacz nie wiadomo czego! A potem zrobimy z szebie dwie głupie! Tak szę u was mówi?

– Tak – jęknęłam. – Ale dlaczego babcie miałyby z siebie zrobić dwie głupie?

– Z nieświadomości – wyjaśniła mi babcia Stasia. I po namyśle dodała z chytrą miną: – Jeśli nam nie powiesz, to przysięgam ci, że w ramach składania życzeń świątecznych, będziemy Luli i Jasiowi życzyły długiego i szczęśliwego pożycia.

– I powiemy, że to wszystko dżęki tobie, bo ty szę na Janka rzucałasz i rzucałasz, aż Lula zrobiła szę zazdrosna.

A to niedobre babcie! Zeźliłam się.

– To ja powiem, żeście opłaciły studentki!

Starsze panie wymieniły spojrzenia.

– A kto by ci uwierzył w taką głupotę – rzuciła od niechcenia babcia Stasia. – My się wyprzemy i będzie wyglądało, że odrzucasz piłeczkę.

Zrozumiałam, że lepiej będzie wtajemniczyć staruszki w to, co sama wiem, bo naprawdę mogą wymyślić coś, od czego włosy nam dęba staną na głowach.

– Słuchajcie, moje drogie – przeszłam na ton konspiracyjny, co sprawiło, iż obie babcie, najwyraźniej zachwycone, pochyliły ku mnie sędziwe głowy. – Macie rację. Oni się dogadali. Ale nie wiem dokładnie, do jakiego stopnia. Wiem tylko, że mają zamiar złożyć jakieś wspólne oświadczenie podczas Wigilii.

– Będą szę żenicz – mruknęła Omcia. – Nyc innego, tylko to.

– Ja też tak myślę. Ale, na litość boską, nie psujcie im niespodzianki! Niech im się wydaje, że nikt nic nie wie!

– Za co ty nas masz, Emilko? – Babcia Stasia wyglądała jak ucieleśnienie obrażonej niewinności. – Oczywiście, że będziemy trzymały język za zębami. To idiom, moja Marianno, potem ci wytłumaczę...

– Nie muszysz, ja szwietnie wiem, co to znaczy – odgryzła się Omcia. – Emilka, to wszystko, co szę dowiedżałaś?

337

– Wszystko – westchnęłam.

Uwierzyły. Albo uznały, że wiedzą dosyć.

– To teraz idź, pomóż Luli albo co, a my się z Marianną naradzimy. I napijemy koniaczku. Czy nalewki, Marianno?

– Nalewki to na szwięta. Dżyszaj dżeń powszechny, to szę napijemy zwykłego napoleona.

– Powszedni, Omciu.

– Poprzedni. Poprzedni? Aha, przed Wigilią, poprzedni, wilia Wilii. Jak to ty mówiłasz, Stanyslawa? W Wigiliją dżeczy biją?

– W Wigiliją dzieci biją, w kąt posadzą, jeść nie dadzą.

– Powszedni, Omciu, nie poprzedni. Powszedni, zwykły.

– Co zwykłe, napoleon? No mówię przecież.

– Dzień powszedni, babciu. No dobrze, już idę...

Dobrze, że mnie wypuściły, leciwe harpie, bo musiałam jechać do Jeleniej Góry po prezenty. Nie wiem, dlaczego nie pomyślałam wcześniej, dam głowę, że taka na przykład Lula od miesiąca chowa pełną szafkę doskonale przemyślanych prezentów dla wszystkich. Tylko dla Jagódki i Kajtka mamy już prezenty zbiorowe, składkowe i uzgodnione z rodzicami – pełne stroje jeździeckie w stylu angielskim, bo uznaliśmy, że będą wyglądać słodko w tużurkach i melonikach. Zwłaszcza Jagusia. Oczywiście, umówiliśmy się w sklepie we Wrocławiu na ewentualne wymiany, bo trudno jest kupować ubrania i buty na niewidzianego. Ale pod choinką będą miały wszystko, łącznie z palcatami i żabotami pod szyję. Omcia zamierza podarować Jagusi jakąś starą broszkę do żabocika.

W Jeleniej Górze, co można było przewidzieć, kociokwik pełen, sklepy zapchane takimi samymi gapami, jak ja, ale coś tam udało mi się ponabywać, zwłaszcza, że pewne koncepcje już miałam. Dla Luli kupiłam perfumy – jakiś czas temu przetestowałam na Jasiu, jakie zapachy robią na nim wrażenie i wybrałam Kashayę Kenzo, specjalnie pod jego nos. Lula może nie być początkowo zadowolona, bo ona raczej pachnie mydełkiem lawendowym, ale niech się kobieta uczy, jak przyciągać zmysły ukochanego mężczyzny. Jankowi podaruję jedną taką uczoną książkę... Na pewno im się przyda w życiu przyszłym. Babci Stasi kupiłam trzy świeżutkie kryminały, Kena Mc Clure, Grishama i jeden jakiejś nowej Ruskiej, Omci trzy stare Chmielewskie, niech staruszka szlifuje współczesną polszczyznę i ma przy tym trochę radości życia. Wiktorów chciałam obdarować podręcznikiem chowu niemowlaka, ale zawahałam się w ostatniej chwili – to by mogło być jednak zbyt ryzykowne. Byłam już w poważnym kłopocie, ale natknęłam się na Rynku na jakiegoś faceta, który na małym stoliku wyłożył różne starocia, zapewne w przekonaniu, że święta pomogą mu je upchnąć w narodzie. Bez przekonania podeszłam do niego i wśród różnych koszmarnych figurek, zobaczyłam śliczny stary obrazek przedstawiający tenże Rynek z górami prześwitującymi w wylocie ulicy. Na moje oko to był ten kawałek gór, pod którymi znajduje się Marysin – spytałam faceta, a on potwierdził.

– To prawdziwy oleodruk, wisiał w domu, do którego moja rodzina się sprowadziła tuż po wojnie – wyjaśnił.

Nie wiedziałam, czy to dobrze, że oleodruk, czy nie. Zapytałabym Lulę, gdyby była pod ręką, ale jej nie było pod ręką. Facet zorientował się w moich wątpliwościach i chytrze zmrużył oczka – i tak już malutkie, w kolorze niebieskim z dużą domieszką czerwonego.

– Te oleodruki, pani, to kiedyś były w pogardzie. Że to nie obraz. Ale teraz to się liczy, że stary. On ma ze siedemdziesiąt lat albo więcej, tu na drugiej stronie jest dedykacja, ktoś komuś dał na prezent, pani zobaczy.

Podetknął mi odwrotną stronę oleodruku pod nos, faktycznie, była tam dedykacja, jakiś Hans się oświadczał jakiejś frojlajn Gretchen po niemiecku i data: 1926 rok.

– O, nawet więcej niż siedemdziesiąt. Prawie osiemdziesiąt. To już zabytek. Ja bym go nie sprzedawał, ale pani rozumie, sytuacja przymusowa. Za stówę oddam, nie będę się targował.

Znowu nie wiedziałam, czy stówa to dużo, czy nie, ale pomyślałam, że towar jest tyle wart, ile można za niego wziąć albo ile ma się ochotę za niego zapłacić. Obrazek mi się podobał. Wyciągnęłam stówę. Facet uśmiechnął się i z dużą godnością (jak na starego pijaczka) przyjął ode mnie banknot. Chuchnął na niego i życzył mi szczęścia, przepraszając jednocześnie, że nie ma w co opakować zabytku.

– Nie szkodzi – powiedziałam równie uprzejmie. – Kupię do niego ładny papier i opakuję go sama. Wesołych Świąt!

– Wesołych Świąt. Zobaczy pani, ten obrazek przynosi szczęście. Nie wiem, komu pani chce go dać, ale temu komuś przyniesie na pewno. Tam, gdzie on wisi, jest zgoda w rodzinie i ład, i porządek. Tak było u nas w domu. No, wszystkiego najlepszego.

Odeszłam, unikając być może ponurej opowieści o tym, dlaczego w domu przestało być fajnie. Prawdopodobnie dlatego, że pan tego domu wpadł w szpony nałogu i zaczął chlać bez opamiętania. To mnie już nie interesowało, Wiktory nie mają inklinacji do nadmiernego picia, obrazek będzie mógł bez przeszód pełnić swoją powinność.

Pozostawał mi prezent dla Rafała. Nie miałam żadnej koncepcji, co do niego, dotarło bowiem do mnie, że prawdę mówiąc, wcale faceta nie znam, nie wiem, co on lubi, czego nie, co mu może sprawić przyjemność, a czego powinnam unikać – po prostu biała kartka. Jak to się stało? Znamy się już kilka miesięcy, pracujemy razem, ciągnie mnie do niego ewidentnie... Swoją drogą, ciekawe, czy on ma podobny dylemat. A może się dogadał z Lulą i ona mu coś podpowiedziała?

Wykonując usilną pracę myślową, zawędrowałam z powrotem do księgarni, w której już raz byłam i zaczęłam bezmyślnie łazić wzdłuż półek. Oko moje padło na kalendarze i doznałam oświecenia. Kalendarz. Kupię mu ładny, w skórkę oprawiony kalendarz, żeby miał w czym zapisywać terminy zajęć naszych klientów od terapii i w ogóle co chce, niech zapisuje, a ja mu będę życzyć, żeby wszystko, co do kalendarza wpisze, okazało się korzystne i szczęśliwe.

Po namyśle dołożyłam do kalendarza ładne, nieprzesadnie drogie pióro Pelikana. Niech ma czym wpisywać te szczęśliwe wydarzenia. Po kolejnym namyśle nabyłam drugi, podobny kalendarz dla Tadzinka, co to szkodzi, że nie będzie go na naszej Wigilii, jak przyjedzie, to mu dam. W końcu to stary przyjaciel.

Namyśliłam się jeszcze na odwiedziny w sklepie z ozdóbkami na choinkę, pomyślałam sobie bowiem, że może nikt nie pomyślał o odnowieniu zapasów, a babcia pewnie nie ma ich zbyt wiele, tych ozdóbek.

Aż mnie zmęczyło to myślenie.

Kiedy udało mi się wrócić do domu, panowało tam potężne pandemonium, ponieważ przyjechały Wiktory, a w salonie stanęła Krzysiowa choinka, którą dzieci pod światłym kierunkiem Mistrza zaczęły ubierać, narzekając, oczywiście, na niedobór ozdóbek. Wypakowałam swój bagażnik, odganiając szczeniaki od niedozwolonych paczek, dałam im kartony z bombkami i aniołkami, a kiedy one zabrały się za dopasowywanie do nich zawieszek z czerwonego sznureczka (też kupiłam przewidująco), odciągnęłam Wiktora na bok.

– Mów, Wiciu, szybko, jak tam twoje sprawy, bo za chwilę znowu po ciebie ktoś przyleci i będziesz się musiał udzielać!

Wiktor natychmiast zrozumiał, o co mi chodzi i nie próbował się wykręcać.

– Staram się, moja droga, staram. Na razie nie widzę jeszcze rezultatów, ale robię, co mogę. Nawet mi to nieźle wychodzi, Ewa ma teraz stresy na uczelni, brakuje jej Jagódki, więc daje się pocieszać spontanicznie i niespodziewanie. Mój Boże, mam nadzieję, że w końcu się uda, bo te dwie moje baby mnie wykończą.

– Masz na myśli Megi i Pegi?

– Megi i Beti. Słuchaj, nie masz pojęcia, co się stało. Już miałem gotową prawie całą koncepcję promocji tego magazynu, wiesz, „Trendów", kiedy one się zorientowały, że coś takiego już na rynku hula. Dokładnie pod tytułem „Trendy". Nie mam pojęcia, jak im to zdołało umknąć, przecież chyba robiły jakieś rozeznanie, kiedy chciały wepchnąć na rynek kolejny magazyn o tym samym. Nawiasem mówiąc, ja mam ewentualnych czytelników przekonać, że to coś zupełnie nowego i innego, rozumiesz? Boże, co ja też muszę robić, żeby zarobić!

– O matko. No i co teraz?

– Nic teraz, właściwie nawet dobrze dla mnie, bo one obie postanowiły skonsolidować siły i środki, zawarły spółkę, zapłaciły mi, to znaczy jeszcze nie w tej chwili, ale lada moment zapłacą za tę koncepcję do „Trendów", w końcu robotę zleconą wykonałem... a teraz mam się ekspresowo zabierać za konstruowanie nowej koncepcji promocji czegoś, co chcą nazwać „Tylko Ty".

– Jakiś magazynek dla egoistów?

– Coś w tym rodzaju. Jesteś tego warta, zasługujesz na to, blablabla. Proszę bardzo, ja już mam doświadczenie w produkcji idiotycznych haseł i całych idiotycznych historyjek, nawet obrazkowych, mogę je produkować pod warunkiem, że dostanę za to sowite honorarium. Akcesoria wychodkowe idą jak woda, spożywka jest w zasadzie niezawodna, bo mała Beti koncentruje się na ekskluzywach, a nie na supermarketach, i kosi straszne pieniądze za każdą pieprzoną ostrygę, którą sprowadza z Irlandii, wyobrażasz sobie? Z Irlandii! Z jakiegoś hrabstwa, Donegal, a może innego, Donegal to chyba na północy, czy ostrygi mogą żyć na północy? W sumie mają panienki środki na nową zabawkę. Przy ich zdolnościach do robienia interesów dam głowę, że złoto popłynie szeroką rzeką. I nie mam nic przeciwko temu, żeby jeden mały strumyczek odłączył się od tej rzeki i popłynął do mojej kieszeni.

– I co potem, będziesz już bogaty?

– Na tyle przynajmniej, żeby określić jasno warunki, na jakich zamierzam dla nich pracować, znaczy dla Megi i Beti. To znaczy, nie będą już we mnie orać nieprzytomnie w dzień i w nocy, tylko im po pańsku wyznaczę, powiedzmy, trzy miesiące w roku, kiedy będę do ich dyspozycji. Góra cztery, po dwa na buźkę. I niech się mną dzielą. A ja będę zażywał sławy ekscentrycznego projektanta, dizajnera, czy jak tam się teraz nazywa to, co uprawiam zawodowo. One robią tyle hałasu wokół siebie, że mam szansę naprawdę tak żyć. A ty życz mi tego, kochana Emilko.

– Życzę ci tego, kochany Wiktorku.

– Dziękuję ci, przyjaciółko. A powiedz, tak nawiasem, co u Luli?

Ostatnie zdanie wymówił przyciszonym głosem i nieco odwrócił wzrok, jakby zawstydzony.

Czy ja mam znowu zdradzać nie swoją tajemnicę? To już chyba wszyscy będą wiedzieli, co jest na rzeczy? Nie, jeszcze Ewa zostanie. I Rafał. On się nie pcha do wyrywania mi sekretów.

– Powiem ci, Wiktor, ale błagam, nie zdradź się, że wiesz. Wygląda na to, że ogłoszą wielką nowinę wspólnie z Jankiem w sam wieczór wigilijny.

– A.

Zatkało go, mimo że chciał wiedzieć. No trudno, tak toczy się ten świat.

– Wiktor, jeżeli masz dla niej cieplejsze uczucia, to powinieneś się cieszyć, że jej się układa!

– Cieszę się. Naprawdę. Cholera. Patrz, jak to wszystko wyszło dziwnie.

– Dobrze wyszło, najlepiej, jak było można! I dla niej, i dla Jasia, i dla Kajtka, i dla was ostatecznie też, po co komu takie okropne komplikacje, jakie się tu już zaczęły wytwarzać! A ty nie kombinuj niczego, tylko skoncentruj się na tym, co wiesz, a ja rozumiem!

– Masz rację, oczywiście.

– Bądź mężczyzną!

– Będę. Cholera. No dobrze. Dziękuję ci, kochana Emilko. Dobra z ciebie dziewczyna.

– Pewnie, że dobra. Idź już do dzieci, zanim przyjdzie po ciebie twoja żona i zastanie nas w tetatecie, i zacznie coś podejrzewać. Idź. I broń cię Bóg, żebyś coś Ewie chlapnął na temat Luli i Janka. I pamiętaj, pełne zdziwko jutro w czasie komunikatu.

Cmoknął mnie zdawkowo w czubek głowy i odszedł, zamyślony jak romantyczny poeta, bardzo przystojny, z czarną grzywą i nasępionymi brwiami. Powinien oddalić się w stronę Judahu skały, czy jak tam się to nazywało.

A ja poszłam do stajni, gdzie Rafał samotnie czyścił konie, które właśnie przypędził z padoków. I pomogłam mu, a on był zadowolony. Widziałam to w jego twarzy. Ale nic nie powiedział, bo był w jednym ze swoich małomównych nastrojów.

Lula

Nie wiem, czy gdzieś na świecie tak pięknie się obchodzi Boże Narodzenie, jak u nas. W ostatnich latach pętałam się po różnych Wigiliach u różnych pociotków i przyjaciółek, z rodzicami Emilki w Węgorzynie włącznie, ale to nie było to, absolutnie! Do Wigilii powinna zasiadać liczna, zgrana, kochająca się rodzina i tak to właśnie u nas wyglądało, strasznie nas dużo było: obie babcie, trójka Wiktorów, Emilka, Rafał, Janek z Kajtkiem i ja – dziesięć osób. Babcia Stasia popłakiwała co chwila ze wzruszenia i szczęścia, a babcia Marianna poiła ją czymś podejrzanym z piersiówki, zapewne dla uspokojenia palpitacji.

A ja nie mogłam tak całkowicie oddać się kontemplacji szczęśliwego dnia. Bo cały czas miałam przed sobą perspektywę tego naszego wspólnego z Jankiem oświadczenia, co mnie denerwowało, ponieważ z natury naprawdę jestem skromna i nie lubię, kiedy uwaga ogółu skupia się na mnie. A tym razem to było nieuniknione. Oczywiście, wiedziałam, że to będzie uwaga życzliwa, nawet w przypadku Emilki, jak sądzę... Wiktor też powinien z ulgą przyjąć koniec komplikacji w naszych stosunkach. Komplikacji, którym ja i tylko ja byłam winna.

Ach, jednym słowem, sama nie wiem, jak nam ta wieczerza przeleciała – potrawy, na szczęście, wszystkie się udały jak trzeba, trochę oszukałam zupę, bo dla ułatwienia zamiast barszczu z uszkami zrobiłam grzybową z makaronem, ale grzyby to były same prawdziwki, które udało mi się znaleźć jesienią w lesie, bardzo niedaleko od Rotmistrzówki (wypatrzyłam je kiedyś z grzbietu Bibułki, to zabawne, jak doskonale zbiera się grzyby z konia!), a makaron pracowicie ugniotłam sama. Śledzi i rybek różnych w warzywach narobiłam już wcześniej, i tak musiały się kilka dni przegryźć, więc przystawki miałam w odpowiednich ilościach. Karpie kupił i ukatrupił Janek wcześnie rano w Wigilię, umówił się co do tego z właścicielem hodowli, więc były najświeższe z możliwych – smażyłam je na maśle i zapiekłam w piekarniku. No i ta cała reszta. Kapusta, groch, fasola, smażone panierowane prawdziwki, kompot z suszu...

Pomimo że wizja oświadczenia cały czas mnie straszyła, miałam jednak wielką przyjemność z urządzania tej wieczerzy. Czyżbym kryła w sobie utajoną gospodynię domową? To nie do wiary, jak człowiek sam siebie nie zna. Pod wpływem Jasia nabrałam ochoty do bycia potulną żoną, a mając okazję do zrobienia wigilii na dziesięć osób, stanęłam na wysokości zadania śpiewająco po prostu. Oto jak w nowych okolicznościach człowiek odkrywa sam siebie i swoje zdolności, o które nigdy by się nie podejrzewał.

Tak na stałe chyba nie chciałabym być kurą domową, ani papciatą żoneczką, ale od czasu do czasu... Zwłaszcza, że sukces był ewidentny. Obie babcie łykały hepatil przed każdym kolejnym daniem, po czym nakładały sobie szczodrze i nie mogły się nachwalić. Nawet dzieci jadły bez protestów, a jak wiadomo dzieci nie mają nigdy cierpliwości do wieczerzy, bo czekają na prezenty.

Prezenty postanowiliśmy rozdać przed ciastami. Ewa przywiozła z Krakowa potwornej wielkości wór z kolorowej i błyszczącej tkaniny; wrzuciliśmy do niego wszystkie nasze pakunki, a potem

Kajtek z Jagódką, jako najmłodsi, wyciągali po jednym, podawali babciom, a one uroczyście odczytywały imiona i wręczały prezenty właścicielom. Były tego straszliwe ilości, ponieważ chyba każdy kupił coś każdemu.

BARDZO CHCIAŁABYM WIEDZIEĆ, KTO PODAROWAŁ JASIOWI PODRĘCZNIK MASAŻU EROTYCZNEGO!!!

Podejrzewam Emilkę, chociaż dedykacja była kłamliwie podpisana przez Świętego Mikołaja. Fałszywy święty życzył Jasiowi przyjemnej nauki, a zwłaszcza praktyki.

Bezczelność.

Z drugiej strony... robi mi się dziwnie na myśl, w jaki sposób Janeczek to wykorzysta...

Ten sam Święty Mikołaj, tym samym zmienionym charakterem pisma, życzył mi sukcesów w oczarowaniu ukochanego mężczyzny za pomocą jakiejś okropnej, duszącej perfumy, która prawdopodobnie kosztowała krocie. Zamierzałam schować ją przed Jankiem jak najgłębiej, niestety, sam mi ją wyjął z ręki, psiknął na mnie, powąchał i oczy mu się zaokrągliły. Może zrewiduję swoje pierwotne podejście do pachnidła.

Dostałam jeszcze mnóstwo różnych drobiazgów, a ich charakter każe mi przypuszczać zawiązanie spisku, który ma na celu przerobienie mnie na kokotę. Jakieś zwiewne szale, obłędnie woniejące mydełka i balsamy do ciała, paleta cieni do oczu i wszystkiego firmy Dior, a wreszcie – jak Boga kocham! – różowa koszulka nocna wielkości chustki do nosa, za to cała w pianie koronek i do niej różowy peniuar. O ten wytworny zestaw podejrzewam babcię, tylko nie wiem, którą. Może obie zbiorowo, bo strasznie się wpatrywały we mnie, kiedy rozwijałam te dwie jednakowo zapakowane (w złocisty papier, a jakże!) paczuszki. Udawały przy tym, że skądże, nic je to nie obchodzi, jak ja zareaguję na zawartość.

Ja jak ja, ale Jasiowi znowu oko błysnęło.

A może to od niego? Nie, od niego były te szale, przyznał mi się.

Od Wiktora dostałam swój portret. Bardzo piękny i – jak to z Wiktorem bywa zazwyczaj – bardzo dziwny. Swoim ulubionym zwyczajem pomieszał czasy. Tym razem namalował mnie na tle jakiegoś okropnego industrialnego pejzażu jako stylową amazonkę prościutko z dziewiętnastego wieku. Stoję sobie w tym wytwornym stroju na jakiejś koszmarnej ulicy, po której jeżdżą dźwigi i koparki, a z okna jednego z otaczających ulicę wieżowców wygląda głowa konia. Zapewne mojego, bo ogłowie ma w kolorach mojej spódnicy. I koń, i ja wyróżniamy się na tle szaroburego otoczenia wyrazistymi, nasyconymi kolorami i śmiałymi konturami – poza nami wszystko jest lekko rozmazane i ogólnie obrzydliwe.

Niezależnie od stanu moich uczuć, nie mogę Wiktorowi odmówić talentu, a może nawet geniuszu!

Portret wzbudził ogólny zachwyt i słusznie.

Największą radość, oczywiście, miały nasze dzieci, kiedy przymierzyły swoje stroje jeździeckie i okazało się, że w zasadzie wszystko pasuje, włącznie z butami, co nas najbardziej zaskoczyło. To znaczy, obie pary mają niejakie luzy, ale dzieci stanowczo odmówiły wymiany, twierdząc, nie bez racji, że nogi im rosną. Wszystko im rośnie i te stroje będą pewnie na rok, ale niech będą i na rok. Mamy nadzieję, że w zimie proces rośnięcia obojga trochę się wstrzyma, bo przez lato oboje ładnie śmignęli w górę. Na wszelki wypadek nie tylko buty kupiliśmy z zapasami.

Moje prezenty na ogół znalazły uznanie, najbardziej chyba cieszyła się babcia Marianna z pięknego wisiora ze szlifowanym kryształem różowym, który dla niej nabyłam w Szklarskiej Porębie. Emilka też dostała biżutkę, kupiłam jej pierścionek z wielkim pasiastym agatem, rozmiar trafiłam, bo obie mamy podobne palce. Ona lubi takie wyzywające pierścienie, to niech ma. Nawet ładnie na niej to wygląda.

Dla Janka miałam piękny kalendarz w skórkowej oprawie, żeby mu było przyjemnie robić zapiski i pióro Watermana, żeby miał czym zapisywać. Podobne kalendarze, ale już bez pióra kupiłam Wiktorowi i Rafałowi.

To na pewno był rodzaj psychozy, ale cały czas, zarówno podczas wieczerzy, jak i rozdawania i rozpakowywania prezentów miałam wrażenie, że wszyscy patrzą na nas ukradkiem i tak jakby chcieli przyspieszyć wszystko; jakby chcieli, żebyśmy z Jankiem jak najszybciej ogłosili, co mamy ogłosić.

Oczywiste złudzenie. A jednak.

Bo jakoś tak nagle, w chwili największego szaleństwa prezentowego, zapadła niespodziewana cisza, wszyscy spojrzeli na nas, na siebie nawzajem, potem wrócili jeszcze na chwilę do kwiczenia nad prezentami i znowu zapadła ta dziwna cisza.

Przerwała ją Emilka, pytając głośno i demonstracyjnie, czy należy już podawać ciasta.

Głucha cisza.

I te oczy z rozbieżnym zezem: jedno w prezentach, drugie w nas!

Mam przywidzenia.

Na szczęście Janek nie zawracał sobie głowy żadnymi przywidzeniami, tylko po prostu przemówił ludzkim głosem, jak to on, spokojnie i łagodnie.

– Emilko, proszę cię, wstrzymaj się z ciastami na chwileczkę...

Czyżbym usłyszała zbiorowe westchnienie ulgi???

– Zanim się zaczniemy znowu nieprzyzwoicie objadać, chcemy was zawiadomić, to znaczy Lula i ja, że zamierzamy się pobrać wiosną. Uznaliśmy, że to będzie dobry moment, aby wam o tym powiedzieć. Czy możemy liczyć na wasz zbiorowe błogosławieństwo?

Boże, dzięki Ci za przytomnego męża. To znaczy przyszłego, ale męża. Ja bym oszalała, zanim by mi się udało wygłosić taki komunikat. A on nic.

Najbardziej impulsywnie zareagowała Ewa.

– Boże jedyny! Kto by się spodziewał? Ale jesteście ścichapęczki! Kiedyście się zdążyli dogadać, przecież nas tu nie ma trzeci miesiąc, a przedtem nic nie zauważyłam!

– Prawdziwa miłość, Ewuniu – odpowiedział godnie mój przyszły, obejmując mnie za ramiona – nie wymaga specjalnej reklamy. Tak nam jakoś wyszło. Sami też nie wiemy, kiedy. Ale ogólnie jesteśmy zadowoleni z naszego porozumienia.

– Nie, dla mnie to też bomba! – zawołała Ewa i rzuciła mi się na szyję, mam wrażenie, że jak najbardziej szczerze i serdecznie. Za nią poszła cała reszta i wszyscy tak nas ściskali zbiorowo, okazując nam mnóstwo przyjaznych uczuć. Trochę mnie to oszołomiło. Ale to było przyjemne oszołomienie.

Pierwsze z ogólnego ścisku wyrwały się babcie.

– Jaszu, a powiedz mi, chlopcze – Marianna swoją suchą, ale zdecydowaną rączką wyszarpnęła Jasia z tłumu – czy ty dałeś swojej wybranej perszczonek na zaręczyny?

– Jeszcze nie, proszę babci – odpowiedział Janek i sięgnął do kieszeni, ale babcia go ubiegła.

– Ja tu mam coś dla czebie. To nasze rodżynne. Daj Luli. Jak wy macze bycz tutaj po nas, to niech ten perszczonek zostanie tu z wami. W Maryszinie.

Przestraszyłam się, że dostanę ten pierścionek, który babcia Stasia przechowała, a który nie przyniósł Mariannie szczęścia, ale nie. Marianna zdjęła z własnego palca absolutne cudo, filigran wenecki z malutkimi rubinkami, który od dawna budził mój dziki podziw, i to podziw wielostronny: historyka sztuki rozpoznającego osiemnasty wiek i zwyczajnej kobiety wrażliwej na piękno.

– Co szę paczysz, Jaszu? – Mariana okazała niezadowolenie, bo Janek zawahał się i spoglądał teraz na nią podejrzliwie. – Ja tak spontanycznie! Ty myszlisz, że ja cosz wiedżałam, ale ja nyc nie wiedżalam. Czy starsza pani nie może bycz spontanyczna?

– Dziekuję, babciu. – Janek oprzytomniał i ucałował dłonie Marianny. – Naprawdę, bardzo dziękuję. Ale w takim razie mój pierścionek będzie bardzo skromny...

– Nyc nie szkodży – orzekła stanowczo Marianna. – Liczą szę uczucza. Pokaż, co tam masz.

I Janek, kompletnie skołowany, zamiast dać mi ten pierścionek od siebie, a już go przecież wyciągnął z kieszeni – podsunął Mariannie aksamitne pudełeczko pod nos i otworzył je, żeby sobie mogła pooglądać.

– Bardzo ładne – skwitowała wreszcie. – Nie pogryże szę z tym ode mnie, bo to zupełnie inna epoka. Dobrze mówię idiomy, prawda? One szę nie gryzą, te perszczonki.

Podziwiali te biżutki, zapomniawszy zupełnie o mnie!

Reszta towarzystwa stała z głupimi minami i gapiła się to na nich, to na mnie. Pierwsza oprzytomniała babcia Stasia.

– Jasiu, opanuj się – huknęła. – Daj jej wreszcie, co masz dać, bo ja też coś dla was mam!

– Też spontanicznie? – bąknął Janek, zabierając Mariannie pudełeczko.

– O czym ty myślisz, chłopcze? Ja już dawno miałam nadzieję, że Lula sobie kogoś sensownego znajdzie i zostanie w Rotmistrzówce jako pani gospodyni, Kazimierz ją właśnie najbardziej kochał, jak córkę! Ludwisiu, to masz ode mnie i od Kazimierza, świeć Panie nad jego duszą, to jest pierścionek, który Kazimierz dał mi na zaręczyny i powiedział, że kiedyś dam go swojej córce albo narzeczonej syna... Wy oboje jesteście jak nasze dzieci, no to komu ja go mam dać, jak nie tobie? Chodź tu, dziecko, sama ci go dam, bo Janek się zajmuje nie wiadomo czym...

Wygłosiwszy to przemówienie, babcia przygarnęła mnie do piersi, w której wyczułam jeszcze resztkę szlochu, wyściskała solennie, wycałowała i wręczyła mi rzeczone świecidełko.

Kurczę blade, jeszcze jeden osiemnasty wiek.

– To też była pamiątka rodzinna, co, babciu? – zapytałam troszkę przez łzy.

– Oczywiście. Po prababce Kazimierza. Podoba ci się?

– Bardzo. Nigdy go nie widziałam u babci...

– Bo jak mi się palce zeschły, to mi zlatywał. Dzisiaj coś mnie tknęło, żeby go wziąć... sama nie wiem, dlaczego...

– Spontanicznie – mruknął Janek, śmiejąc się.

– Lula, jak Boga kocham – wrzasnęła w tym momencie Emilka. – Będziesz trójpierścionkową narzeczoną, pierwszą na świecie! Czy to nie rozpusta przypadkiem?

Faktycznie, trzy pierścionki zaręczynowe. Czyste szaleństwo. W dodatku jednego, tego najważniejszego jeszcze nie dostałam.

Ale już Janek podchodził do mnie z tym swoim pudełeczkiem. Zajrzałam ciekawie.

Nie był to, oczywiście, żaden osiemnasty wiek. Prosta, szeroka obrączka z białego złota, z wtopionym w środek niedużym szafirem. Absolutna prostota i absolutne cudo.

– Niebieski jak twoje oczy – szepnął mi Janek do ucha, widząc, jak zaniemówiłam z zachwytu. Mało oryginalny tekst, ale coś w nim jest.

Wszyscy obecni znowu runęli na nas, tym razem z zamiarem obejrzenia prezentu. Aplauz był ogólny.

– Lula, będziesz teraz nosiła trzy pierścionki naraz? – zapytała Ewa, która zawsze charakteryzowała się zmysłem praktycznym.

Zanim zdążyłam namyślić się nad odpowiednio dyplomatyczną odpowiedzią, zareagowała Marianna.

– Czy nie – powiedziała stanowczo. – Tylko ten od Jasza zawsze, a te dwa od starych babek tylko okazjonalnie. Okazjonalnie

– powtórzyła, zadowolona z opanowania tak trudnego słówka. – Pczy okazji – wyjaśniła na wszelki wypadek.

W atmosferze ogólnego szczęścia i słodyczy przystąpiliśmy do kolejnego etapu wigilii, czyli do spożywania ciast, makowców i pierników, które doskonale dojrzały i były w sam raz. A potem śpiewaliśmy kolędy, co nam wychodziło różnie, bo różny jest stopień naszej muzykalności. A jeszcze potem poszliśmy do kościoła na pasterkę i spotkaliśmy tam mnóstwo znajomych i przyjaciół...

A po pasterce poszliśmy wszyscy spać, przy czym wiadomo było, że Janek nie będzie musiał uciekać z mojego pokoju przed świtaniem...

Oszołomienie jeszcze mi nie minęło, prawdę mówiąc. I nie wiem, po co mu ten cały podręcznik.

Emilka

No, teraz to ja wzięłam babcie na dywanik.

Wigilia była wspaniała, wzruszająca, jak w najprawdziwszej rodzinie, zżytej ze sobą od czterdziestu co najmniej pokoleń. Choinka, wieczerza, te wszystkie potrawy, które Lula przygotowywała własnymi rękami, nie pozwalając sobie w niczym pomóc i które jej wyszły niesamowicie, no po prostu cud, miód i orzeszki.

Śmiesznie zaczęło się robić przy prezentach, bo po pierwsze, okazało się, że wszyscy faceci dostali kalendarze w skórkowych oprawkach (Rafał dwa) bardzo podobne do siebie, a Janek i Rafał dodatkowo pióra, tylko Rafał pelikana ode mnie, a Jasio watermana, pewnie od Luli. Poza tym prezenty dla Luli były niemal co do jednego w tym samym, powiedziałabym, buduarowo-aluzyjnym charakterze. Jeden Wiktor się wyłamał i podarował jej portret, na który ledwie rzuciła okiem, ale trzeba przyznać, że był to rzut pełen uznania. A propos obrazków, wyszło na to, że jestem prawie znawcą, bo Wiktor uznał, że oleodruk dostał od Luli, która się poznała na jego wartości historycznej. Lula nie protestowała, bo w ogóle nie odnotowała, że jej się przypisuje ten drobiazg – była zajęta kontemplacją książeczki, którą kupiłam dla Janka, a jak już raz tam zajrzała, to przestała prawie kontaktować. No i dobrze, nieważne kto podarował, ważne, że obrazek ma przynosić Łaskim szczęście, jak przynosił tatusiowi i mamusi starego pijaczka z Rynku.

Ja dostałam trochę przyjemnych kosmetyków, trochę biżutków z kamieniami, prawdopodobnie ze Szklarskiej Poręby, widziałam tam takie, gdy obwoziłam Omcię po okolicach. Poza tym śliczne wieczne pióro – poczułam nagle brak ślicznego kalendarza do kompletu! Wiktor zdecydował się wreszcie oddać mi jeden z moich portretów, których mi dotąd skąpił. Pewnie trudno mu się było z nim rozstać, ale nie miał czasu kombinować innych prezentów. Wybrał ten, na którym mi zwisa metka z głowy. No i fajnie, najbardziej mi się podobał ten właśnie.

Dobrze, wszystko nieważne, prezenty nieważne, najważniejsze, że omal się nie wydało, że wszyscy wszystko wiedzą, atmosfera była naładowana tą wiedzą po prostu! I było to po wszystkich widać! Tylko Ewa i Rafał mieli prawdziwą niespodziankę, kiedy Jasio zdecydował się wreszcie wygłosić, co miał wygłosić. Natomiast cholerne babcie, obie, jak jeden mąż, czy raczej jak jeden dziadek, wystąpiły z pierścionkami zaręczynowymi dla Luli! Przygotowały je sobie starannie i udawały pełny spontan! Chyba tylko nieprzytomna z wrażenia Lula uwierzyła im w ten bajer. Janek śmiał się na całego, a dwie straszne staruszki rżnęły głupa koncertowo – co najlepsze, popłakując przy tym ze wzruszenia. No, po prostu cyrk na kółkach.

Przed pasterką udały się do siebie, trochę odpocząć i wtedy złapałam je, zanim zdążyły rozejść się do swoich pokoi.

Poszły w zaparte. I odegrały przede mną scenę pełnej niewinności, skrzywdzonej podejrzeniami, ciężko obrażonej, zasmuconej i Bóg wie, co jeszcze. Dałam za wygraną, bo z takim upiornym tandemem chyba nie ma sposobu wygrać.

A kiedy zrezygnowana odchodziłam w alkierze, żeby też się chwilkę zrelaksować, usłyszałam za sobą szatański chichocik. Odwróciłam się i zobaczyłam, jak babcie ściskają sobie łapki. Chyba to im weszło w nałóg.

– Ne podsłuchuj, Emilka – powiedziała pouczającym tonem Omcia. – Ty wcale nie muszysz wiedżecz, czym szę TERAZ będżemy zajmowacz...

– Kim, Marianno, kim. Nie czym, tylko kim. No, chodźmy już, bo zaśniemy na pasterce.

I odmaszerowały, a mnie zrobiło się zimno. Bo są dwie możliwości – albo Wiktory, albo... ja.
O mój Boże.

Lula

Janek miał rację z tym porankiem.

Emilka

Zapomniałam napisać przez te wszystkie nerwy z babciami, że obecność Rafała na naszej Wigilii była czymś cudownym i takim jakimś – oczywistym. Jak on to robi, że wcale się w oczy nie rzuca, ale ma się tę świadomość, że jest i to jest dobrze!
Nie wiem, czy to gramatycznie napisałam, ale mi to wisi.
Poza tym jestem genialna. Muszę się poważnie zastanowić albo spytać Gulę i Misia, czy nie nadaję się przypadkiem na jakiegoś oficera dochodzeniowego.
Strasznie po mnie chodziło zagadnienie, czy Wiktor się na próżno wysilał, czy może coś mu się udało zdziałać, tylko sam o tym nie wie. Wymyśliłam podstęp i w pierwszy dzień świąt poleciałam do Ewy, jak tylko się zorientowałam, że Łaskie już na nogach.
– Ewka, ratuj – zaszeptałam konspiracyjnie i przewróciłam kilka razy oczami porozumiewawczo w tonacji *między nami kobietami*.
– Co się stało? – Ewa paradowała w seksownym szlafroczku (ciekawe, jak też się prezentuje Lula w peniuarze od pomysłowych babć???) zadowolona i odprężona; z daleka od swojej stresującej uczelni.
– Zabrakło mi allwaysów, masz może jakiś zapas, przecież nigdzie dziś nie kupię! Przepraszam, że ci głowę zawracam, ale przecież Luli nie będę dzisiaj absorbować, rozumiesz, ona pewnie jeszcze całkiem nieprzytomna po wczorajszym...
– Pewnie, że rozumiem. Nie martw się, mam zapas, zaraz cię poratuję.

– Na pewno nie będą ci potrzebne dziś, jutro?
– Mówię ci, nie martw się. Mam tego pełno. Miałam tutaj i jeszcze przywiozłam ze sobą, nie wiem dlaczego, ale mi się spóźnia już trzeci tydzień, wożę ze sobą, bo w każdej chwili może się pojawić, ale jakoś się nie pojawia; to wszystko przez te stresy. Teraz ferie, odpocznę trochę, to mi się unormuje. Wiktor, wyłaź z łazienki!

– Nie, aż tak ekspresowo nie muszę, byle dzisiaj; nie goń go, przyjdę potem, ale już będę spokojna. No to na razie. Idę robić śniadanie.

– No to hej – odrzekła beztroska i niczego niepodejrzewająca Ewa.

Hahaha! Unormuje się! Albo się nie unormuje!

To znaczy, wszystko w normie jest i tak. Ciąża nie jest stanem patologicznym!

Czyżby szczęśliwy oleodruk zaczynał wreszcie pokazywać, co potrafi...?

Swoją drogą, Wiktor straszny gamoń, ja na jego miejscu liczyłabym żonie dni i godziny w takiej sytuacji!

Szalenie zadowolona poszłam do kuchni i tam napadła mnie refleksja.

Czy ja przypadkiem nie jestem niesprawiedliwa kapkę, krzycząc na babcie...?

Och, zaraz niesprawiedliwa.

Teraz jest pytanie następujące: czy powinnam podpowiedzieć to i owo Wiktorowi? Niechby już zaczął poważnie myśleć o chałupie starej Kiełbasińskiej, to Lula z Jankiem mogliby zacząć poważnie myśleć o stryszku po Łaskich...

Lula

Janek twierdzi, że wszyscy doskonale wiedzieli o naszych planach. Nie wiem, skąd on to wie i mało mnie to obchodzi. On zresztą też uważa, że to głupstwo. Liczy się, że zostaliśmy przez babcię Stasię niejako mianowani głównymi gospodarzami Rotmistrzówki. Niby nic się nie zmienia, ale jakoś oboje poczuliśmy brzemię odpowiedzialności i wyszło chyba na to, że nie możemy już myśleć o wyprowadzaniu się stąd i zaczynaniu nowego życia gdzie indziej. Żadne z nas zresztą nie ma na to ochoty. Może później pomyślimy o wygospodarowaniu dla świeżej rodziny Pudełków jakiejś zwartej części Rotmistrzówki, żebyśmy mogli naprawdę poczuć się u siebie i mieć szansę na odrobinę prywatności. Na razie wszystko może zostać jak jest, mój pokój awansuje na wspólną sypialnię – Kajtek się ucieszy, będzie mógł bezkarnie grać na komputerze do późnej nocy...

Coś po mnie mętnie chodzi jakaś koncepcja wykupienia i remontu domu pani Kiełbasińskiej, chyba kiedyś Emilka sugerowała, że Wiktor mógłby to zrobić jako wzięty artysta skrzyżowany z wziętym biznesmenem, wtedy zwolniłby się stryszek, adaptowany przez niego na mieszkanie...

Dam sobie jeszcze trochę czasu na oprzytomnienie i oswojenie się z nową rzeczywistością. Status mi się zmienia, było nie było. Zmienianie statusu bywa fatygujące!

Jak to dobrze, że Emilka z Ewą przejęły obowiązki gospodarskie. Mnie już kompletnie opuściła energia do podawania kolejnych porcji jedzenia kolejnym watahom gości i domowników.

Emilka

Dostałam kalendarz do kompletu! Od Tadzinka, oczywiście. Słodki, w ciemnowiśniowym aksamicie. Ten, który kupiłam dla niego, też bardzo mu się podobał.

Swoją drogą, co za epidemia kalendarzy i piór! Do mojego pióra przyznał się Rafał. Wygląda na to, że wszyscy obiegaliśmy Jelenią Górę po własnych śladach. Czy to o czymś świadczy? Pewnie nie.

Tadzio z Rafałem urządzili nam ten obiecany kulig – śnieg uprzejmie nie stopniał, mało tego, w nocy z pierwszego na drugie święto trochę nam jeszcze dopadało i zrobiło się bajkowo. Chłopaki zmienili koła w bryce na płozy, poskakali na niej troszkę – zapewne dla sprawdzenia, czy się nie rozleci – po czym zaprzęgli do niej cztery konie: Tadzio specjalnie przywiózł pożyczoną po drodze w Książu uprząż dla czwórki!

– To na pani cześć, babciu Marianno – powiedział dwornie,

a Omcia omal się nie rozpłynęła z zachwytu, mimo że Tadzio nie wdział liberii, bo na takie ekscesy było za zimno.

Babcia Stasia była przytomniejsza.

– Tadzinku – zaczęła tonem zrzędliwym – a jak one nigdy nie chodziły w czwórce, to ty myślisz, że teraz pójdą? I nie wywalą nas wszystkich do rowu?

– Damy radę, babciu – uspokoił ją Tadzio. – Myśmy się obaj z Rafałem ćwiczyli w powożeniu czwórką, Milord bywał zaprzęgany, Hanys też, z tyłu damy Lolę i Latawca, one są spokojne, poradzą sobie. Nic złego się nie stanie. No to co? Trąbimy wsiadanego?

Zapakowaliśmy do bryczki obie babcie – jedną nieco sceptyczną, ale dzielną, i drugą, wyrywającą się do przodu jak rasowa klacz arabska. Obie okutane w liczne futra i pledy. Na tylnych siedzeniach zmieściły się poza nimi Ewa, Ania sołtyska i Joasia Przybyszowa. Było jeszcze miejsce da Malwiny, ale ona zapragnęła niedźwiedziego mięsa, czyli małych saneczek. Oboje z Rupertem zajęli pierwsze sanki za bryczką. Następne były Wiktora i Jagódki, potem jechał Krzyś ze starszym dzieckiem (młodsze zostało w domu z grypą i własną babcią), dalej dwaj synowie Ani, w piątych Janek i Kajtek, a w ostatnich ksiądz Paweł solo. Ja wpakowałam się, oczywiście, na kozioł, pomiędzy Tadzia i Rafała, a Lula – skoro już nie mogła przytulać się do ukochanego i odgrywać Oleńki u boku Kmicica (Kmicic musiał jednak asekurować synka...) – dosiadła indywidualnie Bibułki i ofiarowała się robić za naszą straż przednią, co okazało się bardzo praktyczne, ponieważ – szczątkowo, bo szczątkowo, ale coś tam na drogach się pętało. Cokolwiek to było, odsuwało się na bok i podziwiało nasz kulig.

No bo byliśmy wspaniali po prostu! Pomijając, że trochę pociesznie wyglądał mały Hanys przyprzężony do wielkiego Milorda. Ja w ogóle nie wiem, jak oni się zgadzali, może to zasługa powożących. Jeździliśmy po okolicy chyba z godzinę. Tadzio i Rafał, rzeczywiście, świetnie sobie z powożeniem poradzili, konie szły jak marzenie – zawsze mówiłam, że to miłe i inteligentne zwierzątka! A ostatnio wynudziły się w stajni. Babcie szalały ze szczęścia, Omcia od razu, a Stasia gdzieś po kwadransie, kiedy już nabrała zaufania do zaprzęgu.

Dopiero kiedy już kończyliśmy jazdę, ksiądz Paweł wywalił się ze swoimi saneczkami do rowu na granicy naszych padoków. Oczywiście, pociągnął za sobą wszystkich pozostałych i zrobił się mały tumulcik, ale chłopaki sprawnie zatrzymali bryczkę i sytuacja została opanowana, strat w ludziach nie było, w sprzęcie też, jeśli nie liczyć obluzowanego oparcia w sankach Krzysia Przybysza. Dzieciaki piały z zachwytu.

A przy kolacji okazało się, że Paweł wywalił swoje sanki specjalnie. Żeby były jakieś silne wrażenia...

No, no. Ksiądz. I kto by pomyślał.

Lula

Nowy Rok.

Kiedy spojrzę za siebie, na ten poprzedni – wierzyć mi się nie chce. Obróciło mi się całe życie, chociaż początkowo nie byłam całkiem pewna słuszności tego naszego kroku ze sprowadzeniem się do Marysina, potem też miałam różne perturbacje, duszne i umysłowe, a teraz jak w bajce – zrobiło się całkiem dobrze.

To za mało powiedziane.

Zastanawiam się teraz spokojnie nad życiem – jest spokój, bo Janek wziął dzieci na jazdę w teren, a reszta domowników gdzieś się zapodziała, pewnie odpoczywają po wczorajszych hulankach – bośmy hulali, nie da się ukryć, a było nas jeszcze więcej niż na słynnym już kuligu w drugie święto (nawet Malwina nie pociągnęła Ruperta z powrotem na Podhale, chyba jej się zaczęło u nas podobać – to zupełnie miła i normalna dziewczyna, kiedy straci z oczu swoje wyrafinowane endemity).

Dlaczego właściwie jest tak dobrze? I co powinnam teraz zrobić, żeby tego nie stracić?

Umysł próbuje coś wykombinować, ale instynkt podpowiada – nic nie rób, Ludwiko, póki co Kiszczyńska. Nie kombinuj. Bo jeszcze przekombinujesz, jak powiada Emilka.

Może ona rzeczywiście nie zaginała żadnego parolu na Janka? Wygląda, jakby była zupełnie zadowolona z obecnego obrotu rzeczy. Wczoraj, przy życzeniach noworocznych, przyznała mi się i do tych dziwnych perfum (Janek jest nimi oczarowany!), i do erotycznego podręcznika.

– Lula, ja wiem, że ostatnio bywałam czasami trudna do zniesienia, ale pamiętaj, ja wam naprawdę życzę jak najlepiej i – jak Boga najszczerzej kocham – nie lecę na twojego Jasia, zapamiętaj to sobie! A co najważniejsze, on na mnie nie leci i nigdy nie leciał! Janek twierdzi, że ona mówi prawdę...

No to dobrze, nie będę kombinować. Będę konsumować to, co mi los uprzejmie zesłał, nie zastanawiając się, gdzie tkwi pułapka. Teoretycznie bowiem jest możliwe, że NIE MA ŻADNEJ PUŁAPKI.

A to dopiero.

Emilka

Ale był sylwester! Nie jest wykluczone, że pierwszy i jedyny raz nam się taki udał, bo od przyszłego, czyli właściwie od tego roku, nowego, będziemy już urządzać sylwestry dla gości, którzy tłumnie nas nawiedzą. Bo nawiedzą, jak amen w pacierzu. Po ostatnich ekscesach wernisażowo-medialnych (prasa, radio, telewizja, te rzeczy) odebrałam całkiem sporo telefonów z pytaniami o warunki i inne takie. Ludzie pytali nawet o tego sylwestra i przejawiali rozczarowanie, kiedy im mówiłam, że jeszcze nie.

No więc był to sylwester rodzinno-przyjacielski, z tańcami, hulanką i swawolą. Najpiękniej, oczywiście, swawoliły nasze obydwie niezdarte babcie, obecne niemal od początku do końca, pięknie ubrane w wytworne toalety – przy czym Omcia pożyczyła Stasi jakąś obłędną kieckę z ciemnowiśniowej tafty, czy jak się tam to błyszczące badziewie nazywa i do tego jedwabny szal, ręcznie malowany! Sama odstrzeliła się w popielate koronki i wyglądała jak księżna pani całą gębą. Ja się tylko zastanawiam – czy ona, przyjeżdżając do nas, od razu przewidywała, że zostanie tu na resztę życia i będzie z nami spędzać sylwestrowe bale, czy może uważała, że Rotmistrzówka to coś w rodzaju Sheratona, gdzie panowie przebierają się we fraki do kolacji, a w smokingi do herbaty? Albo, żeśmy zreanimowali jej dawny baronowski pałac?

Och, to naprawdę nieważne, co się snuło po głowie drogiej Omci. Pięknie wyglądały nasze staruszki, my też robiłyśmy, co w naszej mocy, chociaż gdzie nam było do nich, nasi panowie osiągnęli szczyty wytworności (Wiktor miał smoking!), walnęliśmy nawet poloneza przez wszystkie pokoje na dole... Mazur nam troszkę gorzej wyszedł, ale babcia Stasia obiecała, że do przyszłego roku nas nauczy. Dyskoteka pogodziła wszystkich, ale to jednak nie to samo – skakać w kupie, nawet najbardziej zaprzyjaźnionej, a tańczyć upojne tango w objęciach interesującego mężczyzny...

Interesujących mężczyzn do tanga było, owszem, kilku. Najbardziej mnie ciągnęło do Rafała; chyba mogłam się tego spodziewać po tych moich ostatnich refleksjach typu „czy to jest przyjaźń, czy to już kochanie" (wciąż nie wiem, czy to Słowacki, czy Mickiewicz, ale już Lula na mnie tak krzywo nie patrzy, będę mogła ją zapytać). Uczciwie jednak mówiąc, najlepszym – obiektywnie – tancerzem okazał się strzyżony na lotniskowiec Misiu, elegancki i wypachniony, strzelający oczami zabójczo i (to sprawa tej jego bykowatej postury) dosłownie unoszący partnerkę nad ziemią.

No i niech sobie unosi, ja tam wolę z Rafałem.

Oczywiście, postarałam się tak wymanewrować, żeby o północy być jak najbliżej niego. Łatwo mi to poszło, pewnie dlatego, że on ewidentnie dążył do tego samego. Kiedy składaliśmy sobie życzenia, pocałował mnie delikatnie w policzek, a mnie dosłownie zmroziło: przypomniał mi się Lesław z tymi wszystkimi parszywymi niedopowiedzianymi groźbami, z cholernymi sms-ami, z tym nękaniem mnie w najbardziej niespodziewanych momentach...

I dotarło do mnie bardzo wyraźnie: jaka tam przyjaźń! Nie zniosłabym, gdyby mu się miało coś stać przeze mnie!

Nie wiem jeszcze, co wymyślę, ale coś muszę wymyślić. Muszę się z Leszkiem zobaczyć oko w oko, muszę z nim porozmawiać, może się uda jak z człowiekiem, a jeśli nie, to zobaczę, coś w każdym razie muszę ZROBIĆ!!!

Rafał zauważył, że coś mi się stało przy tych życzeniach, wykazał inteligencję, nie pytał, dlaczego zesztywniałam, domyślił się chyba, bo tylko powiedział, żebym się nie martwiła, że wszystko musi być dobrze i będzie dobrze. On mi to mówi.

– A tobie kto to mówi? – zapytałam nieco beznadziejnie.
– Intuicja – zaśmiał się. – Mam doskonale rozwiniętą intuicję i ona mi mówi mnóstwo rzeczy. Gdybym był kobitką, byłbym wróżką. Zapewne dobrą, z uwagi na mój dobry charakter.

Wizja Rafała w charakterze dobrej wróżki w stylu disneyowskim, w różowej szatce i z czarodziejską różdżką w rąsi powaliła mnie dokładnie, zaczęłam chichotać, a on mnie jeszcze raz uścisnął, BARDZO CIEPŁO.

Po czym rzucili się na nas liczni krewni, znajomi i przyjaciele, którzy też chcieli nam życzyć wszystkiego najlepszego i żebyśmy im też życzyli... potem szampan zrobił swoje i było świetnie już do rana.

Ale Leszkowi nie przepuszczę.

Lula

Bardzo kocham święta wszelkiego rodzaju, ale jednak jest to słuszne ze wszech miar, że są one tylko raz w roku. Bo jeszcze trochę, a chyba bym padła.

Doprowadziliśmy Rotmistrzówkę do normalnego stanu, Wiktor z Ewą i Rupert z Malwiną wyjechali, babcie leczą sfatygowane wątroby za pomocą różnych patentowanych środków polsko-niemiecko-domowo-farmakologicznych, a za kilka dni przyjeżdżają do nas goście. Tym razem będzie to jakieś biznesowe towarzystwo; okazało się, że te dwie biznesmenki, Megi i Beti, rozgłosiły naszą sławę tu i tam (choć wciąż nie ma jeszcze magazynu „Trendy", czy jak on tam ma się teraz nazywać, chyba „Tylko Ty"). W efekcie zamierzają u nas zorganizować ekskluzywne spotkanie kilku znajomych ludzi interesu, polskich i zagranicznych, jeszcze nie wiem, zza której granicy. Ma być jednocześnie wytwornie, luźno, elegancko, niezobowiązująco, wesoło, etykietalnie, tralala, ciekawe, jak my zdołamy pogodzić ogień z wodą!

Janek, oczywiście, zbagatelizował moje wątpliwości i obawy.

– Kochanie ty moje – powiedział, bawiąc się moimi włosami (siedziałam właśnie przed lustrem w moim nowym różowym peniuarze, w którym czuję się jak petersburska kokota, a który bu-

359

dzi jego zachwyt za każdym razem, ja już nic nie rozumiem, nic o sobie nie wiem, a zwłaszcza nie wiem nic o mężczyznach, a zwłaszcza o jednym takim, co to chodził zawsze w podkoszulkach z nadrukowanymi fraktalami i wyglądał, jakby nie uznawał innego przyodziewku!!!)... – Kochanie ty moje. Masz za bardzo rozwinięte poczucie odpowiedzialności za świat. Uwierz mi, on nie leży w całości na twoich, jakże zgrabnych ramionach – tu pocałował mnie w lewe ramię, co spowodowało dłuższą przerwę w konwersacji.

– Jest nas tu kilkoro – kontynuował po chwili, już poważniej. – Może nie mamy wielkiego doświadczenia w przyjmowaniu takich biznesowych gości, ale za to jesteśmy inteligentni. Prawda? No więc. Oni z kolei przygotowani będą na wizytę w wiejskim dworku, z tradycją ziemiańską, a nie pałacową. Pamiętasz, jak się bałaś tych wszystkich Niemców, których tu Kostas przywoził? Zwłaszcza tych pierwszych. Improwizowaliśmy wtedy jak szaleni, a i tak nam wyszło. A teraz mamy prawdziwe nalewki, prawdziwe ciasta, wędliny domowe, dziczyznę, sześć koni do jazdy, czworo, na dobrą sprawę, instruktorów do tych koni, bryczkę lub sanie, małe sanki, jakby się chcieli chłopcy trochę poprzewracać; jednym słowem mamy wszystko. A najlepsze, co mamy, to dwie babcie, jedną tradycji polskiej, a drugą niemieckiej; zaręczam ci, że obie zrobią furorę.

– A jeśli będą chcieli jeździć na nartach?

– To się ich wyśle do Karpacza. Wynajmiemy im instruktora narciarskiego, może nawet Olga będzie chciała zarobić, a jak nie, to ona nam na pewno poradzi, do kogo się zwrócić. Nie wiem, czy będzie pogoda na narty. Chyba nie jest najlepiej ze śniegiem. Nie znam się na tym. Musimy sobie przygruchać na stałe jakiegoś instruktora od tych rzeczy. Najlepiej z zaprzyjaźnioną wypożyczalnią sprzętu narciarskiego.

– I co, naprawdę myślisz, że wszystko będzie takie proste?

– Jestem o tym absolutnie przekonany. A teraz wykorzystajmy ten czas, kiedy jeszcze nie mamy tabunu wymagających biznesmenów na garbie...

Wykorzystaliśmy go w pełni.

Ho, ho, za dwa dni przyjeżdżają trzy biznesowe pary i dwie sztuki luzem, dookoła których mamy skakać jak koło śmierdzącego jajka, albowiem mają indywidualne wymagania – ale też zostanie im policzone według badzo indywidualnych stawek. Za poradą Olgi zaśpiewaliśmy im taką cenę, że omal sama się nie przewróciłam z wrażenia, kiedy ją zaakceptowali bez zmrużenia oka.

– Zero skrupułów, moi kochani, zero skrupułów – mówiła nam Olga życzliwie, odwiedziwszy nas nazajutrz po naszym zabójczym sylwestrze. – Jeżeli nie będziecie się cenić, nikt was cenić nie będzie. Musicie wiedzieć, ile jesteście warci!

– A skąd mamy to wiedzieć? – zapytała nieśmiało Lula.

– Z założenia. Macie zakładać, że jesteście świetni, jedyni, niepowtarzalni, wasza oferta bije na głowę wszystkie inne, a waszym największym atutem jest wasza babcia. A jeśli nie wiecie dlaczego, to wam powiem. Bo wszyscy goście mogą być traktowani jak goście pani rotmistrzowej, a nie jak płatni wczasowicze. Pani babcia, z tego, co wiem, lubi sobie pokonwersować z przybyszami, bardzo dobrze, niech rozmawia, czasem anegdotką sypnie, a jeśli wyczuje, że gościom nie chce się gadać, to niech im odpuści, cały czas dając im do zrozumienia, że są JEJ osobistymi gośćmi, którzy są tu mile widziani i którym tu wszystko wolno.

– Wszystko, to nie wiem – mruknęłam. – A jakby tu chcieli zrobić... tego...?

– Bordello, kędy mamy zacne leże – zaśmiała się babcia Stasia, chyba kogoś cytując.

– Nie przesadzajmy! Wszystko w granicach dobrego wychowania! W obrębie zasad, które wy sami wprowadzacie. A w zamian za przestrzeganie tych zasad, otwieracie im niebo. I za każdym razem w bramce tego nieba stoi kasjer i kasuje, kasuje...

Zaczęliśmy chyba pojmować, o co jej chodzi.

– A jak już stąd wyjadą – powiedziała Lula rozmarzonym tonem – to mają nam zrobić opinię taką, że wprawdzie jest cholernie drogo, ale warto tę forsę wydać. Dobrze mówię?

– Dokładnie tak mają o was mówić. I jeszcze dajcie im do zrozumienia, że nie wszystkich do siebie zapraszacie, że wybieracie sobie gości, takie tam blablabla.

– A kiedy będą chcieli znowu przyjechać, albo przysłać na dzianych kolegów – podjął Janeczek – to nie będziemy od razu krzyczeć „przyjeżdżajcie, przyjeżdżajcie", tylko najpierw dokładnie sprawdzimy w kalendarzu, czy aby możemy ich przyjąć w takim terminie, w jakim będą chcieli, czy może mamy już zaplanowanych gości, a potem się jednak okaże, że dla tak wyjątkowych... tytyryty... dobrze mówię?

– Bardzo dobrze – pochwaliła Olga. – Widzę, że wszystko doskonale rozumiecie, a jakbyście mieli jakiekolwiek problemy, to natychmiast dzwońcie do mnie, będziemy radzić. Nic nie ma prawa was zaskoczyć. W obrębie zasad, naturalnie.

– A czy ja nie mogę bycz tutaj dodatkową atrakcją? – wtrąciła się znienacka milcząca dotąd Omcia. – Mogę na pczykład robicz za ducha przeszłoszczy, hehehe. Jeszli mi Stanyslawa da tej wiszniowej nalewki, to nawet mogę kogosz postraszycz na schodach...

– Jak my się z Marianną zabierzemy za przyjmowanie gości, to już będzie zupełnie „Arszenik i stare koronki" – zachichotała babcia Stasia, bardzo zadowolona z perspektyw zabawiania wyżartych japiszonów.

– Ja mogę za rozmowę ze mną liczycz na pczykład dwadżeszcza ojro za pół godżyny – dodała niewinnie Omcia. – Wszystko, oczywiszcze na konto Rotmisz... szówki. Ta nazwa szę nie da powiedżecz.

Olga spojrzała na babcie leciutko spłoszona, bo jako osoba stojąca jednak nieco z boku nie wiedziała jeszcze, do czego nasze poczciwe staruszki potrafią się posunąć. Widocznie uznała jednak, że dwie szurnięte babcie to też niezły chwyt marketingowy, bo nic nie powiedziała.

Ostatecznie doszliśmy do wniosku, że jak zwykle, musimy oprzeć się na naszej niezawodnej inteligencji. Jeśli o to chodzi, uważam, że stanowimy zespół nie do przebicia!

Lula

Wpadła dzisiaj do nas Ania sołtyska, pogadać. Dawno, jak twierdzi, wybierała się z tym tematem, ale stale jej coś przeszkadzało, potem martwiła się synem w Iraku, teraz ma od niego regularne wiadomości, więc się trochę przestała bać, oczywiście, nie do końca, ale już nie ma zdrowia do tego bania, więc musi jakoś konstruktywnie zadziałać. Tak nam powiedziała jednym tchem, po czym zapytała, czy nie mielibyśmy jej za złe, gdyby poszła w nasze ślady i też otworzyła u siebie agroturystykę.

– Oczywiście, ja bym to miała na zupełnie innej zasadzie – wyjaśniła, zaczerpnąwszy tchu po raz kolejny. – Bo wy macie wytworność, konie, bryczki i galerię, a u mnie goście mogliby wydoić krowę, popilnować gęsi na łące, poleżeć pod drzewem i nie robić w ogóle nic. Wędzarnię bym małą założyła, całe jedzenie domowe, mogę piec chleb, bo umiem, jeszcze babcia mnie nauczyła, jak byłam całkiem mała. U mnie by było jak u jakiejś ciotki na wsi. Przy sprzątaniu mi dzieciaki pomogą, a przy gotowaniu mama. Jak myślicie?

Wyraziliśmy kolektywny aplauz.

Po czym okazało się, że nie tylko Ania zamierza brać z nas przykład. Synowa starej Kiełbasińskiej zainspirowała swojego męża, Frania Kiełbasińskiego pomysłem agroturystyki nad stawem rybnym.

– Przecież Kiełbasińscy nie mają stawu – zdziwiła się Emilka, która niepojętym dla mnie sposobem wie wszystko o wszystkich mieszkańcach Marysina.

– Celinka Kiełbasińska mówi, że jakby im się udało sprzedać tę chałupę po babce, tę koło was, prawie przez płot, to by mieli na wykopanie i zarybienie stawu. Ta chałupa jest w dobrym stanie, trochę tylko tak wygląda... mało reprezentacyjnie. Ale mury zdrowe, dach cały, woda jest, światło, gaz, wszystko dociągnęli, jak się wieś modernizowała. Tylko to potem podupadło, jak tu nikt nie mieszkał, bo Franek i Celinka wzięli babcię do siebie. No i zarosło takim buszem, że nic nie widać.

– A mają już jakiegoś kupca upatrzonego na tę chałupę? – zapytała szybko Emilka.

– A co, chcesz kupić? – zdziwiła się Ania.

– Ja, jak ja, ale mam coś na myśli. Proszę, powiedz Kiełbasińskim, żeby nie robili żadnych ruchów jeszcze przez krótki czas. I tak jest zima, nic by nie można było przy niej zaczynać.

– Co masz na myśli, Emilko? – nie wytrzymałam.

– Co mam, to mam – powiedziała Emilka tajemniczo i skierowała konwersację na zupełnie inne tory; zabraliśmy się mianowicie za zbiorowe udoskonalanie pomysłów Ani na jej własną agroturystykę. Ostatecznie doszliśmy do takiej konkluzji, że jak już będą te trzy gospodarstwa, to zawrzemy spółkę, będziemy się razem ogłaszać i razem jeździć na różne targi turystyczne.

Obie babcie były obecne przy tej naradzie – o ile babcia Stasia brała czynny udział w dyskusji, o tyle Marianna – zupełnie nie jak ona – siedziała cicho i tylko bardzo uważnie przysłuchiwała się wszystkiemu, co było mówione. Od czasu do czasu kiwała loczkami aprobatywnie, ale zdania swojego nie wyraziła. Może przygotowywała się do roli ducha przeszłości, którego zamierza odegrać jutro przed naszymi nowymi gośćmi.

Emilka

Wygląda na to, że Marysin stanie się wsią agroturystyczną! Kiedy Ania Szczepankowa przyszła do nas, żeby nas lojalnie zawiadomić o nowych koncepcjach w łonie wsi, w pierwszej chwili pomyślałam, że po co nam konkurencja. Ale zaraz potem doszłam do wniosku, że w jedności siła, będziemy mieli większe możliwości reklamy, kontaktów, takich tam rzeczy. Niech kwitnie sto kwiatów. Tak mówił nasz profesor na trzecim roku, ale nie wiem, czy to sam wymyślił, czy z czegoś zacytował.

Największą bombą dla mnie jest jednak to, że chałupa po starej Kiełbasińskiej pójdzie na sprzedaż! Wiktor po prostu MUSI się zdecydować jak najszybciej!

Jak tylko Ania poszła do domu, cała w optymistycznych skowronkach (ona wie, że się narobi, ale nie boi się pracy), poleciałam do swojego pokoju i zadzwoniłam do Wiktora na komórkę.

– Emilka – zdziwił się gdzieś w Krakowie. – A ja właśnie miałem do ciebie dzwonić...

– Coś ty? – zelektryzowało mnie. – Sukces?

– Drugi miesiąc! Jesteś genialna, dziewczyno!

– Kurczę, patrz, ja to podejrzewałam, jak tu byliście, miałam ci powiedzieć, ale w końcu się nie zdecydowałam. I tak strasznie się wtrącam. A powiedz, co na to Ewa?

– Jeszcze w szoku. Dowiedziała się dzisiaj, dosłownie godzinę temu była u lekarza. Teraz siedzi na kanapie i się zastanawia, co dalej. Muszę do niej zaraz wrócić, więc wybacz, ale rzucam cię jak starą marynarkę...

– Czekaj, Wiktor, jeszcze mnie nie rzucaj. Słuchaj, chałupa starej Kiełbasińskiej jest do kupienia. Młody Kiełbasiński lada chwila zacznie szukać kontrahenta. Ja ci radzę, ty kuj żelazo, póki gorące. Zapłaciły ci za „Trendy"?

– Zapłaciły. Teraz pracuję nad tym nowym tworkiem-potworkiem. Megi też mi sypnęła groszem za wychodki. Nie widziałaś reklam w telewizji? Chodzą przed wiadomościami. *Prime time.* I całe strony w kolorówkach. Wiesz, ile ją to kosztowało? Lepiej nie mówić przed nocą. Ja też z niej zdarłem. Czy one już u was są z tymi swoimi nowymi kontrahentami?

– Jeszcze nie. Jutro będą.

– Proszę, Emilko, traktujcie ich jak śmierdzące jajko. Oni muszą u was dojść do porozumienia, inaczej Megi i Pegi, tfu, Megi i Beti będą musiały spuścić z tonu. Mam na myśli finanse. Wiesz, one sobie poradzą, ale może już nie będą miały na mnie.

– Rozumiem. Tu ma dojść do jakiejś fuzji?

– A cholera ich wie. Ja w to nie wnikam. Coś tam u was będą załatwiać, dwóch facetów, którzy przyjadą, reprezentuje jakiś belgijski kapitał, czy może francuski, nie mam pojęcia.

– Masz to u nas. Będziemy ich nosili na rękach. Czekaj, mówiłeś, że ci zapłaciły? To znaczy, że stać cię na chałupę?

– Niewykluczone. Tylko nie wiem, co Ewa na to.

– Wiktor! Zrobiłeś już, co najważniejsze, a teraz został ci drobiazg! Sam wiesz, że nigdzie nie znajdziesz lepszego lokum! Prawie przez płot z Rotmistrzówką! Galeria tu czeka na ciebie! Ksiądz Paweł ma tysiąc pomysłów na minutę! Podobno chcesz malować! Dzieci będziesz miał razem z naszymi! Przecież Lula z Jankiem chyba też będą chcieli mieć jakieś dziecko!

– A ty? – spytał znienacka.

– Co ja, co ja?

– A ty nic nie planujesz w życiu osobistym?

– Ja na razie płynę na fali – powiedziałam beztrosko, acz trochę kłamliwie, bo już pewne myśli na wiadomy temat zaczęły po mnie chodzić. – Ty się tu nie wymiguj. Idź natychmiast do Ewy i przekonaj ją, że nie ma co marnować najpiękniejszych lat na uczelni! Habilitacja poczeka, a hormony się mogą skończyć w międzyczasie. Tylko nie zróbcie jakiegoś głupstwa, na miłość boską!

– Masz na myśli usunięcie? No, nie, to już bym chyba walnął się jak Rejtan w progu i nie pozwolił. Dobrze, masz rację, ponownie wypuszczam cię z objęć z brzękiem i lecę do mojej żony. I dziecka. Trzymaj się, przyjaciółko.

– Całuski – powiedziałam ciepło do ciągłego sygnału w słuchawce i wyłączyłam się.

Na wszelki wypadek powiem Kiełbasińskim, żeby rezerwowali chałupę dla Wiktora.

Lula

Znowu mamy gości i zrobiło się jakoś normalniej. Chyba już przyzwyczaiłam się do Rotmistrzówki nie tylko jako do domu, ale też i miejsca pracy. Lubię, kiedy coś konkretnego się dzieje, kiedy wiem, co mam zrobić i na którą godzinę – i tak dalej.

Oczywiście, wieczory i noce są wciąż nieprzewidywalne, ale to już nasza z Jankiem słodka tajemnica alkowy. Podoba mi się to: pierwszy raz w życiu mam naprawdę tajemnice alkowy! Bo taka tajemnica, że w wieku powyżej trzydziestki sypiałam czasem przytulona do kota Arystofanesa – świeć Panie nad jego kocią duszą – jest warta funta kłaków. Kocich.

Koło południa przyjechali nasi goście. Megi i Beti z małżonkami, jakaś belgijsko-francuska para małżeńska i dwóch zblazowanych czterdziestolatków luzem, jak mówi Emilka. Mężowie naszych znajomych biznesmenek też są biznesowi, co po nich od razu widać, Belgijka jest przyszłą redaktorką naczelną magazynu „Tylko Ty", a jej mąż Francuz ma tam prowadzić dział mody. Zblazowani czterdziestolatkowie stanowią coś w rodzaju zaprzyjaźnionej konkurencji, o ile taki oksymoron ma w ogóle prawo istnieć. We własnym gronie mówią przeważnie po francusku albo angielsku. Emilka pokazała im pokoje, rzucili też w Janka towarzystwie okiem na obejście i poszli się kąpać przed obiadem. Jakie to szczęście, że zrobiliśmy stosowną liczbę łazienek w ramach remontu!

Przy poobiedniej kawie i herbacie z nalewkami do wyboru ustaliliśmy program pobytu naszych kosztownych gości. A więc jazdy konne, bryczka, narty i obwożenie po okolicy. Musimy zrobić grafik – kto czym kiedy ma się zajmować.

Nie będzie lekkko!

Ale i nie będzie tanio.

Robię się materialistką! Chyba tak podziałało na mnie świeżo odczute brzemię odpowiedzialności za Rotmistrzówkę.

W ramach tej świeżej odpowiedzialności Janek postanowił zrobić nam stronę internetową, wykorzystując milion zdjęć, które dostaliśmy od księdza Pawła.

– Nie wiem, czy nie przymierzę się od razu do strony dla całej wsi – powiedział wieczorem, objadając się świeżym ciastem, które upiekłam dla gości. – Bo jeżeli mamy mieć stowarzyszenie, to warto by mieć wspólną stronę też. Na razie zrobię luźny projekt, a potem pokażę wszystkim i spytamy, co oni na to? Co ty na to?

– Bardzo dobrze – pochwaliłam. – A jak twoje oczy?

– Moje oczy mają się świetnie. Przez ostatnie pół roku bardzo odpoczęły i obejrzały wiele pięknych widoków. Wiesz, mam wrażenie, że z grzbietu końskiego wszystko jest jakieś ładniejsze, no i mniej szkodzi na wzrok...

Emilka

Są nasi dziani goście!

Megi i Beti przywiozły mężów, którzy wyglądają jak ich wierne kopie płci odmiennej – duzi, przystojni, świetnie ubrani, pięknie pachnący i kompletnie bez własnego wyrazu. Aura wielkiego szmalu otacza ich głowy z włoskami pięknie ułożonymi na żel. Muszę poprosić księdza Pawła, żeby ich sfotografował wszystkich razem, będą piękne zdjęcia pamiątkowe do albumu pod tytułem „VIP-y". Bo trzeba taki album założyć, koniecznie. Mąż Megi nazywa się Aleksander Moroń, czy jakoś tak i ona nigdy nie mówi do niego Olek ani Aleks, tylko zawsze Aleksandrze... Podobnie Beti, za żadne skarby nie zdrobni swojego Jerzego Różańskiego na zwykłego Jurka. Obaj panowie mają jakieś własne biznesy, jeszcze nie rozpracowałam, jakie właściwie. Raczej spore.

Przyjechało poza tym redakcyjne małżeństwo, podobno belgijsko-francuskie, ale nazywają się Jakovsky, pewnie tatuś Jacquesa taki Francuz, jak i ja, dziadek najdalej nazywał się normalnie Jackowski, dopiero Jakubka należy wymawiać „Żakofski". Niech mu tam. Żak – Żakofski. Bardzo godnie brzmi. Żona ma na imię Marie Anne, czyli kolejna Marianna w Mariendorfie. Chuda, wysoka, z głodnymi oczami, bardzo elegancka, w sam raz redaktorka naczelna do wytwornego magazynu. Dwaj faceci luzem, którzy z nimi przyjechali, na moje oko wcale nie są takim luzem, tylko stanowią komplet. Jeden jest ewidentnie Anglikiem, drugi nie wiem czym, może Polakiem. Peter i Edward, przy czym Edwarda się owszem, zdrabnia na Eddiego.

Podczas ostatniego pobytu Megi i Pegi, przepraszam, Beti u nas, trochę się im przyjrzałam i doszłam do wniosku, że należy na ich cześć zrobić malutkie przedstawionko na dzień dobry – tak więc, kiedy się zjawili, najpierw wypchnęłam ich do apartamentów (tak doraźnie przemianowaliśmy nasze pokoje na górze) i kazałam im się wykąpać, to znaczy, wyraziłam przekonanie, że zechcą się odświeżyć przed obiadem.

Obiad w wersji koronacyjnej przygotowała Lula, poganiając do posług świeżo umytą Żaklinę, ale zanim go podaliśmy, zarządziłam zapoznawczego drinka w ogródku zimowym, który urządziłam na tarasie, zamkniętym na głucho i zabezpieczonym przez zimnem. Towarzystwo złapało konwencję, odstrzelili się wszyscy jak do Pierwszej Komunii – ale żadne z nich nie dorównało naszym babciom, które przyżeglowały niby dwie fregaty czy może barkentyny (nie wiem, co jest bardziej majestatyczne) pod pełnymi żaglami – w powłóczystych szatach, omotane szalami, sznurami pereł, z medalionami podzwaniającymi na łańcuchach, szalenie z siebie zadowolone i – niech pęknę, jeśli nie popróbowały przedtem nalewek z tajnej apteczki, to znaczy z filii apteczki głównej z salonu (tę filię babcia Stasia założyła w gabinecie Rotmistrza).

– Witam moich drogich gości – wygłosiła babcia Stasia głosem spiżowym, który natychmiast oderwał gości od kontemplacji własnych kieliszków. – Jak miło mi ponownie spotkać panie w moich skromnych płogach – to było do Megi i Pegi, które rzuciły się witać, lekko jednak onieśmielone królewskim, żeby nie powiedzieć cesarskim stylem naszej staruszki. – Obie jesteśmy szczęśliwe, to znaczy ja i moja przyjaciółka, baronowa von Krueger, że zechciały panie wrócić do nas i jeszcze przywieźć wszystkich państwa...

– Och, ja tu jestem tylko na prawach goszcza – wtrąciła lekko (ale bardzo głośno) Omcia. – Dżękuję czy, Stanyslawa, że ty mówisz „do nas"...

– Jesteś u siebie, Marianno – rzuciła pobłażliwie babcia. – Nie będziemy sobie głowy zaprzątać wichrami historii w tym domu. W jakim języku państwo życzą sobie rozmawiać, bo słyszałam, że towarzystwo międzynarodowe?

– W istocie – baknęła Megi, pod wrażeniem wzięcia naszych staruszek. – Międzynarodowe. Polsko-francusko-belgijsko-angielskie. Ale wszyscy staramy się mówić po polsku, nasi przyjaciele przecież prowadzą tu interesy, mieszkają w Polsce. Panie pozwolą, mój małżonek, Aleksander Moroń... Aleksandrze, czy zechcesz przedstawić paniom resztę towarzystwa?

Aleksander sprawnie przejął na siebie rolę mistrza ceremonii strony wizytującej, tak więc kolejne minuty upłynęły na ściskaniu rąk lub ich całowaniu zgoła, ukłonach i reweransach. Przez ten czas Żaklina wniosła przystawki i mogliśmy zaprosić wszystkich do stołu.

Dalej było już łatwo, zostawiliśmy im babcie na pożarcie (a może to ich zostawiliśmy na pożarcie babciom), a sami wycofaliśmy się na z góry upatrzone pozycje. To znaczy do kuchni. Jeżeli dalszy rozwój wypadków wykaże, że goście chcą się z nami fraternizować, to proszę bardzo. Będziemy się fraternizować. Na moje oko jednak o wiele mniej fatygująca jest prosta obsługa, nawet jeśli w grę będą wchodzić jazdy w teren i inne figle. Zresztą na weekend mają przyjechać Wiktory, będzie łatwiej.

Lula

Grunt to organizacja. Zagospodarowaliśmy gości niemal bezszelestnie, zaplanowaliśmy im zajęcia w grupach i podgrupach, tak że nawet miałam czas odwiedzić moje muzeum i – niestety – zawiadomić szefa, że w związku ze zmianą mojej sytuacji osobistej, chyba zrezygnuję z pracy. Oczywiście od czasu do czasu, jako absolutna wolontariuszka, chętnie wpadnę i zrobię to lub owo. Tyle że nie mogę być dyspozycyjna.

Szef się trochę zmartwił, ale co tam. Ja mu naprawdę pomogę, a dyspozycyjna to wolę być w odniesieniu do Janka.

Emilka

Wróciliśmy do zajęć z chorymi dziećmi. Trochę nas dręczyły wątpliwości, jak to się pogodzi z naszymi komercyjnymi gośćmi, ale uznaliśmy, że jednak dzieci nie mogą tracić regularnych ćwiczeń. Powiedzieliśmy gościom, w jakich godzinach nie mogą liczyć na Latawca i Hanysa pod siodło, a oni przyjęli to życzliwie. Natomiast wyszli sobie popatrzeć, co my robimy w ramach ćwiczeń.

Akurat woziliśmy takich dwóch chłopców – jednego z Jeleniej, a drugiego spod Kamiennej Góry. Obaj z dziecięcym porażeniem mózgowym, dość okropnie (jak dla nieprzyzwyczajonych oczu) powykręcanych, no i prawie zero kontaktu w przypadku jednego z nich, takiego Mareczka, lat osiem, autystycznego jak jasny gwint. Ciekawe, czy można być mniej lub bardziej autystycznym? Muszę zapytać Rafała, on wie. No więc, Markiem zajmował się Rafał jako bardziej doświadczony, a ze mną jeździł Filip, nazywany przez swoją mamę Gutkiem. Ten Gutek wszystko rozumiał i miał dużo dobrych chęci, tylko nie bardzo mu się udawało spełnianie moich poleceń. Więc mu pomagałam utrzymać się na koniu, a on się uśmiechał, jak potrafił.

Kiedyś takie uśmiechy doprowadziłyby mnie do łez, ale teraz już się tak nie wzruszam. Rafał miał rację – mogłabym się zaryczeć na śmierć, ale nic konstruktywnego bym nie osiągnęła. Więc gadałam do niego bez przerwy różne głupoty, on robił, co mógł i tak sobie współpracowaliśmy.

A kilka metrów od nas stała francusko-belgijska para i oboje płakali rzewnymi łzami. Oczywiście wytwornie i dyskretnie, ale przecież mam oczy i widzę, co się dzieje. Po chwili dołączyła do nich Pegi, czyli Beti, i coś tam konferowali, pokazując nas palcami. Czyżby kombinowali kolejny wzruszający reportaż do magazynu „Tylko Ty”?

Owszem. O tym właśnie rozmawiały panie, podczas gdy pan ograniczał się do gwałtownego kiwania głową. Podsłuchałam trochę, przejeżdżając, a kiedy pożegnawszy chłopców i ich rodziców, odprowadzaliśmy konie do stajni, powiedziałam o tym Rafałowi.

– Wcale nie jestem pewna, czy chcę z siebie robić małpę w takiej sprawie – oświadczyłam, wprowadzając Latawca do boksu.

– Już ja wiem, jak wyglądają takie artykuły. Robi mi się słabo na samą myśl, że ktoś mnie opisze w taki sposób...

– W jaki? – zainteresował się Rafał.

– Za pomocą cholernych, egzaltowanych równoważników zdań, naładowanych nie moimi wyrażansami, które zostaną mi przypisane bez skrupułów. „Nie – mówi Emilia, odgarniając włosy z czoła – nie potrafiłabym zrezygnować. Nie z tych zajęć. One w nas wierzą. Te dzieci. Ta wiara w ich oczach. I to cierpienie w oczach rodziców. I ta świadomość, że jednak pomagam". Nie czytasz damskich magazynów, to nie wiesz, jak tam się pisze.

Rafał oparł się na murku oddzielającym boksy Latawca i Hanysa i w ten sposób nasze oczy znalazły się raczej blisko siebie.

– A mnie to wisi – zakomunikował pogodnie. – Niech piszą jak chcą, byle nazwiska nie przekręcili.

Zdumiałam się.

– A co też ty mówisz? Myślałam, że wisi ci raczej popularność i reklama!

– Prywatnie jak najbardziej. Ale przemyślałem sprawę dogłębnie i doszedłem do wniosku, że zależy mi na tym, żeby pisano i mówiono o hippoterapii jak najwięcej. Bo jak się ludzie dowiedzą, że to pomaga, mam na myśli ewentualnych zainteresowanych, to może będą się domagali powstawania takich ośrodków jak nasz? Wiesz, powstanie popyt na konkretne usługi, a wtedy pojawią się i usługi. Emilko, sama widzisz, że to jest pożyteczne.

– No, sama widzę. A nie będzie ci przeszkadzało, że rodzona matka cię nie pozna w tym glancusiu, którego oni z ciebie zrobią?

– Moja matka będzie zachwycona, ponieważ ona uwielbia kobiece magazyny – zaśmiał się, a ja pomyślałam, że to jest dobry moment, żeby zapytać go troszkę o tę jego rodzinę, o której nic nie wiem, a chciałabym wiedzieć cokolwieczek...

– Kim jest twoja mama? – rzuciłam od niechcenia.

– Żoną mojego taty. Nie, Emilko, ja się nie wykręcam. Ona jest żoną taty i to wszystko. Nigdy nie należała do gatunku kobiet przesadnie aktywnych, więc z ulgą rzuciła pracę, kiedy ojciec zaczął zarabiać większe pieniądze i mogła zająć się tylko domem i nami, to znaczy dziećmi, bo ja mam jeszcze dwie siostry. A ojciec jest lekarzem.

– Neurologiem? – wyrwało mi się i omal się nie zadławiłam własnym pytaniem. A jeśli jego ojciec to ten ordynator?... Matko Boska!

Pokręcił głową. Dzięki Ci, Panie!

– Nie, ginekologiem położnikiem. Jest bardzo dobry w tym, co robi, a kilka lat temu założył z dwoma zięciami prywatną kliniczkę pod Wrocławiem. Nawet z Niemiec przyjeżdżają do niego się leczyć kobitki. Oczywiście, chciał, żebym poszedł w jego ślady, miał mi za złe najpierw, kiedy wybrałem neurologię jako specjalizację, a potem, kiedy rzuciłem szpital w cholerę, omal mnie nie zabił. On ma dość silny charakter, ale ja też. Tylko że ja jestem łagodniejszy – przewrócił oczami pociesznie.

– Czekaj. A ja myślałam, że ty masz rodzinę w Janowie Podlaskim.

– Tam mieszka rodzina mojej żony. Moi byli teściowie, którzy wciąż mnie lubią. Czasem ich odwiedzam, a przy okazji wpadam do stadniny w różnych końskich sprawach. Mam tam paru przyjaciół. W swojej własnej rodzinie nie jestem przesadnie chętnie widziany. Ojciec uważa, że jestem mięczak. Kobiety są podobnego zdania.

– O kurczę. To przykro. A twoje siostry też robią w medycynie?

– Jasne. Starsza, Halina, jest specjalistką od neonatologii, wiesz, co to znaczy?

– Najmniejsze dzieciaczki.

– Tak. No więc Halina jest od dzieci, potem ja byłem średni, to wiesz, a moja młodsza siostra, Asia, specjalizowała się w ginekologii, jak ojciec. Wszystko pod kątem rodzinnego biznesu szpitalnego.

– Jak ten kwartet smyczkowy w rodzinie babci Omci!

– Coś w tym rodzaju. Dziewczyny powychodziły za kolegów ze studiów i naprawdę prawie cała ta kliniczka jest obsadzona przez rodzinę. Ale moim zdaniem to nic złego, skoro wszyscy są naprawdę dobrzy.

– Ale czemu ty się tak jeden wyłamałeś?

– A bo ja wiem? Może ja nie lubię grać w orkiestrze ani nawet w kwartecie smyczkowym?

– Tylko solówki?

– Nie, nie tylko. Ale nic na siłę.

Muszę to zapamiętać – nic na siłę – i nigdy go do niczego nie zmuszać. Wprawdzie jeszcze nie wiem, do czego miałabym go zmuszać, ale na wszelki wpadek dobrze będzie nastawić się na daleko idącą dyplomację w różnych życiowych kwestiach...

Zamknęliśmy boksy i poszliśmy do domu.

A kiedy wychodziliśmy ze stajni, wydało mi się, że widzę za murem sylwetkę – jakby Misiaka???

Natychmiast powiedziałam o tym Rafałowi, ale kiedy rozglądaliśmy się dookoła, nikogo już nie było w naszym polu widzenia.

Niestety, znowu zrobiło mi się niedobrze od tego wszystkiego, co sobie zdążyłam pomyśleć.

Lula

Ależ bomba!

Ewa będzie miała dziecko!

Przyjechali na weekend, nieco poszerzony, bo Ewie wypadły z planu jakieś zajęcia, coś tam sobie przy okazji poprzekładała i są na cały tydzień. Bomba wybuchła już pierwszego wieczora, kiedy goście poszli spać – bardzo wcześnie, jak na nich, bo już koło dziesiątej. Normalnie szli do siebie dopiero po pierwszej, ale tym razem popadali jak muchy, bo ich Olga przeczołgała na jakimś stoku w Karpaczu (udało nam się ją namówić na zajęcie się ekstra naszym międzynarodowym towarzystwem, za ekstra wynagrodzenie, rzecz jasna). Zasiedliśmy więc sobie spokojnie i rodzinnie w salonie, rozkoszując się atmosferą przyjaźni, ciepła i spokoju. Dzieci, mimo późnej, jak na nie, pory, odmówiły pójścia do siebie, bo chciały pobyć z nami wszystkimi. Zrobiło się po prostu pysznie. Babcia Stasia wyciągnęła z apteczki jakąś ciemnoczerwoną ciecz, gęstą, mało alkoholową, za to bardzo aromatyczną, a Janek wydzielił każdemu z nas po trochu do małych kieliszków.

– Kominek tu trzeba zrobić, koniecznie – rzucił od niechcenia

Wiktor. – Nie rozumiem, jak mogliśmy dotąd o tym nie pomyśleć...

– Myśleliśmy, myśleliśmy – przypomniała niecierpliwie babcia – tylko przecież milion rzeczy trzeba było zrobić w pierwszej kolejności! I zrobiliśmy milion rzeczy. Coś trzeba sobie zostawić na zaś. Ale masz rację, Wiktorku, kominek musi być.

– Żeby się przy nim psy legawe wylegiwały – dodała Emilka. – Ty, Lula, co to są właściwie psy legawe?

– Nie mam pojęcia – powiedziałam prawdomównie, wywołując na jej twarzy wyraz rozczarowania. Dlaczego ona mnie pyta o wszystko? I chce, żebym wszystko wiedziała?

– No jak to, ciocia – włączył się Kajtek. – To są właśnie takie, co się wylegują. Jak sama nazwa wskazuje.

– Czy kobiety też mogą być legawe? – zastanowiła się Emilka. – Bo ja bym się lubiła wylegiwać przed kominkiem, najlepiej na skórze jakiegoś dużego stworzonka. Miękkiego. Ewentualnie na perskim dywanie. Nawet lepiej, bo ekologicznie, stworzonka mogłoby mi się zrobić żal. Omciu, co Omcia na to?

– Kobiety to ja nie wiem, moja kochana Emilko. Ale dżeczy to są legawe, moim zdaniem, a najbardżej takie małe niemowlaki. To bardzo ładnie wygląda, jak szę jeden albo dwa takie dżeczaszki wylegują na skórze nedżwedża, koło kominka, ogień szę pali, a te dżeczy są gołe. I wtedy im szę robi zdjęcia.

Nie rozumiem, dlaczego obie babcie spojrzały w tym momencie na nas, to znaczy Janka i mnie – a miały ułatwione, bo siedzieliśmy we dwójkę na jednym dużym fotelu i można nas było objąć zaciekawionym wzrokiem. A jeszcze bardziej nie rozumiem, dlaczego Emilka spojrzała pytającym wzrokiem na Wiktora.

To znaczy, teraz rozumiem, tylko skąd ona, do licha, wiedziała? A Wiktor spojrzał na Ewę.

– Przyznajemy się?

Wzruszyła tylko ramionami z jakimś takim bezradnym wyrazem twarzy, jakiego nigdy u niej nie widywałam.

Babcie zelektryzowało i natychmiast przeniosły sokoli wzrok z nas na Ewę i Wiktora.

– Wiktorku! Ewuniu!!!

Wiktor podszedł do swojej żony i otoczył ją opiekuńczym ramieniem.

– Nie będziemy kręcić – powiedział stanowczo. – Dobrze babcie myślą, Ewa jest w drugim miesiącu. Może nawet prawie w trzecim.

– W drugim – sprostowała Ewa słabym głosem.

Wydaliśmy kilka kolektywnych okrzyków, które miały oznaczać gratulacje, aprobatę, radość i wiele innych pozytywnych uczuć. Tylko mała Jagódka lekko się nachmurzyła.

– No nie – odezwała się z lekką pretensją. – Dlaczego ja jeszcze nic nie wiem?

– Przepraszam cię, córeczko. – Wiktor zagarnął ją sobie na kolana, zanim zdążyła się nadąć i zaprotestować. – Mieliśmy ci to dzisiaj przed pójściem spać uroczyście zakomunikować jako osobie najważniejszej, ale sama widzisz, tak jakoś wyszło, że się zgadało o tych dzieciach. To już powiedziałem, bo przecież i tak byśmy się ujawnili.

– To będzie siostra czy brat? – Kajtek, oczywiście, był konkretny.

– Za wcześnie, żeby stwierdzić. – Wiktor pokręcił głową. Jagódka przeniosła się do matki.

– Mamo, a ty jak myślisz?

– Ja nie mam pojęcia, kochanie – westchnęła Ewa. – Ja jestem jeszcze trochę oszołomiona, bo dopiero od kilku dni wiem o tym dziecku. Słuchajcie, ja w ogóle teraz nic nie wiem.

– Czego właściwie nie wiesz? – Emilka tryskała entuzjazmem. – Ewka, przecież to jest rewelacja! Jagusi dawno należy się jakieś rodzeństwo, Wiktor zarobił teraz kupę szmalu, możesz wziąć urlop, możecie się urządzić; oczywiście nie w Krakowie, tylko tutaj.

– Na strychu w Rotmistrzówce? – wyrwało się Ewie.

– Możecie na strychu. – Emilka miała w oczach chytre błyski. – Ale ja wam coś powiem: Kiełbasińscy sprzedają chałupę po babce...

– Jaką chałupę, Emilka? O czym ty mówisz?

– O chałupie babci Kiełbasińskiej! Za naszymi padokami! Będziecie mieli przez płot do nas!

– Emilka, zwariowałaś? Ta stara ruina?

– To nie jest taka ruina. Ja ją oglądałam. To fajna chatka, zdrowa i wszystko w niej jest, tylko strasznie zarośnięta. Jak się ten cały busz wytnie, to sama zobaczysz. Mały remoncik i macie dom na wsi!

– Wiktor. – Ewa zwróciła się do męża jakby o ratunek przed dzikim optymizmem Emilki, ale mąż miał niemądry wyraz twarzy, a nawet jakby się zaczerwienił.

Czyżby był w zmowie z Emilką? Bo jakoś mało go zaskoczyła ta stara chałupa!

Co tu się wyrabia? Nic nie rozumiałam, natomiast odniosłam wrażenie, że Janek i Rafał świetnie się bawią całą sytuacją – nalali sobie babcinego likworu poza kolejką i lekko się podśmiewając, stuknęli kieliszkami.

Ewa postanowiła chyba jednak się bronić.

– Ja nie wiem – powiedziała słabawo. – Ja nie wiem. Dlaczego wy wszyscy mi tak życie urządzacie. A ja nie wiem. Przecież mam pracę. Habilitację na głowie. Dopiero co wróciłam na uczelnię. Pomyślą, że jestem niezrównoważona wariatka...

– A to niech pomyślą. – Babcia Stasia z impetem odstawiła kieliszek na stół. – Nalej mi, Jasiu, jeszcze troszkę. Ewuniu, a co też ty opowiadasz. Niezrównoważona! Jeżeli ktoś może o tobie tak pomyśleć, to sam jest niezrównoważony. Ale tutaj sama zobacz: natura przemówiła! Nie lekceważ tego! Nie będę ci mówiła, że to znak z nieba, ale na twoim miejscu dobrze bym się zastanowiła, co ważniejsze, uczelnia, czy rodzina! Rafałku, jesteś lekarzem, dobrze, ja wiem, że niepraktykującym, ale przecież lekarzem i uczyłeś się tych rzeczy, powiedz jej, że czas najwyższy, bo potem może chcieć, ale już może nie móc!

Rafał uśmiechnął się pod wąsem. On ma miły uśmiech i trochę rozumiem Emilkę.

– Babcia ma rację. A ja powiem coś jeszcze, co mi mówił mój ojciec, który jest właśnie specjalistą od tych rzeczy. Najlepsze są dzieci zrobione przypadkiem...

– Rafale, co ty mówisz, przy Jagódce, przy Kajtku... – jęknęła Ewa. Kajtek z Jagusią udawali, że ich nie ma w pobliżu.

– O, przepraszam, faktycznie. To co, mam nie mówić?

– Mów, mów – zażądał Wiktor. – To jest ciekawe, co mówisz! Dlaczego one są najlepsze, te przypadkiem, wiesz... W jakim sensie najlepsze i dlaczego?

– Wiem. One są najlepsze w sensie ogólnym. Bo tu babcia miała wielką rację, natura przemówiła. A kiedy natura się wypowiada, to wie, co mówi. I one się potem rodzą zdrowe, ładnie się rozwijają, nie ma z nimi większych kłopotów. Takie dzieci, na które się czeka latami, kiedy kobieta ma trudności z zajściem w ciążę, czasem leży miesiącami w szpitalu, żeby donosić, bywają chorowite i słabe. Tak pokazuje statystyka. A więc przypuszczam, Ewuniu, że będziesz miała wspaniałe dziecko, czego wam wszystkim życzę z całego serca.

Wydaliśmy z siebie kolejne zbiorowe okrzyki pełne aplauzu i zachęty na przyszłość. Wiktor wziął Ewę w ramiona i przytulił do siebie (w ogóle nie zrobiło to na mnie wrażenia!!!), a ona mu trochę bezwładnie zwisła z tych objęć, więc ją posadził na kanapie, sam usiadł obok, Jagódka wpakowała się pomiędzy nich i tak sobie siedzieli.

Renesans rodziny, jak mamę kocham!

I bardzo dobrze, niech będą jak najszczęśliwsi. Nie wiem, czy przebiją nasze z Jankiem osiągnięcia w tym zakresie.

Ostatecznie postanowili obejrzeć chałupę i zastanowić się nad dalszymi posunięciami jutro.

Emilka

Bomba pękła. To znaczy Wiktorek pękł, bo Ewa pewnie by się jeszcze tajniaczyła, zastanawiała i wymyślała różne głupoty, ale sytuacja się zrobiła jakaś taka sprzyjająca i wygadał się. Bardzo dobrze. Zamierzałam go i tak zmusić do tego, bo jak się takie rodzinne forum za nich zabierze, to Ewa w końcu MUSI skapitulować.

Jutro będą oglądać chałupę starej Kiełbasińskiej pod kątem ewentualnego nabycia i zagospodarowania. Dopadłam Wiktora w kącie i poradziłam mu, żeby zaprowadził tam Ewę pod pretekstem dobrego światła w miarę wcześnie – żeby jeszcze była troszkę zmęczona porannym rzyganiem (uprawia takowe; biuletyn o jej stanie zdrowia wydarłam z niego natychmiast po ich przyjeździe), to się z nią łatwiej będzie pertraktowało...

Rafał chyba uczynił poważny wyłom w jej świadomości, wygłaszając twierdzenie o wyższości dzieci nieplanowanych nad planowanymi. Widziałam, że zrobiło to na niej duże wrażenie.

– Rafałku – spytałam go, kiedy odnosiliśmy wspólnie nakrycia do kuchni – ty mówiłeś serio o tej przemawiającej naturze, czy to było tylko na cześć Ewy?

– Serio, serio, jak najbardziej. Opowiadałem ci o moim ojcu, który jest wybitny w swojej specjalności i chciał, żebym ja był wybitny w tej samej; on mnie przygotowywał do zawodu i wtłaczał mi do głowy mnóstwo różnej wiedzy z tej dziedziny. Wiesz, gdyby nie był taki strasznie nachalny i apodyktyczny, to może bym się nawet zdecydował na to położnictwo. Fajnie jest, jak się dzieci rodzą. Ale tatuś przesadził z agitacją. Na pewnym etapie nienawidziłem wszystkiego, co się wiązało z ginekologią. Potem mi przeszło. A potem, jak ci wiadomo, w ogóle medycyną mi przeszła.

– Nigdy nie żałowałeś?

– Żałowałem. Ale nie tego, że ją rzuciłem, tylko jej samej i tego że musiałem to zrobić. To trochę skomplikowanie brzmi, ale chyba wiesz, o co chodzi. W końcu ładnych parę lat z życiorysu mi uciekło. Ale nie potrafiłbym się zmusić do pracy w tym naszym systemie. Wiesz, czasem miałem wrażenie, że u nas się już w ogóle ludzi nie leczy, tylko jakieś cholerne przypadki. Po kawałku. A ludzie są od tego coraz bardziej chorzy. No a potem była ta sprawa z wypadkiem mojej żony...

– Jak ona miała na imię?

Spytałam i aż się spociłam. Pomyśli, że jestem wścibską małpą. Chyba nie pomyślał, bo odpowiedział całkiem zwyczajnie.

– Karolina. A córeczka miała być Katarzynka.

– Przepraszam cię, Rafale, tak odruchowo spytałam, nie powinnam była...

– Nie, dlaczego? Ja już mogę o tym mówić, nie przejmuj się. To było moje poprzednie życie, a teraz mam kolejne.

– To masz ich kilka? Jak Kajtek w swoich grach komputerowych?

– Kilka. Chcesz herbaty? Takiej dobrej, z liści, a nie na szelkach?

Przytknął guziczkiem elektrycznego czajnika, którego używaliśmy do indywidualnych herbatek. Siedliśmy w kącie kuchni. Jakoś nam przyjemnie było... przy jakże nastrojowym szumie zmywarki, którą włączyłam, dołożywszy do niej uprzednio kieliszki po likworze.

Postanowiłam drążyć temat jego życia.

– Powiedz, ile ich naliczyłeś? Tych żyć?

– Dwa i pół.

Rozśmieszył mnie.

– Jak to liczysz? Czemu pół?

– Pierwsze życie – powiedział, zalewając herbaciane listki w imbryczku – to było od zera do tego wypadku Karoliny. Normalne, poukładane życie, z takim standardowym rozwojem od dzieciństwa poprzez szkoły, akademię, małżeństwo, pierwszą pracę, takie tam. Rozumiesz, co mam na myśli?

Przytaknęłam i podałam mu cukierniczkę, którą odsunął, bo przecież nie słodzi herbaty.

– Potem to wszystko padło na pysk. I się skończyło pierwsze normalne, bezpieczne życie. To znaczy, ono nie było bezpieczne, ale takim się zdawało. Potem przez jakiś czas żyłem na pół gwizdka. Tego okresu nie liczę jako normalne życie. A więc połówka. I teraz, od jakiegoś czasu żyję normalnie. To będzie życie numer dwa.

Strrrasznie chciałam go zapytać, od którego momentu liczy to normalne życie numer dwa, ale jakoś nie zapytałam. Bo mógłby nie odpowiedzieć, że od chwili poznania nas i Rotmistrzówki. I mnie.

Zamiast tego rzuciłam lekko:

– No i jak znajdujesz to kolejne życie?

– Pozytywnie. – Uśmiechnął się i podsunął mi cukierniczkę, której nie użyłam, bo z zasady nie słodzę herbaty.

– Nie masz takich pomysłów, żeby wrócić do medycyny?

– Nie. To się skończyło definitywnie. Mogę robić wiele pożytecznych rzeczy, nie używając mojego dyplomu Akademii Medycznej. Sama wiesz, bo też to robisz.

– A jak ci jest z nami?

– Nie widać tego po mnie? – Zaśmiał się beztrosko. – Wtapiam się. Jeżeli już biorę udział w zbiorowej agitacji Ewy... żeby nie powiedzieć: indoktrynacji...

– Ależ to jest w słusznej sprawie!

– Dlatego się nie wymiguję, tylko agituję! Emilko, dziewczynko, przyznaj się, czy ty wszystkim spotkanym na drodze ludziom chcesz urządzać życie, czy tylko najbliższym przyjaciołom? Bo tak się angażujesz w sprawy Ewy i Wiktora... a mam podejrzenia co do twojej roli w szczęśliwym złączeniu się Jasia i Luli...

379

– Ty nie bądź taki inteligentny, bo się nie uchowasz! Cyganie cię porwą!

– Aaaa, przyznajesz się?

– Ja to małe piwo – oświadczyłam, nagle zdecydowana opowiedzieć mu wszystko. – A wiesz, że babcie wynajmowały za pieniądze studentki, żeby podrywały Jasia?

Że on się nie rozleciał ze śmiechu, to istny cud. Może rekompensował sobie te wszystkie lata, kiedy śmiać się nie mógł. Kiedy już się trochę wyśmiał, wydusił ze mnie szczegóły i ciąg dalszy na temat mojego rzucania się na Janka. Wcale się zresztą nie opierałam. Kwadrans potem oboje umieraliśmy ze śmiechu nad kuchennym stołem i chłodnymi resztkami naszej herbaty.

Uwielbiam się śmiać!

Lula

To zdumiewające, ale Ewa prawie bez oporów zgodziła się na kupno chałupy babci Kiebasińskiej! Oględzin dokonaliśmy zbiorowo wczoraj i rzeczywiście, Emilka miała rację, po wycięciu szalejącej wokoło dżungli, będzie to zupełnie przyjemny domek, wymagający oczywiście szybkiego remontu, jakichś niewielkich przeróbek, modernizacji łazienek – ale to w zasadzie wszystko, nie będą potrzebne żadne wielkie inwestycje.

– Wiesz, Ludwisiu – powiedział Janek, kiedy wieczorem, już w sypialni omawialiśmy wydarzenia minionego dnia (ostatnio weszło nam to w zwyczaj) – ja myślę, że Ewie wcale nie było za różowo na tej uczelni, bo chyba atmosfera tam nie jest zbyt przyjemna, sądząc z jej opowiadań... I moim zdaniem ona z ulgą przyjęła tę swoją nową przymusową sytuację.

– Uważasz, że dziecko w drodze to jest przymusowa sytuacja?

– Pewnie. A ty nie? W jak najbardziej pozytywnym sensie. Przecież to będzie normalne dziecko w normalnej rodzinie, nie żaden, za przeproszeniem, wynik gwałtu czy czegoś tam innego, w wyniku czego kobieta usuwa ciążę. W bardzo odpowiednim momencie im się trafiło, warunki mają doskonałe, zwłaszcza teraz, kiedy się zdecydowali na tę chałupę. Wiktor będzie zarabiał na rodzinę, a Ewa może spokojnie chować malucha. I Jagódce to świetnie zrobi, wreszcie jej się ustabilizuje życie, będzie miała oboje rodziców na co dzień. Same przody.

– To ty uważasz – spytałam podstępnie – że rolą męża jest zarabianie, a rolą kobiety chowanie dzieci, gotowanie obiadków i sprzątanie mieszkania? I to ma jej wystarczyć na całe życie?

– Nie wrabiaj mnie w takie poglądy, moja słodka. Jak dla mnie kobiety mogą robić dowolne kariery w dowolnych dziedzinach, mnie się to nawet podoba i lubię z kobietami pracować. Ale jeśli można poświęcić kilka lat na chowanie dzieci, to przecież nie ma w tym nic złego, prawda? Dla tych dzieci to nawet wręcz przeciwnie, samo dobre, taka mama na miejscu. Małym dzieciom mama jest potrzebna. A jak podrosną, mama spokojnie wróci do pracy i będzie dalej robiła karierę.

– Ty myślisz, że to tak łatwo, wrócić do zawodu po paru latach?

– Kto mówi, że łatwo? A co w ogóle w życiu jest łatwe? Tylko ja myślę, że wszystko jest kwestią wyboru, a gdybym był Ewą, wybrałbym na te kilka lat rodzinę.

– Tak się mówi. Nie jesteś Ewą! A gdybym ja, teoretycznie to mówię, miała teraz dziecko i chciała robić karierę, to ty byś się zgodził siedzieć w domu i gotować zupki?

– Nie wykluczam. A co, masz może jakieś mdłości poranne?

– Mówiłam ci, że teoretyzuję!

Odsunął się ode mnie na odległość ramienia i wnikliwie spojrzał mi w oczy.

– Lula!

– Co Lula, co Lula.

– Nic? Naprawdę?

– Naprawdę. Przecież mówię.

Westchnął.

– Kurczę, a ja już się prawie ucieszyłem...

– Kurczę, chciałbyś mnie zamknąć w domu, przy dziecku?

– Kurczę, sam bym się zamknął, gdybyś ty nie chciała...

– Kurczę, kurczę. Kto ci powiedział, że bym nie chciała?

– Wydawało mi się.

– Nie słuchasz, co do ciebie mówię.

– To co? Przestajemy się zabezpieczać?

– I będę grubą panną młodą?

– Jaką tam zaraz grubą. Jakby nam się od razu udało, to w czerwcu byłabyś... no, może trochę...

– Nie trochę. Piąty miesiąc to hoho...

– No to przyspieszymy ślub, jakby co. Ten kwiecień też może być całkiem fajny...

– Ostatecznie może być maj. Ja tam nie jestem przesądna tak naprawdę... A w razie czego ubiorę się w luźną kieckę, wiesz, taką maskującą.

Emilka

Jak tylko śniegi stopnieją, Wiktorek rusza z remontem swojego nowego domu!

Niech pęknę z hukiem, jeśli Ewie nie ulżyło w momencie, kiedy podjęła decyzję. Wiktor natychmiast zaczął ją nosić na rękach, zupełnie dosłownie; chyba się naprawdę ucieszył. No więc jest po prostu świetnie, w tym układzie górka będzie do wzięcia, dla Jasia i Luli. A jest to bardzo słodka górka!

Zaraz. Skoro Jasio i Lula mają być docelowo gospodarzami Rotmistrzówki, to może oni jednak powinni mieszkać na dole, a górka...

A dla górki znajdzie się jakiś inny szczytny cel.

Lula

Bardzo miło jest NIE UWAŻAĆ.

Emilka

Cholerny Leszek znowu dał głos. Telefonicznie. Już mi się nawet z nim gadać nie chce, co to, cholera, znaczy, ostatnie ostrzeżenie!

– No, może zresztą przedostatnie – wycedził tym swoim paskudnym głosem.

– Bo co? Bo mnie zabijesz? Zastrzelisz zza krzaka? Czy Rafała zastrzelisz? Kota masz? Przecież wiesz doskonale, że policja cię pilnuje!

– Znajdę sposób, dzidzia, znajdę, żeby ci dopiec. Tobie albo twojemu doktorkowi...

– Jakiemu mojemu, jakiemu?

– A, to on jeszcze nie twój? Bo mi się tak jakoś wydawało. Stale was widzę razem...

– Pracujemy razem, ty głąbie kryminalny!

– Oj, nie denerwuj mnie – powiedział i się wyłączył.

Ochłonęłam. Może naprawdę niepotrzebnie obrzucam go wyzwiskami. Ale co to za maniery, przerywać rozmowę! Cholerna dżuma.

Zadzwoniłam do Misia.

– Słuchaj, Misiu – powiedziałam bez zbędnych wstępów. – Mój były kryminalista znowu dzwonił i mnie denerwował. Co ja mam zrobić twoim zdaniem?

– Groził ci?

– Tak jakby. Ale nie konkretnie, tylko tak jakoś...

– Jak jakoś?

– No tak blablał, że ostatnie ostrzeżenie, potem zmienił zdanie i powiedział, że przedostatnie, ale że się do mnie dobierze albo do Rafała. Ty słuchaj, czy nie można go zamknąć w pudle za uporczywe nękanie obywatelki?

– Za samo nękanie, niestety, nie. Emilka, ja cię proszę, ty nic nie rób na własną rękę, dobrze? Ja ci nie mogę nic powiedzieć, ale my nad nim pracujemy. Uwierz mi i nic nie kombinuj.

– To znaczy, że jest nad czym pracować? Lesio nie próżnuje na wolności?

– Emilko, proszę cię.

– Misiu, ale może ja mogłabym jakoś pomóc!

– Emilko, proszę.

– Misiu, ja też proszę! A zresztą, niech ci będzie, i tak na razie będę zajęta, wyprawiamy bankiet dla naszych biznesowych gości i nie mam czasu na głupoty. Ale jak oni już wyjadą, to nie ręczę za siebie!

Westchnienie Misia przeszło w jęk, ale nic już nie powiedział. Niech no oni nie będą tacy tajemniczy, ci faceci w kominiarkach! W końcu to o moją głowę chodzi albo o głowę...

No właśnie. MOJEGO doktorka? Mojego?

Lula

Nasi biznesowi goście będą wyjeżdżać niebawem, ale przedtem zażyczyli sobie uroczystej kolacji – zdaje się, że doszli do porozumienia, robią jakąś nad wyraz intratną fuzję międzynarodową, dzięki czemu Wiktor nie musi się martwić o przyszłe zarobki w dziedzinie reklamy. Dla uczczenia tego przedsięwzięcia mamy ich nakarmić i napoić wytwornie, po staropolsku, ale żeby od tego nie utyli, broń Boże. Moim zdaniem nie ma takiej możliwości! Albo po staropolsku, albo nietucząco!

Co ja im dam?

Może ryby. Od ryb się tak bardzo nie tyje.

Coś wykombinuję.

Emilka

Megi, Pegi i cała reszta wyjechali, nażarłszy się przedtem jak bąki. Jakoś się przestronniej zrobiło. Chociaż niby sympatyczni i bezpośredni, ale coś jednak w powietrzu wisiało, jakiś przymus, nie potrafię tego dobrze określić.

– Bo oni sztuczni są jak pcv – powiedziała babcia Stasia, rozsiadłszy się po drugim śniadaniu w kuchennym fotelu. Takie fotele mamy dwa, dla obydwu staruszek, które uwielbiają przesiadywać w kuchni i patrzeć nam na ręce, kiedy gotujemy. Przeważnie są to ręce Luli, ale i ja czasem pomagam. Babcie w tym czasie bawią nas konwersacją na dwa głosy.

– Co to jest pcv, babciu? – nie wiedział Kajtek.

– Polichlorek winylu. Takie tworzywo, kiedyś się z tego robiło płytki na podłogę. Ohydne i podobno rakotwórcze.

– To znaczy można od nich dostać raka? – zapytała Jagódka. – Od naszych gości?

– Nie, dziecinko. Raka nie.

– A czego? – dociekało dziecko.

– Niczego. Jagusia, ty nie musisz iść do szkoły?

– Przecież my już wróciliśmy, babciu! Były tylko dwie lekcje, bo wysiadło ogrzewanie i puścili nas do domu. Ale możemy sobie pójść do koni.

– No to zbierajcie się i nie przeszkadzajcie starszym...
– Babcia zawsze każe się zmywać, kiedy coś chlapnie – mruknął pod nosem Kajtek i zwiał czym prędzej.

Babcia chlapnęła czystą prawdę. Może ja ich krzywdzę, tych wszystkich biznesmenów, ale coś mi się wydaje, że za mało pokoleń przodków w rodzinie nosiło frak, żeby on teraz na nich dobrze leżał. Ten frak. A może smoking, nie pamiętam. To przenośnia, oczywiście, słyszałam takie określenie od Luli i bardzo mi przemówiło do wyobraźni. Kiedy na nich patrzyłam, a zwłaszcza kiedy z nimi rozmawiałam, miałam wrażenie, że czytam kolorowy magazyn dla pań wytwornych. Ze świeżego awansu społecznego. Ale to chyba korzystnie, skoro zamierzają taki magazyn wydawać?

Wczorajszego wieczora święcili dobicie jakiegoś wielkiego interesu, dogadali między sobą jakieś fuzje-śmuzje i byli szalenie zadowoleni. Biedna Lula od rana kombinowała jak koń pod górę, żeby im zrobić delikatną i nietuczącą ucztę Babette (był taki film, świetny po prostu), w końcu wpadła na pomysł z rybami i owocami morza – oczywiście Jasio musiał po to całe badziewie jechać do Wrocławia, chyba przekroczył więcej przepisów drogowych, niż mu się udało przez całe życie... ale zdążył na czas z ładunkiem krewetek, ślimaczków i jakichś okropnych małżowin. Ryby mieliśmy na szczęście w zamrażarce, więc można było w międzyczasie produkować wykwintne dania rybne. Doginałyśmy uczciwie we trzy, z Lulą i Ewą, a Żaklina pod naszym zbiorowym okiem wykonywała pośledniejsze czynności kuchenne.

Coś mi się wydaje, że na Żaklinie piorunujące wrażenie wywiera Wiktor. Za każdym razem, kiedy cudny ten mężczyzna pojawiał się w okolicy kuchni, wzdychała i płoniła się jak pomidorek.

W przeciwieństwie do kochanej Luli, która chyba raz na zawsze przestała się płonić w temacie Wiktora, albowiem za swoim Jasiem świata bożego nie widzi, jak najbardziej z wzajemnością.

Oprócz szalenie wyszukanych dań z ryb i owoców morza plus wielka ilość zieleniny – podałyśmy na stół troszkę naszych dyżurnych specjałów typu bigos „śmierć wątrobom", pieczone mięcho jak najbardziej wieprzowe, tłuste pasztety zapiekane i drożdżowe paszteciki z nadziankiem grzybno-mięsno-kapuściano-jajecznym (osobno te nadzianka, nie razem). Miało to być w zasadzie dla domowników, zwłaszcza dla naszych chłopców mięsożernych.

Ale cóż się okazało – całe to niezdrowe żarcie znikło w pierwszej kolejności jak sen jaki złoty. Musiałam prawie wyrywać biznesmenom z pyska pierożki, bo przecież nie będę z własnej woli jadła małżowin!!!

Ogólnie było miło, a Wiktorowi chyba kamień z serca spadł, bo nowo narodzone konsorcjum (czy jak to się tam nazywa) wydawniczo-reklamowe zapewni mu tłuste bytowanie na najbliższe lata. Będzie mógł na zawsze zerwać z tą swoją poprzednią agencją i pracować bezpośrednio dla Megi – Pegi. O wiele lepiej na tym wyjdzie. One go kochają prawdziwą miłością i nie poskąpią mu grosza. W swoim własnym, dobrze pojętym interesie – ostatecznie Megi zarobiła już mnóstwo szmalu dzięki jego koncepcjom i zna wartość jego talentu. No i dobrze. Miesięcznik „Tylko Ty" ma się ukazać w marcu, na Dzień Kobiet i będzie w nim wielki materiał o Wiktorze. A w kwietniu lub maju o naszej hippoterapii.

No i bardzo dobrze wręcz!!!

Lula

Mieliśmy dziś u siebie niespodziewane zebranie założycielskie. Razem z Anią Szczepankową, Celinką i Franiem Kiełbasińskimi, księdzem Pawłem, Krzysiem Przybyszem i taką jedną Dorotką Paciak (Dorotka ma sześćdziesiąt pięć lat, ale nikomu nie przychodzi na myśl nazywać ją Dorotą – taka jest zabawna, okrągła i przyjacielsko nastawiona) – założyliśmy Towarzystwo Przyjaciół Marysina.

Najpierw, koło południa, zadzwoniła Ania i zapowiedziała się na wieczór w towarzystwie Kiełbasińskich, Dorotki i placka z kruszonką. Ucieszyliśmy się wszyscy z perspektywy miłego wieczoru z sympatycznymi ludźmi. Tym przyjemniej nam było, że Ewa znalazła sobie jakiś pretekst, żeby nie pojawiać się na uczelni jeszcze przez dwa dni i Łascy wcale nie wyjechali tak, jak zamierzali, razem z Megi i resztą. Okazało się jednak, że nie tylko przyjemne pogaduchy o niczym nas czekają – Ania, która jest patriotką lokalną, zaproponowała, żebyśmy zawiązali jakieś stowarzyszenie dla rozwoju Marysina.

– Ty myszlisz, dźecko, że Mariszyn ma jeszcze szansę jakosz

szę rozwinącz? – zapytała sceptycznie Marianna. – Chcesz z niego zrobicz drugi Krummhuebel, to znaczy Karpacz, przepraszam?
– Karpacz nie – odrzekła stanowczo Ania. – Karpacz to jest kurort, tam są wielkie hotele i drogie pensjonaty, a u nas będzie tylko kilka gospodarstw agroturystycznych. Ale moglibyśmy postarać się, żeby nasz Marysin miał jakiś określony charakter. Rozumiecie mnie? Żeby to nie była taka sama wioska, jakich setki więdnie dookoła, tylko żeby się coś działo, żebyśmy się czymś wyróżniali. Gdzieś kiedyś czytałam o wioskach tematycznych, podobno w jakimś grajdołku na Pomorzu ktoś robi Hobbiton, ja nie mówię, żebyśmy od razu zamienili Marysin w Hogwart albo inne dziwadło, ale może warto by coś wymyślić, żeby wieś się ludziom z czymś kojarzyła. Ja nie wiem, czy się jasno wyrażam...
– Jasno, jasno. – Babcia Stasia kiwała energicznie głową, najwyraźniej pomysł jej się spodobał. – Dobrze mówisz, Aniu i jestem z tobą. Tylko co to ma być? Końska wioska? Na to mamy za mało gospodarstw z końmi, poza tym Zimmer ma już swoje miasteczko westernowe, nie przebijemy go...
– Ja widziałam w telewizji – wtrąciła nieśmiało Dorotka Paciak – jedną taką wieś blisko morza, ale nie nad morzem, ona się nazywała Naćmierz, ta wieś, i oni sobie wymyślili „strefę dobrego wypoczynku", pół wsi żyje z turystów, chociaż niby nic tam nie ma, ale oni festyny dla gości robią, bawią się. No i goście do nich wracają.
– Ja się boję – Franek Kiełbasiński był sceptyczny – że wszystkie patenty gdzieś w okolicy są już wykorzystane. Do gór od nas niby blisko, ale niewygodnie, łatwiej z Karpacza, tam są wszystkie szlaki, wyciągi, orczyki, diabli wiedzą co, nartostrady. Stare sztolnie, kamienie, minerały, agaty, Walończycy, poszukiwacze złota, to też w okolicy już jest wykorzystywane. Co my możemy wymyślić?
Zapadła cisza. I w tej ciszy słychać było tylko siorbanie bardzo gorącej kawy, bowiem Dorotka Paciak pije dosłownie wrzącą, więc musi siorbać.
No i naprawdę nie wiem, dlaczego to nie ja wpadłam na ten pomysł! A przecież powinnam była, chociażby ze względu na zawód wyuczony, chociaż ostatnio nieuprawiany!

Wpadła Emilka, która nie odróżnia Fałata od chałata.

– Ja wam powiem – zaczęła powoli, patrząc intensywnie na Wiktora, a Wiktor pod wpływem tego spojrzenia jakby sam zaczynał się domyślać, o co jej chodzi. – Ja wam powiem. Możemy w Marysinie zrobić centrum sztuki.

– No, no – powiedział Wiktor. – Kontynuuj.

– Już. No więc to by była taka wiocha, gdzie by się robiło plenery dla artystów...

– I dla amatorów też – wtrącił Wiktor. – Można by im robić kursy...

– Jakie kursy? – Ewa podniosła wysoko brwi.

– Warsztaty. Rysunku i malunku. – Emilka najwyraźniej miała natchnienie. – I fotografii artystycznej...

– Czekajcie. – Wiktor złapał się za kieszeń i wydobył komórkę. – To trzeba zadzwonić po Pawła.

– Księdza Pawła – poprawiła babcia.

– Księdza – zgodził się Wiktor i już rozmawiał z naszym genialnym fotografikiem.

– To ja zadzwonię po Krzysia Przybysza – oznajmiła Emilka. – On też może mieć fajne pomysły i na pewno będzie chciał z nami pracować.

I też wyciągnęła telefon.

W niespełna kwadrans obaj panowie byli już u nas, a nasza koncepcja zaczęła się krystalizować. Po kolejnej godzinie nabrała rumieńców. Powstała wizja wsi z kilkoma galeriami sztuki – największą, oczywiście, w nowym nabytku Wiktorów, obejmującym nie tylko chałupę po starej Kiełbasińskiej, ale i sporą stodołę, która miała ulec rozebraniu, ale, jak się okazało, pożyteczniejsza będzie po remoncie. Będzie się tam robiło wystawy. Nasza galeria domowa, oczywiście, zostaje. Dorotka Paciak zapaliła się do ustawienia sobie kilku do kilkunastu rzeźb współczesnych w ogrodzie i domu. Skąd weźmie te rzeźby, nie wiadomo, ale Dorotka nie przejmuje się drobiazgami. I słusznie, bo Wiktor natychmiast przypomniał sobie kilku swoich przyjaciół rzeźbiarzy, z którymi będzie można podjąć negocjacje w sprawie ogrodu Dorotki. Będziemy organizować plenery, warsztaty, kursy. W tym dla niepełnosprawnych, co podpowiedział nam, oczywiście, Rafał. Emilka spojrzała na niego w tym momencie z dużą dozą uczucia.

Uczucie uczuciem, ale to naprawdę dobry pomysł. Rehabilitacja poprzez sztukę! Oczywiście, w Rotmistrzówce nie rezygnujemy ani z koni, ani z hippoterapii.

– Ależ się narobimy – powiedziała z satysfakcją Emilka. – Padniemy na pysk!

Co mi się u niej zdecydowanie podoba to to, że nie boi się pracy, a nawet chyba naprawdę lubi pracować. A przecież dwa lata jedwabnego życia w totalnym nieróbstwie mogły ją tej pracowitości pozbawić...

– Trzeba będzie wejść w kontakt ze szkołami artystycznymi – dorzuciła Ewa. – I z jakimiś specami od tych niepełnosprawnych.

– Przede wszystkim trzeba zrobić ładną stronę internetową. – To Janek, oczywiście. – I opracować sobie ofertę do przedstawienia na targach, bo musimy wreszcie zacząć uczestniczyć w targach.

– Ja myślę – wtrąciła Dorotka Paciak, miłośniczka form przestrzennych – że w całej wsi będzie można ustawiać rzeźby, takie wielkie, plenerowe. I robić te takie... jak to się nazywa? Jak instalacje elektryczne...

– Właśnie instalacje – potwierdziłam nieprecyzyjną wiedzę Dorotki. – Instalacje przestrzenne. Wiecie, można by organizować happeningi...

– Ogłaszając przedtem w prasie, radiu i telewizji – dodała praktyczna Emilka.

– I opisując wszystko post factum w ekskluzywnym miesięczniku dla pań „Tylko Ty". – Wiktor miał minę kota, który zjadł śmietankę. – Pościągamy telewizorów, będzie można w ramach chwytów marketingowych zorganizować jakiś weekend albo trzydniówkę na koniach dla dziennikarzy.

– Ale to na początku będzie nas sporo kosztowało. – Ewa była praktyczna, a poza tym chyba nie planowała wydawania pieniędzy, które Wiktor zarobi w reklamie, na wiejskie galerie sztuki.

– Jakoś sobie poradzimy. – Wiktor tryskał optymizmem, w który, moim zdaniem, wprawiała go perspektywa pracy w kręgu sztuki, nie tylko w kręgu najwytworniejszych nawet toalet (w sensie łazienek, nie ubiorów!) oraz najbardziej nawet kolorowej prasy dla pań.

Ewa sceptycznie pokęciła głową.

I tu niespodziewanie głos zabrała Marianna, wprawiając nas w zdumienie.

– Słuchajcze, kochani – zaczęła i odchrząknęła. – Poproszę łyk koniaczku, bo będę mówicz ważne rzeczy. I o uwagę poproszę tyż. Nikt z nas nie śmiałby nie uważać podczas przemowy starszej damy. Dama łyknęła sobie odrobinkę szlachetnego trunku i kontynuowała.

– Podoba mi szę to, co tu wszyscy mówicze. Podoba mi szę, że traktujecze Maryszin jak swoje miejsce na żemi. Podoba mi szę, że chcecze tu zaprowadżycz Kunst, to znaczy sztukę. Podoba mi szę, że to, co robicze, to ma bycz na lata, a nie tylko na chwilkę. No więc ja nie widzę... pczeszyw... pczeczysz...

– Przeciwwskazań – podrzuciła Emilka.

– Otóż to. Nie widzę ich... tych, co Emilka mówisz, żeby wam nie pomóc w tym, żebyszcze zreazowaliszcze te wasze fajne plany.

– Co masz na mysli, Marianno? – nie wytrzymała babcia Stasia.

– Mam na myszli fundację – oświadczyła godnie Marianna. – Fundację Przyszłoszczy Wszy Maryszin. Ja dam pieniędze...

– Pieniądze – mruknęła babcia.

– Pieniądze, dżękuję, Stanyslawa. I założymy fundację, z której będżecze mogli organizowacz te swoje galerie i happening. Ja nie wiem, jak szę fundację zakłada, ale myszlę, że Ewunia będże wiedżała, a jak nie będże, to szę dowie. Bo ja bym chcżała, żeby finansowym szefem tej fundacji została Ewa. Ona ma wielką głowę do finansów.

– Dziękuję za uznanie – bąknęła Ewa, chyba w lekkim szoku.

– A merytorycznym? – spytała Ania.

– Co meryto... rycznym? Szefem, rozumiem. To ja już nie wiem, sami wybierzcze. Tu jest dużo osób, co szę znają na rzeczy.

– Wiktor? – bąknęłam, bo mi się to wydało oczywiste.

Ale Wiktor potrząsnął głową.

– Ja nie, Luleczko. Ja się nie nadaję na żadne oficjalne stanowiska, co nie zmienia faktu, że możecie na mnie liczyć w każdym momencie, wszystkie wysokopłatne wychodki rzucę natychmiast, żeby pracować dla fundacji.

– No przecież ty się znasz na sztuce, Lula – zawołała Emilka. – Pracowałaś w Muzeum Narodowym! Kończyłaś historię sztuki!

– Nawet ze wskazaniem na sztukę nowoczesną – dodał Wiktor z chytrym błyskiem w oku.

Poczułam się kompletnie spłoszona. Spojrzałam na Jasia, ale on się tylko uśmiechał radośnie.

– Ależ kochani – jęknęłam. – Ja mam się przecież z Jasiem zajmować Rotmistrzówką!

Miałam nadzieję, że babcia mnie poprze, ale ona ani myślała.

– Możemy zmienić koncepcję – powiedziała beztrosko. – Tylko krowa nie zmienia poglądów. Rotmistrzówką w sensie końsko--turystycznym zajmie się Janek, a Emilka z Rafałkiem mu pomogą. A poza tym praca w fundacji nie będzie zabierała wam całych dni i nocy! Ja wierzę w to, że jak się dobrze zorganizujecie, to sobie poradzicie ze wszystkim. W sprawach organizacyjnych przecież chyba i Ania, i Krzyś, i ksiądz nie odmówią pomocy! Jak już będzie co organizować, oczywiście. A pracę koncepcyjną można wykonywać nawet przy klejeniu pierogów...

– A jeśli będę miała dziecko?

Nie chciałam tego powiedzieć, wymknęło mi się, ale wszyscy natychmiast zaczęli wrzeszczeć bez sensu.

– Wy też, wy też? – dopytywała się Ewa, szarpiąc mnie za rękaw.

Rafał i Krzysztof już ściskali prawicę Jankowi, który, drań jeden, nic nie wyjaśnił, tylko się śmiał.

– Ja tylko hipotetycznie – wrzasnęłam wreszcie i zapadła cisza. Przerwała ją babcia Stasia.

– No to jak już będziesz je miała, to też ci wszyscy pomogą. Wam, znaczy.

Aha, pomogą. No to świetnie.

Babcia uznała sprawę za załatwioną ostatecznie, ale jeszcze jedna kwestia nie dawała jej spokoju.

– A ty, Marianno, powinnaś być prezesem tej fundacji – powiedziała spokojnie. – Bo, jak się domyślam, nie masz w najbliższych planach wyjazdu do Tyrolu?

– Stanyslawa, ja czę proszę, ty do mnie mów proste zdania. Ale chyba ja rozumiem. Ty masz rację. Mnie szę do Tirol... lu nie chce jechacz. Mnie tu z wami jest dobrze. Ja szę nie nudzę. Wy wszyscy jesteszcze młodży...

– Dziękuję ci, Marianno – mruknęła babcia, przewracając oczyma.

– Nie mówię o tobie, Stanyslawa – zachichotała Marianna – chocz ty szę do nich upodobałasz...

– Upodobniłaś?

– Tak. Upodobniłasz. Nie jestesz... jak to mówił Kajtusz... upierdliwą staruszką...

– Matko Boska – jęknął Janek, a cała reszta towarzystwa ryknęła śmiechem. – Ja mu dam, szczeniakowi... Gdzie on jest?

– Na górze, z Jagódką biegają po internecie, to znaczy, tego, odrabiają lekcje – zawiadomiła, płacząca ze śmiechu Emilka. – Zawołać go, żebyś mógł go zabić?

– Nie, nie, Jasiu, nie waż się – zaprotestowała babcia. – Twój syn, o ile dobrze zrozumiałam naszą drogą Mariannę, powiedział, że NIE jestem upierdliwą staruszką!

– Genau. Ty mnie dobrze zrozumiałasz. No i ja tyż nie chcę bycz upierdliwą staruszką, a w Tirolu ja bym szę taka stała bardzo szybko. Z samych nudów. Tu z wami ja szę nie nudzę. Wy jesteszcze młodży, powiedżałam, wy macze dużo fajnych pomysłów i życze macze czekawe, nawet gangstera macze własnego...

W Emilkę jakby piorun strzelił, ale Marianna nie zwróciła na to uwagi najmniejszej.

– Policjantów macze pczyjemnych i ludże do was pczyjemni pczyjeżdżają... a propos, dawno Tadża mojego nie widżałam, czeba go koniecznie zaproszycz! Chcę zobaczycz jego dżewczynę i tę jej biedną chorą córeczkę... Może szę da cosz zrobicz. Może nie w Polsce, Rafał, ty pomyszlisz?

– Ja już dawno myślę – westchął Rafał. – Na razie jeszcze nie bardzo potrafimy leczyć takie przypadki, nie tylko w Polsce, niestety... Ale będę się dowiadywał.

– No więc, jeszli wam to nie pczeszkadza, to ja tu jeszcze zostanę. Nie wiem, jak długo, dopóki mnie szę nie odechce. A mój Rupert też nie chce wracacz do Austrii, to będę do niego miała bliżej. Bo oni z Malwiną na pewno tu wiosną wrócą. Do tych robaczków. No więc jak, czy ja mogę zostacz?

Obrzucilіśmy ją mnóstwem zapewnień, że jest nam z nią bardzo dobrze, potem Emilka rzuciła się jej na szyję i wycałowawszy solennie, dorzuciła chytrze:

– Ja uważam, że Omcia nie może nigdzie wyjeżdżać, dopóki

się nie wyjaśni sprawa tych klejnotów, co to gdzieś są, tylko nie wiadomo gdzie! Ja mam pewną koncepcję, Omciu!

– Co ty mówisz, dżecko? Masz koncepcję? Mów mi szybko!

– Omciu – zaczęła uroczyście Emilka. – Omciu i wy wszyscy. Moja koncepcja jest następująca. Trzeba zagonić do szukania Kajtka i Jagódkę.

– Do czego trzeba zagonić nas? – Kajtek wkraczał właśnie do pokoju, a pół metra za nim podążała Jagódka, bardzo zadowolona, jak zawsze, kiedy znajdowała się w towarzystwie swojego „starszego brata".

– Nie zagonić, tylko pogonić – mruknął jego ojciec, ale Omcia trzepnęła go po łapie, więc zamilkł.

– Kajtuszu, synku, chodź do mnie. Czocza Emilka mówi, że czeba was zagonicz do szukania moich biżutów. Czy ona ma rację?

– Pewnie, że ma – powiedział niedbale Kajetan. – My z Jagodą omówiliśmy tę sprawę dokładnie i chyba wiemy, gdzie trzeba szukać, tylko że teraz nie można.

– A dlaczego teraz nie można – obruszyła się Marianna. – Co to znaczy nie można? Zawsze można, jak szę chce!

– Babcia poczeka, zaraz wytłumaczę, jaki był tok naszego rozumowania...

Tu Jagódka aż się zarumieniła z zadowolenia, że Kajtek traktuje ją jak równorzędną partnerkę.

– W domu klejnotów nie ma – ciągnął Kajtek. – To wiemy, bo ta skrytka w murze była pusta, a potem były różne remonty, to by się klejnoty znalazły w międzyczasie. Więc na pewno dziadek pana Krzysia, czy tam pradziadek, zabrał je z domu i gdzieś schował.

– To też wiemy – burknęła babcia Stasia. – Nie nadużywaj naszej cierpliwości, chłopcze.

– Już mówię dalej. No więc nasze rozumowanie poszło w tym kierunku. Gdybyśmy byli dziadkiem pana Krzysia, to byśmy chcieli schować klejnoty tak, żeby ich nikt niepowołany nie znalazł, ale żeby się pani baronowa, to znaczy właścicielka, to znaczy babcia Omcia domyśliła.

– Ty jesteś mały szadyszta? – spytała kąśliwie pani baronowa.

– Broń Boże, babciu Omciu. Ale niech babcia sama pomyśli. Które miejsce w Marysinie babcia najbardziej kocha?

– Wszystkie – rzekła z mocą Marianna.

– Eeeee, ale przecież nie wszystkie jednakowo, proszę babci.

– Kajtek, ja czę zabiję.

– U nas tego nie wolno robić dzieciom – powiedział Kajtek bezczelnie. – Babcia sobie przypomni. Jak babcia tu przyjechała pierwszy raz, to znaczy na jesieni. Pamięta babcia? To babcia gdzie poleciała najpierw? To znaczy, gdzie babcia poszła najpierw?

Patrzyliśmy po sobie, intensywnie usiłując sobie przypomnieć, jak to było z tym przyjazdem.

– Zanim jeszcze babcia się przywitała ze wszystkimi – podpowiedział mój przyszły pasierb i pokazał na migi Jagódce, że ma siedzieć cicho. Jagódka pokwikiwała z radości.

Pierwsza przypomniała sobie, naturalnie, Emilka.

– Jabłonka! – wrzasnęła na całe gardło. – Jabłonka! Babcia poleciała pod jabłonkę!

Tu zaczęliśmy krzyczeć wszyscy. Oczywiście, że jabłonka! Ukochany Apfelbaum Marianny, drzewko przez nią samą posadzone, Boże, jakie osły z nas, przecież ona tam siadała przy każdej okazji i bez okazji, Wiktor ją tam malował!

– *Mein Gott!* – ryknęła Marianna, przekrzykując nas wszystkich. – Gdże wy macze jakiesz szpadle???

– Janek, Rafał, Wiktor, Krzysiu, księże Pawle! – zawtórowała jej babcia Stasia. – Bierzcie łopaty, jakieś latarki i biegniemy kopać!

Już prawie byliśmy we drzwiach, ale zatrzymali nas dwaj przytomni. Janek i Rafał.

– Spokojnie, kochani – powiedział Rafał. – Nic się nie da zrobić, dzieci mają rację, trzeba poczekać...

– Dlaczego ja mam znowu czekacz? – jęknęła Marianna dramatycznie. – I do kiedy ja mam czekacz?

– Do ocieplenia – zawiadomił ją rzeczowo Janek. – Droga pani, to znaczy, droga babcia sobie raczy przypomnieć: jest zima...

– Prostymi zdaniami! – jęknęła Marianna po raz drugi. – Co to jest „raczy"? I co z tego, że jest zima?

– Mrozy były. Ziemia zamarzła. Nie wbijemy żadnej łopaty. Kamień.

– *Krrrreuzhimmeldonnerwetter* – zaklęła Marianna (podejrzewam, że to Kajtuś nauczył ją tego wyszukanego przekleństwa, które znalazł gdzieś w literaturze, czy nie w Szwejku, choć nie jestem pewna), po czym powietrze z niej wyszło i padła z powrotem na fotel, z wyrazem straszliwego rozczarowania na twarzy. – Nic szę nie da zrobicz...

– Niestety. – Rafał poklepał ją pocieszająco po ręce. – Ale niech się babcia nie martwi. Mamy takie przysłowie: co się odwlecze, to nie uciecze.

– To jest głupie przysłowie – mruknęła babcia Stasia. – Mój nieboszczyk, świeć Panie nad jego duszą, tak samo mówił, jak grzebał w ścianie. I nie chciało mu się iść po narzędzia. A staremu Przybyszowi, przepraszam cię, Krzysiu, się chciało. I biżutki diabli wzięli.

– Ale tym razem – koił Rafał – nikt z nas nie zamierza po te biżutki sięgać. I wszystkich obecnych prosimy o dyskrecję.

Rozległ się zbiorowy pomruk aprobaty.

– No to poczekam do wiosny – westchnęła Marianna. – Ale teraz sami widżycze, ja nie mogę jechać do Tirolu, muszę tu pilnowacz tego czasu, kiedy żemia zrobi szę miękka.

Widzieliśmy.

– To ja proponuję – zaproponował przytomnie ksiądz Paweł – żebyśmy wrócili do spraw organizacyjnych naszej przyszłej wsi artystycznej oraz fundacji, o której mówiła szanowna pani baronowa.

Wróciliśmy.

W efekcie ciągu dalszego narady, która trwała jeszcze z półtorej godziny, ustaliliśmy, że fundacja, którą zamierza stworzyć nasza osobista baronowa, będzie się nazywała „Fundacją na rzecz rozwoju Marysina", w skrócie „Fundacja Marianna". Babcia Omcia zostaje dożywotnim prezesem honorowym, prezesem rzeczywistym – wbrew moim protestom – mianowano mnie, w sprawach finansowych głos decydujący ma mieć Ewa, a w kwestiach merytorycznych decydować będzie Zbiorowa Burza Mózgów. W kwestiach formalnych bardzo liczymy na Krzysia Przybysza, który w końcu od wielu lat jest urzędnikiem państwowym – chociaż leśnym – i ma doświadczenie w kontaktach z biurokracją.

Nie jestem pewna, czy ja nie oszalałam przypadkiem – zgadzać się na prezesowanie jakiejś nieistniejącej jeszcze fundacji...

Ale skoro już zanosi się na to, że Marysin na długie lata pozostanie moim domem – to niech to już lepiej będzie dom w fazie rozwoju, a nie taka bidna wiocha, z której wszyscy poniżej czterdziestki zamierzają prędzej czy później uciec.

Emilka

Słyszałam już kiedyś w szkole o przerabianiu ludzi w aniołów, ale przerobienie Marysina w jedną wielką galerię sztuki to jest dopiero patent.

Uważam, że bardzo dobry, sama na niego wpadłam.

Trzeba będzie przeprowadzić we wsi rozeznanie – kto jeszcze chciałby przystąpić do naszego stowarzyszenia agroturystycznego, bo jak już się zaczniemy rozwijać, to trzeba będzie ten rozwój zaplanować kompleksowo. Boże jedyny: galerie, happeningi, obozy, warsztaty, a do tego obsługiwanie normalnych gości, szkółka jeździecka i hippoterapia! I jeszcze działalność targowo-reklamowo-marketingowa!!!

Jedno jest pewne: narobimy się jak wariaci. I to lubię!

Teraz dopiero dociera do mnie – tego mi właśnie brakowało podczas moich dwóch miodowych lat szczęśliwego pożycia z gangsterem.

Boże, ten gangster. Znowu sms – z trzema znakami zapytania i trzema wykrzyknikami. Nie mam już do niego zdrowia. Muszę jakoś przeciąć ten cholerny węzeł, jak mu tam, gordyjski. Coś we mnie wzbiera i chyba na dniach udam się do domu Łopucha i przeprowadzę zasadniczą rozmowę z kolegą Kałasznikowem. Bo teraz nie mogę spać spokojnie, śni mi się po nocach, jak ten drań robi krzywdę Rafałowi, albo któremuś z nas, albo jakiemuś choremu dziecku. I niech mi policyjny Misio nie każe czekać do uśmiechniętej śmierci, bo nie wytrzymam!

Robię się nerwowa.

Lula

Zaczynam się martwić o Emilkę. Niby wszystko jest w porządku, wygląda zdrowo, prezentuje świetny humor, tryska pomysłami, ale ja ją przecież znam i widzę, że coś ją gryzie. Zapewne sprawa tego jej całego Leszka.

Jak jej pomóc?

Janek mówi, że nie ma na to sposobu. Nasi zaprzyjaźnieni policjanci, Misiu i Gula, proszą usilnie, aby nie robić żadnych posunięć. Mamy czekać, aż oni go oficjalnie na czymś przyłapią i wsadzą do więzienia na dłużej i bez możliwości wyjścia za kaucją, albo za pomocą lewego zaświadczenia lekarskiego.

Ja mogę czekać, ale ją rozerwie od środka. Ta dziewczyna ma w sobie dynamit.

Emilka

W telewizyjnych wiadomościach na czołowym miejscu była dziś wiadomość o wielkiej strzelaninie pod Mielnem, ktoś dopadł jakiegoś mafiosa w jego nadmorskiej posiadłości i go ukatrupił, przy okazji dokładając dwóm bandyckim gorylom i, niestety, jednemu policjantowi, który teraz walczy o przeżycie w szpitalu. Pokazali mordę nieboszczyka, Jerzego B. ksywa Makrela, na szczęście z archiwum, a nie w stanie po odstrzeleniu. Przez moment pomyślałam sobie, co by to było, gdyby Leszek był na jego miejscu, ale tak naprawdę nie życzę mu śmierci. Chciałabym natomiast, żeby wrócił do mamra!!! Ale on, jak się zdaje, ma się świetnie i nigdzie się nie wybiera z Łopuchowa. Ostatniego sms-a wysłał mi wczoraj, mniej więcej w porze, kiedy tamci bandyci się ostrzeliwali nawzajem.

Byłam tak zdenerwowana tym materiałem, że o mało co od razu, tego samego wieczoru poleciałabym do domu Łopucha, stawiać Leszkowi ultimatum i dzwonić forsą (na razie tylko wirtualnie, bo nie mam gotówki), ale babcie zagoniły mnie do remika, bo cała reszta populacji zajmowała się sprawami fundacji „Marianna" (też na razie wirtualnej)...

Po wyjeździe Wiktorów (ciekawe, kiedy Ewie uda się wymiksować na dobre z uczelni?) zabraliśmy się ostro za pracę organizacyjną na rzecz fundacji. Na razie prezesowa Lula wraz z organem doradczym w postaci Krzysia Przybysza oraz Anią, księdzem i Janeczkiem na dokładkę zagrzebali się w papierach i studiują przepisy, które pozwolą nam na skonsumowanie tej kupy szmalu, którą Omcia zamierza poświęcić na rozwój Mariendorfu, obecnie Marysina, gmina Karpacz... Omcia jeszcze tego samego wieczoru, kiedy podjęła tę męską decyzję, wykonała telefon do Niemiec i powiadomiła swojego adwokata o pomyśle. Zdaje się, że niebawem będziemy mieć gościa z Tyrolu.

Mnie ostatnio największą przyjemność sprawiają jazdy z pokręconymi dzieciaczkami. Im to naprawdę pomaga. Mój mały Gutek jest jakby odrobinę mniej sztywny, łapki mu lepiej chodzą, silniej chwyta, a na pewno bardzo mu się to podoba i lubi Latawca, czemu daje wyraz specyficznym gulgotem. Zaczynam rozumieć ten gulgot!

Zaczynam też rozumieć Rafała. Powiedziałam mu o tym, oczywiście.

– Wiedziałem, że tak będzie – odrzekł najspokojniej w świecie. – Masz dryg do koni i do dzieci, i potrafisz połączyć współczucie z konkretnym podejściem do zagadnienia. To była tylko kwestia czasu.

– Co, że polubię?

– Że polubisz, że zrozumiesz. Ja się bardzo cieszę, że złapałaś tego bluesa.

– A ja się martwię, że jak przyjdzie wiosna i lato, i przybędzie nam klientów, to będziemy mieli za mało czasu na wszystko.

– Czas jest rozciągliwy, jakoś się zorganizujemy, a poza tym nie martwiłbym się niczym na zapas. Bo co tu mówić o wiośnie, kiedy jutro może nam cegła spaść na głowę...

Kazałam mu odpukać, ale natychmiast pomyślałam sobie, że przecież prawda. Ja tu robię plany na miesiące naprzód, a Leszek u Łopucha siedzi i nie wiadomo, na jaki pomysł może wpaść...

Mam tego dosyć, coś z tym MUSZĘ ZROBIĆ!!!

Lula

Obie babcie zawołały mnie dzisiaj w dużej konspiracji na naradkę. Myślałam, że chodzi im o fundację albo o stowarzyszenie, ale one miały inne zmartwienie.

– Powiedz jej, Marianno – poleciła babcia Stasia – a ja tymczasem naleję nam po naparsteczku wiśniówki od Krzysia...

– Babcia się myli – zaprotestowałam. – To nie jest wiśniówka Krzysia, to moja własna pestkówka! Z tej wiśni w rogu sadu, za stodołą!

– Co ty mówisz, dziecko? – zadziwiła się babcia. – To ty robisz pyszne nalewki! Masz talent do gospodarstwa. Wiedziałam, że będziesz najlepszą gospodynią Rotmistrzówki! Z tobą i Jasiem nie zginie ona, a Kazimierz, świeć Panie nad jego duszą, będzie miał spokój na tamtym lepszym świecie... a i ja też, kiedy przyjdzie mój czas...

– Niech no babcia nie gada takich rzeczy, bo słuchać się nie chce, prawda, babciu Marianno?

– Mówisz o tym naszym czasie? To prawda. Nie czeba wywoływacz... jak wy mówicze? Wilka?

– Wilka z lasu, babciu Marianno.

– No własznie. Wilka z lasu. Ja tam nie liczę swoich lat, bo mam ich tak strasznie dużo, że mnie szę myli. Nasze zdrowie, *prosit*!

– Miałyście powiedzieć, jakie macie zmartwienie.

– To w zasadzie nie jest takie znowu zmartwienie – zaczęła kręcić babcia Stasia. – Ale wiesz...

– Nie wiem...

– Dobrze, to ja powiem – zdecydowała się Marianna. – Nam chodży o Emilkę.

– A co Emilka? Wiem, myślicie o tym jej narzeczonym... ale to przecież policjanci prosili nas, żebyśmy niczego nie próbowali robić ani się dowiadywać. Oni sami prowadzą jakąś ściśle tajną akcję i nie mogą nam o niej opowiedzieć, bo by przestała być taka ściśle tajna. Matko Boska, czy wy chcecie jakoś zadziałać na własną rękę?

– A co nas obchodzi jakiś kryminalista. – Babcia Stasia przewróciła oczam, moim zdaniem fałszywie, bo przecież pamiętam, jak jej się te oczka świeciły przy opowieściach Misia. – Nam chodzi o coś ważniejszego. Bo widzisz, kochana: Wiktor z Ewą przestali się kłócić, nawet będą mieli dziecko, tobie i Jasiowi się ułożyło bardzo ładnie, tylko ona, biedaczka, wciąż sama... A ten Rafał to do niej nic nie czuje?

– Nie mam pojęcia! Ja z nimi nie rozmawiam na te tematy!

– Bardzo źle – skrytykowała mnie natychmiast Marianna. – Pczyjaczółki powinny szę zwierzacz. Ty ją spytaj pczy okazji, jak to z nimi jest.

– Mnie się wydaje, że nijak nie jest. No owszem, lubią się, pracują z tymi dziećmi razem, dobrze im to wychodzi, Rafał jest z Emilki zadowolony...

– Och, Lula, ty mówisz o nim, jakby on był jakisz dyrektor, a ona urzędnyczka! Ty na nich popacz po ludzku!

– Babciu, do czego babcia mnie właściwie namawia?

– Lula, dżecko drogie, czy ty nie masz wrażenia, że pczyjaczele powinni jakosz pomóc?

– W czym, na Boga?!

Babcie popatrzały na siebie z niesmakiem i westchnęły.

– Chyba nic z tego nie będzie, Marianno – pokręciła głową Stanisława. – Ona się nie nadaje.

– Do czego się nie nadaję, babciu Stasiu?

– A, nieważne. Nie zawracaj sobie tym głowy, kochana Ludwisiu.

– No dobrze, chyba naprawdę nie będę sobie zawracała głowy waszymi konspiracjami, bo umówiłam się dzisiaj w muzeum na małą godzinkę, to ja was żegnam, babcie, zobaczymy się przy kolacji.

Coś pomamrotały niewyraźnie, ale nie miałam czasu ich słuchać. Zresztą uważam, że nie ma się co bawić w żadne swatanie, co ma być, będzie, najlepszym dowodem jesteśmy my z Jankiem!!!

Emilka

Przyjeżdża baroński adwokat. Miałam nadzieję, że będzie Von und Zu, ale on jest prosty Schmidt. Klaus albo może Helmut. Pewnie z awansu społecznego.

W ogóle nie robi to na nas wrażenia – do przyjmowania wytwornych zagranicznych gości jesteśmy PRZYZWYCZAJENI! Janek jedzie po niego jutro do Wrocławia, dokąd pan Klaus – Helmut – Johann, czy jakmutam, przyleci samolotem z Warszawy, do której przyleci uprzednio samolotem ze swojego Tyrolu (gdzie w Tyrolu jest lotnisko, przecież tam są góry?).

Żre mnie sprawa Leszka. W jakiś niewytłumaczalny sposób czuję jego oddech na plecach. A może na karku. Chyba jednak na dniach sprzedam astrę i dam łobuzowi wszystko, co mi zostało.

Nie będzie to 120 tysięcy, ale zawsze trochę, I będę żyła z pracy rąk! A jak będę gdzieś chciała pojechać, to chyba któryś z naszych chłopców pożyczy mi bryczkę?

Myślałam, żeby o tym z kimś porozmawiać, to znaczy najchętniej z Rafałem, ale nie. On by mi kazał czekać, aż policja zrobi swoje. A czy ja wiem, kiedy policja wreszcie go zamknie? Może jeszcze dzień, dwa podejrzewam, ale dłużej niż tydzień raczej nie wytrzymam!

Lula

Trochę mi te babcie dały do myślenia i nawet zaczęłam obserwować Emilkę i Rafała, ale ja chyba nie mam daru obserwacji, przynajmniej w tej materii. Wydaje mi się, że oboje są najnormalniej w świecie zaprzyjaźnieni. Ani ona do niego nie wzdycha jakoś spektakularnie, ani on za nią oczami nie wodzi. Może to, co babcie chciałyby widzieć, powstało tylko w ich wybujałej wyobraźni?

Na razie mam co innego na głowie. Janek przywiózł pana Helmuta Schmidta (nie można się chyba nazywać banalniej, istny Jan Kowalski!), który jest mocno starszym, choć nie tak jak Marianna, zażywnym jegomościem o pięknej siwej czuprynie. Coś mi tu nie pasuje, takie czupryny miewają przeważnie ludzie szczupli, tędzy przeważnie przylizują kilka włosków na czubku głowy. W efekcie pan Helmut wygląda trochę jak sztuczny.

Chyba jednak sztuczny nie jest, bo Marianna go rozpoznała i przywitała, choć bez zbytniej serdeczności. Przywiózł jakąś wielką tekę dokumentów i zamierzał natychmiast po przyjeździe zamknąć się z Marianną i teką w ustronnym miejscu, ale udaremniliśmy mu ten zamiar, podając obiad. Trochę fukał w kilku językach (ze swoją baronową, Rafałem i Jasiem rozmawia po niemiecku, z babcią Stasią po francusku, a z resztą po angielsku), ale dał się przekonać, że sprawy urzędowe nie uciekną. Moim popisowym daniom oddał sprawiedliwość, wchłonął straszne ilości wszystkiego, pochwalił, wypił kawę, spożył sery i natychmiast potem pociągnął opierającą się nieco Mariannę (ona lubi posiedzieć po obiedzie) do gabinetu Rotmistrza, który babcia Stasia udostępniła im do celów konferencyjnych.

Mniej więcej po kwadransie z zamkniętego pokoju dały się słyszeć głosy – były coraz głośniejsze i coraz bardziej wzburzone. Siedzieliśmy jeszcze przy szarlotce i usiłowaliśmy z całych sił nie podsłuchiwać, ale niemiecki bardzo się nadaje do głośnych kłótni, Marianna nie miarkowała tonu, Helmut też darł się coraz bardziej – może myślał, że ona nie dosłyszy, a może tylko chciał wzmóc siłę przekonywania. Jakiś czas udawaliśmy, że nas to w ogóle nie obchodzi, w końcu jednak babcia nie wytrzymała.

– Jasiu, ja już dłużej nie mogę udawać, że mnie nie obchodzi, o czym oni mówią. Powiedz natychmiast, przecież widzę, że rozumiesz, bo kręcisz głową! Dlaczego kręcisz głową?

– Bo mi się nie podoba, co ten Krzyżak do babci Marianny wrzeszczy.

– Boli go, że chce dać pieniądze na Marysin?

– Ogólnie biorąc, tak. Próbuje ją namówić, żeby przynajmniej nie dawała tyle, na ile się zdecydowała.

– Dlaczego? Pewnie rodzinka się zaniepokoiła!

– Czekajcie, niech posłucham...

Zamarliśmy w nerwowym oczekiwaniu. Janek chwilę nasłuchiwał to głośniejszego, to cichszego szwargotu, wreszcie przemówił.

– Mieliście rację, rodzina się sprzeciwia. Uważają, że to, co Marianna robi, to fanaberie. On to jakoś mało oględnie określił, nie wiem, jak to przetłumaczyć...

– Starcze brednie? – podsunęła babcia Stasia.

– Coś w tym rodzaju. Oooo, tym ją zdenerwował... czekajcie, czekajcie. – Janek zasłuchał się w gromkie okrzyki Marianny i nagle zaczął się śmiać. – Ale mu dała popalić! Dzielna staruszka!

– Ale co powiedziała, co powiedziała – niecierpliwiła się Emilka.

– Powiedziała, że Rita i Johann... to są chyba rodzice Ruperta... przez całe życie tylko marnowali pieniądze, więc ona nie ma zamiaru im dać swoich na zmarnowanie... czekajcie... Rupert, mówi, dostanie swoje, jak ona oczy zamknie, ma to zagwarantowane w testamencie, wszystkie nieruchomości i aktywa bankowe, tak to się mówi?

– Nie mam pojęcia. – Babcia wzruszyła ramionami. – Jak Ewa przyjedzie, to ją spytamy.

– No więc Rupert jest zabezpieczony, na swoje potrzeby ona ma, więc co jej szkodzi dać trochę pieniędzy na szlachetny cel?...

Tym razem bas mecenasa Helmuta zdominował na chwilę stentorowy głos Marianny.

– A ten czego znowu? – skrzywiła się babcia Stasia.

– On pyta, czy Marianna chce docelowo wykupić swoje dawne posiadłości...

– A to gadzina – mruknęła Emilka, a babcia aż podskoczyła.

– Ciszej bądźcie, bo nie słyszę – poprosił Janek. Rozmowa w gabinecie jakoś przycichła.

– Jasiu, ja cię proszę, słuchaj uważnie!

– Już, babciu, już wiem... Ona mu powiedziała, że jest osłem, jak Boga kocham. I że ma powyżej uszu nudnej rodzinki, tysiąc razy woli popatrzeć, jak tutaj ludzie robią coś pożytecznego. Ach... i jeszcze mu powiedziała, że jeśli chce, może Ricie i Johannowi powiedzieć, że starsza pani się zaparła i nie popuści, bo ją sentymenty chwyciły z dawnych lat i nie ma siły się im opierać. Poza tym zostaje, żeby mieć oko na wnuka. Poza tym... czekajcie... poza tym zostaje, bo tak jej się podoba i koniec gadania. Ale numer!

Numer okazał się chyba skuteczny, bo męska połowa duetu nagle zamilkła jak nożem ciął. Marianna powiedziała jeszcze coś, ale już o wiele ciszej, tak że Jasio nie zdołał podsłuchać. Dotarły do niego tylko pojedyncze słowa, jak nam oznajmił, a z tych słów niczego nie można było wywnioskować.

Po jakimś czasie męski głos odezwał się znowu, cicho i potulnie – tak w każdym razie stwierdziła autorytatywnie babcia Stasia.

– Mówię wam, jest potulny jak Tygrysek, który zgubił się we mgle. – Zachichotała, bardzo zadowolona. – Podoba mi się, że poprzedni mieszkańcy tego domu też posiadali charakter... rozumiecie, takie rzeczy składają się na *genius loci*.

– Co to jest, babciu? – zapytała Emilka. – Dlaczego mówisz do nas po łacinie?

– Żeby było uroczyściej, kochanie. *Genius loci* to znaczy duch miejsca. Chyba nie zaprzeczysz, że Rotmistrzówka posiada takowy?

Zgodziliśmy się z babcią wszyscy. Rzeczywiście, mnóstwo świetnych ludzi tu bywało na przestrzeni dziejów, a ileż rozegrało się między tymi ludźmi dramatów, dramacików, czasem też pewnie komedii; ile szczęścia i nieszczęścia widziały te stare mury...

– O czym mówicze? – zapytała znienacka Marianna, wyłaniająca się z gabinetu, gdzie już najwyraźniej dopięła swego, bo mecenas, który za nią podążał, był jakby mniejszy i znacznie mniej bojowy niż przedtem.

Powiedzieliśmy jej, znowu zbiorowo, do jakiego wniosku udało nam się dojść, a ona pokręciła głową.

– Tu jeszcze czegosz brakuje, moi drodzy – oświadczyła, potrząsając koafiurą. – Tu szę jeszcze nikt nie urodżył. Bo umarł, tak, twój mąż, Stanyslawa, umarł w tym domu. A teraz muszy szę urodżycz dżecko. Ja swoje urodżyłam po wojnie, jak nas tu już nie było. Potem tu wszyscy przyjeżdżali i odjeżdżali, ty, Stanyslawa, miałasz dużo cudzych, a swojego własnego dżecka nie miałasz. Ten dom stoi już szedemdżesząt lat, a ja myszlę, że on dopiero będże prawdżywym domem, kiedy szę w nim urodży dżecko. Bo żeby dom był dom, to ktosz w nim muszy umrzecz, a ktosz muszy szę urodżycz.

Wszyscy jak na komendę spojrzeli na nas, na mnie i Janka. Poczułam, że się czerwienię jak burak. Janek tylko się uśmiechnął.

– Nie patrzcie na nas – nie wytrzymałam. – Przecież nawet gdyby co... to i tak Wiktory będą pierwsze!

– Ale Ewa urodzi prawdopodobnie nie tu, tylko u starej Kiełbasińskiej – wyrwała się Emilka i natychmiast pożałowała, bo obie babcie natychmiast obróciły swoje stalowe spojrzenia w jej stronę. I zaraz przeniosły je na Rafała.

Rafał podniósł się z fotela.

– Rozumiem, dlaczego babcie tak na mnie patrzą potępiająco – oświadczył i lekko się skłonił w stronę starszych pań, co przyjęły z zadowoleniem. – Rzeczywiście, jest już czwarta i na pewno przyjechali nasi klienci, a my tu gadamy w najlepsze. Emilko, moja droga, ty też się zagapiłaś. Pozwól, że cię zdyscyplinuję...

– O kurka wodna! – wykrzyknęła Emilka, udając przerażenie.

– Mama Gutka zawsze przyjeżdża przed czasem! Lecimy!

I oboje najspokojniej uciekli, pozostawiając mnie i Jasia na pastwę losu. Na szczęście Helmut zainteresował się przyczyną tak błyskawicznej ucieczki dwojga z nas, trzeba mu więc było wyjaśnić, czym zajmują się Emilka z Rafałem, opowiedzieć o hippoterapii i pokręconych dzieciaczkach (to okropne określenie, Emilka go używa, a co najgorsze, jak widać, przeszło na mnie!) – wyglądało nawet, że mecenas lekko się wzruszył, więc wyciągnęliśmy go na ujeżdżalnię, gdzie właśnie zaczynały się zajęcia.

To był chyba najlepszy pomysł tego dnia, bo mecenas postał, pooglądał jazdę, trochę jakby zmalał w sobie i od tej chwili patrzył na nas wszystkich jakby nieco przychylniejszym okiem. Aczkolwiek co jakiś czas wzdychał powątpiewająco.

Emilka

Która to pani premier była nazywana Żelazną Lady? Muszę spytać Lulę. A Bismarck był Żelaznym Kanclerzem, to wiem sama. Ale chyba oboje wysiadają przy naszej babci Omci, która jest zrobiona z jakiegoś o wiele twardszego stopu, nie wiem, co to powinno być, ale na pewno technologie kosmiczne wchodzą tu w grę. No a charakter ma wysadzany brylantami większymi od Ko-hi--noora. Czy jak mu tam było.

Co do tego stopu kosmicznego, wniosek sam się narzucił po tym, jak potraktowała biednego Helmuta. Wprawdzie niewiele rozumiałam z tego, cośmy kolektywnie podsłuchiwali, a co nam Jasio dopiero tłumaczył, ale sam ton i sposób mówienia to było coś! Księżną Pani przemawiała za drzwiami gabinetu Rotmistrza! Oczami duszy widziałam, jak Helmut kuli się i drży! Wyszedł z tego gabinetu mniejszy o jakieś piętnaście centymetrów!

Potem Omcia była bardzo milutka już do końca dnia, ale widocznie coś z tej Księżnej Pani w niej zostało na dłużej, bo wieczorem skinęła na mnie rączką, a ja nawet nie pomyślałam, że mogłabym nie pójść za nią do jej pokoju!

– Słuchaj, Emilko – ostatnio nauczyła się używać prawidłowych wołaczy. – Ty mnie, dżecko, martwisz. Ja widzę, że ty masz jakiś... zg... zgr... ZGRZYT. Tak szę mówi? Problem, kłopot, no, idiom wasz?

– Zgryz, Omciu – westchnęłam. – Mówi się zgryz. Masz rację. Coś mnie gryzie.

– Aha, gryzie cię. Tak szę mówi. No to powiedz, dżecko, co czę gryże. Może mnie szę uda poradżycz. Ja lubię, jak ty szę uszmiechasz, a ty szę ostatnio mało uszmiechasz. Cosz z Rafałem czy nie wychodży?

– O matko, dlaczego z Rafałem? Co ma mi nie wychodzić z Rafałem? Z Rafałem jest wszystko w porządku!

– Emilka, ty wiesz, o co mi chodży z Rafałem! Nie wykręcaj szę!

– Omciu. Chcesz, to ja cię nauczę jeszcze jednego idiomu?

– Proszę, naucz, ja chętnie. Ale i tak muszysz mi powiedżecz...

– To uważaj, Omciu. Nie wybiegaj przed orkiestrę. My się z Rafałem tylko przyjaźnimy.

– Aha, to ja wybiegam przed orkiestrę? Tak? To dlaczego jesteś smutna?

– Ja chyba jestem raczej zła, babciu Omciu. To może podobnie wygląda. Wszystko przez mojego byłego narzeczonego...

Pękłam. Wygadałam się przed Omcią ze wszystkich moich zmartwień i strachów powodowanych przez cholernego Kałacha, te jego telefony, sms-y, pogróżki, zagadkowe i niekonkretne, a obrzydliwe i denerwujące ględzenie...

– Ja już dawno bym mu oddała te zakichane pieniądze, tylko ich nie mam! Dostałam sto osiemdziesiąt pięć tysięcy, osiemdziesiąt włożyłam w Rotmistrzówkę, więc są nie do ruszenia, za pięć dych mniej więcej kupiłam samochód, trochę mi poszło, mam w banku czterdzieści pięć tysięcy. Ja te czterdzieści pięć tysięcy mogę łobuzowi dać, ale on chce sto dwadzieścia! Mogę sprzedać samochód, ale to potrwa. A poza tym i tak nie dobiję do tych stu dwudziestu.

– A powiedz, dżecko, dlaczego policja nic nie robi w tej sprawie?

– Policja podobno robi, tylko ogólnie, nie akurat w tej sprawie. Bo ta sprawa jest praktycznie nie do ruszenia. Pogróżek mu nikt nie udowodni. Weźmie forsę i powie, że miałam wobec niego zobowiązania, które spłacam. A jak mu podskoczę, to boję się, że zrobi krzywdę koniom albo Rafałowi, bo też mu już groził, to znaczy mnie groził...

– A, ty szę boisz o Rafała. Dobrze – ucieszyła się Omcia. – A jak powiedżałasz? Że mu podskoczysz?

– Taki idiom, babciu. To znaczy, że się sprzeciwię.

– Rozumiem. Ale szę boisz podskoczycz.

– No pewnie, że się boję. Pamięta babcia, co chcieli zrobić Latawcowi? Gdyby ich chłopaki nie przyłapali, byłoby po koniu! A nie zawsze możemy mieć tyle szczęścia.

– Ja wszystko rozumiem. To teraz ty posłuchaj. Ja mam taki plan. Ja czy pożyczę pieniądze na twój wkład w Rotmiszsz...ówkę. Te oszemdżesząt tyszęcy. Ty mnie spłaczysz, kiedy będżesz mogła. Ty nic nie mów, na raże ja mówię. Dołożysz do tego czterdżeszczy, co masz w banku, albo sprzedasz auto, jak wolisz. I zapchasz mu gębę. Czy to jest dobry idiom?

– Doskonały! – Zaśmiałam się przez ściśnięte gardło. Jak ja mam przyjąć taką pożyczkę od starszej pani? Przecież w życiu jej nie spłacę, nie zdążę, do diabła! Czym na nią zarobię? Wożeniem pokręconych dzieci? Przy naszym cenniku?

Starsza pani chyba dobrze wiedziała, co mi chodzi po głowie, bo nagle położyła dłoń na mojej ręce, spojrzała mi głęboko w oczy i powiedziała:

– Emilko. Ja nie wiem, co bym zrobiła na twoim miejscu. Ale kiedy chodży o konie, albo on by grożył, że zrobi krzywdę mojemu mężowi, to znaczy mężczyżnie, którego ja kocham, to bym nie ryzykowała. Tak samo jak ty. Ty mnie nie każ tego wszystkiego tłumaczycz po polsku, bo mnie szę mózg zagotuje. To mnie Kajtek nauczył, tego idiomu. Czy idioma? Idiomu? *Gut.* Sytuacja jest taka: ja mam pieniądze, ty nie masz. Ja ich tyle nie poczebuję, co mam. Starczy mi do końca życza i jeszcze dużo zostane. Ja nie wiem i nie chcę wiedżecz, co będże po mojej szmierczy, ale teraz jeszli mogę zrobicz cosz pożytecznego, to ja chcę to zrobicz. Podpiszemy kontrakt. Ja czy dam dwadżeszcza lat na oddanie tej pożyczki. Nie pacz tak na mnie. Czy uważasz, że ja nie pożyję dwadżeszcza lat?

Rzuciłam się jej na szyję i oświadczyłam, że pożyje jeszcze setkę.

– Setki nie, ale z oszemdżesząt – zachichotała. – Będę starsza niż ten dżadek z Kaukazu, co miał sto czterdżeszczy... Po rewolucji pażdżernikowej!

– Omciu, kurczę, nie wiem...

– Emilka! Nie mów tyle! Tylko pamiętaj, żeby wżącz od gangstera kwit. Że ty mu oddajesz sto dwadżeszcza tyszęcy za samochód. I on ma podpisacz, że nie ma pretensji. Mój Helmut spisze umowę dla was, a Janek ją przetłumaczy na polski. I czeba szę z tym spieszycz, dopóki Helmut jest w szoku...

– To jednak Helmut jest w szoku! Tak nam się wydawało!

– Podsłuchiwaliszcze?

– Nie da się ukryć...

– Trochę na niego nawrzeszczałam – oświadczyła swobodnie Omcia. – On nie znoszy, kiedy ja na niego wrzeszczę, mówi, że jestem stara jędza.

– Omci to mówi w oczy?

– Tak, bo my jesteszmy starzy przyjaczele. Ale ja mu płacę, więc on muszy słuchacz. No dobrze, dżecko, to jutro od rana robimy te papiery, a teraz ja już pójdę spacz, żeby mi szę cera nie pomarszczyła jeszcze bardżej. *Gute Nacht*, kochana Emilko.

– Dobranoc, Omciu. Śpij słodko.

Wyściskałyśmy się (delikatnie, żeby mi się babcia Omcia nie rozsypała) i oddaliłam się do swojego pokoju, specjalnie starając się na nikogo nie natknąć, bo nie byłam w nastroju do rozmów z kimkolwiek.

Byłam w szoku, jak Helmut. Omcia miała dziś najwyraźniej dobry dzień.

Lula

Coś Emilka naknuła z Marianną, tylko nie chce nikomu powiedzieć, ale od rana siedzą u niej z Jankiem i mecenasem Helmutem i produkują jakieś urzędowe papiery. Próbowałam Janka podpytać, wołając go do kuchni po tacę z ciastem i kawą dla nich wszystkich, ale tacę wziął, a słowa nie pisnął, zasłaniając się cudzą tajemnicą.

– Ale nie martw się, kochanie moje – powiedział, całując mnie na pocieszenie. – Jak się sprawa cała zakończy, dowiesz się o wszystkim. Emilka z babcią Omcią na pewno wydadzą specjalny komunikat.

I prysnął z mojego pola widzenia. Muszę go uświadomić, że po ślubie nie zamierzam tolerować podobnych praktyk.

Albo może lepiej nie będę go uświadamiać, po co uprzedzać fakty?

Siedzieli nad papierami do obiadu, przy czym Emilka opuściła ich nieco wcześniej, obiad zjedli w roztargnieniu, chociaż zrobiłam solę atlantycką w koperkowym sosie – i sola mrożona, i koperek, ale trudno, żeby ryba z Atlantyku dojechała do Jeleniej Góry inaczej niż w stanie zamrożonym; a koperek jest nasz, z ogródka, zrobiłyśmy tego z Emilką sto dwadzieścia takich małych trumienek jak od dwuosobowych lodów, albo od dziesięciu deka smalcu domowego w delikatesach w Karpaczu (odkąd odkryłam ten smalec, przestałam robić sama). Po obiedzie Janek wymamrotał coś na kształt przeprosin, że znika przed deserem, zabrał Emilkę i Helmuta i gdzieś pojechali.

I znowu nic nie powiedzieli po powrocie!

Jak tak dalej pójdzie, zastanowię się nad separacją Janka od stołu i łoża.

No, może na razie tylko od stołu. Od łoża byłoby mi szkoda.

Emilka

Byłam w szoku jak Helmut, a teraz jestem w szoku jak dwa Helmuty. Nie, jak dziesięciu Helmutów, jak cały pułk Helmutów, czy może cały batalion, nie wiem, co jest większe, batalion czy pułk. Ja jestem w takim szoku jak to większe.

Wczoraj zaraz po śniadaniu zebraliśmy się u Omci, żeby napisać dla mnie dwie umowy – z Omcią o pożyczkę gotówkową i z Leszkiem o rekompensatę za samochód. Przy okazji wyszło na jaw, że przyzwoity i prawdomówny Jan Pudełko też w razie potrzeby potrafi kręcić jak pies ogonem. Potrzeby, nawiasem mówiąc, swoiście pojętej!

Tę umowę z Omcią Helmut najpierw wyprodukował na laptopie w wersji niemieckiej, potem Janek zabrał się za tłumaczenie, ale już mi podsunęli papiery do podpisania – więc podpisałam, bo komu mam wierzyć bardziej niż moim przyjaciołom, a w szczególności Janowi Pudełko???

No i kiedy Pudełko zrobiło tłumaczenie, okazało się, że któryś tam osiemset sześćdziesiąty, albo coś koło tego, punkt przewiduje spłatę przeze mnie długu Omci – owszem, w ciągu dwudziestu lat – jednakowoż z zastrzeżeniem, że w razie śmierci Omci pozostała do spłacenia część długu automatycznie ulega zatarciu, czy jak tam oni się prawniczo wyrażali.

No więc teraz podstępna staruszka MUSI pożyć jeszcze dwadzieścia lat!

Powiedziałam jej o tym, a ona tylko machnęła na mnie ręką. Helmut się śmiał, co dowodzi, że zaczyna podlegać dziwnym wpływom Rotmistrzówki.

Oczywiście, zmusiłam ich wszystkich do przyrzeczenia, że o całej sprawie będą milczeć jak rodzinne grobowce do momentu, kiedy już Kałach dostanie forsę, a ja odetchnę z ulgą. Inaczej zaczęłyby się narzekania, dobre rady, a ja mam już dość tego wszystkiego! Nadeszła pora czynu!!!

Zanim przystąpiłam do czynu, tego właściwego, pojechaliśmy z Jasiem i Helmutem do Wrocławia i w kapiącej złotem i marmurami (czy można kapać marmurem?) filii niemieckiego banku odwiecznie obsługującego rodzinę Kruegerów – do innych ani Omcia, ani Helmut nie mieli zaufania – podjęliśmy potworną sumę pieniędzy w gotówce. Janek zapakował to ładnie w nierzucający się w oczy granatowy plecak, lekko podniszczony. Potem odwiedziliśmy mój bank i plecak zrobił się pękaty.

– A teraz słuchaj, moja droga – powiedział, już w samochodzie, Janek, a ton jego nie dopuszczał żadnego sprzeciwu. – Jak widzisz, pomagamy ci, nikt nikomu słowa nie pisnął, nawet ja Luli, choć to nie było łatwe. Konspiracja jest absolutna. Ale co innego zachowanie tajemnicy, a co innego puszczenie cię samej na konferencję z bandytą, w towarzystwie plecaka ze stu dwudziestoma tysiącami złotych. Otóż sama nigdzie nie pójdziesz. Ja pójdę z tobą jako twój bodyguard.

Helmut po słowie „bodyguard" chyba się domyślił, o czym Jasio mówi, bo zaczął energicznie kiwać swoją imponującą, siwą głową.

Spojrzałam na Jasia i oto dostrzegłam faceta, któremu sprzeciwić się niepodobna. No, no. Rozumiem Lulę. Taki mężczyzna to jest MĘŻCZYZNA! Takiemu mężczyźnie ja też się nie sprzeciwię.

Ja tylko troszeczkę go oszukam.

Nie jestem pewna, czy można oszukać troszeczkę, to tak jak to jajeczko częściowo nieświeże. Ale coś mi mówi, że lepiej będzie, jeśli sama udam się na spotkanie z Leszkiem, ostatecznie byliśmy z sobą dwa lata, nie sądzę, żeby miał zrobić mi jakąś krzywdę. A przy obcym facecie może dostać głupawki, będzie chciał zaimponować, diabli wiedzą co jeszcze. Porozmawiamy sobie szczerze, dam mu pieniądze, on podpisze mi te kwity i wreszcie się ode mnie odczepi raz na zawsze!

Przemyślawszy sprawę błyskawicznie, zakomunikowałam Jasiowi, że zaraz zadzwonię do Leszka i umówię się z nim, po czym oddaliłam się w kierunku mojej komórki, a po powrocie zełgałam Jasiowi, że umówiłam się na jutro. To znaczy na dziś, bo to było wczoraj.

Nadziewany plecak zabrałam do swojego pokoju, tłumacząc, że chcę jeszcze trochę pobyć w towarzystwie takiej dużej forsy. Sprawia mi to przyjemność. No i ostatecznie jest to coś w rodzaju pożegnania na wieki, bo nie sądzę, aby udało mi się kiedykolwiek mieć tyle naraz.

Już na popołudniowych jazdach z Guciem and Company zaczęłam symulować lekki ból głowy, a przy kolacji opowiadałam głodne kawałki o szalejących frontach atmosferycznych, nadciągającym halnym (on się tu nazywa fen) i galopujących zmianach ciśnienia. Musiałam być wcale, wcale sugestywna, bo obydwie babcie zaczęły nagle odczuwać podobne objawy. Jasnym było, że w tym stanie nie będę uprawiać żadnego wieczorowego życia towarzyskiego, tylko trzymając się za czerep i pojękując dyskretnie udam się do swoich pieleszy.

W pieleszach, jak każdy porządny konspirator, miałam już wszystko przygotowane. Nie spiesząc się, zmieniłam ubranie na bardziej sportowe – w spódnicy niewygodnie jest wyłazić przez okno, a to właśnie miałam w planie – założyłam ciepłą wiatrówkę i przystąpiłam do dzieła. Najpierw otworzyłam okno i udawałam przez chwilę, że delektuję się nocnym powietrzem. Nie było wprawdzie zbyt późno, ale w zimie słońce zachodzi wcześnie, jak wiadomo. Poza tym niebo było zachmurzone i ściemniło się jeszcze przed kolacją. Wynik mojej obserwacji był pozytywny – nigdzie żywej duszy. Przeżegnałam się na wszelki wypadek i przełożyłam przez parapet jedną nogę. Cisza. Oba psy, piecuchy, też od dawna w domu, grzeją kosmate zadki przy kaloryferze w salonie. Naprawdę trzeba im zrobić kominek, psy powinny grzać się przy kominku, tak jest bardziej stylowo.

Przełożyłam drugą nogę i wyskoczyłam na śnieg.

Nic. Nadal cisza.

Po czym, cholera jasna, stwierdziłam, że zapomniałam wziąć plecak z forsą i umowy, które leżą sobie spokojnie na stole!

411

Wejście do domu normalnie, przez drzwi, nie wchodziło w grę, bo by mnie już z niego nie wypuszczono, możliwe, że przykuto by mnie do poręczy łóżka babci Stasi, bardzo solidnej, metalowej z mosiężnymi gałkami (poręczy, nie babci). Okno było nieco zbyt wysoko, żebym mogła podciągnąć się na rękach, zresztą nie sięgałam tymi rękami do parapetu. Musiałam sobie znaleźć coś, po czym mogłabym się wdrapać.

Rozejrzałam się wokoło, ale niewiele widziałam w tych ciemnościach. Trochę się zdenerwowałam.

Spokojnie, Emilko, pomyślałam, wciąż chyba trochę pod wrażeniem tego niezłomnego i spokojnego Janka. Zastanów się, co na twoim miejscu zrobiłby niespotykanie spokojny mistrz wschodnich walk i takiejż filozofii?

On by poczekał, aż mu się wzrok przyzwyczai do ciemności.

Genialne w swojej prostocie. Po minucie lub dwóch dostrzegłam wokół siebie kontury krzaków i zarys płotu.

Przy płocie powinien być stary kocioł do bielizny! W lecie posadziłam w nim liliowce pomarańczowe i żółte, bardzo ładnie wyglądały! Potem je przesadziłam do gruntu, a o kotle udało mi się zapomnieć. Jest wciąż jeszcze pełen ziemi, więc mogę na nim stanąć, nie wlecę do środka...

Był pełen ziemi, owszem, co sprawiło, że ważył ze dwie tony. Albo i trzy. Zaparłam się jednak w sobie i przekulgałam go ostrożnie pod moje okno.

Cisza świdrowała w uszach.

Bardzo ostrożnie wlazłam na kocioł. Nie rozleciał się, być może dzięki temu, że ta namoknięta ziemia, którą był wypełniony, zamarzła na kamień. Udało mi się dosięgnąć rękami nie tylko parapetu, ale i futryny okiennej, za którą mogłam się złapać.

Wlazłam do środka, przeklinając własne gapiostwo.

Papierzyska leżały sobie spokojnie na stole, plecak czekał na krześle, gotów do drogi. Włożyłam umowy do wewnętrznej kieszeni kurtki, plecak przerzuciłam przez ramię i wyekspediowałam się ponownie do ogrodu.

Tym razem nie odbyło się to tak bezszelestnie, bo wleciałam prosto na kocioł. Podziękowałam Opatrzności za tę zlodowaciałą ziemię w środku – gdyby był pusty, obudziłabym cały Marysin i pół Karpacza.

Dalej wszystko poszło jak po maśle – znowu odczekałam chwilę, zaczęłam widzieć, przemknęłam się pod płotem za stajnię, po raz kolejny podziękowałam Opatrzności – tym razem za to, że nie zdążyliśmy postawić zamykanej wiaty i nasze liczne automobile wciąż stoją pod chmurką oraz za płotem.

Czując się jak bohaterka filmu grozy, wsiadłam do mojej astry, uruchomiłam silnik, po raz trzeci podziękowałam Opatrzności za to, że tak cicho chodzi i nie włączając świateł, bardzo wolno, odjechałam spod stajni.

Bardzo się bałam, że wpadnę w jakiś dół, ale na szczęście pamiętałam dobrze wyjazd na drogę, można powiedzieć, że miałam go w rękach. Tych na kierownicy.

Światła zapaliłam dopiero na ulicy.

Wciąż jadąc bardzo wolno, zastanawiałam się, czy dobrze pamiętam, gdzie mieszka Łopuch? A może teraz zadzwonić do Leszka? Nie, lepiej nie. Będzie miał niespodziankę, a z zaskoczenia szybciej zgodzi się podpisać kwit.

Przypomniałam sobie – Łopuch mieszka na drugim końcu Marysina, praktycznie już przy wylocie na Kowary. Duża, wypasiona willa, w sam raz schowanko dla gangstera. Można zajechać od frontu, ale stąd, gdzie jestem, wygodniej będzie od tyłu, jest tam chyba jakieś wejście. A jeśli nie ma, to będę dzwonić.

Po raz setny lub tysięczny wyobraziłam sobie, jak to będzie wyglądało. Zajeżdżam. Dzwonię. Otwiera Łopuch – albo może Łopuchowa, podobno piękna kobieta – albo może syn Łopuszy, bo wiem, że istnieje takowy – maturzysta czy student, czy coś w tym rodzaju. Ja do pana Brzezickiego. A jeśli go nie ma, to proszę mu powiedzieć, że pani Emilia Sergiej w pilnej sprawie, wtedy na pewno okaże się, że jednak jest. Proszę o rozmowę w cztery oczy. Leszek wygłasza kilka swoich idiotycznych domniemań na temat celu mojej wizyty, nie sądzę, aby się domyślił, że mam pieniądze, raczej będzie myślał, że chcę się dogadać. No i ja go w te cztery oczy obuchem w łeb – dostaniesz pieniądze, ale liczę na to, że jako dżentelmen podpiszesz zobowiązanie, że nie będziesz miał do mnie więcej pretensji finansowych. Tu Lesio, oczywiście, przyjmuje swoją ulubioną pozę dżentelmena, upewnia się, że dostanie tyle, ile żądał, ja otwieram plecaczek, on unosi brwi wysoko w górę, liczymy kasę i on podpisuje.

413

Podpisuje, bo nie miałoby najmniejszego sensu niepodpisanie. Znam go. On się szybko nudzi, a i tak dosyć długo wytrzymał w tym dręczeniu mnie. Odczuje ulgę, że ma mnie z głowy. Taki to typ.

Prawie że sama odczułam ulgę, ale ofuknęłam się, bo jednak za wcześnie.

Tylne wejście istniało, owszem, ładnie oświetlone, śnieg odmieciony, polbruczek od drzwi do furtki.

A jeśli furtka będzie zamknięta?

To pójdę od przodu! Dosyć bezproduktywnych dywagacji!

Była otwarta. Weszłam i nawet pomyślałam, że mogą tu być psy, ale już mnie zezłościło to piętrzenie trudności i machnęłam ręką. Psy mnie lubią, dogadam się.

Przy drzwiach nie było żadnego dzwonka, więc zastukałam, ale od razu zwątpiłam, że mnie ktoś usłyszy. Spróbowałam wejść – nie było zamknięte na klucz. Znalazłam się w mrocznym korytarzu, ale użyłam inteligencji, domyśliłam się, gdzie powinien być wyłącznik od światła – i był tam. Skierowałam się zatem w stronę wnętrza domu, skąd słychać było jakieś głosy. Zapewne rodzina i przyjaciel domu siedzą przy kolacji, może oglądają film kryminalny w telewizji, nie wiem, czemu mi to przyszło do głowy, może to charakter odgłosów...

Przeszłam jeszcze kilka kroków, korytarz rozszerzał się w obszerną sień, za którą musiał znajdować się salon, skąd dobiegały odgłosy. Nie zastanawiając się już nad niczym, pchnęłam drzwi z wprawionym w nie pięknym, brązowo-czerwonym, witrażem – i dech mi zaparło.

Matko Boska, czy to się nazywa deja vu?

Leszek znowu siedział na krześle, z wściekłością w obliczu i kajdankami na rękach, jak najbardziej, jego kumpel Łopuch też, piękna kobieta, chyba Łopuchowa, trzymała się za serce i palpitowała w okolicach okna, pryszczaty wyrostek z ponurą gębą trzymał się za głowę w okolicy kominka, a poza tym całe prawie obecne towarzystwo miało na głowach i twarzach czarne kominiarki, a w rękach giwery!

Z wyjątkiem moich dobrych przyjaciół, Misia i Guli, którzy ubranka mieli cywilne, a w oczach duże zadowolenie z dobrze spełnionego obowiązku...

Kiedy wdarłam się do sympatycznego saloniku, natychmiast kilka luf skierowało się w moją stronę, ale jakoś nikt mnie nie zastrzelił, tylko Gula syknął przez zęby:

– Kto pilnuje tylnego wejścia?

Jeden z typków w kominiarkach coś tam zaczął tłumaczyć, ale Gula tak na niego spojrzał, że natychmiast się zamknął, wyjął z kieszeni radio i zaczął się pospiesznie z kimś porozumiewać.

– Ja bardzo przepraszam – powiedziałam głupio. – Przyszłam do pana Brzezickiego, porozmawiać, ale widzę, że nie trafiłam w porę.

– W rzeczy samej – mruknął Gula. – Ale nic się nie stało właściwie. Nam pani nie przeszkadza.

Natychmiast zrozumiałam, że w okolicznościach służbowych jesteśmy z powrotem na pan i pani.

– To może ja już pójdę?

– Najpierw musimy chwilkę porozmawiać. Komisarz z panią załatwi.

Skinęłam głową potulnie, a Misiu wziął mnie dwornie pod ramię i skierował w stronę okna przeciwległego do tego, przy którym wciąż palpitowała Łopuchowa. Odruchowo wyjrzałam na jasno oświetlony podjazd. No tak, gdybym podjechała jak człowiek, od frontu, nadziałabym się na tę całą kolumnę pojazdów opancerzonych... to znaczy nie wiem, czy opancerzonych, ale wyglądały bardzo solidnie. Przestałam patrzeć na pojazdy i spojrzałam na Misia.

– Bardzo narozrabiałam?

– Nie, skądże. Drobiażdżek. Słuchaj, Emilko, co masz w tym plecaku? Nie forsę przypadkiem?

– A skąd wiesz?

– Inteligentny jestem. Po co miałabyś przyjeżdżać do swojego osobistego szantażysty, jeśli nie po to, żeby mu dać forsę?

– Pogadać...

– Dziewczyno, nie obrażaj mnie. Pogadać mogłabyś sobie z nim przez komórkę. Niemniej trzymaj się tej wersji, zwłaszcza w odniesieniu do pana Kałacha. To znaczy Brzezickiego. Boże, jaka ty jesteś niemądra!

– O co ci chodzi?

– Nie przyszło ci do głowy, że on mógłby zrobić ci jakąś krzywdę?

– Przyszło, ale potem mi wyszło, że to by nie miało sensu.

– Ja już nie mam do ciebie zdrowia. Dobrze, na razie nic nie mów, i tak będziesz proszona o złożenie szczegółowych zeznań u nas, a teraz cię odwieziemy do domu...

– Mam samochód.

– Prawda. Czekaj, co tam się dzieje?

Wyjrzeliśmy przez okno i zobaczyliśmy, że sytuacja na tym jasno oświetlonym podjeździe nieco się zmieniła. Do wozów policyjnych dołączył jeden cywilny, a mianowicie skoda felicja. I z tej skody felicji właśnie wysiadają dwaj faceci, na których czeka już kilku tak podziwianych przez babcię Stasię funkcjonariuszy w kominiarkach i z giwerami. I ci faceci, to oczywiście Janek i, kurczę blade, Rafał...

Misiu też ich poznał, uchylił okno i zawołał:

– W porządku, chłopcy, tych panów znamy osobiście, poproście, żeby tu przyszli!

Janek i Rafał jak na komendę spojrzeli w górę. Pomachałam im z drugiego skrzydła tego okna, żeby się już nie denerwowali. Rafał jakby się przygiął w sobie, ale nie wiedziałam, czy to wynik ulgi, czy zdenerwowania.

Minutę później konferencja przy oknie zrobiła się pięcioosobowa, Gula porzucił bowiem swoich aresztantów na pastwę kolegów w kominiarkach, którzy wyprowadzili ich do samochodów, sam zaś dołączył do nas, a po chwili doszli Janek z Rafałem.

– Emilko – powiedział Janek. – Ja cię zabiję.

Rafał nie powiedział nic, tylko patrzył na mnie dziwnym wzrokiem. Nie mogłam nic z tego wzroku wywnioskować.

– Wytłumaczę wam wszystko w domu. Nie mogłam przewidzieć, że trafię na takie kino akcji...

– Swoją drogą – zwrócił się Janek do Guli – jak to się stało, że właśnie dzisiaj zamykacie tych panów?

– Aaaa, to wynik ciężkiej pracy zjednoczonych organów ścigania – zaśmiał się zadowolony Gula. – Nie wiem, czy zwróciliście uwagę jakiś czas temu na zabójstwo takiego jednego, co miał daczę nad morzem, ksywa Makrela... No więc tu obecny – obejrzał się, ale jego załoga już zabrała Leszka i Łopucha – przepraszam, tam obecny – wskazał na auta za oknem – pan Brzezicki vel Kałach jest bardzo poważnie podejrzany o to, że stał za tym zabójstwem, a nawet, mogę wam powiedzieć, bardzo blisko stał, był w Mielnie tego dnia...

– Przecież on nie wyjeżdżał z Marysina – wyrwało mi się. – Siedział tu na tyłku i mnie denerwował!

– Ostatnio denerwował cię zaocznie – przypomniał Misiu. – A komórki działają równie dobrze nad morzem, jak tutaj.

– A nie wiem, czy wam wiadomo – kontynuował Gula – że jeśli facet zwolniony warunkowo, na przykład z przyczyn zdrowotnych, jak nasz przyjaciel, jest podejrzany o popełnienie jakiegoś przestępstwa, a już zwłaszcza morderstwa, jak w tym przypadku, to automatycznie wraca do pudła. I pan Brzezicki właśnie wraca.

– O matko – westchnęłam z niebotyczną ulgą. – A macie na to dowody?

– My uważamy, że mamy. My i nasi koledzy znad morza. Ale i tak wam nie powiemy, jakie, bo to jest nasza tajemnica służbowa.

– Nie musicie nam mówić – zauważyłam. – Ale jak przyjdziecie na kolację, bo będziemy chcieli w Rotmistrzówce uczcić wasz wspólny sukces uroczystą kolacją, to babcie i tak z was wszystko wyduszą.

– Przygotujemy sobie jakąś opowiastkę dla starszych pań – machnął ręką Gula, ale Misiu, lepiej znający nasze staruszki, pokręcił głową z powątpiewaniem.

– No dobrze – rzekł. – My teraz musimy się oddalić, ażeby czynić swoją powinność gdzie indziej. A wy zabierzcie tę kobietę do domu i oczekujcie wezwania na przesłuchanie w charakterze świadków.

– Misiu – nie wytrzymałam. – To znaczy panie komisarzu. I panie inspektorze. Czy macie pewność, że on, to znaczy Leszek, mój były i na szczęście niedoszły, nie wyjdzie na kolejne L-4? I nie przyjedzie tu znowu?

– Spokojnie – powiedział Gula. – Nie ma takiej możliwości. Myśmy naprawdę solidnie się przyłożyli do tej roboty. Tu i w Szczecinie, i w Koszalinie. Nie martw się, droga Emilko. Będziesz miała spokój.

– Nie mogę w to uwierzyć...

– Ja też – odezwał się milczący dotąd Rafał. – Nasza Emilka, jeśli będzie miała za dużo spokoju, to sama wymyśli coś rozrywkowego. Taka już jest.

27. Stateczna...

– I za to ją kochamy – dodał Janek, a mnie kamień z serca spadł, bo już wiedziałam, że przestał się na mnie wściekać.

Pozostało nam tylko ładnie się pożegnać, a ponieważ funkcjonariusze w czapeczkach wszyscy gdzieś zniknęli i rodzina Łopusza też poszła się martwić gdzie indziej, uznałam, że mogę rzucić się obu moim policyjnym przyjaciołom na szyję. Co przyjęli pozytywnie nad wyraz. Wyszliśmy na dwór. Policyjna kawalkada właśnie odjeżdżała, a na podjeździe pozostała samotna felicja.

– Wiesz co, Rafał, ty jedź z nią. – Janek otworzył sobie drzwi i mościł się za kierownicą. – Będę spokojniejszy, rozumiesz...

– Jasne – odrzekł Rafał. – Jeśli Emilka nie ma nic przeciwko temu?

– Nie mam. Będzie mi bardzo miło – powiedziałam słabo, czując, jak puszcza mi napięcie nerwowe, co objawia się u mnie słabością w kolanach. – Jasiu, ale nie będziesz na mnie zły?

– W tej sytuacji to by już nie miało sensu – zaśmiał się praktyczny Janek, wyznawca filozofii Wschodu. – Na razie.

Zawarczał silnikiem i odjechał, lekko się ślizgając na swoich łysawych oponach.

Poszliśmy na tyły rezydencji. Rafał milczał, ale się uśmiechał.

– Ty, Rafał – zagaiłam stylem Kajtka. – Dlaczego nic nie mówisz? Teraz ty jesteś na mnie wściekły?

– Ja? A broń Boże. – Zaśmiał się. – Tylko tak się zastanawiam, co zrobić, żebym się o ciebie nie musiał niepokoić w przyszłości?

Ucieszyłam się.

– Bałeś się o mnie? Ale tak ogólnoludzko, albo jak lekarz o pacjenta, zawodowo, czy może indywidualnie?

– Jak najbardziej indywidualnie. Omal nie dostałem zawału na myśl, że mogłoby ci się coś stać.

– Nie gadaj. Naprawdę?

– Naprawdę.

Spojrzałam na niego. Wyglądał zdrowiutko.

– Nie wiem, czy mogę ci wierzyć. Ale to miłe, co mówisz.

Stanęliśmy przy astrze. Rafał westchnął ciężko.

– Emilko. Jak mam ci udowodnić, że mnie obchodzisz?

Miałam pewien pomysł, ale co ja się będę wychylać... Rafał patrzył na mnie jak sroka w kość. Podałam mu kluczyki.

– Boże mój – powiedział, otwierając drzwi, a ponieważ zapomniał o wyłączeniu alarmu, auto zaczęło natychmiast strasznie wyć. – Gdzie to się wyłącza?

– Duży guzik. Dlaczego mówisz „Boże mój" nadaremno?

– Mówię „Boże mój", bo chyba nie mam wyjścia i muszę ci się oświadczyć. Emilko, proszę, zostań moją żoną...

– Po to, żebyś miał na mnie oko?

– Po to, żebym miał ciebie. I nawzajem. Kurczę, Emilko, ja cię kocham.

Dotarło do mnie nagle znaczenie tego, co on do mnie mówił.

On mówi, że mnie kocha!

A ja? Czy ja go też kocham?

Głupie pytanie! A co to jest, że kiedy mi znika z oczu, to mnie fizycznie boli? Że kiedy prowadzimy razem jazdę, to mi nic więcej do szczęścia nie potrzeba? Że wszystko, co on mówi i robi, wydaje mi się głęboko słuszne? Że dobrze się czuję tylko pod warunkiem, że on jest gdzieś w pobliżu?

No to chyba jest szansa, żeby go mieć JESZCZE BARDZIEJ w pobliżu!

A on stał i patrzył na mnie tymi swoimi oczami, alarm wył, śnieg zaczynał padać, a ja nie mogłam się odezwać, bo mi gula jakaś – przepraszam, nie gula, gula to Gula, coś mi stanęło w gardle i zatkało mnie kompletnie, Jezus Maria, on pomyśli, że ja go nie chcę, co zrobić???

Znalazłam wyjście. Kiedy kobietę zatyka w sytuacji krytycznej, zawsze może się ona osunąć w ramiona ukochanego mężczyzny.

Osunęłam się.

Zrozumiał to z wrodzoną sobie bystrością umysłu.

Ja też coś zrozumiałam. Bo przecież jestem już kobietą po przejściach i jako taka znajdowałam się już w kilku kompletach ramion i niby kochałam właścicieli tych ramion, bo bez uczucia seks nie ma dla mnie sensu – ale nigdy nie poczułam tego, co poczułam teraz. Otóż aby poczuć to, co każda kobieta poczuć chciałaby i co jej się zresztą jak najbardziej należy od losu – trzeba znaleźć się w ramionach WŁAŚCIWEGO mężczyzny.

Zdumiało mnie tylko, że nikt z rodziny Łopuszej nie wyleciał z domu i nie kazał nam wreszcie wyłączyć tego alarmu. Pewnie też byli w szoku.

Drogi Panie Doktorze. Miałam
napisać pocztówkę, kiedy Pana
kuracja wreszcie poskutkuje.
Trochę to trwało, ale się udało.
Fajne te pana niekonwencjonalne metody. Pozdrawiam, Emilia
(jeszcze) Sergiej.

dr Grzegorz Wroński
ulica Rozmarynowa 11
Szczecin

Posłowie

Jak zwykle w podobnych wypadkach, uprzejmie zawiadamiam, że wszystko wymyśliłam.

No... może nie tak do końca wszystko, ale na pewno bohaterów i ich przygody. Nawet wieś pod Karkonoszami wymyśliłam osobiście i wstawiłam ją gdzieś w okolicę Ściegien – przesuwając je nieco bardziej w stronę Kowar i wpychając między nie i Karpacz mój Marysin, czyli Mariendorf.

Bardzo jest to piękna okolica i bardzo ją kocham, mieszkałam kiedyś w Karkonoszach przez dwa lata i wiem, co mówię. Umieściłam tam akcję dla samej przyjemności wyobrażania sobie przy pisaniu, na jakie też krajobrazy patrzą moi nieprawdziwi bohaterowie.

Kilka epizodów rozgrywa się w Książu, który również jest bliski mojemu sercu. Ja wiem, że nie ma już w zamku tego fantastycznego sklepu z porcelaną, do którego jeździłam namiętnie (do dziś piję kawę z biało-niebieskich filiżanek stamtąd), ale nie mogłam się powstrzymać od przypomnienia go na kartkach książki. Dowiedziałam się również tego lata ze smutkiem, że nie ma już w książeńskim Stadzie Ogierów wspaniałego zaprzęgu – czwórki karych koni rasy śląskiej, podziwianych przeze mnie na różnych zawodach w powożeniu. Nie żyje też doskonały powożący tym zaprzęgiem pan Adamczak – ale niech nam się wydaje, że wciąż mamy szansę, jak babcia Marianna, zobaczyć ich na jakimś szalonym crossie.

Jest za to pod Ściegnami westernowe miasteczko, wymyślone i powołane do życia przez Jerzego Pokoja (dla niepoznaki zwanego

421

w tej powieści Zimmerem...) – tam miłośnicy koni mogą podziwiać całkiem inny sposób jazdy i zupełnie niezwykłe umiejętności koni i dosiadających je kowbojów.

Właściwie byłoby miło, gdyby w którejś karkonoskiej wsi powstało takie agroturystyczne centrum z końmi i sztuką nowoczesną, z plenerami, obozami i warsztatami... Kto wie, może kiedyś powstanie?